司馬溫公
資治通鑑

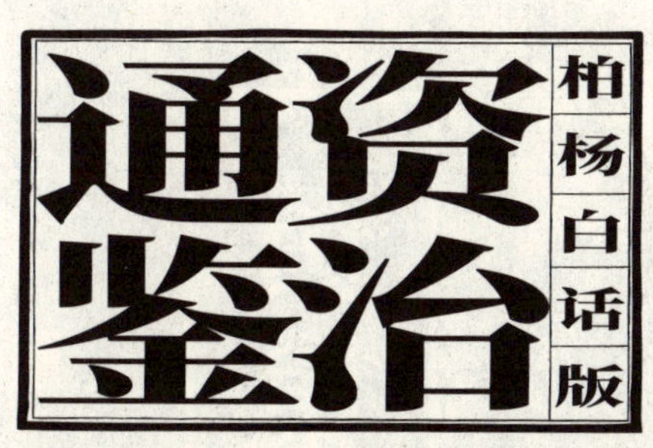

柏杨 著

人民东方出版传媒
東方出版社

第十六部

黄巢民变
狼虎谷
军阀混战
大黑暗

黄巢民变

导读

进入九世纪七〇年代，唐王朝在他们的皇帝李漼、李儇领导之下，以无比的颟顸，冲下使他们粉身碎骨的万丈深谷。杨广亡国模式，重现政治舞台，谁要是企图拯救国家，谁就是叛徒，谁要是在国家背后再插上一刀，谁就会被认为忠心耿耿，升官晋爵。

我们从不为统治阶级的覆亡受苦，感到难过，他们无功而受禄，所以他们也有义务，即令无罪，也应受罚。但中国人民的灾难，却使我们垂泪。每一位变民——即政府斥责的“盗”“贼”，身上都有被迫害的鞭痕。虽然，大多时候，变民军甚至比政府军还凶恶，但并不影响他们初起事的悲情。

在本册中，庞勋兵变是一个声如巨雷的丧钟，可惜惊不醒唐王朝最高领袖，于是中国历史中最大民变之一的黄巢民变爆发。从此之后，直到《资治通鉴》结束，中国被女人的哀号掩盖、被男人的鲜血淹没。

柏杨　一九九一·一·一五

目录

九世纪

唐王朝

八〇年代

八八〇—八八一年

●河东兵变，杀司令官康传圭●静海兵变，逐司令官曾衮●忠武兵变，杀司令官薛能●黄巢陷洛阳，入长安，称齐帝●唐帝李儇逃亡成都●感化兵变，杀司令官支详●凤翔兵变，逐司令官郑畋

九世纪

六〇年代

八六七—八六九年

唐王朝

◉ 庞勋兵变，沙陀部落斩庞勋。

◉ 陕虢民变，灌行政长官崔荛尿。

◉ 阿拉伯帝国奴隶抗暴，爆发战争，称“奴隶起义”或“桑给起义”，历时十五年而败。

八六七年 丁亥

1 春季，正月，唐王朝（首都长安〔陕西省西安市〕）皇帝（二十任懿宗）李漼（李温。漼，音cuǐ〔璀〕。本年三十五岁），擢升魏博战区（总部设魏州〔河北省大名县〕）候补司令官（留后）何全皞，实任司令官（节度使）。

2 二月，归义战区（总部设沙州〔甘肃省敦煌市〕）司令官（节度使）张义潮（参考八五一年二月），前来京师（首都长安）朝见。李漼命他当右神武军（禁军第六军）统军（正三品），留在京师（首都长安）；而由他的堂侄张淮深回去主持归义战区。

3 自安南（越南河内市）前往邕州（广西南宁市）、广州（广东省广州市），大海（北部湾）汹涌，密布暗礁巨石，船舶容易翻覆。

静海战区（总部设安南府〔越南河内市〕）司令官（节度使）高骈（音pián〔胼〕），雇请工匠开凿清理，粮食运输得以畅通无阻。

4 西川战区（总部设成都府〔四川省成都市〕）沿边有六姓蛮（四川省越西县西北部族。似是从前的东蛮，参考七八七年闰五月七日），对唐王朝一直保持中立，平常也宣称效忠唐王朝，但一旦有人向唐王朝攻击，他们则往往充当攻击唐王朝的前锋。只有卑笼部落（四川省西南部）始终归服唐王朝，跟其他蛮夷部落敌对。唐政府特别赏赐酋长姓李，充任州长。西川战区（总部设成都府〔四川省成都市〕）司令官（节度使）刘潼，派将领率军协助讨伐六姓蛮，烧毁村落，格杀五千余人。

5 音乐师李可及精于音律，经常谱出新歌新曲。

三月，李漼命李可及当左威卫（卫军第九军）将军，宰相曹确劝阻说："太宗（二任帝李世民）定文武官员的数目六百余人，告诉房玄龄说：'我用这些官位安置天下贤才，不可以容纳工商两界！'（参考六二七年十二月。）本世纪（九）三〇年代，文宗（十七任帝李昂）打算用音乐师尉迟璋当亲王府侍卫军司令（王府率），见习监督官（拾遗）窦洵直言劝阻，遂改任光州（河南省潢川县）政务秘书长（长史。此事《资治通鉴》没有记载）。请求参考前两朝故事，另用李可及当别的官职。"李漼不理会。

6 夏季，四月，李漼患病，文武百官很难晋见。

7 五月十八日，重新审查囚犯的罪状，除非是巨奸大猾，绝不可赦免之外，全体减刑一等。

8 秋季，七月五日，蕲王李缉逝世（李缉，是十三任帝李诵的儿子）。

9 怀州（河南省沁阳市）州民因大旱成灾，向州长刘仁规诉苦，刘仁规张贴公告，严厉禁止请愿行动，激起州民愤怒，遂聚众起兵，驱逐刘仁规，刘仁规逃到乡间民家躲避，州民闯进州长官邸，劫掠刘仁规的家财，登上城楼擂动大鼓，庆祝胜利，很久才恢复秩序。

10 七月二十七日，命国务院国防部副部长（兵部侍郎）、全国盐铁专卖暨运输等总监（诸道盐铁转运等使）、驸马（公主丈夫）于琮，兼二级实质宰相（同平章事）。

11 宣歙道（首府设宣州〔安徽省宣城市〕）行政长官（观察使）杨收，经过华岳庙（华岳即西岳华山，陕西省华阴市南），施舍衣物，请法术师为自己祷告祈福。华阴（陕西省华阴市）县长遂诬告他违法犯罪。立法院见习立法官（右拾遗）韦保衡继续指控：杨收当宰相时，任命严譔当镇南战区（总部设洪州〔江西省南昌市〕）司令官（参考前年〔八六五〕五月），接受贿赂一百万钱，又设置“造船所”，曾被人向官府控告侵吞款项。

八月二十四日，贬杨收当端州（广东省肇庆市）军务秘书长（司马）。

12 九月，李漼病愈。

13 冬季，十二月，信王李浉逝世（李浉，是十四任帝李纯的儿子）。

14 命岭南东道战区（总部设广州〔广东省广州市〕）司令官（节度使）韦宙，遥兼二级宰相（同平章事，使相）。

八六八年 戊子

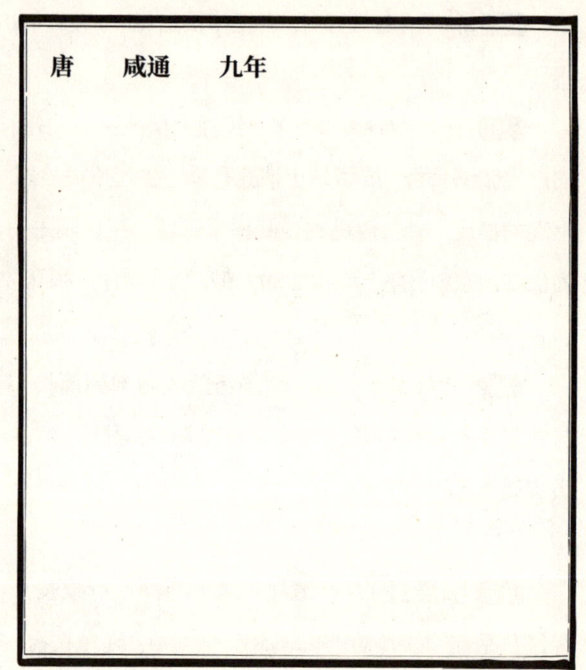

1 夏季，六月，唐王朝（首都长安〔陕西省西安市〕）凤翔特别市（陕西省宝鸡市凤翔区）副市长（少尹）李师望上疏说：“巂州（四川省冕宁县南泸沽镇。巂，音xī〔西〕）地位重要，控制南诏（即大礼帝国，首都苴咩城〔云南省大理市〕。苴咩，音xié miē）的门户。成都（西川战区总部，四川省成都市）道路遥远，难以应变。我建议另成立定边战区，在巂州（四川省冕宁县南泸沽镇）驻

九世纪·八六八年六月 设置定边战区

中国地图
南海诸岛

西川战区
吐蕃部落
定边战区
大礼帝国
松州
岷江
文州
龙州
剑州
茂州
绵州
维州
彭州
漢州
梓州（东川战区）
蜀州
成都府
邛州
遂州
普州
简州
眉州
雅州
陵州
资州
黎州
嘉州
荣州
泸州
清溪关
戎州（属西川）
嶲州（台登）
旧嶲州
大渡河
长江
昆明
会州
剑川
洱海
苴咩城

扎重兵，而把总部设在邛州（四川省邛崃市）。”中央政府认为合理，遂命李师望当巂州州长，任定边战区司令官（节度使）兼眉州（四川省眉山市）、蜀州（四川省崇州市）、邛州（四川省邛崃市）、雅州（四川省雅安市）、嘉州（四川省乐山市）、黎州（四川省汉源县）等州行政长官（观察使）及各蛮夷部落管理总监，兼各战区道特遣兵团及军政总监等官职（这一连串官衔读起来真得喘一口气）。李师望企图完全控制一个地方政府，所以提出这项集军政大权于一身的建议。事实上，邛州（四川省邛崃市）距成都才一百六十华里（航空距离七十公里），巂州（四川省冕宁县南泸沽镇）、邛州（四川省邛崃市）之间却远达一千华里（航空距离三百二十公里），李师望欺上瞒下，都是如此。

传统史书最大的特征是没有地图（《二十六史》及《资治通鉴》原书，就没有一幅），不但没有地图，司马迁于纪元前一世纪便创造的列表格式，以后也被废弃不用。历史学者迷信文字万能，以致一页表格或一幅地图，就可以说明的事，宁可写上三十页，而结果仍说不清楚，尤其关于疆域方面的记载，好像痴人徜徉在云端。知识分子创造力严重退化，才留下如此不堪的痕迹。

唐王朝政府没有一幅边疆地图，即令有，官员也懒得看一看，对李师望的荒唐建议，摊开地图瞄上一眼，便可了然，何至被愚弄得团团乱转。时至二十一世纪，仍有视历史为畏途的学生，恐怕就跟没有地图有关。

2 最初，大礼帝国（首都苴咩城〔云南省大理市〕）攻陷安南（越南河内市。参考八六四年正月），李漼训令徐泗道（首府设徐州〔江苏省徐州市〕）招募新兵二千人，南下增援（参考八六四年五月）；再从二千人中分出八百人驻防桂州（广西桂林市），开始时约定三年期满，即行派军接替，把他们调回。徐泗道行政长官（观察使）崔彦曾，是崔慎由的侄儿（崔慎由，参考八五八年二月），性情严厉苛刻，中央认为徐州（江苏省徐州市）士卒骄横凶暴，命崔彦曾用严刑峻法管束。大营总管理官（都押牙）尹戡、训练司令（教练使）杜璋、作战司令（兵马使）徐行俭等，掌权当家，官兵们怨恨沸腾。驻防桂州（广西桂林市）的派遣军，为时已经六年，不断请求调回，尹戡报告崔彦曾说：军中财务困难，如果派军前往接替，开支太大，建议再延长一年。崔彦曾批准。消息传到桂州（广西桂林市），派遣军士卒怒不可止。

总纠察官（都虞候）许佶（音jí〔及〕）、中级军官（军校）赵可立、姚周、张行实，原来都在徐州（江苏省徐州市）当强盗，州县力量有限，无法讨伐，最后只好把他们招安，递补营门官之类官职（牙职）。正巧，桂州道（首府设桂州〔广西桂林市〕）行政长官（观察使）李丛，调差湖南（首府设潭州〔湖南省长沙市〕），新的行政长官（观察使）还没有到差。

秋季，七月，许佶等领导兵变，诛杀指挥官（都将）王仲甫，推选粮草供应执行官（粮料判官）庞勋当领袖，把军械库的武器抢劫一空，挥军还乡，所经过的地方，大肆劫掠，州县城池无法抵抗。中央得到报告，立即反应。

八月，唐帝（二十任懿宗）李漼（李温。本年三十六岁）派高级宦官张敬思，赦免庞勋的兵变之罪，准他们自行返回徐州（江苏省徐州市），派遣军官兵才停止抢劫。

3 李漼命静海战区（总部设安南府〔越南河内市〕）前司令官（节度使）高骈（音pián〔胼〕）当右金吾（卫军第十二军）大将军。高骈请求用他的堂孙高浔代替自己镇守交趾（安南府所在城，越南河内市），李漼同意。

4 九月八日，命山南东道战区（总部设襄州〔湖北省襄阳市〕）司令官（节度使）卢耽当西川战区（总部设成都府〔四川省成都市〕）司令官（节度使）；因另有定边战区（总部设邛州〔四川省邛崃市〕）之故，所以西川战区司令官不兼“主管各蛮夷部落安抚总监”等官职（《新唐书·方镇表》记载，自七九五年起，西川司令官便兼此职）。

5 徐州变军首领庞勋等率部众抵达湖南（首府设潭州〔湖南省长沙市〕），湖南监军宦官使用计谋，庞勋等遂缴出全部铠甲武器。山南东道战区（总部设襄州〔湖北省襄阳市〕）司令官（节度使）崔铉下令严密戒备，派军驻守重要关卡。徐州变军不敢入境（山南东道辖区最南境，是洞庭湖注入长江口的北岸），遂乘船顺长江东下。总纠察官（都虞候）许佶等互相讨论，说：“我们的罪状，大过‘银刀’（参考八六二年七月），‘银刀’都不赦，怎么会赦我们！中央现在所以赦我们的缘故，只不过怕我们沿途烧杀掳掠，或是怕我们一哄而散，四处流窜抢劫。如果到了徐州（江苏省徐州市），一定被剁成肉酱。”于是各人用自己的积蓄，制造铠甲武器和大军旌旗，穿过镇海战区（总部设润州〔江苏省镇江市〕），进入淮南战区（总部设扬州〔江苏省扬州市〕），淮南战区司令官（节度使）令狐绹（音táo〔淘〕）派使节到徐州变军大营慰劳，赠送粮草。

淮南大营总管理官（都押牙）李湘，向令狐绹建议说：“桂州派遣军擅自返回基地，势将作乱，中央虽然没有命令讨伐，但军事重镇的高级将领，应该随机应变；运河（邗沟）流经高邮（江苏省高邮市）境，河窄水深，如果率骑兵在岸上埋伏，纵火焚烧满装草料的船只，塞住他们前进之路，再用精锐部队攻击他们的背后，一定可以全部擒获。否则的话，他们一旦渡淮河北上，抵达徐州，跟怨恨政府的群众结合，惹下的灾难恐怕更大。”令狐绹一向胆小懦弱，而且又没有中央指示，不敢行动，就说："只要他们在淮南战区（总部扬州）不杀人放火，就让他们自由通过，其余的不是我们的事。"

庞勋集结"银刀"等漏网士卒及各地亡命之徒，藏在船舱里，数目高达一千人。

九月二十七日，徐州变军抵达泗州（江苏省盱眙县淮河北岸）。州长杜慆，在球场摆设酒席款待，并演戏娱乐；开演之前，剧团领班依照惯例，先登台致辞欢迎，称颂宾客及主人的美德，可是徐州变军却认为针对自己讽刺，生擒那位领班，打算斩首。事出突然，在座的宾客统统逃散。幸好杜慆事先已有严密戒备，徐州变军不敢行动，事情没有扩大。杜慆，是杜悰的老弟（杜悰事，参考八一四年六月）。

先前，中央屡次训令徐泗道（首府设徐州〔江苏省徐州市〕）行政长官（观察使）崔彦曾，对擅自返防的徐州士卒，不要使他们忧虑惊疑，崔彦曾派人把皇帝的决定告诉大家，路上从不曾间断。庞勋途中也不断呈递报告，措辞及礼节，十分恭敬顺服。

九月二十八日，徐州变军将要走到徐城（江苏省盱眙县西北），庞勋跟许佶等向大家宣布说："我们擅自回来，只不过思念妻子儿女而已，而今听说皇上已有密旨下达徐州，回去之后就会被分散四方，屠灭全族。大丈夫与其自投网罗，受天下讥笑，为什么不团结一心，赴汤蹈火，杀出一条血路，不仅可以免除灾祸，也可以取得富贵。何况，徐州城里将士，都是我们的父兄子弟，我们在城外向他们招呼，他们一定会在城里响应。然后，效法王智兴大帅的手段（参考八二二年三月），至少有五十万串赏钱，站着不动就可得到。"大家跳起来鼓掌赞成。只有将领赵武等十二人忧虑恐惧，打算逃走，庞勋把他们全部斩首，派人携带他们的人头呈献崔彦曾，上书解释说："我们驻扎在遥远的边疆，有六年之久，对故乡旧里，实在想念。而赵武等利用军心动荡，竟生奸计，煽动大家背叛政府。我们已经触犯刑法，怎么敢一误再误。既然蒙恩赦免，自应诛杀主凶，用以赎罪！”

冬季，十月四日，变军使节抵达彭城（徐州州政府所在县），崔彦曾把他们逮捕审讯，了解全部实情后，囚禁监狱。

十月七日，庞勋仍用政府驿马呈递诉状，说：“将士们身负重罪，每人都心怀忧虑疑惧，今天抵达苻离（安徽省宿州市北符离镇），还不敢脱下铠甲，只因总部将领尹戡、杜璋、徐行俭等，狡猾奸诈、怀疑猜忌，一定设计报复，请求先免除三人官职，使大家安心，并请允许把我们另行安置在两个营地，交由一个将领指挥。”

当时，变军距彭城（徐州州政府所在县）只有四个驿站（唐王朝制度，每站三十华里，四站一百二十华里），城中人心恐惧不安，崔彦曾召集各将领讨论，大家流泪说：“最近，因‘银刀部队’凶悍（参考八六二年八月），使全军蒙受恶名，但屠杀流窜，并不是没有冤枉，直到今天，呼冤喊痛的声音仍没有消失。而桂州（广西桂林市）派遣军再次猖狂，如果允许他们进城，一定爆发战乱，这样的话，全境将一片血腥。不如趁他们万里行军，身心都十分疲惫之时，出军攻击，我们精力充沛，他们精力枯竭，无论怎么作战，都可传出捷报！”崔彦曾犹豫不敢决定。民兵训练部执行官（团练判官）温庭皓说：“危险的预兆，已出现眼前，是得是失，就看今天怎么决策。如果对他们发动攻击，有三项困难。如果跟他们妥协，有五项灾害。皇上下诏赦免他们的罪，我们却把他们诛杀，是第一项困难；我们率领他们的父兄，讨伐他们的子弟，是第二项困难；一旦冲突，兴起大狱，互相牵连，一定死很多人，是第三项困难；然而，正在执行任务中的武装部队，擅自撤退返防，如果不杀，各战区道派往战场边疆的特遣兵团，都起来效法，中央就无法控制，是第一项灾害；统帅是军队的首脑，部属动不动就加以杀害（指庞勋等杀指挥官〔都将〕王仲甫），则凡是当统帅的，怎么能再对士卒发号施令？是第二项灾害；变军沿途杀人放火，抢夺劫掠，自备铠甲武器，招兵买马，集结亡命之徒，如此而不讨伐，以后还惩不惩罚罪犯？是第三项灾害；徐州城里留守的将士，都是变军的亲戚家人，而'银刀部队'残留党羽，一直躲在山谷水涯，一旦内外同时暴动，我们用什么抵抗？是第四项灾害。变军威胁总部，要求杀害他们所忌恨的三位将领，而又打算自己成立一个独立营区，如果同意，'银刀'的情势将再度出现，如果拒绝，则他们正好拿来作为借口犯上作乱，是第五项灾害。只有大帅可以解决三项困难、扫除五项灾害，早早确定大计方针，满足人们的盼望。"

当时，徐州（江苏省徐州市）留守军队有四千三百人，崔彦曾命总纠察官（都虞候）元密等，率领三千人出发讨伐庞勋，向全军士卒公布庞勋的罪状，并警告变军说："你们这样做，不但伤害无辜平民，也污染帝国战士的形象。一旦中央下令征剿，璧玉跟顽石一同焚毁！"又说："叛徒的亲属，不必有任何疑虑畏惧，犯罪的只当事者一人，绝不连坐！"于是，命宿州（安徽省宿州市）进攻苻离（宿州市北苻离镇），泗州（江苏省盱眙县淮河北岸）进攻虹县（安徽省泗县），分道截击变军；一面上疏奏报中央。崔彦曾特别吩咐元密，不要伤害到钦差宦官（钦差宦官张敬思仍留庞勋军营）。

十月八日，元密从彭城（徐州州政府所在县）出发，阵容盛大，前进到任山（徐州市西南十五公里）以北数华里，扎营，召开军事会议，讨论如何救出钦差宦官，决定等变军将领进入驿站宾馆后，出动伏兵攻击，并派人穿着樵夫衣服，背着木柴，前往刺探军情。黄昏时分，变军抵达任山，发现驿站宾馆里一个人也没有，也没有留下粮草供应，顿起怀疑，忽然看到背着木柴的樵夫，生擒过来拷打，才发现是个陷阱，于是做了很多假人，手拿旗帜，排列在山脚下面，而大队人马则暗中撤退。直到半夜，元密才得到消息，恐怕变军潜伏到山谷里，或许也可能绕道小路攻击自己背后，于是再撤退到彭城，在城南扎营住宿。明天一早，开始追击。

当时，变军主力已抵达苻离（安徽省宿州市北符离镇），宿州驻军五百人前往濉水迎战（古濉水流经苻离城北），突然看到变军，立刻崩溃，变军遂进抵宿州（安徽省宿州市）城下。当时，宿州州长出缺，由徐泗道（首府设徐州〔江苏省徐州市〕）副行政长官（观察副使）焦璐摄理州长，城中没有多余的守军。

十月十日，变军攻陷宿州（安徽省宿州市），焦璐逃出一命。变军搜刮城里所有财富，集中在一起，命民众自由去取，一天之间，人们从四面八方奔向宿州，变军遂在人潮中遴选体格健壮的青年当兵，不愿意的，立即斩首。从早到晚，集结数千人，于是组成队伍，登上城墙守卫。庞勋自称“候补作战司令”（兵马留后）。

过了两个夜晚，政府军才到达，可是变军守城已经严密，政府军无法收复。先前，焦璐听到苻离（安徽省宿州市北符离镇）战败消息，下令决开汴水（流经宿州城南），用以切断苻离变军南下，可是变军南下时，水还浅得可以蹚过来，等政府军到达时，水已经很深，反而阻止政府军前进。

十月十二日，元密率军过河，打算包围宿州（安徽省宿州市），不料天起大风，变军从城中发射火箭，落到城外茅屋上，引起大火，延烧到政府军营；政府军前进则冒着变军的箭射和石击，后退又有奔腾的大水，十分恐慌；变军乘势发动反攻，政府军阵亡将近三百人。元密等认为变军一定固守宿州（安徽省宿州市），所以专心计划攻城。变军突然受到攻击，显然也惊骇失措，在夜色掩护下，命妇女巡更报时，而掠夺城里大船三百艘，满载钱财粮食和全体变军，顺汴河而下，打算进入江湖充当海盗（“江湖”二字，指什么地方，没说清楚）。于是送给钦差宦官张敬思绸缎一千匹，派骑兵护送到汴州（宣武战区总部，河南省开封市）东境，让他回京（首都长安）向皇帝复命。

第二天（十月十三日）天亮，政府军才发现变军逃走，宿州（安徽省宿州市）成一座空城，狼狈追击，士卒都没有吃饭，等到追及，大家既饥饿，又疲乏，变军把船队停泊在堤下，在船舱埋伏一千人，而在堤外列阵，一看到政府军，立刻逃进沼泽躲藏，元密认为变军畏惧自己，挥军进攻，而变军伏兵从船舱跳出来，前后夹击，从中午鏖战到傍晚，政府军大败，元密急率军撤退，却陷入荷花塘泥淖，变军追到，元密以及各将领，包括监营宦官（监阵敕使），全被诛杀，士卒死亡将近一千人，剩下的人全部投降变军，没有一个逃回徐州（江苏省徐州市）。变军从投降士卒口中，知道彭城（徐州州政府所在县）军事计划和完全没有戒备实情，这时候才兴起攻击彭城的念头。

十月十五日，庞勋率军北渡濉水，翻过山岭，直向彭城。当天夜晚，行政长官（观察使）崔彦曾才得到元密溃败消息，立刻向邻近各战区道发出公文，请求派军支援。

第二天（十月十六日），彭城所有城门一律关闭，道政府遴选城里体格健壮的青年，登城固守，但内外一片震恐，人心动摇，没有作战意志。有人建议崔彦曾逃奔兖州（兖海战区总部，山东省济宁市兖州区），崔彦曾发怒说：“我是大军统帅，城池沦陷，身死贼手，是我的责任。”立刻把建议的人斩首。

十月十七日，变军抵达城下，已有六七千人，擂动战鼓，大声呐喊，震撼天地，居民有住在城外的，变军都遍加慰问安抚，一点没有骚扰，因此，人民纷纷归附。不到一个时辰，就攻克彭城（徐州州政府所在县）罗城（外城）。崔彦曾退到子城（第二道城）继续抵抗，居民协助变军一同攻击，推来满装杂草的骡车，塞住中城城门，然后纵火，中城遂告陷落。变军把崔彦曾囚禁大彭馆（招待外宾的宾馆），逮捕尹戡、杜璋、徐行俭，剖开他们肚子，再把尸首寸寸锉断，屠杀他们全族。庞勋升堂落座，军警林立，戒备森严，道政府文武百官晋见，伏在地上叩拜，不敢抬头。当天（十月十七日），城里志愿投入变军的有一万余人。

十月十八日，庞勋召见民兵总部执行官（团练判官）温庭皓，命他撰写请求皇帝封爵任官的奏章，温庭皓说："这是一件大事，不是马上可以写成，请许我回自己家慢慢起草。"庞勋同意。第二天（十月十九日），庞勋派人催促，温庭皓前来会见，告诉说："我昨天所以没有拒绝，只不过想再见妻子儿女一面，今天已跟妻子儿女诀别，特来接受诛杀。"庞勋瞪着温庭皓看着，笑道："你这个白痴，竟然真不怕死。我庞勋能夺取徐州（江苏省徐州市），用不着担心没有人替我写奏章。"放他回去。

一位名叫周重的人，平常非常自负他的才干和智谋，庞勋迎接他到行政长官公署，尊为上宾。周重替庞勋起草奏章，声称："我现在所有的战士，都来自西汉王朝皇家兴起的地方（西汉王朝一任帝刘邦，在徐州所属的沛县聚众起兵，参考前二〇九年九月）。数年之前，只因战区司令官（节度使）克扣军饷，剥削军粮，刑罚赏赐失去公平，以致发生逼逐事件，而陛下却撤销战区，消灭全军（指"银刀部队"事件，参考八六二年八月），有的丧生，有的流窜，冤滥横死，不计其数。而今听说本道又要诛杀屠灭，将士难忍悲愤，推举我暂任候补作战司令（权兵马留后），用以统御十万大军，安抚四州土地（四州：徐州〔江苏省徐州市〕、宿州〔安徽省宿州市〕、濠州〔安徽省凤阳县东北临淮关镇〕、泗州〔江苏省盱眙县淮河北岸〕）。我曾经听说：‘抓住有利的机会，乘势而起，是当帝王的资本。’我见到机会就立刻抓住，遇到变化决不犹豫。敬乞神圣恩慈，赐给符节印信。不然的话，我就挥动刀枪剑戟，前往皇宫朝见，相信那一天不会来得太晚。”

庞勋此时已处绝境，唯一可以活下去的希望，是立即想办法跟附近的割据军阀，取得联系，缔结同盟和立即贿赂及说服中央当权人物，向皇帝苦苦哀告，要求赦罪。这样做或许还有一线生机，不此之图，却写出如此高姿态的奏章，除了刺激中央更为愤怒外，不会有任何效果，中央此时仍有强大优势，岂能接受恐吓。而且即令中央想自动下台，这份高姿态的奏章，也把台阶拆除。信函，唯恐伤人。这位浅薄如纸的周重，平常自负他的才干及智谋，看起来不过一个大言不惭，只会发泄发泄情绪，出出一己鸟气的文痞而已。

十月二十日，庞勋派大营管理官（押牙）张琯，携带奏章前往京师（首都长安）呈递。

庞勋任命许佶当总纠察官（都虞候），赵可立当总游击司令（都游弈使），同党都当营门官（牙职）之类，分别统领各军。又派旧日将领刘行及率一千五百人进驻濠州（安徽省凤阳县东北临淮关镇）、李圆率二千人进驻泗州（江苏省盱眙县淮河北岸）、梁丕率一千人进驻宿州（安徽省宿州市），其他重要县镇城池，全都整修完竣，派军防守（《新唐书·康

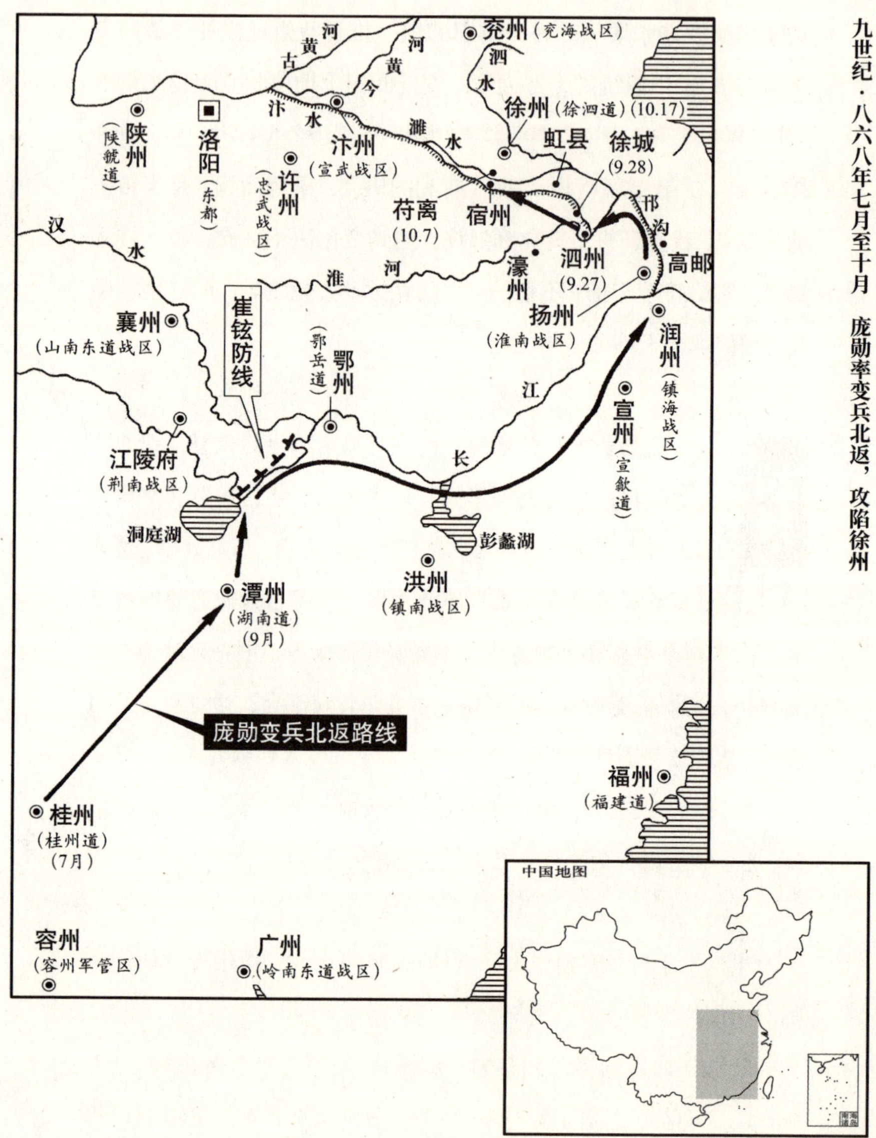

九世纪·八六八年七月至十月　庞勋率变兵北返，攻陷徐州

承训传》记载，有下邳〔江苏省睢宁县北古邳镇〕、涟水〔江苏省涟水县〕、宿迁〔江苏省宿迁市〕、临淮〔泗州州政府所在县。应误〕、蕲县〔安徽省宿州市南蕲县镇〕、虹县〔安徽省泗县〕等县）。大家一致认为中央的任命状，不会超过十天半月，就会发下，所以愿意向庞勋贡献力量智慧、呈献计策的，从远近各地，纷纷投奔徐州，甚至光州（河南省潢川县）、蔡州（河南省汝南县），淮河、浙江（钱塘江）一带，兖州（山东省济宁市兖州区）、郓州（山东省东平县）、沂州（山东省临沂市）、密州（山东省诸城市）等各地变民，都加倍速度赶到徐州归附，城里城外，大街小巷，挤满人群，嘈杂喧闹，十数天时间，食米涨价到二百钱一斗。庞勋伪造一份崔彦曾请求彻底消灭徐州的奏章，大略说："徐州士卒凶暴，应全部诛杀；五县居民愚顽（五县：彭城〔江苏省徐州市〕、萧县〔安徽省萧县〕、丰县〔江苏省丰县〕、沛县〔江苏省沛县〕、滕县〔山东省滕州市〕），也应全部发配当奴！"又伪造一份皇帝批准崔彦曾请求的诏书；把这两份文件在境内散发流传。徐州居民深信不疑，对中央十分怨恨，说："假使不是桂州（广西桂林市）派遣军回来，我们全成了砧板上的鱼肉。"

变军将领刘行及率军抵达涡口（涡水注入淮河处，安徽省怀远县），沿途投奔他的青年，使他的部众人数增加两倍（三千人），可是濠州（安徽省凤阳县东北临淮关镇）政府军才数百人，州长卢望回本来就没有戒备，听到消息，不知道做什么才好，只好大开城门，用美酒筵席欢迎。刘行及进城，囚禁卢望回，自己执行州长职务。泗州（江苏省盱眙县淮河北岸）州长杜慆，听到庞勋攻击徐州消息，立刻完成防御工程，严密戒备，并向江淮一带（华东地区）各战区道求救。变军将领李圆派精兵一百人先进泗州查封仓库，杜慆派人迎接慰劳，把他们引诱到城里，全部诛杀。明天，李圆抵达，率军围城，城上射箭飞石，密如雨下，变军被杀数百人，于是撤退到城西扎营。庞勋因泗州（江苏省盱眙县淮河北岸）正扼长江、淮河咽喉，所以增派军队协助李圆进攻，士卒多达一万有余，但终不能攻克。

最初，中央听到庞勋从任山（江苏省徐州市西南）南下再回宿州（安徽省宿州市）消息，派高级宦官康道伟带诏书慰问安抚。

十一月，康道伟抵达彭城（徐州州政府所在县，江苏省徐州市）。庞勋亲到郊外迎接，自任山到子城（第二道城）三十华里，出动全部武装部队，官兵身穿铠甲、手拿武器，发号施令时，敲锣擂鼓，发出的声音震动山谷；城里青年全部被驱逐到城墙上守卫。在球场上摆下筵席，宴请康道伟，派数千人假扮盗匪前来投降，而各营寨前来报告大捷消息的使节，有数十人之多。庞勋再上疏请求颁发符节印信，交给康道伟带回京师（首都长安）呈递。

最初，家住广陵（扬州州政府所在县，江苏省扬州市）的辛谠，是曾任河东战区（总部设太原府〔山西省太原市〕）司令官（节度使）辛云京的孙儿（辛云京，参考七六四年九月十二日），喜爱仗义行侠，年已五十岁，不肯做官，跟杜慆是旧日老友，听到庞勋兵变，就去泗州（江苏省盱眙县淮河北岸），劝杜慆携带家眷，早日躲开，杜慆说："天下太平时，拿人的俸禄，享人的高位，一旦危险，就抛弃人的城池，我不做这种事。而且，人人有家，谁不爱自己的家？我独自逃生，怎么能使大众安心！我立誓跟将士们同生共死，保卫此城！"辛谠说："你能如此，我跟你一起死在这里。"乃回广陵（扬州州政府所在县），跟家人告别。

十一月三日，辛谠再到泗州（江苏省盱眙县淮河北岸），当时各地逃亡难民，扶老携幼，塞满道路，蜂拥南下，只辛谠一个人北上，大家警告他止步，说："人们都往南逃，你却单身北走，为什么找死？"辛谠不理会。赶到泗州（江苏省盱眙县淮河北岸）时，变军也抵达城下，辛谠竭力划船，才勉强进城。杜慆立刻命他当民兵执行官（团练判官），城中人心惊恐慌乱，大营总管理官（都押牙）李雅，勇敢而有谋略，替杜慆筹划防守事宜，率领部众用鼓声和喊声，互相呼应，不时的向敌人发动突击，变军不敢逼城，撤退到徐城（盱眙县西北），城里人心才稍稍安定。

庞勋招兵买马，人们贪图入伍后可以大肆抢劫掠夺，于是争着应募，甚至老爹送他的儿子、妻子鼓励她的丈夫，没有武器，大家就砍断锄头，把木棍削尖，拿着它前往投军。

庞勋招兵，暴露出九世纪六〇年代人性的严重堕落，对忠义的认知，从此一笔勾销。人只想到自己削尖的锄杆刺进别人的咽喉，却想不到别人削尖的锄杆也同样会刺进自己的咽喉！老爹鼓励儿子、妻子鼓励丈夫去踊跃从军，不是为了保乡卫国、反抗暴政，而是为了烧杀劫掠和自己一样贫苦甚至更贫苦的农夫小民。贪婪一旦进入无耻之境，反弹一定残酷无情，整个社会都要承担恶果。此后一百年之久使人鼻酸的种种可怕灾难，早在这里种下恶因。

相邻各战区道得到庞勋占领徐州（江苏省徐州市）消息，纷纷加强边境防务。政府军数目仍少，变军数目仍迅速扩大，政府军不断被击败，变军遂一连攻陷附近的鱼台（山东省鱼台县）等十县（《新唐书·康承训传》有记载的，包括鱼台、金乡〔山东省金乡县〕、砀山〔安徽省砀山县〕、单父〔山东省单县〕等县）。宋州（河南省商丘市）东方有磨山（河南省永城市东北芒砀山），难民逃到上面躲避，庞勋派他的将领张玄稔（音rěn〔忍〕）包围，正巧大旱成灾，山上泉水干枯，数万人全部渴死（人间惨事）。

有人向庞勋建议说："你要求的不过是中央的任命状，态度应该恭顺，尽心尽礼事奉天子，对外约束士卒，对内安抚人民，才有可能得到。"庞勋虽然不能采纳，但遇到国忌日——皇帝或皇后逝世纪念日，仍上香祭祀；犒赏官兵时，也必先面向西方叩头。

十一月十四日，庞勋得到消息说：钦差宦官已经入境！认为一定带来旌旗符节，大家都向庞勋祝贺。明天（十一月十五日），钦差宦官抵达，却只斥责崔彦曾及监军宦官张道谨，贬谪他们的官职。庞勋大失所望，遂囚禁这位钦差宦官，不放他回去。

李漼下诏命右金吾（卫军第十二军）大将军康承训当义成战区（总部设滑州〔河南省滑县〕）司令官（节度使）兼徐州地区特遣兵团总征剿司令（徐州行营都招讨使），神武（禁军第五、六军）大将军王晏权当徐州北路特遣兵团征剿司令（徐州北面行营招讨使），羽林（禁军第一、二军）将军戴可师当徐州南路特遣兵团征剿司令（徐州南面行营招讨使），征调各战区道武装部队，分别隶属上列三个统帅。康承训上疏请求征调沙陀三部落（山西省北部）酋长朱邪赤心，会同吐谷浑（黄河河套及山西省北部）、达靼（瀚海沙漠南）、契苾（九姓部落之一，山西省西北部）等部落酋长，各率自己的部队作战；李漼批准。

庞勋因李圆围攻泗州（江苏省盱眙县淮河北岸）很久不能攻克，派另一将领吴迥接替任务。

十一月十七日，变军再攻泗州（江苏省盱眙县淮河北岸），日夜不停。此时钦差宦官郭厚本，率淮南战区（总部设扬州〔江苏省扬州市〕）特遣兵团一千五百人救援，进抵洪泽（江苏省淮安市洪泽区西北），畏惧变军声势强大，不敢继续前进。辛谠请求出去求救，杜慆允许。

十一月十八日，夜晚，辛谠乘一条小艇，暗中渡过淮河，到达洪泽（江苏省淮安市洪泽区西北），要求郭厚本进军，郭厚本拒绝，天色将亮，辛谠空手而回。

十一月二十六日，变军攻城更为激烈，打算放火焚烧水门，城里守军几乎抵挡不住，辛谠请再出去求救，杜慆说："上次白去一趟，今天再去，有什么用？"辛谠说："这次去能领来救兵，我就回来，如果得不到救兵，我就死在那里。"杜慆跟他流泪送别。辛谠再乘小艇，背着门板，突围而去，晋见郭厚本，给他分析利害，郭厚本将要被说服，淮南（总部扬州）指挥官（都将）袁公弁（音biàn〔便〕）说："盗贼的势力如此强大，我们连自己都保不住，哪有余力救人？"辛谠拔出佩剑，愤怒的瞪着袁公弁，说："盗贼百道攻城，或早或晚，就要陷落，皇上诏书，命你前来援助，你却逗留不进，岂止上负国恩，一旦泗州（江苏省盱眙县淮河北岸）失陷，淮河以南立刻就成杀戮战场，你能一个人独活？我杀掉你然后自杀！"起身打算攻击，郭厚本急跳起来抱住辛谠，袁公弁狼狈逃出一命。辛谠望着泗州（江苏省盱眙县淮河北岸），整天痛哭，士卒们都为他流泪涕泣，郭厚本乃拨付给他五百人，辛谠询问将士们的意见，大家都愿同行，辛谠扑身在地，向大家叩头感谢，遂率领这支小队伍抵达淮河南岸，看到变军正在攻城，一个军官说："看情形盗贼已攻破城池，我们应该回去才是。"辛谠追上去，抓住他的头发，举剑就刺，淮南士卒群起救护，警告说："他是一千五百人的执行官（判官），不能诛杀！"辛谠说："凡在战场上妖言惑众的，不能饶他！"大家一再请求，辛谠拒绝，大家冲上去强夺，辛谠身强力壮，大家不能取胜，辛谠说："各位将士只要上船，我饶了这个人。"大家抢着上船，辛谠才把那人放掉。于是急行前进，士卒有回头看的，辛谠举剑就砍，直到淮河北岸，挥军杀入变军重围，杜慆在城上把军队排开，跟城外呼应，变军失败逃走，辛谠擂鼓呐喊，在后追击，直追到午后才回。

庞勋续派他的将领许佶，率精锐部众数千人，协助吴迥围攻泗州（江苏省盱眙县淮河北岸）；刘行及在濠州（安徽省凤阳县东北临淮关镇）派他的将领王弘立，率军跟吴迥会师。

十一月二十九日，镇海战区（总部设润州〔江苏省镇江市〕）司令官（节度使）杜审权，派作战司令（都头）翟行约，率军四千人，增援岌岌可危的泗州（江苏省盱眙县淮河北岸）。

十一月三十日，翟行约抵达泗州（江苏省盱眙县淮河北岸），变军在淮河南岸迎头截击，把翟行约包围，泗州（江苏省盱眙县淮河北岸）城中守军太少，不能出来营救，翟行约跟全体官兵，全被屠杀。先前，令狐绹（淮南〔扬州〕司令官）派将领李湘，率军数千人增援泗州（江苏省盱眙县淮河北岸），跟郭厚本、袁公弁二军会合，在都梁城（盱眙县南）扎营，跟泗州（江苏省盱眙县淮河北岸）隔着淮河，遥遥相望。现在，变军击破翟行约，乘胜包围都梁城政府军阵地。

十二月五日，李湘等率军出战，大败，变军遂攻陷都梁城（盱眙县南），生擒李湘及郭厚本，押送徐州（江苏省徐州市），进驻淮口（泗水注入淮河处，江苏省淮安市淮阴区西南），政府军南北水陆交通，完全断绝。

康承训驻扎新兴（安徽省涡阳县北），变军将领姚周驻军柳子（安徽省濉溪县西南柳孜村），出兵拦阻康承训南下。当时，各战区道特遣兵团报到的才一万人，康承训因兵力太少，难以抵挡变军，遂向后撤退到宋州（河南省商丘市）。庞勋认为政府军不堪一击，于是，分别派出将领丁从实等，各自率领士卒数千人，南下攻击舒州（安徽省潜山市）、庐州（安徽省合肥市），北上攻击沂州（山东省临沂市）、海州（江苏省连云港市），一连攻克沭阳（江苏省沭阳县）、下蔡（安徽省凤台县）、乌江（安徽省和县东北乌江镇）、巢县（安徽省巢湖市）。又攻陷滁州（安徽省滁州市），诛杀州长

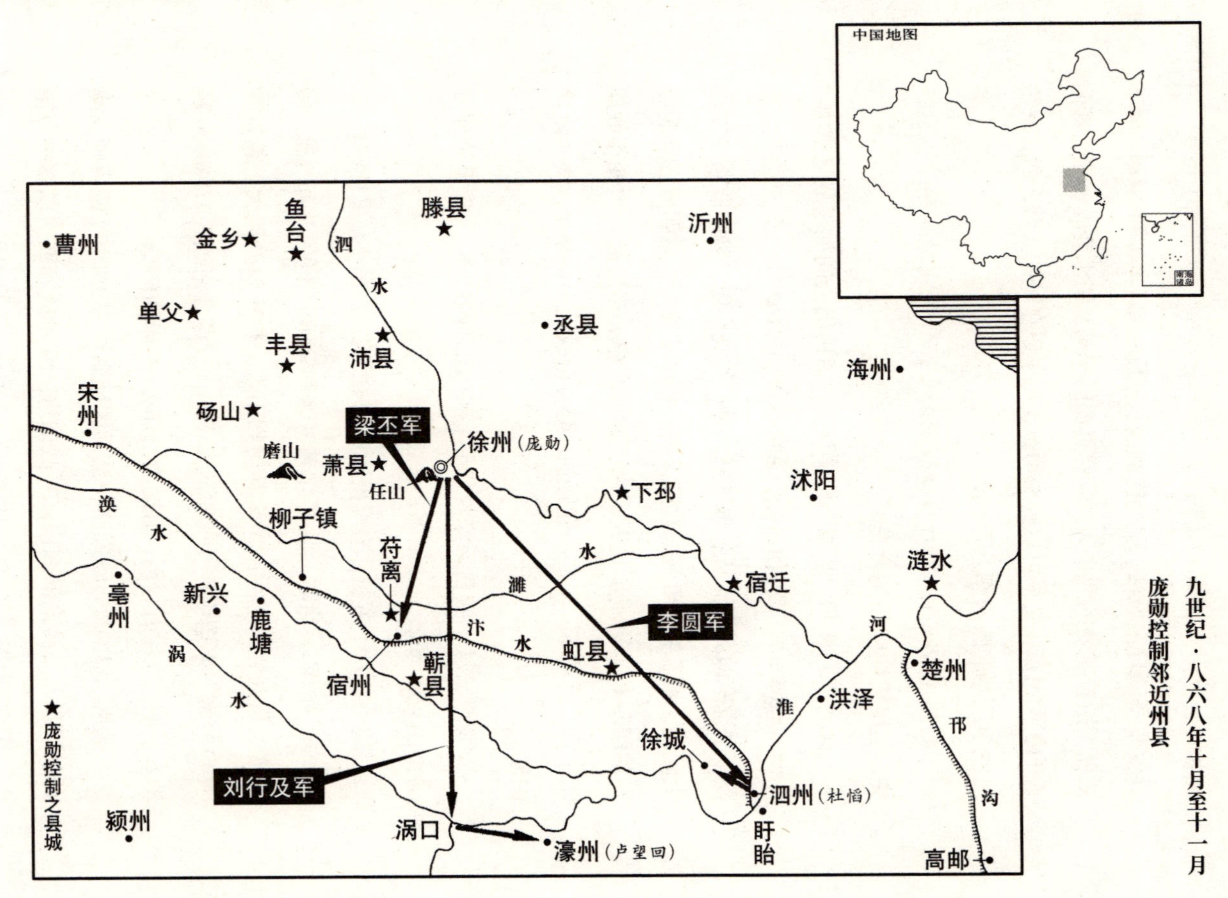

九世纪·八六八年十月至十一月
庞勋控制邻近州县

高锡望。又攻击和州（安徽省和县），州长崔雍派人携带酒肉犒劳，引导变军将领登上城楼，欢宴饮酒，下令政府军全部脱下铠甲，放下武器，指着所爱的两个人，声称是他的子弟，请求变军保全，其他人的生命财产，变军可以随心所欲，变军遂在城中大肆劫掠，屠杀已放下武器的政府军八百余人。

泗州（江苏省盱眙县淮河北岸）被围迄今，外援完全断绝，粮食快完，军民只能吃稀粥度日。

闰十二月十日，辛谠向杜慆建议，请再出去向淮南战区（总部设扬州〔江苏省扬州市〕）及镇海战区（总部设润州〔江苏省镇江市〕）乞求救兵。夜晚，辛谠率敢死队十人，拿长柄大斧，驾驶小艇，暗中砍断变军水上阻碍工程，突围而出。直到天亮，变军才发觉，立即派五艘舰艇在前面阻截，另派步兵五千人在淮河两岸夹击追赶。但变军舰艇吃水深、行动笨，辛谠小艇轻快，竭力奋战三十余华里，终于逃出网罗。

闰十二月十四日，辛谠抵达扬州（江苏省扬州市），晋见令狐绹（淮南〔扬州〕司令官）。

闰十二月十五日，辛谠抵达润州（江苏省镇江市），晋见杜审权（镇海〔润州〕司令官）。当时，泗州（江苏省盱眙县淮河北岸）很久没有消息，传说已经陷入变军之手，辛谠却突然出现，杜审权乃派大营管理官（押牙）赵翼，率铠甲齐全的军队二千人，护送淮南战区（总部扬州）稻米五千斛、食盐五百斛，增援泗州（江苏省盱眙县淮河北岸）。

徐州（江苏省徐州市）南路特遣兵团征剿司令（招讨使）戴可师，率大军三万人，渡淮河而南，转战前进，变军放弃淮河以南所有据点。戴可师打算先夺取淮口（泗水注入淮河处），再救泗州（江苏省盱眙县淮河北岸）。

闰十二月十三日（原文“壬申”，据《通鉴考异》改），戴可师包围都梁城（江苏省盱眙县南），城里变军很少，在城上叩头说：“我们正在跟作战司令（都头）商议出来投降。”戴可师下令撤退五华里，而变军却乘夜逃走。明天天亮，只剩下一座空城。戴可师自以为胜利，心骄气浮，不加戒备，当天，大雾陡起，濠州（安徽省凤阳县东北临淮关镇）变军将领王弘立率军数万人，突然出现，发动奇袭，政府军来不及集结，大败崩溃，将士们全被杀死或被淹死，逃出性命的才数百人（两万九千余人死亡），武器、粮草、辎重、车马，损失以万为单位计算，变军砍下戴可师，以及监军宦官、将领们的人头，呈献徐州（江苏省徐州市）。

庞勋接到都梁城捷报，认为天下已没有敌手，遂命制作公告，散发各城寨、村落，淮南（淮河以南）居民震动恐慌，很多人逃到江南（长江以南）。令狐绹（淮南〔扬州〕司令官）恐怕受到攻击，派使节晋见庞勋游说，承诺奏请皇帝颁发给他大将的符节印信，庞勋这才停止军事行动，等待消息。也因此，淮南战区（总部设扬州〔江苏省扬州市〕）得以喘口气，集结残兵败将，修筑防御工事。

当时，汴水这条路完全切断，江淮（华东地区）跟中央政府联系，必须绕道寿州（安徽省寿县），变军击破戴可师后，乘胜挺进，包围寿州（安徽省寿县），掳掠各战区道进贡的物资和商人的货物，这条路也被切断。庞勋越发骄傲不可一世，每天游玩宴会。智囊周重劝告说：“自古以来，因为骄傲自满、奢侈安逸，使得到手的东西又失掉、已成功的事业再失败，前例太多。何况，东西还没有到手、事业还没有成功？”

各战区特遣兵团大量集中宋州（河南省商丘市），庞勋的变军才有点畏惧，而投效当兵的也一天比一天减少，可是各地请求增援的报告却前后不断。庞勋乃派他的部属，分别深入乡村，驱使裹挟农民当兵。而现有的武装部队已达数万人之多，财源枯竭，辎重粮饷，全难供应，于是征收富户和商人财产，十分征收七八分，被指控隐藏财产因而全族处死的有数百家。而当初跟庞勋一起在桂州（广西桂林市）起事的派遣军官兵，仗恃元老身份，尤其骄傲蛮横、凶恶暴戾，抢夺别人的财产，掳掠别人的妻女，庞勋无法制裁。辖区里人民难以活命，对变军厌恶痛恨。

徐州（江苏省徐州市）北路特遣兵团征剿司令（徐州北面招讨使）王晏权不断被变军击败，中央改命兖海战区（总部设兖州〔山东省济宁市兖州区〕）司令官（节度使）曹翔接任。魏博战区（总部设魏州〔河北省大名县〕）司令官（节度使）何全皞派他的将领薛尤，率军一万三千人讨伐庞勋。曹翔驻军滕（山东省滕州市）、沛（江苏省沛县）二县之间，薛尤驻军丰（江苏省丰县）、萧（安徽省萧县）二县之间。

6 本年（八六八），江淮（华东地区）大旱，蝗虫成灾。

九世纪·八六八年十二月至闰十二月　庞勋大举扩张，中央遏阻失败

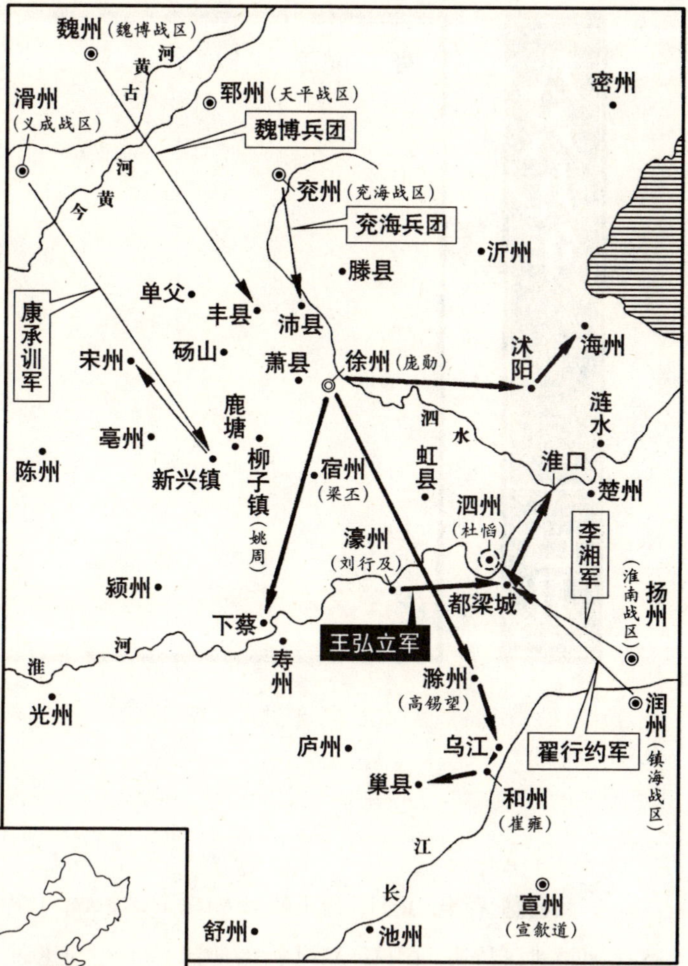

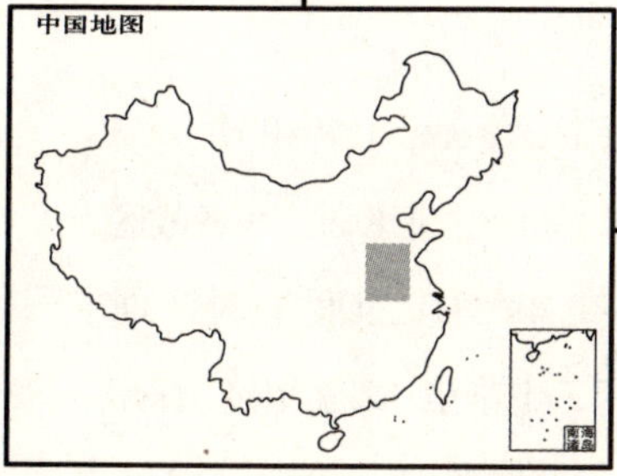

魏州（魏博战区）
古黄河
郓州（天平战区）
滑州（义成战区）
魏博兵团
今黄河
密州
兖州（兖海战区）
兖海兵团
沂州
滕县
单父
丰县
沛县
康承训军
砀山
萧县
徐州（庞勋）
沭阳
海州
宋州
鹿塘
泗水
涟水
亳州
柳子镇（姚周）
宿州（梁丕）
虹县
淮口
陈州
新兴镇
泗州（杜慆）
楚州
濠州（刘行及）
李湘军
颍州
都梁城
扬州（淮南战区）
下蔡
王弘立军
淮河
寿州
滁州（高锡望）
润州（镇海战区）
光州
庐州
乌江
翟行约军
巢县
和州（崔雍）
长江
宣州（宣歙道）
舒州
池州

中国地图
南海诸岛

八六九年 己丑

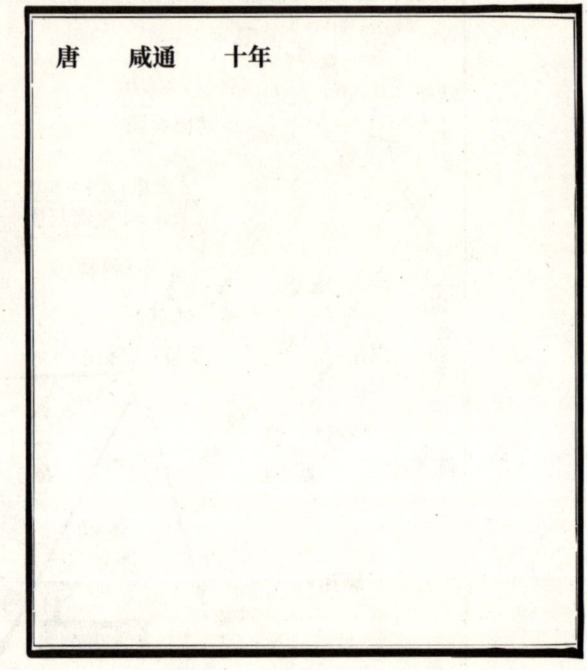

1 春季，正月，唐王朝（首都长安〔陕西省西安市〕）徐州（江苏省徐州市）地区特遣兵团总征剿司令（徐州行营都招讨使）康承训，率各战区道士卒七万余人，进驻柳子（安徽省濉溪县西南柳孜村）之西，自新兴（安徽省涡阳县北）到鹿塘（河南省永城市南），连营三十华里，寨寨相接。徐州变军（参考去年〔八六八〕七月）分别派军守卫四面边境，留守州城的不到几千人，变军首领庞勋才开始恐惧。居民很多挖掘地洞，躲藏到里面，庞勋派人搜索，一旦发现，便强迫当兵，但每天也不过搜捕二三十人。

庞勋的将领孟敬文，驻守丰县（江苏省丰县），狡狯凶悍，手握重兵，阴谋背叛庞勋，自己伪造一些神秘预言的祥瑞和符箓。庞勋得到消息，这时，魏博特遣兵团（总部魏州）攻击丰县，庞勋派心腹将领率三千人协助孟敬文守卫丰县。孟敬文热情的称赞那位心腹将领英勇过人，约定联军攻击魏博兵团，并命他担任前锋。可是等那位心腹将领和魏博兵团刚一接触，孟敬文立刻撤退，那位心腹将领遂全军覆没。庞勋得到消息，派人告诉孟敬文说："王弘立已占领淮南（淮河以南），领袖（庞勋）准备亲自前往镇守，召集全体将领，打算遴选一位可以替他留守徐州的人。"孟敬文大喜过望，立刻骑马奔向彭城（徐州州政府所在县），距城还有数华里，庞勋埋伏的军队把他生擒。

正月三日，庞勋诛杀孟敬文。

2 正月九日，同昌公主（唐王朝现任帝〔二十任懿宗〕李漼的女儿）嫁给立法院见习立法官（右拾遗）韦保衡。唐帝（二十任懿宗）李漼（李温。本年三十七岁）擢升韦保衡当皇家生活记录官（起居郎）、驸马都尉（公主之夫专职）。同昌公主的娘亲是郭淑妃（淑妃，小老婆群第二级），李漼对这个女儿特别宠爱，几乎搜光宫中所有的珍宝当嫁妆，在首都长安广化里赏赐一栋巨宅，作为新婚夫妇家院，窗门上都用各种珍宝装饰，连水井栏杆、捣药石臼以及马槽狗屋都用金银制造，簸箕、箩筐都用金丝编成；又赏赐现钱五百万串，其他的东西，价值及数量，跟这个相等。

3 徐州变军攻击海州（江苏省连云港市）。当时，各战区道特遣兵团在海州集结数千人，暗中锯断变军必须经过的桥梁，但表面上却看不见，而在附近埋伏守候。变军过桥时，梁柱崩塌，变军陷于慌乱，伏兵突起攻击，变军遂全被歼灭。另一支攻击寿州（安徽省寿县）的变军，也被政府南路军击破，战死及被俘数千人。

泗州（江苏省盱眙县淮河北岸）民兵执行官（团练判官）辛谠，率镇海战区（总部设润州〔江苏省镇江市〕）特遣兵团（参考去年〔八六八〕闰十二月十五日）北返，抵达楚州（江苏省淮安市），钦差宦官张存诚派船协助。徐州变军在淮河及两岸，布满军队，用铁索封锁淮河，镇海特遣兵团（总部润州）畏惧变军强悍，拒绝前进，辛谠说："我当前锋，如果打胜仗，你们就前进，如果战败，你们可以撤退。"镇海特遣兵团仍不答应。辛谠于是悬赏招募敢死队数十人，用公文书登记他们的新官职，先派粮船三艘、盐船一艘，拉起大帆，顺风逆流，向西挺进，变军从两岸发动夹击，乱箭射中船板，像倾盆大雨，等前进到横河铁索，辛谠率队殊死战，用大斧砍断，终于通过。泗州（江苏省盱眙县淮河北岸）城上呼喊喧哗，声动天地，杜慆及各将领、参谋，一面流泪哭泣，一面迎接。

正月二十七日，泗州（江苏省盱眙县淮河北岸）城上遥望船队高张白帆，逆流而上，悬挂镇海战区（总部润州）旌旗，然而在距城十余华里处，变军用火船阻截，镇海船队不敢前进。杜慆命辛谠率敢死队迎战，乘战舰直冲变军水上封锁线，强行通过，船队是监军宦官张存诚的九艘米船，张存诚说："将士们在中途就不肯再进，我几次都要自杀，勉强到这里，现在又寸步难行。"辛谠向大家宣布说："盗匪数目不多，容易对付！"率船队高悬旌旗，擂鼓呐喊，继续前进。变军发现来势锐不可当，把火船撤走躲避，船队遂得以进城。

4 二月，端州（广东省肇庆市）军务秘书长（司马）杨收（被贬事，参考八六六年十月及前年〔八六七〕八月)，免除职务，改处无限期流放驩州(越南荣市)；不久，李漼命他自杀，他的僚属及亲戚朋友因他而无限期流放岭南(南岭以南)的有十余人。

最初，国务院右秘书长(尚书右丞)裴坦的儿子，娶杨收的女儿，嫁妆丰富，日常用的器具上都用犀牛角和宝玉装饰。裴坦看见，大怒说："一定破坏我家门风！"命立刻击碎。后来，杨收果然因收受贿赂失败。

5 康承训命沙陀部落(山西省北部)酋长朱邪赤心，率沙陀骑兵三千人当先锋，冲锋陷阵，十个战区的特遣兵团士卒，都佩服他们的英勇(十战区：义成〔滑州〕、魏博〔魏州〕、鄜坊〔鄜州〕、义武〔定州〕、凤翔〔凤翔府〕、义昌〔沧州〕、兖海〔兖州〕、宣武〔汴州〕、忠武〔许州〕、天平〔郓州〕)。康承训曾经率直属部队一千人，横渡涣水(注入淮河)，变军早埋伏重兵等待，把他围住。朱邪赤心率五百人的骑兵，高举长戈，突围而入，救出康承训，变军无法抵挡，纷纷后退，康承训跟朱邪赤心联合反击，变军大败。康承训屡次跟变军会战，变军屡次失利。

变军将领王弘立，自都梁城(江苏省盱眙县南)大捷(破政府军戴可师，参考去年〔八六八〕闰十二月)，就沾沾自喜，请求单独率自己部众三万人，击康承训，庞勋允许。

二月十一日，王弘立率军渡过濉水(濉，音suī〔虽〕)，夜晚，袭击鹿塘寨(河南省永城市南)，天色黎明，开始围攻。王弘立跟各将领亲临视察，认为顷刻之间，大功就要告成，想不到沙陀军蓦然出现，忽左忽右，横冲直撞，好像进入无人之境，来去如飞，变军大为惊骇，哗然四散，沙陀骑兵更展开阵势，用马蹄大肆践踏，其他营寨政府军，也争着出击，变军大败，政府军把他们逼到濉水，淹死的不计其数，自鹿塘（河南省永城市南）到襄城（安徽省宿州市），尸首堆积五十华里，杀二万余人。王弘立单人匹马，逃出一命，变军中所驱使裹挟的平民，都四散逃到山谷，不再回营。变军抛弃的辎重、粮食、武器，堆起来像一座小山。当时中央训令，各军于击破变军时，俘虏到的农民，一律释放。从此之后，变军每跟政府军遭遇，驱掠裹挟的士卒，还没有作战，就先逃跑。庞勋、许佶因王弘立骄傲惰怠招致失败，打算把他斩首。智囊周重向庞勋解释说："王弘立连立两次大功（夺取濠州及都梁城），没有一点赏赐，只一次失败，就被诛杀。不计算功劳，只计算过失，是替敌人报仇，其他将领全体都会恐惧。不如赦免，要求他戴罪立功。"庞勋才把他释放。

王弘立收容残兵败将，只有数百人，请求南下夺取泗州（江苏省盱眙县淮河北岸）赎罪，庞勋允许，增加他的兵力，命他启程。

6 三月十三日，唐政府擢升皇家生活记录官（起居郎，从六品上）韦保衡当监督院高级顾问官（左谏议大夫，正四品下），充任皇家文学研究官（翰林学士）。

7 改封郢王李侃为威王（李侃，是李漼的儿子）。

8 康承训于击破王弘立后，进逼柳子（安徽省濉溪县西南柳孜村），跟变军将领姚周，一个月间，会战数十次。

三月二十九日，姚周率军渡河（涣水），政府军立即发动猛烈袭击，姚周撤退，政府军追击，遂把柳子包围，正巧，刮起大风，政府军在柳子四面纵火焚烧，变军不能抵挡，放弃城寨逃走，沙陀军又派精锐骑兵迎头攻击，反复冲杀，变军几乎全部丧生，从柳子到芳城（安徽省宿州市稍北），尸首互相积压。政府军斩变军将领刘丰。姚周率部属数十人投奔宿州（安徽省宿州市）。宿州变军守将梁丕跟姚周有私人怨恨，大开城门收容他进城，然后把姚周逮捕，斩首。

庞勋得到战败消息，大为恐惧，跟许佶讨论亲自率军出战，智囊周重悲痛哭泣，向庞勋建议说："柳子地方重要，守军十分精锐，姚周勇敢又有智谋，一旦覆没，我们已陷万分危急。不如一不做，二不休，索性建立一个独立王国，出动我们所有的兵力，跟敌人决一死战。"又建议诛杀崔彦曾，以断绝人们的盼望（徐泗道行政长官崔彦曾被囚事，参考去年〔八六八〕十月）。而法术师曹君长也说："徐州（江苏省徐州市）山川形势，不允许有两个领袖，只因行政长官（观察使崔彦曾）仍在这里，所以大帅无法兴起。"大家认为诚然如此。

夏季，四月五日，庞勋斩崔彦曾及监军宦官张道谨、慰劳特使（宣慰使）仇大夫以及道政府幕僚焦璐（徐泗道副行政长官）、温庭皓（徐泗民兵执行官），连同他们的亲属、朋友、仆役、小老婆，全部处死；砍断淮南战区（总部扬州）监军宦官郭厚本、大营总管理官（都押衙）李湘的手脚，送到康承训大营示威。庞勋集合大家宣布说："我最初只不过希望能得到中央的恩典，保全我当臣属的节操，现在这种情况，完全违背当初志愿。时到今日，我跟各位可是真的在这里谋反。自应该出动全境军队，同心合力，转败为胜，建立大功。"大家一致赞成，于是命城里所有的男人，全部到球场集合，同时分别派出将领，一个房子接一个房子严密搜索，胆敢藏匿一个男人的，屠杀他的全家。最后，挑选体格健壮的青年，有三万人，另行制造旌旗，发给锐利武器。许佶等共同推举庞勋称“天册将军”“大会明王”。庞勋只接受“天册将军”。

9 先前，辛谠从泗州（江苏省盱眙县淮河北岸）率勇士四百人，先后前往扬州（江苏省扬州市）、润州（江苏省镇江市）搬运粮食，变军在淮河两岸夹攻，缠斗转战一百里，才脱险而出，抵达广陵（扬州州政府所在县），只住宾馆，不敢回自己的家，装载食盐及粮米二万担（石）、钱一万三千串。

四月八日，启锚返航，抵达斗山（江苏省盱眙县东北五华里），变军将领王弘芝率士卒一万余人，在盱眙（江苏省盱眙县）列阵阻截，集结战舰一百五十艘，密密麻麻，塞满淮河，援军船队无法前进，变军又放下燃烧的火船，顺流而下，冲撞援军船头。辛谠命士卒手拿长杆鱼叉，把火船拖过一旁，从援军船队一侧滑过，自早晨六时酣战到下午二时，援军人数太少，无法支持，渐渐露出败相。变军在战舰两旁捆绑木架，伸出舰身四五尺，搭建掩体——战棚。辛谠派敢死队乘小艇到它下面，打算用长枪利刀破坏，可是舰身太高，无法攻击，于是改用长枪举起“火牛”——燃烧的草把，施行火攻，整个战舰都跟着燃烧，变军四散逃命，援军船队遂得进入泗州（江苏省盱眙县淮河北岸）。

10 庞勋命他的老爹庞举直当最高指挥官（大司马），跟许佶等留守徐州（江苏省徐州市），有人说：“将军正在宣扬盛大的兵威，不可以因父子之情，失去长官与部属之间的礼节。”于是命老爹庞举直用小细步跑到大庭中央，跪下向庞勋叩头，做儿子的庞勋则骑在马上，手按马鞍，坦然接受。

儒家文化中，人有亲疏等级的划分，根据这项人为的划分，一种势利眼和不平等的伦理观念，深入骨髓。庞老爹竟向儿子下跪叩头，以及连刘邦的老爹都不敢接受儿子的请安。(《史记·高祖本纪》：刘邦每隔五天朝见老爹一次，像普通平民家人一样行礼，管家警告刘老爹说："天上没有两个太阳，地上没有两个领袖，皇上虽然是你的儿子，但却是全国最高领袖，你虽是老爹，却是臣属，怎么可以让领袖拜见臣属，这样的话，威令就无法执行。"后来，刘邦又来请安，乡巴佬老爹跪在门口，一步一步退回屋内，刘邦大吃一惊，老爹说："皇上容禀，你是领袖，怎么可以因我的缘故，破坏国法？")唯一的原因不过是儿子的官比老爹高，权比老爹大。直到二十世纪，用官阶或财富来对人定位，仍是中国文化的一项传统，严重的扼杀民主和法治。必须建立人格的独立：人，生而平等，生而有尊严，不需要任何身外之物的零件。有这样的共识，才能脱离对"官"和"钱"的痴迷和崇拜。

当时，魏博特遣兵团(总部魏州)屡次攻击丰县(江苏省丰县)，庞勋计划先反击魏博。

四月九日，庞勋从徐州(江苏省徐州市)出发。

11 四月十一日，中央调遥兼二级宰相(同平章事·使相)、前淮南战区(总部设扬州〔江苏省扬州市〕)司令官(节度使)令狐绹，改当太保(三师之三)，东都洛阳(河南省洛阳市)办公。

12 庞勋于夜晚抵达丰县(江苏省丰县)，暗中进城，魏博特遣兵团一点也不知道。魏博特遣兵团分驻五个军营，距城池最近的军营，有数千人之多，庞勋突然出军把它包围，其他军营派军支援，庞勋在必须经过的道路上设下埋伏，格杀政府军二千人，政府军残余全部逃回。但变军无法攻克营寨，等到夜晚，解围撤退。魏博军对变军大量涌到，十分畏惧，又听说庞勋亲自出征，军心更是恐慌，就在天亮之际，各营溃散。兖海战区（总部设兖州〔山东省济宁市兖州区〕）司令官（节度使）曹翔率军正包围滕县（山东省滕州市），听到魏博特遣兵团失败，立刻率军退守兖州（山东省济宁市兖州区），变军把他留下来的营寨木栅，全部摧毁，粮食也都运走，用公文通知徐州，炫耀自己的强大，把政府军称为“国贼”。

淮南战区（总部设扬州〔江苏省扬州市〕）新任司令官（节度使）马举，率精锐部队三万人，援救泗州（江苏省盱眙县淮河北岸）。

四月十八日，淮南兵团分作三路，在泗州对岸，强渡淮河，船到中流，突然间战鼓擂动，呼喊齐发，声音震动数华里，变军大吃一惊，不知道政府军有多少，急行集结到城西大营。马举立即包围，放火焚烧木栅，变军大败，数千人阵亡，大将王弘立被杀，吴迥退守徐城（江苏省盱眙县西北），泗州（江苏省盱眙县淮河北岸）包围终于解除。泗州被围七个月，守城官兵严重缺少睡眠，脸上眼上全都生疮。

庞勋在丰县（江苏省丰县）停留好几天，打算率军向西攻击康承训，有人劝阻说：“天气一天比一天热，农民正逢收割小麦、采桑养蚕季节，不如暂且收兵休息，储蓄粮食，然后再计划如何发展。”有人赞成说：“大帅亲自出马，只不过几天，就摧毁敌人七万大军（指魏博兵团），西军（指政府军）震动恐慌，我们乘胜追击，一定把他们击破，天赐良机，不可丧失。”老爹庞举直也写信给儿子，鼓励庞勋利用战胜余威，往前进军。庞勋遂决定西征。

四月二十日，庞勋从丰县（江苏省丰县）出发。

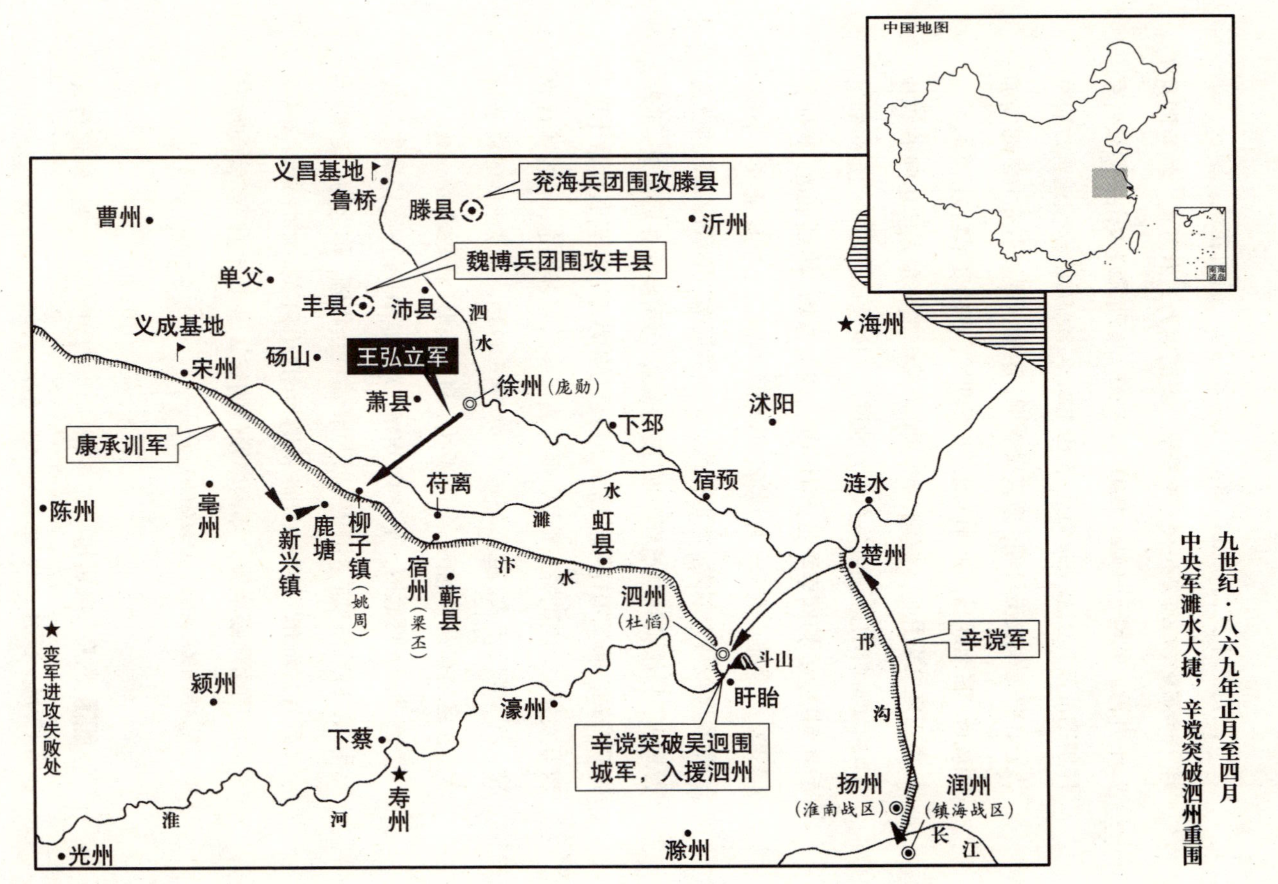

九世纪·八六九年正月至四月
中央军濉水大捷，辛谠突破泗州重围

四月二十三日，抵达萧县（安徽省萧县），通知襄城、留武、小睢（三地都是安徽省萧县小村落）各军营，集结主力五六万人，约定四月二十九日，向柳子（安徽省濉溪县西南柳孜村）发动拂晓攻击。但被变军俘虏的淮南兵团（总部扬州）士卒（指李湘、袁公弁部属），乘空逃奔政府军大营，把变军攻击日期，禀告康承训，康承训得以有充分的时间加强戒备，喂饱战马，部署阵地，设下埋伏，等待变军自投陷阱。

四月二十九日，襄城（宿州州政府所在城）变军最先抵达柳子（安徽省濉溪县西南柳孜村），遇到埋伏，大败逃走。庞勋自己却在约定时间过后才到达，仓猝间率军自三十华里外直赴战场，等到抵达，其他各地变军已全被击败，一片凄凉，庞勋所率领的士卒都是市井小民，一看政府军势力强大，不敢接战，竟一哄而散。康承训命各将领急行追击，另派骑兵绕道到前面迎头拦截，再用步兵在后冲杀，变军狼狈奔跑，不知道往哪里逃命，自己互相践踏，尸首长达数十里，数万人死亡。庞勋脱下铠甲，换穿农民穿的短衫逃走；收容残兵败将，勉强才三千人。回彭城（徐州州政府所在县）后，庞勋派他的将领张实，在各地军营中抽出一部分兵力，进驻第城驿（安徽省宿州市西）。

庞勋最初崛起时，下邳（江苏省睢宁县北古邳镇）豪族郑镒聚集部众三千人，自备粮食武器响应，庞勋任命他当将领，称之为“义军”。

五月，沂州（山东省临沂市）特遣兵团包围下邳（江苏省睢宁县北古邳镇），庞勋命郑镒增援，郑镒率领他的部队出徐州之后，就向政府军投降（沂州属兖海战区〔总部兖州〕）。

13 六月，陕虢道（首府设陕州〔河南省三门峡市〕）民变，驱逐行政长官（观察使）崔荛（音ráo〔饶〕）。

崔荛对自己的才干器宇，以及清高格调和翩翩风度，十分满

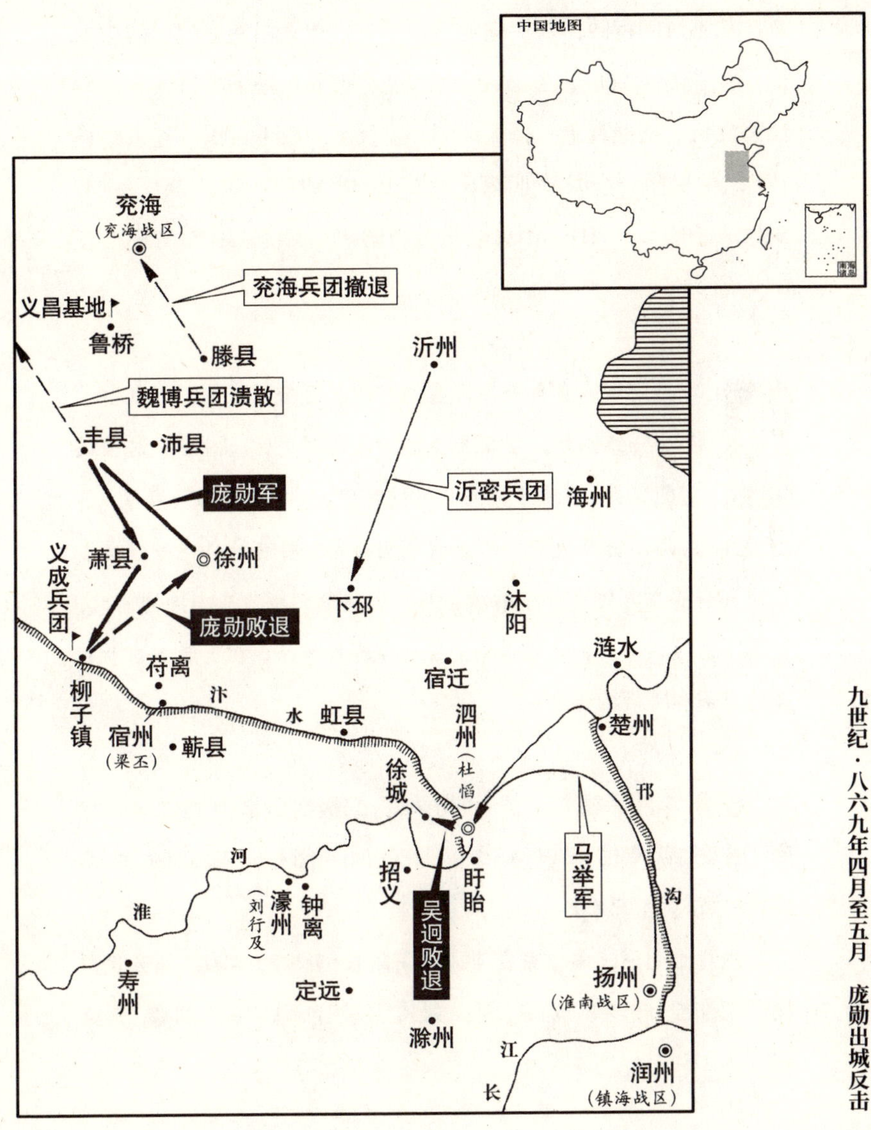

九世纪·八六九年四月至五月　庞勋出城反击

意，从不过问行政，农民向他诉说旱灾，崔荛指着庭院里的树木说："它们还有绿叶，怎么能叫大旱？"把农民拖下棍打。农民们愤怒反抗，把他赶走。崔荛逃到一家民宅，口干舌渴，乞求给一杯水，住民撒一泡尿灌他喝下（崔荛，是崔宁〔崔旰〕的四世孙。崔宁〔崔旰〕，参考七八三年十月十一日）。中央贬崔荛当昭州（广西平乐县）军务秘书长（司马）。

柏杨曰

中国人身负长期沉重的苦难，而仍不灭绝，大概由于仍有一线幽默，使精神生活得以滑润运转。对崔荛这种顽劣的官员，在那个杀人如麻的时代，却只让他喝一点尿，不由得不击节欣赏，这比砍下他的人头要有意义得多！当我们想到有些贪官污吏杯中的酒，有一天会忽然转化成小民的尿时，就忍不住莞然一笑，希望他也能像崔荛那样有幸，在史册上留下有趣的事迹和可敬的姓名。

14 李漼命副立法长（中书侍郎）、二级实质宰相（同平章事）徐商，遥兼二级宰相（同平章事·使相），充任荆南战区（总部设江陵府〔湖北省江陵县〕）司令官（节度使）。

六月十七日，命皇家文学研究院院长（翰林学士承旨）、国务院财政部副部长（户部侍郎）刘瞻，兼二级实质宰相（同平章事）。刘瞻，是桂州（广西桂林市）人。

15 淮南战区（总部设扬州〔江苏省扬州市〕）司令官（节度使）马举，率军自泗州（江苏省盱眙县淮河北岸）西上攻击濠州（安徽省凤阳县东北临淮关镇），一连攻克招义（安徽省明光市东北）、钟离（临淮关东）、定远（安徽省定远县东南)。徐州变军将领刘行及在濠州(安徽省凤阳县东北临淮关镇)城外修筑营寨拒抗，马举先派出少数骑兵挑战，变军看到政府军人数很少，抢着冲出营寨，向西攻击，而马举却亲率大军数万人，从另一条路攻击变军大营的东南，纵火焚烧寨墙。变军遂退入城中固守，马举在濠州(安徽省凤阳县东北临淮关镇)三面挖掘深沟，密密包围，只城北紧邻淮河，政府军无法完全封锁，变军仍跟徐州(江苏省徐州市)保持联结。庞勋派大将吴迥协助刘行及防守濠州(安徽省凤阳县东北临淮关镇)，吴迥率军进驻北津(临淮关淮河对岸)，跟南岸的州城(凤阳县东北临淮关)互相呼应。马举派别动部队将领渡过淮河攻击，诛杀及俘虏数千人，铲除变军淮北营寨。

16 当初，兖海战区(总部设兖州〔山东省济宁市兖州区〕)司令官(节度使)曹翔退回兖州时，留下义昌战区(总部设沧州〔河北省沧州市东南〕)特遣兵团四千人，驻守鲁桥(山东省济宁市东南鲁桥镇)。可是，他们拒绝接受命令，而自动撤退。曹翔说:“因为庞勋叛乱，所以政府讨伐，而今义昌士卒抗拒军令，是自己也在叛乱。”下令严阵以待，把这支变军包围在兖州(山东省济宁市兖州区)城外，查出主张违抗命令的二千人，全部诛杀。

中央听到魏博兵团(总部魏州)溃败消息，派将军宋威当徐州西北路特遣兵团征剿司令(徐州西北面招讨使)，率军三万人进驻丰(江苏省丰县)、萧(安徽省萧县)二县之间；曹翔率军再跟他会合。

秋季，七月，康承训攻克临涣(安徽省濉溪县西南临涣镇)，格杀及俘虏变军一万人，接着连续攻克襄城、留武、小睢等变军要寨。曹翔也攻克滕县(山东省滕州市)，进攻丰县(江苏省丰县)、沛县(江苏省沛县)。变军各地大营士卒，成群结队逃亡，投奔高山深林，武装自保。变军到处烧杀掳掠，经过高山深林时，都被这些昔日的战友格杀，而五八村（今地不详）的逃亡群格杀的变军尤其多。有一位名叫陈全裕的人，当他们的首领，凡是离弃庞勋的人，都投奔陈全裕，部众有数千人，无论作战或守卫的武器及装备，应有尽有，控制地盘数十华里，变军不敢靠近。康承训派人招安，陈全裕遂率领他的部众归降，变军越发加速瓦解。蕲县（安徽省宿州市南二十公里蕲县镇）土著豪杰李衮，格杀变军守城将领，献出城池，向康承训投降。沛县（江苏省沛县）变军守将李直，前往彭城（徐州州政府所在县）商议事情，初级将领朱玫，献出城池，投降曹翔。李直从彭城回来，朱玫迎头攻击，李直逃走。曹翔派军进驻沛县。朱玫，是邠州（陕西省彬州市）人。庞勋派他的将领孙章、许佶，分别率数千人攻击陈全裕、朱玫，都无法攻克，只好撤退。康承训乘胜长驱直入，克复第城（安徽省宿州市南），挺进到宿州（安徽省宿州市）之西，构筑营垒，严密守卫。庞勋忧虑气愤，不知道怎么办才好，只知道祈祷神灵，招待佛教和尚进餐。

17 最初，庞勋对梁丕公报私仇，擅自诛杀姚周（参考本年〔八六九〕三月二十九日），十分愤怒，把梁丕免职，命旧日武宁战区时代的将领张玄稔（音rěn〔忍〕），接替梁丕治理宿州（安徽省宿州市），而命自己的亲信张儒、张实等，率守城部队数万人，抵抗政府军进攻。张儒等在宿州（安徽省宿州市）城外建筑重重营寨，四周全是河流，构成一种天然保护，政府军总征剿司令（都招讨使）康承训用大军包围。张实派人于夜间前往徐州（江苏省徐州市），送信给庞勋说：“中央军全部主力，都被吸引到宿州（安徽省宿州市）城下，他们的大后方，一定空虚，大帅如果出其不意的率军出击，劫掠宋（河南省商丘市）亳（安徽省亳州市）一带，他们一定解除宿州（安徽省宿州市）包围，向西撤退，大帅再在险要地方，设下埋伏，迎头痛击，我们也出动城里部队攻击他们的背后，一定可以把他们击破。”当时，政府军曹翔（兖海〔兖州〕司令官）命朱玫攻击丰县（江苏省丰县），攻克，乘胜攻击徐城（江苏省盱眙县西北）、下邳（江苏省睢宁县北古邳镇），全部攻克，格杀及俘虏以万为单位计算，庞勋忧虑恐惧，打算放弃徐州（江苏省徐州市）逃走，接到张实的信，立即采纳这项战略，命老爹庞举直、亲信许佶留守，自己率军西上。

八月二十七日，康承训纵火焚烧宿州（安徽省宿州市）外围变军营寨，张儒等退到宿州（安徽省宿州市）城内，政府军发动攻击，阵亡数千人，仍没有办法攻克，康承训忧虑，派口才流利的辩士到城下向变军分析利害。张玄稔曾经在边疆捍卫国土，立过功劳，虽然被胁迫参加变军，但内心常怀忧愤。当时，他率自己的部队驻守子城（第二道城），当天夜晚，召集亲信数十人，秘密计划投降中央，然后命他们出去分别试探或说服其他的人，大多数都赞成，张玄稔遂派心腹张皋于夜间出城，把情形禀告康承训，约定日期诛杀变军将领，献出城池，到那一天，希望政府军举起青色旗帜，使大家坚定信念。康承训大为高兴，一切接受。

九月三日，张儒等将领在宿州（安徽省宿州市）城里柳溪亭设宴饮酒，张玄稔命部将董原等在柳溪亭以西，进入攻击位置，张玄稔首先骑马飞奔，闯进柳溪亭，大声呼喊说：“庞勋的人头已送到中央军大营，这些家伙怎么仍然活着！”士卒争先杀入，斩张儒等数十人。城里大乱，张玄稔宣布投降中央的缘故，一直纷扰到傍晚，才恢复秩序。

九月四日，张玄稔大开宿州（安徽省宿州市）城门，出来投降。张玄稔晋见康承训，露出左臂，双膝跪地，爬到面前，哭泣流泪，请求宽大饶恕。康承训慰劳安抚，马上代表皇帝宣布训令，命张玄稔当副总监察官（御史中丞），赏赐十分厚重。

张玄稔再建议说："宿州（安徽省宿州市）回归中央，其他地方并不知道，不妨假装被攻陷落，由我率军直向苻离（安徽省宿州市北符离镇）及徐州（江苏省徐州市），强盗一定不会怀疑，可以全部生擒活捉！"康承训允许。宿州（安徽省宿州市）降卒还有三万人，康承训配备中央军骑兵数百名，发给他们赏赐，送他们出发。张玄稔再进入宿州，黄昏以后，跟平常一样，燃起"平安烽火"，向邻城报告平安。

九月五日，天刚刚亮，张玄稔集中几千捆木柴，纵火焚烧，好像城池陷落，大军溃败，然后一直奔向苻离（安徽省宿州市北符离镇），苻离变军开门收容。张玄稔既进入苻离，斩守城将领，发号施令，部众全部接受指挥，遂接收所有兵力，又有一万人，北上直向徐州（江苏省徐州市）。庞举直、许佶得到消息，登城坚守。

九月七日，张玄稔抵达彭城（徐州州政府所在县），完成包围，但并不发动攻击，先向城上官兵喊话，说："中央只诛杀叛徒党羽，不伤害善良居民，你们为什么替盗匪守城？如果再迟疑不决，一会工夫，全成鱼肉。"守城士卒有人脱下铠甲，抛弃武器，从城上缒下投降。崔彦曾（已故徐泗行政长官）旧日属官路审中，打开城门，迎接张玄稔军，庞举直、许佶率同党退保子城（第二道城），发现大势已去，太阳偏西时，从北门突围逃走，张玄稔派军追击，斩庞举直、许佶，砍下人头，其他党羽都投河（泗水）自杀。政府军彻底搜捕变军的亲属，斩首，杀数千人。徐州（江苏省徐州市）遂恢复正常。

庞勋率军二万人，从砀山（安徽省砀山县）西进，经过的地方烧杀

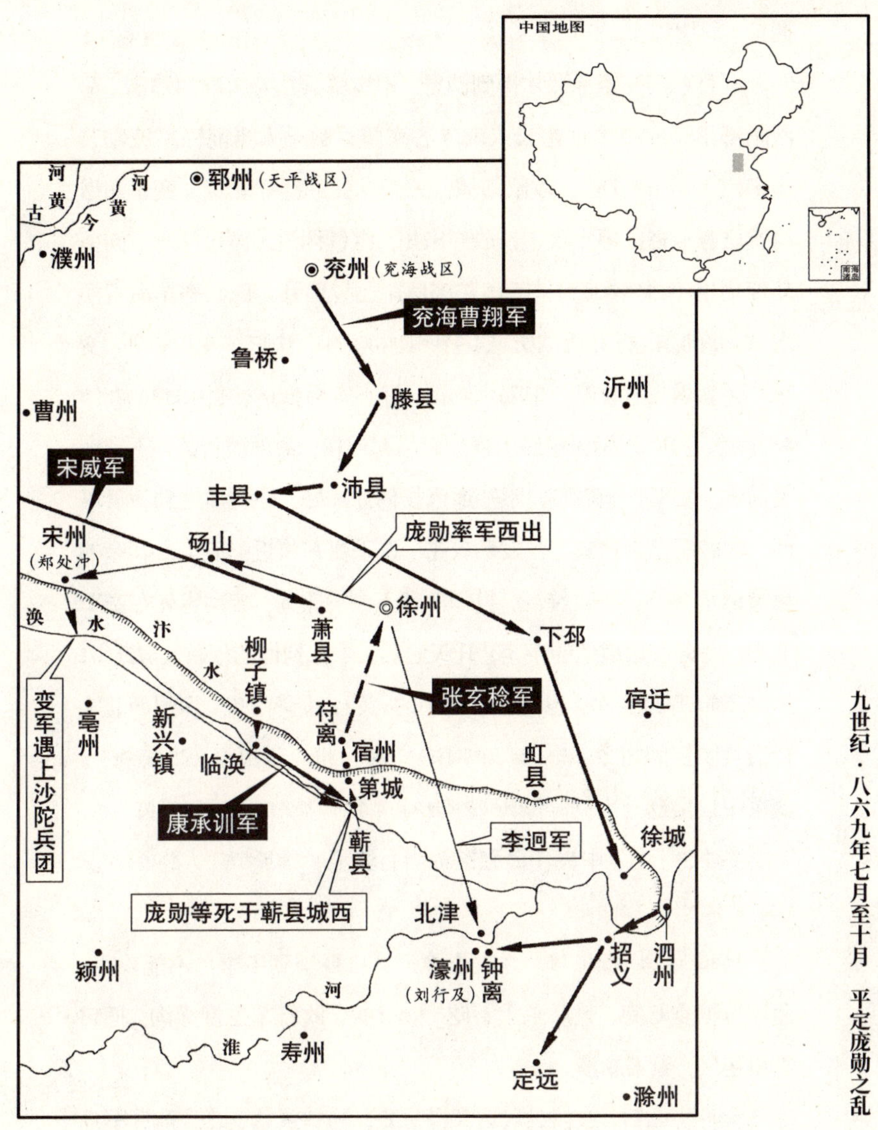

九世纪·八六九年七月至十月　平定庞勋之乱

掳掠，一片焦土。

九月六日，康承训才得到消息，率步骑兵八万人向西追击，命沙陀部落（山西省北部）酋长朱邪赤心率骑兵数千人当前锋。庞勋袭击宋州（河南省商丘市），攻陷南城，州长郑处冲据守北城，变军知道对方已有准备，停止攻击，放弃宋州，继续西进，渡过汴水，向南劫掠亳州（安徽省亳州市），而沙陀部落军已经追到，庞勋率军沿着涣水（浍水）向东，打算折回彭城（徐州州政府所在县），沙陀军步步相逼，变军心怀恐惧，不敢停下来喝水吃饭，好不容易抵达蕲县（安徽省宿州市南蕲县镇），打算过河，蕲县土豪李衮吊起浮桥，命部属备战，不准庞勋前进。变军心胆俱裂，不知道逃往何处才好，辗转前进到蕲县城西，政府军已大量集合，发动攻击，诛杀变军将近一万人，其余的都被河水（涣水〔浍河〕）淹死，投降的还不到一千人，庞勋也死在乱军之中，没有人知道他的下落，几天之后，才找到他的尸首。宿迁（江苏省宿迁市）等县变军，也都诛杀他们的将领，投降中央。徐州西北路特遣兵团征剿司令（徐州西北面招讨使）宋威，也克复萧县（安徽省萧县）。变军中只吴迥一人据守濠州（安徽省凤阳县东北临淮关镇），拒绝投降。

冬季，十月，中央任命张玄稔当右骁卫（卫军第六军）大将军（正三品）、总监察官（御史大夫）。

马举（淮南〔扬州〕司令官）攻击濠州，自夏季到冬季，不能攻克，而城里粮食吃完，最后杀人吞吃（人间惨事），政府军挖掘深沟，把它重重包围，坐等崩溃。

十月十七日，夜晚，吴迥突围逃走，马举紧急追击，把变军几乎全部杀光掳尽，吴迥逃亡中死在招义（安徽省明光市东北）。

唐政府命康承训遥兼二级宰相（同平章事，使相），充任河东战区（总部设太原府〔山西省太原市〕）司令官（节度使）；命杜慆当义成战区（总部设滑州〔河南省滑县〕）司令官（节度使）。李漼嘉奖朱邪赤心的功劳，特在云州（山西省大同市）设大同战区（原是大同警备区，参考八五九年正月；如今升格为战区），命朱邪赤心当司令官（节度使），特别召唤他到金銮宝殿见面，把他留在京师（首都长安）当左金吾（卫军第十一军）上将军（从二品），赐他新的姓名：李国昌，奖赏十分优厚。命辛谠当亳州（安徽省亳州市）州长；辛谠在泗州（江苏省盱眙县淮河北岸）时，突出重围迎接援军、粮食，往返十二次；等到中央命他当亳州（安徽省亳州市）州长，他上疏给皇帝说："我的功劳，如果没有杜慆，就不能完成。"中央又命和州（安徽省和县）州长崔雍自杀（崔雍事，参考去年〔八六八〕十二月），家属流放康州（广东省德庆县），兄弟五人，一律贬往偏远地区。

18 李漼荒淫无度，不处理国事，把大权交给宰相路岩，路岩豪华奢侈，生活糜烂，贿赂公行，左右侍从官员专权揽事。

至德（安徽省东至县）县长陈蟠叟因为上疏给李漼，李漼命他来京师（首都长安）朝见，陈蟠叟说："没收边咸一家的财产，就可以供应全国军队两年的薪饷粮食。"李漼问说："边咸是谁？"陈蟠叟回答道："路岩的亲信！"李漼暴跳如雷，把陈蟠叟远窜爱州（越南清化市）。自此以后，没有人敢再说话。

19 最初，大礼帝国（首都苴咩城〔云南省大理市〕）使节杨酋庆，前来唐帝国，对唐政府释放董成（参考八六六年三月），向唐王朝致谢。定边战区（总部设邛州〔四川省邛崃市〕）司令官（节度使）李师望打算激怒大礼，制造机会，使自己立功，遂诛杀杨酋庆。西川战区（总部设成都府〔四川省成都市〕）将领们正痛恨李师望的分割计划（分割西川成立定边战区事，参考去年〔八六八〕六月），秘密派人去大礼帝国（首都苴咩城〔云南省大理市〕）致意，鼓励他们向定边战区（总部邛州）发动攻击。李师望既贪污，又凶残，搜刮的私财，以百万为单位计算，边防军官兵怨恨愤怒，打算把他捉住，生吃他的肉，李师望使用诡计逃脱，中央调他返回京师（首都长安）；另行任命库藏部副部长（太府少卿）窦滂接替。而窦滂比李师望贪污凶残得更厉害。敌人还没有来，定边战区（总部邛州）已经穷困不堪。

本月（十月），大礼帝国（首都苴咩城〔云南省大理市〕）皇帝酋龙，动员全国所有武装部队，向唐帝国发动攻击，亲率数万人攻击董舂乌部落（今地不详），把董舂乌部落击破。

十一月，大礼军（云南省）攻击巂州（四川省冕宁县南泸沽镇），定边战区（总部邛州）作战司令（都头）安再荣，镇守清溪关（四川省石棉县东南）。大礼不断攻击，安再荣不能抵挡，退守大渡河北岸，跟大礼军隔江互相射击，对峙九天八夜，大礼军（云南省）秘密在山中另开一条道路，越过雪坡（今地不详），暗中进入沐源川（岷江支流，流经四川省沐川县），窦滂派兖海战区（总部设兖州〔山东省济宁市兖州区〕）将领黄卓，率士卒五百人抵抗，五百人全部覆没。

十二月十四日，大礼军（云南省）士卒改穿兖海兵团的军服，假装作战失败，到青衣江（岷江支流）南岸呼喊渡船，等到登岸，边防军才发现，但已无法阻止，大礼军遂攻陷犍为（四川省犍为县），放纵士卒烧杀掳掠陵州（四川省仁寿县）、荣州（四川省荣县）。稍后几天，大礼军（云南省）在陵云寺（位四川省乐山市大渡河南岸）集合大量武装部队，跟北岸的嘉州（四川省乐山市）隔江相对。嘉州州长杨忞（音mín〔民〕），跟定边战区（总部邛州）监军宦官张允琼，命军队备战，严阵以待。大礼军（云南省）暗中出奇兵从东方渡口过江，对唐朝军队前后夹攻，斩忠武战区（总部设许州〔河南省许昌市〕）指挥官（都将）颜庆师，唐王朝边防军遂全都崩溃，杨忞、张允琼逃出一命。

十二月二十九日，大礼军（云南省）攻陷嘉州（四川省乐山市）。颜庆师，是颜庆复的老弟。

窦滂亲自率军到大渡河抵抗大礼军（云南省），大礼皇帝酋龙派首相（清平官）等数人，晋见窦滂，请求和解。窦滂话还没有说完，大礼军万艇齐发，争先恐后抢着渡河，忠武（总部许州）、徐宿（首府徐州）两特遣兵团联合阻击。窦滂魂飞魄散，就在自己营帐，悬梁上吊，企图自杀。徐宿道（首都徐州）将领苗全绪把他救下，安慰说："大帅，何必如此！"苗全绪跟安再荣及忠武战区（总部许州）将领，紧急率军出战，窦滂遂单人匹马，于夜晚逃走。三位将领商议道："现在我们人少，敌军人多，明天如果再战，我们恐怕死光，不如趁夜晚攻击，使他们惊慌混乱，然后撤退。"于是发动夜击，杀入大礼军（云南省）大营，乱箭四射，大礼军大吃一惊，三位将领率军安全撤退。大礼军（云南省）继续挺进，一连攻陷黎州（四川省汉源县）、雅州（四川省雅安市），居民四散逃入山谷躲藏，唐政府残兵败将到处烧杀掳掠。窦滂逃到导江（四川省都江堰市东），邛州（定边战区总部，四川省邛崃市）军事资源辎重、粮食储存，全被乱兵抢劫。大礼军（云南省）追击进城时，全城已被疯抢一空，大礼军行动，通行无阻。

李漼命左神武（禁军第五军）将军颜庆复南下增援。

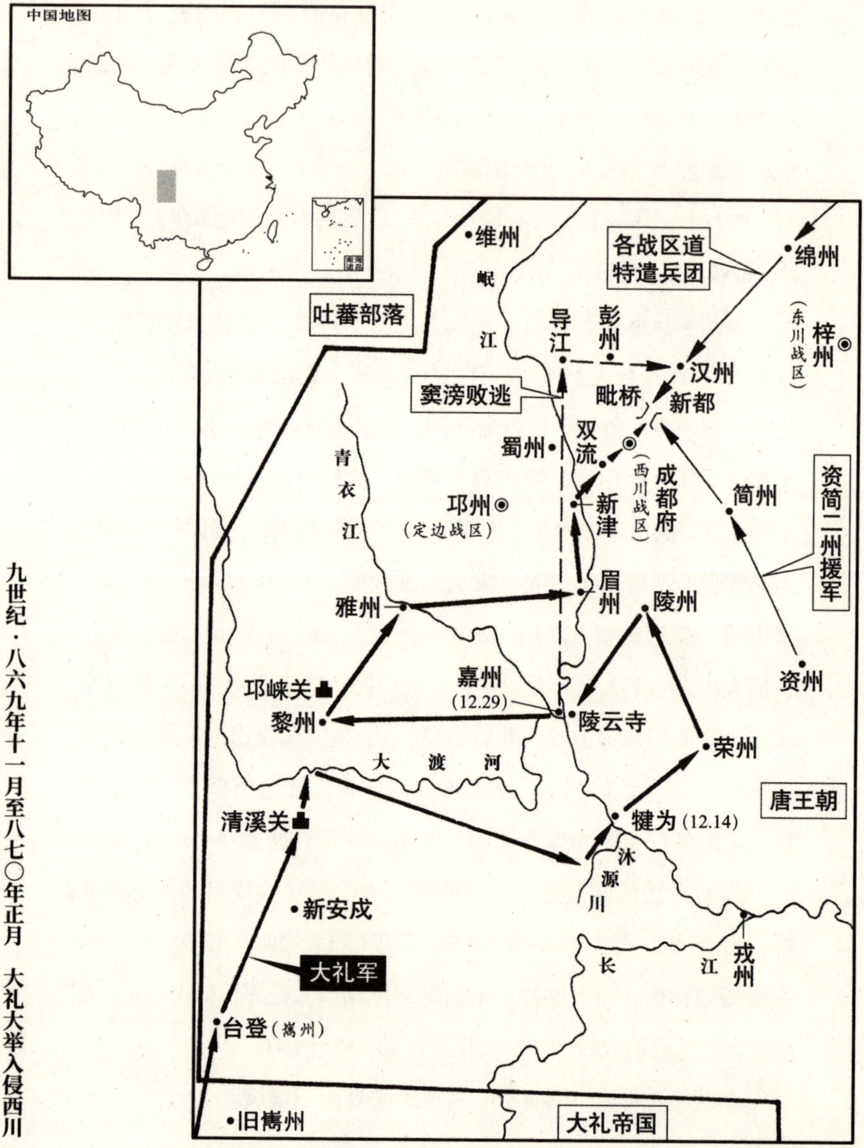

中国地图

吐蕃部落
维州
岷江
各战区道
特遣兵团
绵州
（东川战区）
梓州
导江
彭州
汉州
窦滂败逃
毗桥
新都
青衣江
蜀州
双流
成都府
（西川战区）
资简二州援军
邛州
（定边战区）
新津
简州
雅州
眉州
陵州
资州
邛崃关
黎州
嘉州
（12.29）
陵云寺
荣州
大渡河
清溪关
犍为（12.14）
唐王朝
沐源川
新安戍
长江
戎州
大礼军
台登（巂州）
旧巂州
大礼帝国

九世纪·八六九年十一月至八七〇年正月　大礼大举入侵西川

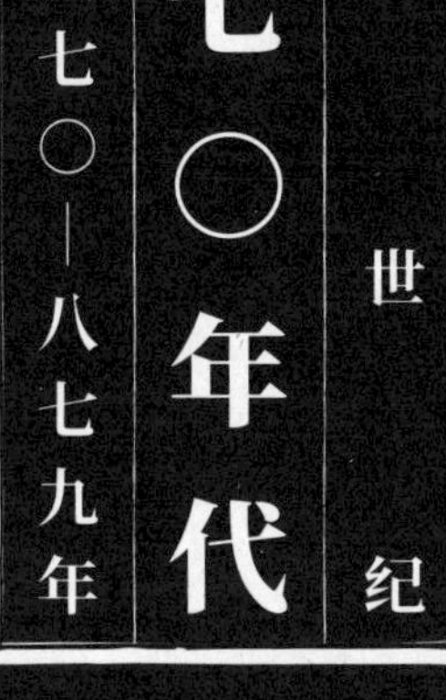

唐王朝

- 魏博兵变，杀司令官何全皞。
- 光州民变，逐州长李弱翁。
- 卢龙兵变，逐司令官张允伸之子。又兵变，逐张公素。
- 唐懿宗李漼逝世，子僖宗李俨继位。
- 王仙芝、黄巢聚众起兵。
- 原州兵变，逐州长史怀操。
- 陕虢兵变，逐行政长官崔碣。
- 盐州兵变，逐州长王承颜。
- 河中兵变，逐司令官刘侔。
- 湖南兵变，逐行政长官崔瑾。
- 大同兵变，杀警备区司令段文楚。
- 河东兵变，杀司令官崔季康。

- 阿拉伯帝国哈里发穆达米德登极，迁都巴格达。
- 挪威人英高尔夫发现冰岛。
- 罗塞尔王国子嗣绝，分为日耳曼及法兰克二王国。
- 法兰克秃头查理继位皇帝，旋卒，虚位四年。
- 天主教皇被迫每年向阿拉伯帝国进贡二万五千曼苦斯。
- 波斯王弟阿姆耳登极。

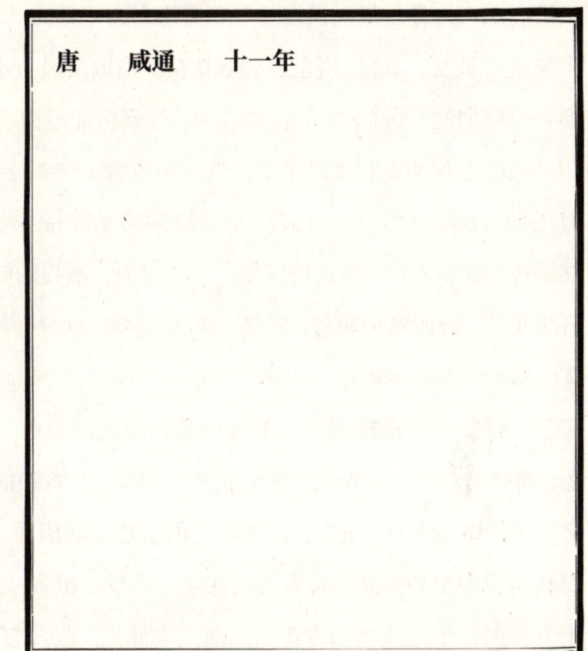

1 春季，正月一日，唐王朝（首都长安〔陕西省西安市〕）文武百官，向皇帝（二十任懿宗）李漼（李温。本年三十八岁），呈献绰号：睿文英武明德至仁大圣广孝皇帝。赦免天下。

2 西川战区（总部设成都府〔四川省成都市〕）居民听到大礼帝国（首都苴咩城〔云南省大理市〕）远征军就要进入国土，大为恐慌，争先恐后投奔成都（四川省成都市）逃生。可是成都只筑有子城（第二道城墙），外面又没有壕沟，难民每人只有一张草席那么大小地方，落雨的时候，大家就用瓢盆、簸箕、斗笠，勉强遮掩。当地又没有水井，喝的水都要到摩诃池（成都市东南角）汲取泥浆，等到沉淀澄清后才能饮用。

战区士兵都没有受过军事训练，司令官（节度使）卢耽紧急召唤彭州（四川省彭州市）州长吴行鲁，命他摄理参谋官（摄参谋）职位，会同前泸州（四川省泸州市）州长杨庆复，同心合力，增强防御工程，选择各级军官，分派各项职务，构筑“战棚”（城墙上向外伸展的阳台，可以居高临下，压制攻城部队，军舰上也有“战棚”，参考去年〔八六九〕四月八日），制造“石礮”“木檑”——都是飞石发射器以及各种武器装备，加强斥候巡逻，维持社会治安。先前，西川战区（总部成都府）将领都是挂一个虚名，连薪俸都没有。现在，总部在大街小巷张贴招兵买马布告，号召骁勇青年参加军队，每人都占实缺，薪俸、粮食，跟所有赏赐，十分优厚，于是投军的青年从四面八方涌到，杨庆复告诫说：“你们都是军人子弟，年轻英勇，有大将之才，平常没有机会表现自己，而今，蛮夷入侵我国，正是你们夺取荣华富贵的时候，岂能不勉励自己！”大家欢欣跳跃，发出震天欢呼。于是把武器排到庭院，使应征青年选择他最擅长的一种，两个人互决胜负，考察他们是勇敢，或是懦怯，来决定是不是录取，最后，遴选新兵三千人，称“突击部队”。吴行鲁，是彭州（四川省彭州市）人。

正月五日，大礼（云南省）远征军抵达眉州（四川省眉山市），卢耽派同副司令官（同节度副使）王偃等，携带私函，前往大礼远征军大营，晋见统帅杜元忠，要求和解。杜元忠回答道：“我们的行动，全看你们的诚意。”

3 宰相路岩、监督院高级顾问官（左谏议大夫）韦保衡上疏说：

"康承训讨伐庞勋时，故意逗留，不肯前进；在胜利之后，又不能把庞勋的残余党羽，完全杀光。而且贪图抢夺战利品，没有用最迅速的方法奏报。"

正月八日，李漼免除康承训遥兼二级宰相（同平章事·使相）、河东战区（总部设太原府〔山西省太原市〕）司令官（节度使）职务，贬作蜀王李佶的师傅（李佶，是李漼的儿子），在东都洛阳（河南省洛阳市）办公。不久，再贬康承训当恩州（广东省恩平市）军务秘书长（司马）。

4 大礼帝国（首都苴咩城〔云南省大理市〕）远征军推进到新津（四川省成都市新津区），抵达定边战区（总部设邛州〔四川省邛崃市〕）北境。卢耽再派一位同副司令官（同节度副使）谭奉祀，送信给杜元忠，探问来意。大礼军把谭奉祀扣留，不作反应。卢耽急派人到中央告急，请派钦差大臣出使大礼（云南省）谋求和平，并先行解除眼前的灾难。中央命礼宾馆主任（知四方馆事）、畜牧部长（太仆卿）支详（支，姓），当和平谈判特使（宣谕通和使）。大礼军接待支详，礼貌恭敬谦卑，并暂时停止前进，成都（四川省成都市）的防御工程，利用机会加紧抢修，也粗略完成。

正月十一日，大礼军北上，长驱直入，攻陷双流（四川省成都市双流区）。

正月十七日，卢耽派战区副司令官（节度副使）柳槃前往大礼军营求见，大礼军统帅杜元忠交给柳槃一份文件，说："这就是和解之后，我们皇上跟你们战区司令官相见时的礼节！"礼节明显的表现大礼皇帝的尊严，措辞用语，十分傲慢。又派人搬运彩色帐幕到成都城南，声称：打算用来布置蜀王厅，奉迎大礼皇帝（蜀王厅，隋王朝时蜀王杨秀兴建，富丽堂皇。杨秀事，参考六〇二年七月）。

正月二十日，唐政府撤销定边战区（总部设邛州〔四川省邛崃市〕），把所辖七州归还西川战区（总部设成都府〔四川省成都市〕。成立定边战区事，参考前年〔八六八〕六月）。

当天（正月二十日），大礼军抵达成都城下。前一天（正月十九日），卢耽派先锋游击司令（先锋游弈使）王昼，前往汉州（四川省广汉市）迎接援军，并催促援军加速前进。当时，山南西道（总部兴元府）特遣兵团六千人、凤翔（总部凤翔府）特遣兵团四千人，已抵达汉州。正巧，定边（总部邛州）司令官（节度使）窦滂，率领忠武（总部许州）、义成（总部滑州）、徐宿（首府徐州）残兵败将四千人，从导江（四川省都江堰市东）也抵达汉州，寻求援军保护。

正月二十四日，王昼率山南西道战区（总部设兴元府〔陕西省汉中市〕）及资州（四川省资中县）、简州（四川省简阳市）各军共三千余人，进驻毗桥（四川省成都市新都区西南），立刻跟大礼军接触，失利，于是退回固守汉州（四川省广汉市）。成都日夜盼望援军赶到，可是窦滂另有想法，因为他自己丧军失土，所以盼望西川（总部成都府）也陷入敌人之手，自己的责任就可以相对减轻。每次北方援军抵达，他就警告说：“南蛮（大礼帝国）比唐王朝军队多出数十倍，你们翻山越岭，万里跋涉，身心疲惫，真应该考虑继续前进的后果。”各将领相信他说的话，不敢前进。

西川（总部成都府）带兵官（十将）李自孝，暗中跟大礼军来往，准备焚烧城东仓库，作为内应，消息泄露，总部把他逮捕，斩首。过了几天，大礼军（云南省）果然攻击，很久很久，发现城中没有起事，才告中止。

二月一日，大礼军（云南省）集合云梯、冲车，从四面八方再次对成都发动攻击，城上唐朝守军用铁钩、绳索，把它们钩住或套住，拖到城下，浇下油料，再投火把引起燃烧，攻击部队遂全被烧死。西川战区（总部成都府）司令官（节度使）卢耽命突击部队司令杨庆复、摄理左翼大营总管理官（摄左都押牙）李骧，分率突击部队出城迎战，杀伤大礼军（云南省）二千余人，这时天色已晚，突击部队焚烧大礼军（云南省）攻城武器三千余件，然后回城。蜀中（四川省中部）将士一向胆小懦弱，但突击部队官兵，新受杨庆复赏识提拔，而且贪图优厚的悬赏，勇气忽然间多出百倍，没有被派出城作战的，都十分愤怒，暗生闷气，请求奋力一击。过了几天，大礼军（云南省）搜集民间竹篱，用水浸透，略加弯曲，编成厚厚一叠竹篷，命人抬起来，掩护士卒攻城，飞石、射箭，都无法破坏，火把投到上面也不会燃烧。杨庆复用熔化了的铁汁，往下浇灌，攻城士卒全被烫死。

二月三日，和解特使支详派人到大礼军营请求进见。

二月五日，大礼军下令停战，准备谈判。

二月六日，大礼军派使节迎接支详。但是，左神武（禁军第五军）将军（从三品）颜庆复认为援军就要到达，不愿和解，支详遂告诉大礼使节说："我接到的训令是要我去定边战区（总部设邛州〔四川省邛崃市〕）谈判，可是你们却包围成都，跟先前诏书上的指示不相符合。而且，中央所以愿意和解，就是希望你们不要攻击成都，而今日夜不停飞石射箭，还有什么可和解的！"大礼发现和解使节不再来临，立即反应。

二月八日，大礼军再度攻城。

二月九日，成都出兵反击，大礼军撤退。

最初，韦皋联络南诏王国（大礼帝国前身），共同攻击吐蕃王国（参考七八八年十月），但南诏（云南省）既不会使用弓箭，更不会制造弓箭，向唐政府诉苦，韦皋派工程师到南诏教导，几年之后，南诏（云南省）

已拥有很多坚硬的铠甲和锐利的弓箭。东蛮（四川省越西县西北各蛮夷）苴那时、勿邓、梦冲三个部落，也都协助韦皋击破吐蕃（西藏），建立功劳，跟唐王朝相处，非常和睦融洽（参考七八七年闰五月、七八八年五月）。可是，自那时之后，唐王朝沿边官员对他们逐渐蛮横暴虐，东蛮对唐王朝遂越来越怨恨，遂归附南诏王国（大礼帝国前身），每次都派军协助南诏攻击唐王朝，竭尽死力，俘虏到唐王朝人，百般虐待之后，全部诛杀。

中央贬窦滂作康州（广东省德庆县）户籍官（司户），任命颜庆复当东川战区（总部设梓州〔四川省三台县〕）司令官（节度使），所有援军都归颜庆复指挥。

二月十一日，颜庆复抵达新都（四川省成都市新都区），大礼军（云南省）派出部分军队迎战。

二月十二日，两国大军遭遇，颜庆复大破大礼军（云南省），诛杀二千余人，巴蜀（四川省）人民没有武器，手拿割草的镰刀和木棒，协助政府军战斗，喊声震动原野。

二月十三日，大礼军（云南省）步骑兵混合兵团数万人，再度进抵成都城下，正巧，右武卫（卫军第四军）上将军宋威，率忠武战区（总部设许州〔河南省许昌市〕）特遣兵团二千人及时赶到，立即投入战场，大礼军（云南省）大败，阵亡五千余人，撤退到星宿山（成都市北十公里），宋威进抵沱江驿（成都市北十五公里），距成都三十华里。大礼军（云南省）派使节杨定保，晋见支详请求和解。支详提议："应该先解除包围。"可是杨定保回去后，包围如故。城里西川战区（总部成都府）守军虽不知道援军已经抵达，但发现大礼军（云南省）不断派来和解使节，推测援军至少距离已近。

二月十六日，大礼军再度请求和解，使节往返十次，城里始终

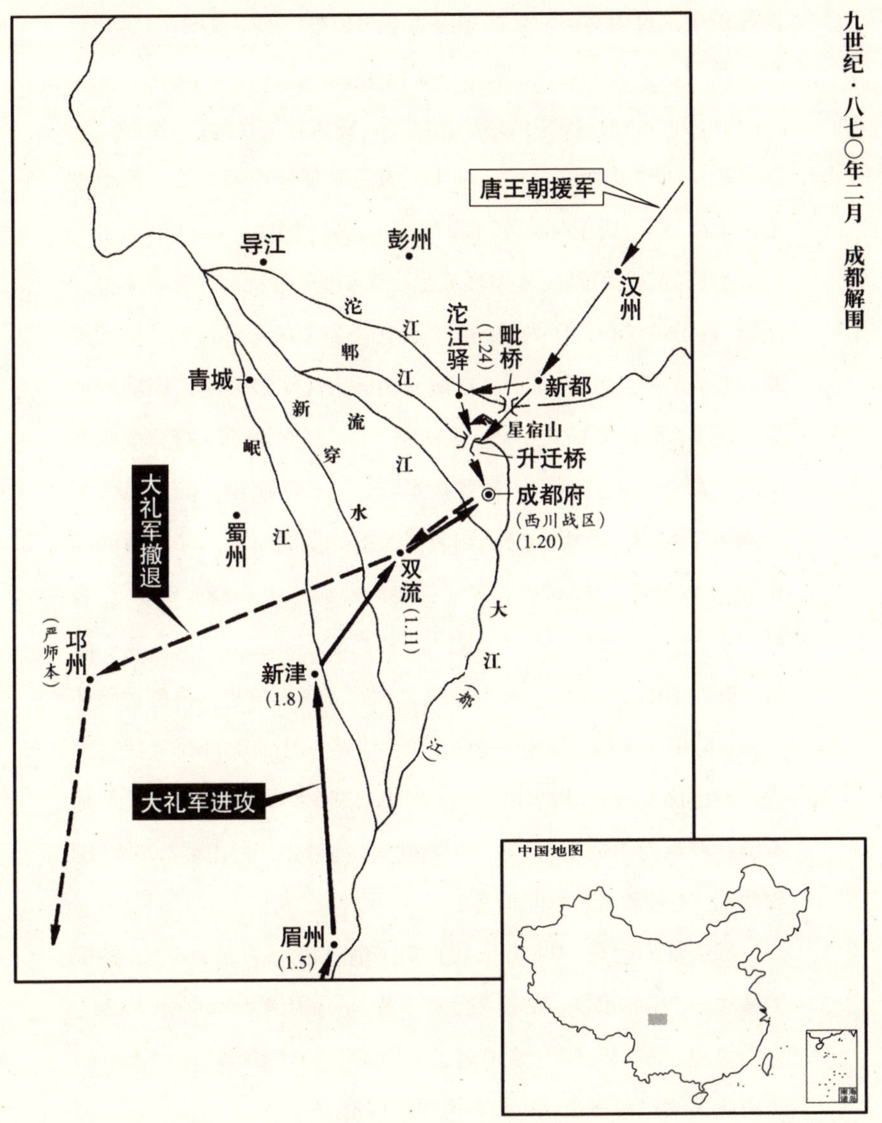

九世纪·八七〇年二月　成都解围

推托敷衍，含糊其词；大礼军因唐王朝援军相逼，攻城尤其猛烈，皇帝酋龙以下高级官员，都亲冒箭石作战。

二月十八日，援军抵达成都城下，跟大礼军（云南省）接触，夺回升迁桥（成都市西北八公里）。晚上，大礼军焚烧攻城工具，撤退逃走；直到天亮，唐王朝守军才发现敌人营阵已空。

当初，中央派颜庆复增援成都，命宋威驻守绵州（四川省绵阳市）、汉州（四川省广汉市），作为后续部队，想不到宋威乘胜直追，反而比颜庆复先行抵达成都城下，在屡次击破大礼军战役中，宋威的功劳也最多，颜庆复妒火中烧。宋威刚下令命全军饱餐，打算继续追击，成都守军也打算跟宋威等援军联合，一同出击。颜庆复恐怕宋威再立大功，就用公文通知宋威，解除他的军职，命他返回汉州（四川省广汉市）。大礼军（云南省）撤退到双流（四川省成都市双流区），被新穿水（流经四川省成都市新津区）阻拦，而桥梁不能立刻造成，军心恐慌，狼狈不堪。三天后，桥梁完工，大军才匆匆度过，再把桥破坏而去。铠甲、武器、服装、物资，遗弃满路。巴蜀（四川省）人民对颜庆复阻止出军追击这件事，十分痛恨。黎州（四川省汉源县）州长严师本集合散兵游勇数千人，驻守邛州（四川省邛崃市），大礼军（云南省）围攻两天，不能攻克，解围退走。

颜庆复命巴蜀（四川省）人民兴筑“壅门城”（专门保护城门），挖掘护城壕沟，用水灌满，布置“鹿角”“拒马”（两者都是阻挠用的防卫工程），分别修建营寨，供士卒集中居住。大礼帝国（首都苴咩城〔云南省大理市〕）知道唐王朝已有戒备，从此不再攻击成都。

先前，西川战区（总部设成都府〔四川省成都市〕）的营门官（牙将），虽有这个官名，却不设置这项官员。后来，跟大礼军（云南省）作战，有四个人因建立功劳，被擢升行政监察官（监察御史）。中央宰相联合办公厅命四位新官依照官场惯例，向宰相联合办公厅呈缴贿款三百串钱，贫穷官员深受煎熬（唐政府腐败到连宰相都公开索贿地步，早应覆灭）。

5 三月，命国务院左最高执行长（左仆射）、二级实质宰相（同平章事）曹确，遥兼二级宰相（同平章事·使相），充任镇海战区（总部设润州〔江苏省镇江市〕）司令官（节度使）。

6 夏季，四月二十四日，命皇家文学研究院院长（翰林承旨）、国务院国防部副部长（兵部侍郎）韦保衡，兼二级实质宰相（同平章事）。

7 徐州（江苏省徐州市）变军溃散后（参考去年〔八六九〕九月六日），残兵败将，仍散布各地当强盗，遍及兖州（山东省济宁市兖州区）、郓州（山东省东平县）、青州（山东省青州市）、齐州（山东省济南市）一带乡间。

李漼下诏命徐泗道（首府设徐州〔江苏省徐州市〕）行政长官（观察使）夏侯瞳对他们安抚招降。

8 五月二十六日，擢升邛州（四川省邛崃市）州长吴行鲁，当西川战区（总部设成都府〔四川省成都市〕）候补司令官（留后）。

9 光州（河南省潢川县）民变，驱逐州长李弱翁，李弱翁逃奔新息（河南省息县）。监督院初级监督官（左补阙）杨堪等上疏，说："州长如果违法乱纪，人民受到迫害，应该上诉中央，依法处罚，怎么可以集结成群，随意把他驱逐？扰乱上下的名分，这种风气不可鼓励，应该严厉诛杀，警诫其他的人。"（杨堪说得十分有理，问题是人民上诉中央是否能得到公平审理？连杨堪自己都知道答案，却硬是官腔官调，这种人之可憎在此！深入探讨，应追究激起反抗的第一因，犹如诊病必须先查明病源，才能医治。）

10 李漼命文武百官讨论怎么处置徐州（江苏省徐州市）。

六月二十五日，太子少傅（太子三少之二）李胶等上疏建议，认为："徐州（江苏省徐州市）虽然屡次制造灾难（指"银刀部队"及桂州派遣军之变），但并不是每个人都顽劣凶暴，只因首长人选不当，促使邪恶乘机而生。而今，名称上虽然贬降（由"战区"贬降为"道"），但军队的名额却仍跟过去一样（徐州军额三千人，参考八六二年八月），如果只辖一个'州'，则粮饷就无法供应这么多军队；如果配备到其他地方，又怕军心不服，甚至有可能使旧日的歹徒重新结合，更加猖狂。只有泗州（江苏省盱眙县淮河北岸）在庞勋兵变期间，攻守激烈。两州怨仇已深，应该趁此调整，双方都感方便。"

李漼同意，下诏命徐州仍设行政长官（观察使），统辖徐（江苏省徐州市）、濠（安徽省凤阳县东北临淮关镇）、宿（安徽省宿州市）三州，另在泗州（江苏省盱眙县淮河北岸）设民兵司令（团练使），划归淮南战区（总部设扬州〔江苏省扬州市〕）。

11 命卢龙战区（总部设幽州〔北京市〕）司令官（节度使）张允伸，遥兼最高监督长（兼侍中·使相）。

12 秋季，八月十五日，同昌公主逝世（同昌公主嫁韦保衡，参考去年〔八六九〕正月），李漼哀痛不已，诛杀皇家医官（翰林医官）韩宗劭等二十余人，并逮捕他们的亲属共三百余人，囚禁首都长安特别市监狱（京兆狱）。副立法长（中书侍郎）、二级实质宰相（同平章事）刘瞻，召见负责诤谏的官员，命他们上疏劝阻，但皇帝正怒火冲天，没有一个人敢冒这个险。刘瞻遂自己上疏，强调："人的寿命长短，都是上天注定。昨天，公主患病，皇上仁慈的圣心，深为关怀，韩宗劭等诊断的时候，只求早日痊愈，所以使用各种医术，并不是没有全神贯注。想不到祸福先定，难以移转，竟发生意外失误：追究他们的动机，应说是可怜可哀！而今，男女老幼三百余人，身戴脚镣手铐等械具，囚禁牢狱，民心惊恐，舆论沸腾，叹息之声，盈满道路。为什么使我们通达明理的君主，蒙受被认为是性情凶恶的诽谤？只因陛下久居平安之地，想不到人生艰难，一时间怒不可遏，忽略了事理上的缺失。恭请稍稍收回神圣的忧虑，把他们从宽释放！"李漼看到奏章，大不高兴。刘瞻又跟首都长安特别市长（京兆尹）温璋，在李漼面前竭力劝阻，李漼暴跳如雷，大声吼叫，把他们吆喝出去（这些家属最后到底是死是活？没有说清楚。报道这件事，似乎只为了宣传刘瞻）。

13 魏博战区（总部设魏州〔河北省大名县〕）司令官（节度使）何全皞年轻气盛，骄傲凶暴，轻视人命，喜爱杀戮，又强行克扣官兵粮食、服装。于是，兵变，何全皞单人匹马逃走，变军追捕，把他处决（何进滔八二九年六月夺权，稍后出任司令官〔节度使〕，二传何弘敬〔何重顺〕，三传何全皞，割据三代，四十二年而灭）。将领们推举大将韩君雄当候补司令官（留后），成德战区（总部设镇州〔河北省正定县〕）司令官（节度使）王景崇，也代韩君雄请求赐发旌旗符节。

九月一日，中央命韩君雄当魏博战区（总部魏州）候补司令官（留后）。

14 九月七日，贬刘瞻遥兼二级宰相（同平章事·使相），充任荆南战区（总部设江陵府〔湖北省江陵县〕）司令官（节度使）；贬温璋当振州（海南省三亚市西崖州区）军务秘书长（司马）。温璋叹息说：“生在一个不应生的时代，死有什么可惜！”当天晚上，服毒而死。李漼得到报告，火冒三丈，下诏说：“温璋如果对国家没有伤害，为什么自杀！只因他罪恶已经满盈，即令已死，仍不能减轻他的责任。通知他的家属，温璋的尸体，三天之内应停放城外，等到我再赐恩典，才准埋葬，使中外人心大快，奸邪知道畏惧。”

九月二十日，贬立法院高级顾问官（右谏议大夫）高湘、国务院司法部审计司司长（比部郎中）兼皇家诏书撰写官（知制诰）杨知至、国务院教育部祭祀司司长（礼部郎中）魏筜（音dāng〔当〕）等到岭南（南岭以南），都被控跟刘瞻亲善；这些都出于韦保衡的排斥驱逐。杨知至，是杨汝士的儿子（杨汝士，参考八三三年二月）。魏筜，是魏扶的儿子（魏扶，参考八五〇年六月）。韦保衡又跟路岩共同上疏指控刘瞻，说他跟皇家医官（翰林医官）秘密勾结，误用毒药，毒死同昌公主。

九月二十七日，再贬刘瞻当康州（广东省德庆县）州长。皇家文学研究院院长（翰林学士承旨）郑畋（音tián〔田〕）在所拟罢黜刘瞻宰相诏书草稿上说：“刘瞻居住的几亩田地，仍然不是自己的产业；拒绝四面八方的贿赂，最害怕别人知道。”（郑畋是郑亚之子。郑亚，参考八四四年九月。）路岩向郑畋狞笑说：“你不是罢黜他当宰相，而是推荐他当宰相！”遂贬郑畋当梧州（广西梧州市）州长；副总监察官（御史中丞）孙瑝也被指控，认为是刘瞻介绍他进入政府，贬作汀州（福建省长汀县）

州长。路岩平时跟刘瞻谈话议论，意见不能一致，刘瞻既被远贬到康州（广东省德庆县），路岩仍不能解开心头之恨，于是仔细查考全国地理《十道图》，发现驩州（越南荣市）距首都长安（陕西省西安市）一万华里（西安市与荣市航空距离一千八百公里），于是，把刘瞻再贬作驩州户籍官（司户）。

15 冬季，十月二十五日，擢升西川战区（总部设成都府〔四川省成都市〕）候补司令官（留后）吴行鲁，实任司令官（节度使）。

16 十一月三日，命国务院国防部长（兵部尚书）、全国盐铁专卖暨运输总监（盐铁转运使）王铎，当国务院教育部长（礼部尚书）、二级实质宰相（同平章事）。王铎，是王起的侄儿（王起，参考八四四年四月二十五日）。

17 十一月十九日，恢复以徐州（江苏省徐州市）为总部所在地的战区编制，改称感化战区（本称武宁战区）。

18 十二月，命成德战区（总部设镇州〔河北省正定县〕）司令官（节度使）王景崇，遥兼二级宰相（同平章事·使相）。

命左金吾（卫军第十一军）上将军李国昌（朱邪赤心），当振武战区（总部设安北府〔内蒙古和林格尔县〕）司令官（节度使）。

八七一年 辛卯

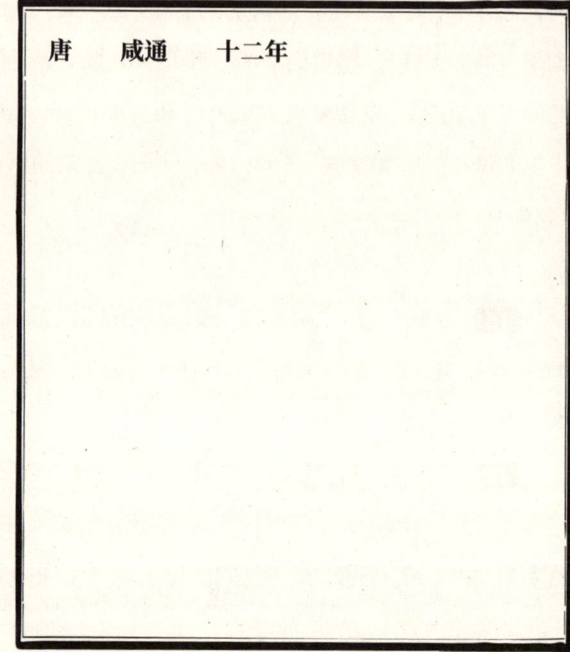

唐　咸通　十二年

1 春季，正月十四日，唐政府（首都长安〔陕西省西安市〕）安葬同昌公主，绰号文懿公主。韦家的人在大庭祭祀后，争着抢夺焚化祭物的灰烬，从中拣取金银。所焚烧的服装、首饰、玩物等，每种都装满一百二十辆马车，用锦绣绸缎、珠玉珍宝装饰的纸扎仪仗队及纸扎侍卫队以及阴间使用的器具，光彩耀眼的排列三十多华里。唐帝（二十任懿宗）李漼（李温，本年三十九岁）赏赐丧家一百斛美酒和满载四十只骆驼的糕饼，用以供应抬棺工人。李漼跟郭淑妃思念女儿不已，命音乐师李可及谱《叹百年曲》，声调凄凉婉转，踏乐跳舞的有数百人。宫库拿出大量珠宝给她们当首饰，用绝（音shī〔诗〕）——一种粗绸，共八百匹铺作地毯。歌舞结束后，掉落下来的珠宝，盖满地面。

2 命魏博战区（总部设魏州〔河北省大名县〕）候补司令官（留后）韩君雄实任司令官（节度使）。

3 副监督长（门下侍郎）、二级实质宰相（同平章事）路岩，跟韦保衡一向密切合作，权势震动天下。可是不久，二人互相争夺权力，发生摩擦，韦保衡遂在李漼面前抨击路岩。

夏季，四月二十七日，李漼贬路岩遥兼二级宰相（同平章事·使相），当西川战区（总部设成都府〔四川省成都市〕）司令官（节度使）。路岩出城上路，过往行人用碎瓦小石向他投掷。暂任首都长安特别市长（权京兆尹）薛能，是路岩所提拔，路岩对他说："临走，还劳动用瓦砾饯行！"薛能缓缓举起笏板，恭敬的说："最近宰相出城，有关单位没有派人保护的先例。"路岩满脸羞惭。薛能，是汾州（山西省汾阳市）人。

4 五月，李漼前往安国寺进香，赏赐和尚重谦、僧澈：沉香檀木讲座两个，各高二丈；再施舍一万人的斋饭。

5 秋季，七月，命国务院国防部长（兵部尚书）卢耽，遥兼二级宰相（同平章事·使相），充任山南东道战区（总部设襄州〔湖北省襄阳市〕）司令官（节度使）。

6 冬季，十月，命国务院国防部副部长（兵部侍郎）、全国盐铁专卖暨运输总监（盐铁转运使）刘邺，当国务院教育部长（礼部尚书）、二级实质宰相（同平章事）。

八七二年 壬辰

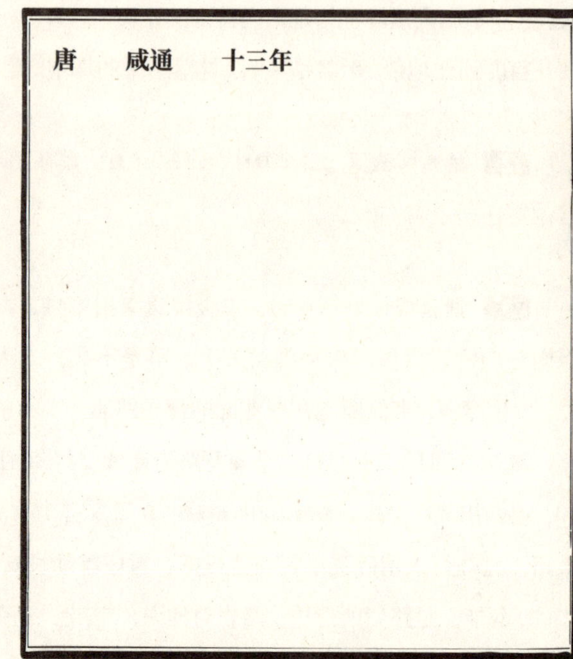

1 春季，正月，唐王朝（首都长安〔陕西省西安市〕）卢龙战区（总部设幽州〔北京市〕）司令官（节度使）张允伸，因身患风瘫，向中央请求交出军政大权，以便专心治病，中央批准，命他的儿子张简会代理候补司令官（知留后）。张允伸病势加重，派使节到京师（首都长安）上疏，缴回旌旗符节。

正月二十五日，张允伸逝世（年八十八岁）。张允伸镇守幽州（北京市）二十三年（参考八五〇年八月），勤劳节俭，恭敬谨慎，边疆平靖，没有骚动，上下相安。

2 二月十七日，唐帝（二十任懿宗）李漼（李温，本年四十岁）贬国务院国防部副部长（兵部侍郎）、二级实质宰相（同平章事）于琮，当山南东道战区（总部设襄州〔湖北省襄阳市〕）司令官（节度使）；擢升国务院司法部副部长（刑部侍郎）、主持财政部税务司（判户部）赵隐，当财政部副部长（户部侍郎）、二级实质宰相（同平章事）。

3 平州（河北省卢龙县）州长张公素，一向拥有威望，卢龙战区（总部设幽州〔北京市〕）官兵对他十分敬服。战区司令官（节度使）张允伸逝世，张公素率州政府所属军队，到幽州（北京市）奔丧，气氛紧张，张简会恐惧。

三月，张简会逃奔京师（首都长安），中央任命他担任卫军将军（卫军有十六军，没有特别指出何军，反正只一个名衔，哪一军都一样）。

4 夏季，四月，李漼封皇子李保当吉王、李杰当寿王、李倚当睦王。

5 中央任命张公素当卢龙战区（总部设幽州〔北京市〕）候补司令官（留后）。

6 五月，国立贵族大学副校长（国子司业）韦殷裕前往宫门呈递奏章，检举郭淑妃的老弟、皇宫军械库管理官（内作坊使）郭敬述的荒淫隐私。李漼大怒若狂，下令把韦殷裕乱棍打死，家产没收，妻子儿女当奴。

五月六日，剥夺宫门管理官（阁门使）田献铦（音xiān〔仙〕）的紫色官服（三品以上高官穿紫服），贬作桥陵管理官（桥陵，八任帝李旦墓，陕西省蒲城县西），因他擅自接受韦殷裕的奏章，所以处罚。韦殷裕的岳父、畜牧部副部长（太仆少卿）崔元应，以及妻的堂兄、立法官（中书舍人）崔沆（音hàng），妻的叔父崔君卿，都贬逐岭南（南岭以南）当官。御前监督官（给事中）杜裔休被指控跟韦殷裕友善，也贬作端州（广东省肇庆市）户籍官（司户）。崔沆，是崔铉的儿子（崔铉，参考八四三年五月）。杜裔休，是杜悰的儿子（参考八六三年闰六月）。

7 五月七日，贬山南东道战区（总部设襄州〔湖北省襄阳市〕）司令官（节度使）于琮，当普王李俨的师傅（李俨，是现任帝李漼的儿子），在东都洛阳办公。这是韦保衡暗中陷害。

五月十二日，贬逐下列官员：国务院左秘书长（尚书左丞）李当、国务院文官部副部长（吏部侍郎）王沨（音féng〔冯〕）、监督院最高顾问官（左散骑常侍）李都、皇家文学研究院院长（翰林学士承旨）兼国务院国防部副部长（兵部侍郎）张裼（音xī〔希〕）、前立法官（中书舍人）封彦卿、监督院高级顾问官（左谏议大夫）杨塾。

五月十四日，再贬逐下列官员：国务院工程部长（工部尚书）严祁、御前监督官（给事中）李贶（音kuàng〔况〕）、御前监督官（给事中）张铎、左金吾（卫军第十一军）大将军李敬仲、皇家生活记录官（起居舍人）萧遘（音gòu〔够〕）、李渎、郑彦特、李藻。

以上两批官员，全安置在洞庭湖及南岭之南，犯罪事实相同：都是跟于琮来往密切。李贶，是李汉的儿子（李汉，参考八三〇年三月）。萧遘，是萧寘（音zhì〔至〕）的儿子（萧寘，参考八六四年四月）。

五月十五日，贬前平卢战区（总部设青州〔山东省青州市〕）司令官（节度使）于玥（音xuàn〔眩〕）当凉王府秘书长（凉王李侹，是李漼的儿子）、在东都洛阳办公，前湖南道（首府设潭州〔湖南省长沙市〕）行政长官（观察使）于瓌当袁州（江西省宜春市）州长。于瓌、于玥，都是于琮的老哥。不久，再把于琮贬作韶州（广东省韶关市）州长。

于琮的妻子广德公主，是李漼的妹妹，她陪伴于琮一同前往韶州（广东省韶关市），行路的时候两台小轿轿门相对，互相看得清清楚楚，休息的时候，广德公主则拉着于琮的腰带，因此，于琮得以保全性命。当时，公主们都很骄傲放纵，只广德公主行动遵守礼教规范，对待于家无论长辈、晚辈，全都礼节周到，内外一致赞扬（广德公主嫁于琮，参考八五九年四月）。

8 六月，擢升卢龙战区（总部设幽州〔北京市〕）候补司令官（留后）张公素，实任司令官（节度使）。

9 宰相韦保衡打算任命他的亲信党羽裴条当政府中级官，担心国务院左秘书长（左丞）李璋方正严明，阻止裴条上班办公，先请人晋见李璋致意，李璋说：“政府官员的升迁调补，不应该问我。”

秋季，七月二十七日，李漼命李璋当宣歙道（首府设宣州〔安徽省宣城市〕）行政长官（观察使）。

10 八月，归义战区（总部设沙州〔甘肃省敦煌市〕）司令官（节度使）张义潮逝世，沙州（甘肃省敦煌市）政务秘书长（长史）曹义金代理职务。李漼命曹义金继任归义战区（总部沙州）司令官（节度使）。

以后，中原乱事节节相连，中央政府对边疆已无法照顾。后来，回鹘残余部落攻陷甘州（甘肃省张掖市，参考八四八年正月），其他归义战区所属各州，也多半被羌部落和胡部落占据（九世纪七〇年代起，甘州〔甘肃省张掖市〕以西广大国土，消息不明，《资治通鉴》也很少记载，到十世纪宋王朝时，华人已很稀少）。

11 冬季，十二月，追加前任帝（十九任宣宗）李忱（李怡）绰号：元圣至明成武献文睿智章仁神聪懿道大孝皇帝。

12 振武战区（总部设安北府〔内蒙古和林格尔县〕）司令官（节度使）李国昌（朱邪赤心），仗恃对帝国的功劳，蛮横骄傲，随心所欲，擅自诛杀州长等高级官员，中央无法忍受，下令调他当大同（云州，山西省大同市）警备区司令（防御使），李国昌（朱邪赤心）声称有病，不去到任（大同警备区刚升格为战区，参考八六九年十月，如今又恢复旧状）。

八七三年 癸巳

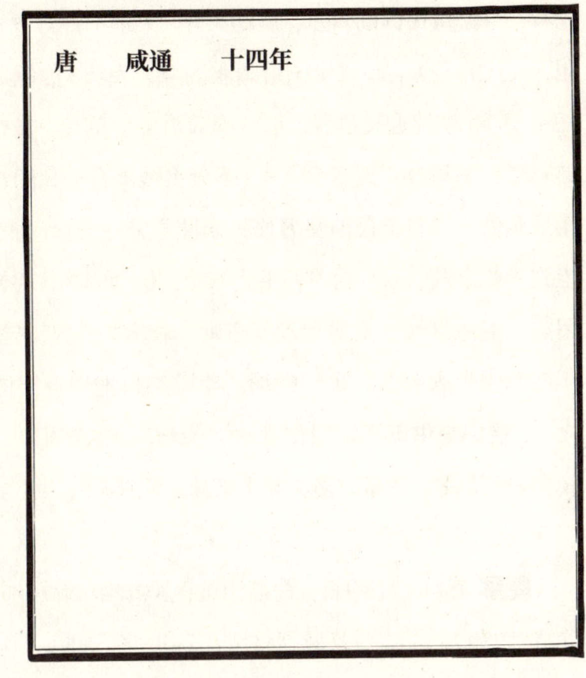

1 春季，三月二十九日，唐王朝（首都长安〔陕西省西安市〕）皇帝（二十任懿宗）李漼（李温。本年四十一岁）派钦差宦官，前往法门寺（陕西省扶风县北法门镇）迎接佛骨，文武官员纷纷上疏劝阻，有人甚至警告说：“宪宗（十四任帝李纯）迎接佛骨后不久，即行逝世（参考八一九年正月）。”李漼说：“我活着的时候只要能看一眼，死也没有遗恨！”于是，大肆兴建佛塔，用珠宝编成帷帐、檀香木制成人推小车、鲜花缀成长幅旌旗和车顶伞盖，前往凤翔（陕西省宝鸡市凤翔区）迎接，所有用具全都装饰金银玉石、锦绣绸缎，以及璧玉翡翠。从首都长安到法门寺（陕西省扶风县北法门镇）三百华里之间，车马奔驰，日夜不停。

夏季，四月八日，佛骨抵达京师（首都长安），由禁军仪队作为前导，皇家跟民间的音乐，震动天际，大地一片灯火，绵延数十华里，仪式的盛大，超过帝国最隆重的祭天大典，比起八一九年十四任帝（宪宗）李纯迎接佛骨，那一次简直望尘莫及。富有人家夹道搭建彩楼，并举办“无遮会”——不分贵贱集合一起的祈福大会，互相炫耀财富，看谁最浪费奢侈！李漼原来在安福门上，这时下楼，走到佛骨之前，双手合掌，举到额上，伏地叩头，心情激动，悲痛哭泣，泪流满面，赏赐和尚及京师（首都长安）父老中参观过八一九年迎奉佛骨大典的人金银绸缎。李漼亲自把佛骨接进皇宫，三天之后，送出来供奉安国崇化寺（在万年县长乐坊），宰相以下官员，争着施舍金银绸缎，数量之多，无法统计。李漼下诏，命全国减刑。

2 五月二十四日，命西川战区（总部设成都府〔四川省成都市〕）司令官（节度使）路岩，遥兼最高立法长（兼中书令·使相）。

3 大礼帝国（首都苴咩城〔云南省大理市〕）攻击西川战区（总部设成都府〔四川省成都市〕）；又攻击黔南（贵州省中南部羁縻地区）南部，黔中道（首府设黔州〔重庆市彭水县〕）军事指挥官（经略使）秦匡谋，军队太少，不能抵挡，遂放弃州城，逃奔荆南战区（总部设江陵府〔湖北省江陵县〕），荆南司令官杜悰把他逮捕囚禁，上疏弹劾。

六月二日，李漼下令斩秦匡谋，家产充公，妻子儿女没收当奴，亲属应该受连带处分的，命有关单位搜捕奏报。秦匡谋，是凤翔（陕西省宝鸡市凤翔区）人。

4 命副立法长（中书侍郎）、二级实质宰相（同平章事）王铎，遥兼二级宰相（同平章事·使相），充任宣武战区（总部设汴州〔河南省开封市〕）

司令官（节度使）。当时，韦保衡仗恃皇帝对自己的宠爱信任，大肆作威弄权；因刘瞻、于琮先当宰相，对自己并不礼遇，所以暗中陷害，把他们贬出中央。王铎，是韦保衡进士科考试及第（及格录取）时的主考官（科举制度下，主考官称“座师”，跟进士及第的考生，如同父子，是官场伦理最重要的一环）；而萧遘，是同年及第的进士。但二人向来看不起韦保衡，韦保衡遂对二人贬逐报复。

5 秋季，七月十六日，李漼病势危急，左神策军总指挥宦官（左军中尉）刘行深、右神策军总指挥宦官（右军中尉）韩文约，拥护李漼最幼的儿子、普王李俨，继位称帝。（司马光注：“范质《五代通录》载：后梁帝国李振告诉陕州护军韩彝范说：‘李漼初死，韩文约杀长子、立幼子，以便自己专权，遂使天下大乱，今天，你又打算重演，是也不是？’韩彝范，是韩文约的孙儿〔李振，参考八九八年三月〕。按，李漼有八个儿子，李俨排行第五，其他的儿子，《新唐书》《旧唐书》都没有写明长幼次序，也没有记载他们的结局，不知韩文约杀的是哪一个？”）

七月十八日，李漼下诏（宦官诏）：“封李俨为皇太子，暂时处理帝国大事。”

七月十九日，李漼在咸宁殿逝世（年四十一岁）。遗诏命韦保衡当帝国最高摄政（摄冢宰）。李俨登极称帝（二十一任僖宗，年十二岁。还是小学六年级学生，手中却掌握一个急待挽救的庞大帝国）。

八月十五日，李俨追封亡母王贵妃当皇太后，加封刘行深、韩文约为封国级公爵。

6 关东（潼关以东）、河南（黄河以南）大水成灾。

7 九月，有关单位上疏拟定李俨亡母王太后绰号：惠安太后。

8 司徒（三公之二）、副监督长（门下侍郎）、二级实质宰相（同平章事）韦保衡，被仇家揭发他违法隐密私事。李俨下诏（宦官诏）贬韦保衡当贺州（广西贺州市八步区）州长。

音乐师李可及流放岭南（南岭以南）。李可及深受前任帝李漼的宠爱（参考八六七年三月），曾经为儿子娶妻，李漼赏赐他两银壶的酒，掀开壶盖一看，根本没有酒，而是实心。右神策军总指挥宦官（右军中尉）西门季玄（西门，复姓）不断劝阻，李漼拒不接受。李可及有一次被赏赐大量贵重物件，以致必须用皇家车辆运送；西门季玄对李可及说："等有一天你被抄家，又要用皇家车辆运回，这不是赏赐，只是辛苦了牛腿！"现在，李可及流放岭南（南岭以南），家产充公、妻子儿女没收当奴，果然应验西门季玄的预言。

9 命西川战区（总部设成都府〔四川省成都市〕）司令官（节度使）路岩，遥兼最高监督长（兼侍中·使相）；加授成德战区（总部设镇州〔河北省正定县〕）司令官（节度使）王景崇，遥兼最高立法长（中书令·使相）。又命魏博战区（总部设魏州〔河北省大名县〕）司令官（节度使）韩君雄、卢龙战区（总部设幽州〔北京市〕）司令官（节度使）张公素、天平战区（总部设郓州〔山东省东平县〕）司令官（节度使）高骈（音pián〔胼〕），一律遥兼二级宰相（同平章事·使相）。李俨赐给韩君雄新名：韩允中。

10 冬季，十月四日，命国务院左最高执行长（左仆射）萧倣，当副监督长（门下侍郎）、二级实质宰相（同平章事）。

11 再贬贺州（广西贺州市八步区）州长韦保衡当崖州（海南省海口市琼山区）澄迈（海南省澄迈县东北老城镇）县长，不久就命他自杀。又把他的老弟、皇家文学研究官（翰林学士）兼国务院国防部副部长（兵部侍郎）韦保乂，贬作宾州（广西宾阳县）户籍官（司户）；韦保衡的亲信、皇家文学研究官（翰林学士）、国务院财政部副部长（户部侍郎）刘承雍，贬作涪州（重庆市涪陵区）军务秘书长（司马）。刘承雍，是刘禹锡的儿子（刘禹锡，参考八〇五年三月）。

12 十月十二日，赦免天下。

13 西川战区（总部设成都府〔四川省成都市〕）司令官（节度使）路岩，喜爱音乐女色、游玩宴会，没有时间过问军政大事，把全权交给他的亲信边咸（参考八六九年十月）、郭筹。二人遇到事情，都先行处理，然后再向路岩报告，大小官员对二人都非常畏惧。有一天，举行盛大阅兵，众目睽睽下，二人虽不说话，却不断神秘兮兮的互相传递字条，面色严肃，看过之后用火把字条烧掉，军中遂传出流言说：他们将有重大图谋，惊慌恐惧，人心不安，气氛紧张。中央接到报告，立即因应。

十一月七日，调路岩当荆南战区（总部设江陵府〔湖北省江陵县〕）司令官（节度使）。边咸、郭筹暗中探听出来调差原因，不敢恋栈，急忙逃亡躲藏。

14 命国务院右最高执行长（右仆射）萧邺，遥兼二级宰相（同平章事·使相），充任河东战区（总部设太原府〔山西省太原市〕）司令官（节度使）。

15 十二月八日，李儇命把佛骨送回法门寺（陕西省扶风县北法门镇）。

16 再贬路岩为新州（广东省新兴县）州长。

八七四年 甲午

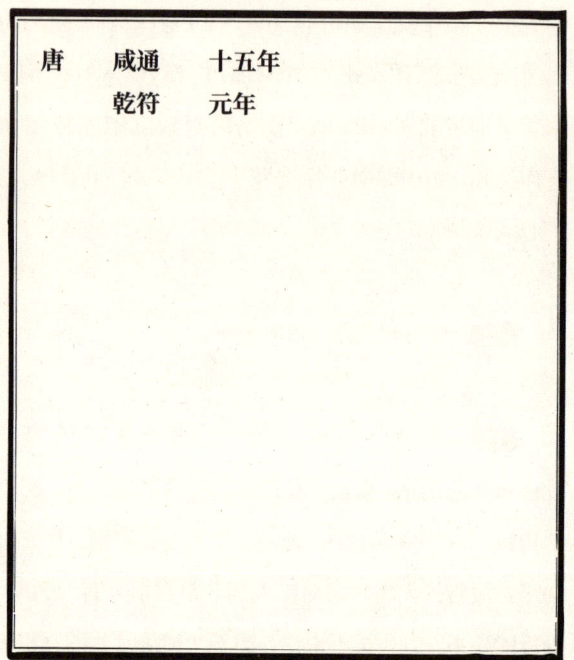
唐　咸通　十五年
　　乾符　元年

1 春季，正月二十七日，唐王朝（首都长安〔陕西省西安市〕）皇家文学研究官（翰林学士）卢携上疏，建议：

“陛下刚刚登上宝座，应该更深刻的体念人民的困难。国家之有人民，就好像花草树木之有根柢，如果秋冬施肥灌溉，则春夏一定繁荣茂盛。我曾经亲眼看到关东（潼关以东）去年（八七三）的旱灾，西自虢州（河南省灵宝市），东到大海（东海），春麦只收割一半，秋季杂粮也寥寥无几，冬季菜蔬收成更少，贫穷人民把蓬草的种子，磨成细粉，把储存一些拣来的槐树叶，捣碎当菜来吃。有的人比这更为贫苦，惨状更难形容。一年复一年不能丰收，人民都逃难到相邻各州，留下来的全是饥民，没有地方可以投靠，坐困荒村之中，等待饿死。所谓免除捐税，实际上不免除也一文钱都征收不到，而州县政府却必须向中央'三司'缴出现金（三司：国务院财政部〔户部〕、全国财政总监署〔度支〕、全国盐铁专卖暨运输总监署〔盐铁〕），所以催逼紧急，对穷苦人民动不动就苦刑拷打，但是，即令把房屋拆掉，贩卖梁柱木材，使妻子去当奴仆，出卖儿女，所得的几个钱，也只能供给税务人员饮一次酒、吃一顿饭，并到不了国库。更可怕的事是，正式租税之外，还有其他差事，政府如果不赶快安抚慰问，人民再无法活命。请陛下训令州县政府，对于人民所欠的捐税，应一律豁免，停止征收，使人民得以苟延残喘到麦子收割、绸缎织成；同时命各地打开义仓，赶快赈济，才能熬到晚春（三月），那时，野菜、树叶以及林木，开始发芽，才可采吃，接着桑葚成熟，也可下肚。最近数月的时间，情况最为窘迫紧急，行动不可缓慢。"

唐帝（二十一任僖宗）李俨（本年十三岁）下诏批准，但有关单位并不遵行，只当作一张废纸。

2 新州（广东省新兴县）新任州长路岩，走到江陵（荆南战区总部，湖北省江陵县），李俨下诏，剥夺他所有官爵，无限期流放儋州（海南省儋州市）。路岩丰姿秀美，囚禁江陵监狱两天两夜，头发胡须，全都变白。不久，李俨下诏，命他自杀（年四十五岁），家产充公，妻子儿女没收当奴。

路岩当宰相时，曾秘密向皇帝（二十任懿宗）李漼（李温）建议："三品以上高阶层官员奉命自杀，都要钦差宦官在尸体上剔下喉管三寸，携回奏报，查验正身。”现在，自己身受酷刑，也被剔除喉管。他被处死的床，正是杨收当年被处死的床（杨收事，参考八六九年二月）。

边咸、郭筹也被追捕到案，全部诛杀。

最初，路岩在淮南战区（总部设扬州〔江苏省扬州市〕）司令官（节度使）崔铉（参考八五五年八月）属下当后勤补给官（支使），崔铉看出他将来一定会大富大贵，说：“路十（路岩兄弟中排行第十）终于要做到那个官（宰相）。”不久，路岩到京师（首都长安）当行政监察官（监察御史），从此没有离开过长安城，十年就擢升到宰相高位。当他自行政监察官（监察御史）进入皇家文学研究院（翰林院）时，崔铉仍在淮南（总部扬州），得到消息，说：“路十这么年轻就进了皇家文学研究院（翰林院），怎么能活到老！”一切都如崔铉所料。

3 李儇命太子少傅（太子三少之二）于琮，遥兼二级宰相（同平章事·使相），充任山南东道战区（总部设襄州〔湖北省襄阳市〕）司令官（节度使）。

4 二月五日，把前任帝（二十任）李漼（李温），安葬简陵（陕西省富平县西北二十公里），绰号昭圣恭惠孝皇帝，庙号懿宗。

5 贬副立法长（中书侍郎）、二级实质宰相（同平章事）赵隐，遥兼二级宰相（同平章事·使相），充任镇海战区（总部设润州〔江苏省镇江市〕）司令官（节度使）；擢升华州（陕西省渭南市华州区）州长裴坦，当副立法长（中书侍郎）、二级实质宰相（同平章事）。

6 擢升虢州（河南省灵宝市）州长刘瞻，当国务院司法部长（刑部尚书)。刘瞻当初被贬谪时(参考八七〇年九月),无论是贤是愚,没有人不悲痛叹息。等他重回京师(首都长安),长安东西两市居民,自动自发的依照贫富比例收钱,演出各种戏剧杂耍,盛大欢迎。刘瞻听到消息,变更回京日期,改走其他小路。

当政府文武官员全都明哲保身,闭口不言时,只刘瞻一人为冤狱中的囚犯请命,岂止长安市民向他欢呼回报而已,千年以后,我们仍深为感动。遥祝刘瞻在天之灵,为迄今仍不能完全享受人权的中国人民,赐下祝福。

7 夏季,五月八日,宰相裴坦逝世。李儇擢升刘瞻当副立法长(中书侍郎)、二级实质宰相(同平章事)。

最初,刘瞻被贬逐南方,宰相刘邺向韦保衡、路岩靠拢,联合陷害刘瞻。现在,刘瞻回京(首都长安)再任宰相,刘邺内心升起恐惧。

秋季,八月一日,刘邺在全国盐铁专卖暨运输总监署(盐铁院),设席宴请刘瞻,刘瞻回家后生病。

八月十五日,刘瞻逝世,当时的人都认为刘邺把他毒死。

8 李儇命国务院国防部副部长(兵部侍郎)、全国财政总监(判度支)崔彦昭,当副立法长(中书侍郎)、二级实质宰相(同平章事)。崔彦昭,是崔群的侄儿(崔群当过宰相,参考八一七年七月)。

国务院国防部副部长(兵部侍郎)王凝,是王正雅的堂孙(王正雅上疏救宋申锡,参考八三一年三月)。王凝的娘亲,是崔彦昭娘亲的妹妹。王凝跟崔彦昭是姨表兄弟,而且都是进士出身。可是,王凝先“及第”——进士科先考试及格，少年得志，意气轻浮，曾经随便的穿着休闲装接见崔彦昭，这已不够礼貌，而且还轻蔑的说：“进士科及第不容易，你不如考明经科。”崔彦昭大怒，二人遂结下深仇。（胡三省注：“唐王朝重视‘进士’，而看不起‘明经’，所以有‘焚香礼进士，设幕试明经’之语。崔彦昭认为受到奇耻大辱，正是如此。”）现在，崔彦昭当宰相，娘亲告诉婢女说：“给我多做些鞋、袜，王凝母子一定被贬到蛮荒，我会跟我妹妹一块走。”崔彦昭一面叩头，一面哭泣道：“我绝不敢这样做。”王凝因此逃过灾祸。

冬季，十月，命副监督长（门下侍郎）、二级实质宰相（同平章事）刘邺，遥兼二级宰相（同平章事·使相），充任淮南战区（总部设扬州〔江苏省扬州市〕）司令官（节度使）。命国务院文官部副部长（吏部侍郎）郑畋，当国务院国防部副部长（兵部侍郎）；命皇家文学研究院院长（翰林学士承旨）兼国务院财政部副部长（户部侍郎）卢携，仍任原官；二人均兼二级实质宰相（同平章事）。

9 十一月五日，冬至，文武百官呈献李儇尊贵绰号：圣神聪睿仁哲明孝皇帝。改年号乾符（之前是咸通十五年，之后是乾符元年）。

10 魏博战区（总部设魏州〔河北省大名县〕）司令官（节度使）韩允中（韩君雄）逝世（年六十一岁），军中拥护他的儿子、副司令官（节度副使）韩简当候补司令官（留后）。

11 大礼帝国（首都苴咩城〔云南省大理市〕）远征军再度攻击西川（总部成都府），在大渡河（岷江支流）搭建浮桥，渡河北上。河防总作战司令（防河都知兵马使）、黎州（四川省汉源县）州长黄景复，等大礼军渡过一半时，发动突击，大礼军败退，黄景复摧毁浮桥。大礼军在正面阵地竖起大批旌旗，暗中派兵分别前往上、下游各二十华里处，于夜晚搭建浮桥，第二天一早，全部过河，击破附近各城堡营寨，向黄景复大营左右夹攻，黄景复苦战三天，伪装战败撤退，大礼远征军出动全部精锐追赶，黄景复设置三道埋伏等待，大礼军穿过第二道埋伏时，三道埋伏同时并发，前后夹击，大礼军大败，死亡二千余人，边防军追到大渡河以南才回，整修城栅据守。

大礼远征军向南撤退，走到之罗谷（今地不详），跟国内增援部队相遇，生力军加入后，声势大振，战鼓的声音传到数十华里以外，于是回军再攻大渡河，跟唐朝边防部队隔着大渡河筑营，声称这次是来求和，不是来求战，于是再暗中在上下游偷渡，跟黄景复苦战数日。西川战区总部（设成都府）的援军不能抵达，大礼远征军却每天都有增加，黄景复不能支持，军队崩溃。

12 十二月，党项部落（陕西省北部）及回鹘部落，联合攻击天德军（内蒙古乌拉特前旗东北）。

13 感化战区（总部设徐州〔江苏省徐州市〕）奏报说：“成群结队的盗匪抢夺民间财产，州县无力制伏。”

李儇诏令兖海战区（总部设兖州〔山东省济宁市兖州区〕）及天平战区（总部设郓州〔山东省东平县〕）等派军讨伐。

14 大礼远征军（云南省）乘战胜黄景复余威，攻陷黎州（四川省汉源县），进入邛崃关（四川省汉源县北），抵达雅州（四川省雅安市）。

大渡河崩溃的边防军官兵逃奔邛州（四川省邛崃市），成都（四川省成都市）人心惊恐，争先恐后进城躲避，有的人再向更北的州县逃难。成都急行加强战备，壕沟城墙比从前都要坚固得多。

大礼帝国皇帝酋龙，命宰相（坦绰）送信给西川战区（总部设成都府〔四川省成都市〕）司令官（节度使）牛丛，说：“我们并不是侵犯边疆，只是想去京师（首都长安）朝见天子，当面陈诉数十年来被奸人陷害离间所受的委屈冤枉。如果神圣的皇上能够体恤怜悯，回来后当跟贵官永远和睦。现在向贵战区借路，同时也借蜀王厅（参考八七〇年正月）休息几天，即行北上。”牛丛胆小懦弱，打算接受。突击部队司令杨庆复（参考八七〇年正月）竭力反对，把大礼使节全部诛杀，只留下两个人，要他们携带回函返营。信上严厉的指控大礼（云南省）的罪状，并且诟骂侮辱。大礼军前进到新津（四川省成都市新津区），即行撤退。牛丛已经胆裂，恐怕大礼军再回来攻击，预先坚壁清野，把成都城外所有房舍及庄稼，全部焚毁，居民倾家荡产，一件东西都没有存下来，巴蜀（四川省）人民十分怨恨。

李儇下诏命河东战区（总部设太原府〔山西省太原市〕）、山南西道战区（总部设兴元府〔陕西省汉中市〕）、东川战区（总部设梓州〔四川省三台县〕）派军增援。又命天平战区（总部设郓州〔山东省东平县〕）司令官（节度使）高骈，前往西川（总部成都府）处理有关大礼帝国（云南省）事宜。

15 命韩简当魏博战区（总部设魏州〔河北省大名县〕）候补司令官（留后）。

16 商州（陕西省商洛市）州政府经费枯竭，仓库空虚，州长王枢，命减少“折籴钱”（买米称“籴”，音dí〔笛〕。政府收税，本收现钱，七八六年起，折合粮食，称“折籴”)，人民怨愤，乱棍殴打王枢，并打死两位官员。

中央另行任命新州长李诰，李诰到差后，搜捕变民李叔汶等三十余人，斩首。

17 最初，回鹘部落不断请求唐政府册封可汗，李俨派册封特使（册立使）郗宗莒，前去他们的游牧地区（当在罗川〔甘肃省正宁县西南〕，参考明年〔八七五〕十一月），不料正遇上回鹘部落被吐谷浑部落及嗢末族群击破（嗢末族群，是吐蕃奴隶，参考八六二年十二月。嗢，音wà〔袜〕），向远处逃跑，不知道逃到什么地方。李俨命郗宗莒把册封文件及印信交给朔方战区（总部设灵州〔宁夏灵武市〕）司令官（节度使）唐弘夫保管；郗宗莒折返京师（首都长安）。

18 李俨年纪还小（本年十三岁），大权掌握在臣属之手，宫廷宦官（北司）和政府官员（南衙）争夺权力，互相冲突。

自从二十任帝（懿宗）李漼（李温）以来，宫廷越发奢侈，而讨伐叛乱的战事又不能停息，田赋捐税沉重，征收更为急迫。关东（潼关以东）一连几年大旱大水成灾，州县政府总是隐瞒实情，不肯向上报告；上下互相蒙蔽，人民只有离乡背井，四散逃亡，或者活活饿死。丧失耕地的农民，哭告无门，只好到处抢劫，于是遍地都是盗贼，州县政府军队太少，加上长久以来的太平日子，士卒们对战斗已经陌生，每次跟变民军碰上，政府军总是失败。

本年（八七四），濮州（山东省鄄城县）人王仙芝，首先聚集饥民数千人，在长垣（河南省长垣市）起事。

八七五年 乙未

唐 乾符 二年

1 春季，正月三日，唐王朝（首都长安〔陕西省西安市〕）皇帝（二十一任僖宗）李俨（本年十四岁）命高骈（音pián〔胼〕）当西川战区（总部设成都府〔四川省成都市〕）司令官。

2 正月八日，李俨前往圆形祭坛，祭祀天神。赦免天下。

3 高骈抵达剑州（四川省剑阁县），先派使节飞马通知成都（四川省成都市）大开城门。有人警告他说："南蛮（大礼军）逼近成都，你离成都还相当远（剑阁与成都航空距离一百五十公里），万一大礼军发动攻击，我们怎么办？"高骈说："我在交趾（安南府，越南河内市）的时候，曾击破他们二十万大军（参考八六六年十月），现在听到我来的消息，逃走都来不及，怎么敢侵犯成都？而今，已是春季，气温回升，数十万人关在一座孤城里面，活人跟死人相聚一起，屎尿脏乱，聚集蒸发，势将发生瘟疫，大开城门放大家一条生路，一点也不可以延缓！"使节抵达成都，大开城门，放难民出城，恢复各种营业，登城守卫的武装民兵，也都下得城来，脱掉盔甲；人民十分欢悦。

大礼（云南省）远征军正进攻雅州（四川省雅安市），得到消息，派使节请求和解，即行解围退走。

高骈奏报说："南蛮（大礼帝国）不过小丑，容易对付。现在，西川（总部成都府）新旧军队已经够多，中央调发振武战区（总部设安北府〔内蒙古和林格尔县〕）、鄜坊战区（总部设鄜州〔陕西省富县〕）、河东战区（总部设太原府〔山西省太原市〕）特遣兵团，徒劳花费，敬请复员。"李俨只命河东特遣兵团返防。

4 李俨当普王的时候，对皇宫小马房管理宦官（小马坊使）田令孜，深为宠爱。登上皇帝宝座后，擢升田令孜当宫廷机要室主任宦官（知枢密），掌握大权，不久，更命他当右神策军总指挥宦官（右军中尉）。本年（八七五），李俨才十四岁，只知道玩耍游戏，国家大事全部交给田令孜，并叫田令孜"干爹"！田令孜读过不少书，反应迅速，深谋远虑，既掌握大权，立刻知道自己的身价，遂专断独行，大肆收受贿赂，任命官吏，甚至五品以上红官服，或三品以上紫官服，都不奏报皇帝。每次晋见小友李俨时，总是亲自准备两盘

中国地图

龙州
剑州
翼州
茂州
维州
绵州
高骈军
吐蕃部落
岷
彭州
汉州
梓州
（东川战区）
江
唐王朝边防军败逃
蜀州
成都府（西川战区）
邛州
新津
遂州
简州
雅州
眉州
唐王朝
普州
陵州
邛崃关
资州
嘉州
黎州
（黄景复）
荣州
大渡河
清溪关
沐源川
沐源镇
戎州
泸州
江
马湖镇
长
高骈军新筑之边镇
大礼军
大礼帝国

九世纪·八七四年十一月至八七五年正月　大礼再攻西川

糖果，跟小友面对面坐在那里，一面吃糖果，一面饮酒，从容不迫的谈东论西，很久之后才告退。李儇跟宫里的一些差役工匠厮混在一起，赏赐音乐师、演员，动不动就以一万为单位计算，宫库枯竭，田令孜建议李儇：搜刮首都长安（陕西省西安市）东西两市商店和旅客们所有的财宝货物，全部送到宫库。有人向司法机关控告，一律被押送首都长安特别市政府（京兆），乱棍打死。宰相以下所有官员，没有人敢说半个“不”字（中国人民再一次陷入绝境，不是饿死，就是反抗）。

5 高骈抵达成都（四川省成都市）。明天，派步骑兵五千人追击大礼（云南省）远征军，追到大渡河（岷江支流），格杀及俘虏的人很多，生擒酋长数十人，带回成都，一律斩首。重修邛崃关（四川省汉源县北）及大渡河各城垒营寨，又在戎州（四川省宜宾市）马湖镇（宜宾市西南）筑城，名平夷军，同样也在沐源山（四川省沐川县境）筑城，都位于大礼（云南省）进军要道，各地派军数千人驻扎。从此，大礼（云南省）不再有军事行动。

高骈召见黎州（四川省汉源县）州长黄景复，责备他不能防守大渡河，腰斩（黄景复大渡河之战，参考去年〔八七四〕十一月）。高骈又奏请：愿亲自率本部人马，会同天平（总部郓州）、昭义（总部潞州）、义成（总部滑州）各战区特遣兵团共六万人，南下攻击大礼（首都苴咩城〔云南省大理市〕），李儇下诏不许。

先前，大礼帝国首席部长（督爽）不断送公文给唐朝宰相联合办公厅（中书），措辞充满怨恨，宰相联合办公厅（中书）拒不回答。宰相卢携奏报说：“如果继续沉默，蛮夷（大礼帝国）就会越发骄傲，认为唐政府理屈，无话可说，应该列举他们十代先人接受唐王朝的恩德，加以狠狠责备（细奴逻〔一代〕于唐王朝三任帝李治时，派使节到唐王朝朝贡，生逻盛炎〔二代〕，逻盛炎生炎阁〔三代〕，炎阁死，弟盛逻皮立。盛逻皮生皮逻阁，统一六诏，建立王国〔以上参考七三八年九月〕。皮逻阁〔建国后一代〕生阁罗凤，阁罗凤〔二代〕生凤迦异，未即位，凤迦异生异牟寻〔三代〕，异牟寻生寻阁劝〔四代〕，寻阁劝生劝龙晟〔五代〕，劝龙晟有弟劝利〔六代〕，劝利有弟丰祐，丰祐生大礼帝国皇帝酋龙。自细奴逻至酋龙十三代，中间凤迦异未立而死，而丰祐、酋龙与唐为敌，所以受恩十代）。但是如果由宰相联合办公厅（中书）回复，似乎提高他们的身价，最好是下诏高骈和岭南战区（总部设广州〔广东省广州市〕）司令官（节度使）辛谠，命他们抄录诏书原文，用正式公文书送给南诏（大礼帝国）。”李俨批准。

6 三月，擢升魏博战区（总部设魏州〔河北省大名县〕）候补司令官（留后）韩简实任司令官（节度使）。

7 去年（八七四），感化战区（总部设徐州〔江苏省徐州市〕）派特遣兵团前往朔方战区（总部设灵州〔宁夏灵武市〕）参加秋季边防，正巧，大礼帝国（云南省）进攻西川（总部成都府），中央训令改变行程，南下增援，还没有走到成都，大礼（云南省）远征军已被击退，政府军撤回，感化特遣兵团抵达凤翔（陕西省宝鸡市凤翔区）时，大家拒绝再往灵武（朔方战区总部所在城）报到，遂自作主张，打算折返徐州（感化战区总部所在）。随从宦官（内养）王裕本、指挥官（都将）刘逢，生擒领头煽动的人胡雄等八人，斩首。军心才安定。

8 最初，大礼帝国（云南省）包围成都（四川省成都市），前泸州（四川省泸州市）州长杨庆复选拔训练突击部队抵御，发给他们实缺薪俸（参考八七〇年二月），成都因此得以保全。现在，高骈到差，命突击部队官兵缴出任命状，又声称巴蜀（四川省）屡受蛮夷侵犯，人民还没有完全恢复生产，因之连粮食也停止发给，突击部队忿怒怨恨。

高骈喜爱妖术，连军事行动都要玩神弄鬼，每次追击大礼军（云南省），都要在夜晚时分，竖起大旗，集合队伍，就在官兵面前焚烧纸画的人马，并撒出小豆（这就是民间神话中的“呼风唤雨，撒豆成兵”），解释说：“巴蜀（四川省）士卒胆小害怕，而今我派玄女神兵先行出发。”军中勇敢的战士认为是一种羞辱。高骈又索取辖境里官员名册，凡是从最底层雇员（吏）擢升到官员职位的，一律罢黜（中国古代文官制度，分为“官”和“吏”，犹如现代军中的“军官”和“士官”一样，军官可由少尉升到大将，士官永不能升作军官，只能升到士官长，就得退休，要想升军官，必须再受军官养成教育）。又命民间实足用钱（“足陌钱”，一串本是一千钱，不知道什么原因，当时不足一千钱时，也可当作一串），凡是数目不足的，一律逮捕，控告他贿赂，无论是付钱的或收钱的，全都处死。刑罚残忍严厉，巴蜀（四川省）人民都不高兴。

夏季，四月，兵变，突击部队大声呐喊，冲进战区司令官（节度使）官邸，高骈吓得要死，逃到茅厕里躲藏，变军到处搜捕都搜捕不到。护送高骈前来西川（总部成都府）的天平（总部郓州）特遣兵团（高骈由天平战区〔总部设郓州，山东省东平县〕调西川）指挥官（都将）张杰，率部属数百人，身穿铠甲，进入官邸，攻击突击部队，突击部队夺取公堂两侧陈列仅供仪式使用的刀枪，夺不到刀枪的人挥动木棍，甚至赤手空拳，狂怒的抵抗天平士卒，作殊死决斗，天平士卒不能抵抗，退回营房。突击部队追击，营门紧闭，不能进入。监军宦官派人向突击部队沟通解释，承诺恢复他们的官职和服装粮食供应。很久之后，突击部队才收兵回营。而天平特遣兵团忽然打开营门出来，做出追击搜捕的阵势，抵达成都城池北方，当时整修球场，数百个工匠正在那里施工，天平军把他们包围起来，全部斩首，到总部报告说:“叛军已全部伏诛。”高骈出来接见,重赏他们金银绸缎。

第二天,高骈贴出布告,公开向突击部队道歉,完全恢复他们的官职、薪俸、服装、粮食。但从此,每天都在各特遣兵团中遴选亲近自己的官兵,到官邸值班,严密保卫。

9 加授成德战区(总部设镇州〔河北省正定县〕)司令官(节度使)王景崇:兼任最高监督长(兼侍中·使相)。

10 镇海战区(总部设润州〔江苏省镇江市〕)狼山(江苏省南通市东南)卫戍司令(镇遏使)王郢等六十九人,在战争中立功,战区司令官(节度使)赵隐只赏给他们官衔,而不发给他们衣服粮食,王郢等据理力争,毫无结果,于是,兵变,王郢等占领军械库,夺取武器,一面出击,一面集结,迅速扩张到将近一万人,一连攻陷苏州(江苏省苏州市)、常州(江苏省常州市),建立舰队,长江上下来往无阻,更由大海(东海)南下,辗转剽掠浙西(江苏省南部)、浙东(浙江省东部),甚至更南剽掠福建(福建省),造成很大灾祸。

11 五月,李儇命太傅(三师之二)、东都洛阳办公的令狐绹遥兼二级宰相(同平章事·使相),充任凤翔战区(总部设凤翔府〔陕西省宝鸡市凤翔区〕)司令官(节度使)。

12 司空(三公之三)、二级实质宰相(同平章事)萧倣逝世(年八十岁)。

六月,擢升总监察官(御史大夫)李蔚当副立法长(中书侍郎)、二级实质宰相（同平章事）。

13 六月二十日，高骈秘密调查突击部队官兵姓名，派人乘夜前往逮捕，分别包围他们的家，有的跳墙进去、有的破门而入，无论男女老幼，也不管病人孕妇，驱赶到一起，全部诛杀，有些怀抱中的婴儿就摔死在台阶上，或摔死在门柱上，流出鲜血，汇成小溪，哭声号声，震动天际，死数千人，趁着夜晚，用车把尸首拉走，投入岷江。有一个妇女，临死时，指天诅咒说："高骈，你无缘无故剥夺有功将士们的官职、衣服、粮食，激起大家愤怒，侥幸逃出一命，不反省自己的过去，却用诈术屠杀无辜，将近一万人死在你的刀下，天地鬼神，怎么能容许你如此恶毒！我一定哭告上天，教你全家屠灭像今天，冤枉羞辱像今天，惊慌恐惧像今天！"说罢，向上天叩头，满脸怒容，接受斩首（高骈认罪文告，为后世创下"阳谋"榜样。妇人悲愤诅咒，十二年后终于应验，参考八八七年九月）。

很久之后，突击部队官兵有从战地回来的，高骈又打算屠灭他们全族，很早就追随他的亲信部属王殷劝阻说："大帅信奉道教，应该喜爱生命，厌恶杀戮。这些人当时远在外地，并没有参加暴动，如果连他们也都诛杀，恐怕被杀的人就太多了。"高骈才停止。

14 长垣变民（参考去年〔八七四〕十二月）首领王仙芝跟他的同党尚君长，攻陷濮州（山东省鄄城县）、曹州（山东省菏泽市定陶区），变民军已有数万人。天平战区（总部设郓州〔山东省东平县〕）司令官（节度使）薛崇派军迎战，被王仙芝击败。

冤句（山东省东明县南马头镇）人黄巢，也集结变民数千人，响应王仙芝。黄巢年轻时跟王仙芝都贩卖私盐。黄巢对骑马射箭十分精通，豪放侠义，粗略的读过儒家经典，屡次参加进士科考试，屡次落第，遂聚众起兵，跟王仙芝一同抢劫州县，横行山东（崤山以东），缴不出赋税或失去土地的贫苦人民，都争先恐后向他归附，几个月时间，部众已达数万人。

15 卢龙战区（总部设幽州〔北京市〕）司令官（节度使）张公素，性情暴戾，士卒很多对他不服（《资治通鉴》刚称赞张公素："一向拥有威望，幽州人对他十分敬佩"，参考八七二年二月，现在忽然间变成："性情暴戾，很多士卒对他不服。"前后何以不一样）。大将李茂勋，本是回鹘部落阿布思支派贵族，回鹘汗国瓦解时，投降当时卢龙（总部幽州）司令官（节度使）张仲武（当在本世纪〔九〕四〇年代），张仲武（在职时间八四一年至八四九年）派他防卫边界，不断立功，于是赐姓名李茂勋。纳降军基地（北京市西）司令（纳降军使）陈贡言，是卢龙战区（总部幽州）老将，深受将士们的爱戴，李茂勋把陈贡言暗杀，率军直向幽州（北京市），声称是陈贡言大军。张公素出军迎战，失败，逃奔京师（首都长安）。李茂勋进入幽州（北京市），军政官员和人民才知道不是陈贡言，但大势所逼，万不得已，只好表示拥护李茂勋。中央遂任命李茂勋当卢龙战区（总部幽州）候补司令官（留后）。

16 秋季，七月，一望无际、满天遍野的蝗虫，从东方飞向西方，把太阳都遮住，暗不见天日，所经过的地方，树叶跟田里庄稼，全被吃光，只剩下赤地千里。

首都长安特别市长（京兆尹）杨知至（参考八七〇年九月）奏报说："蝗虫飞到京畿（首都长安特别市），不吃庄稼，都抱着荆棘而死。"宰相们纷纷向皇帝祝贺。

杨国忠曾说：连绵大雨不伤害田苗（参考七五四年九月），韩滉也曾说连绵大雨不破坏盐场（参考七七七年十月），而今杨知至又说蝗虫不吃稻米、身抱荆棘而死。唐王朝官员蒙蔽领袖，早成习惯，其来已久。

道德固需要勇气，谄媚尤其需要勇气。一个人的廉耻必须丧尽，或降低到某种程度，教人背皮发紧的言语才说得出口；教人肉麻抽筋的行动，才做得出来；教人汗流浃背的文章，才写得出来。杨知至的演出，可得马屁精最佳勇气奖。

17 八月，命李茂勋当卢龙战区（总部设幽州〔北京市〕）司令官（节度使）。

18 九月，立法院初级立法官（右补阙）董禹，上疏劝阻李儇减少狩猎，不再骑驴、打球。李儇赏赐他金银绸缎嘉奖。邠宁战区（总部设邠州〔陕西省彬州市〕）司令官（节度使）李侃奏报说：他的养父、华清宫（陕西省西安市临潼区西）管理主任宦官（华清宫使）李道雅（李侃是宦官的义子），请求追赠官爵。董禹上疏抨击，措辞用语，很多地方触怒宦官。宫廷机要室主任宦官（枢密使）杨复恭等，向李儇申诉冤枉。

冬季，十月，董禹因此被贬作郴州（湖南省郴州市）军务秘书长（司马）。杨复恭，是杨钦义的养孙（杨钦义，参考八四〇年九月）。

19 昭义战区（总部设潞州〔山西省长治市〕）大将刘广发动兵变，驱

逐战区司令官（节度使）高湜（音shí〔实〕），自己当候补司令官（留后）。 100

中央命左金吾（卫军第十一军）大将军曹翔，当昭义战区（总部潞州）司令官（节度使）。

20 回鹘部落回到罗川（甘肃省正宁县西南。被迫逃走，因而不能受封事，参考去年〔八七四〕十二月）。

十一月，回鹘部落派使节同罗榆禄，到唐帝国朝贡，政府赏赐他救济绸缎一万匹。

21 农民四面八方纷纷起事，全国到处都是强盗，飘忽流窜，剽掠十余个州，甚至蔓延到另外十余个州，直到淮南战区（总部设扬州〔江苏省扬州市〕），每支变民军，多的一千余人，少的也有数百人。李儇下诏命淮南（总部设扬州〔江苏省扬州市〕）、忠武（总部设许州〔河南省许昌市〕）、宣武（总部设汴州〔河南省开封市〕）、义成（总部设滑州〔河南省滑县〕）、天平（总部设郓州〔山东省东平县〕）五个战区司令官（节度使）跟五个战区监军宦官，积极讨伐逮捕，或招安怀柔。

十二月，长垣变民（参考去年〔八七四〕十二月）首领王仙芝攻击沂州（山东省临沂市）。平卢战区（总部设青州〔山东省青州市〕）司令官（节度使）宋威上疏建议：征剿事宜应另设专人负责，拨付步骑兵五千人，同时率领本战区武装部队，搜索变民军所在，集中力量讨伐消灭。中央同意，乃命宋威当各战区特遣兵团剿匪司令（诸道行营招讨草贼使），另行拨付禁军三千人、骑兵五百人。下令黄河以南各战区所派讨伐变民的作战司令（都头），一律听宋威指挥。

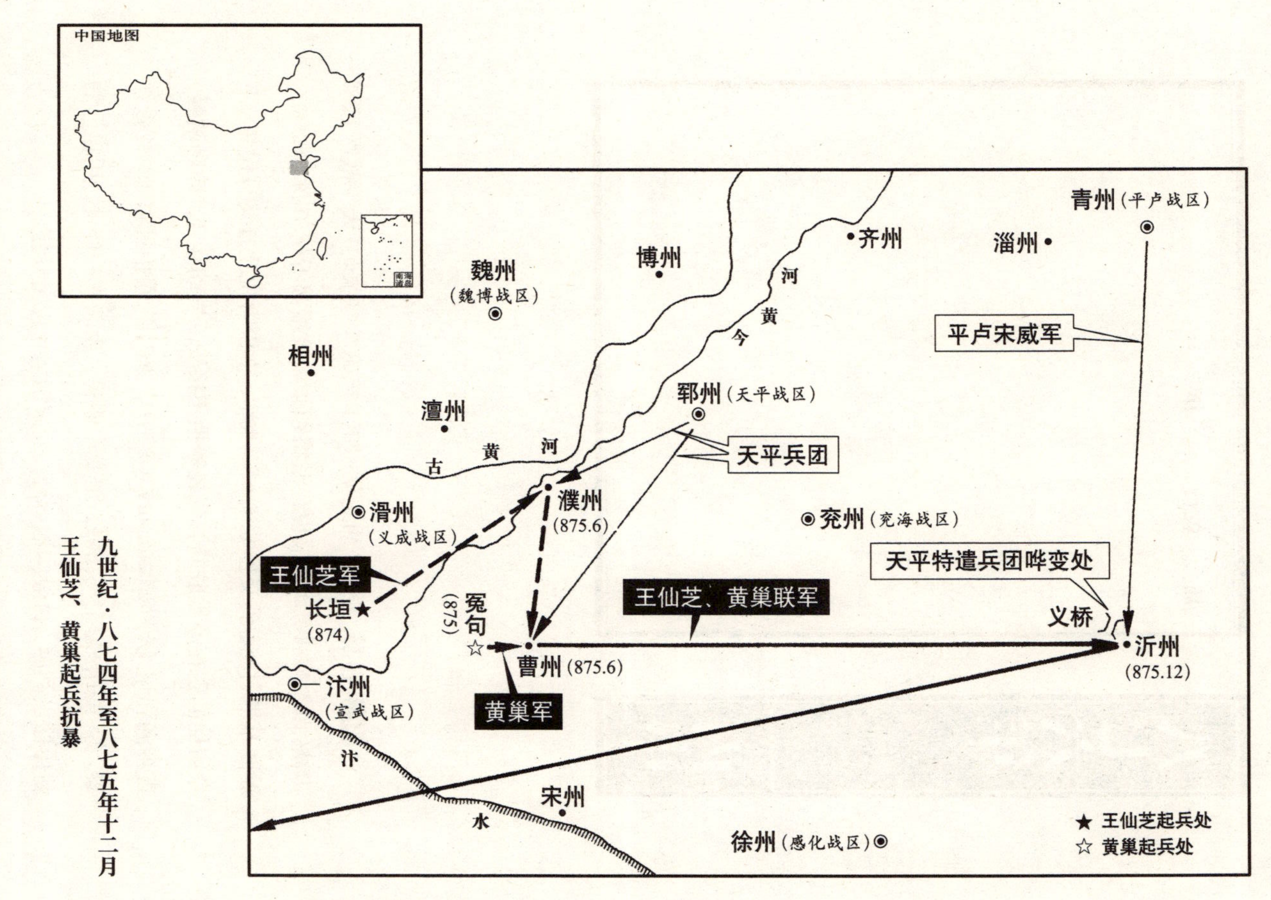

九世纪·八七四年至八七五年十二月
王仙芝、黄巢起兵抗暴

八七六年 丙申

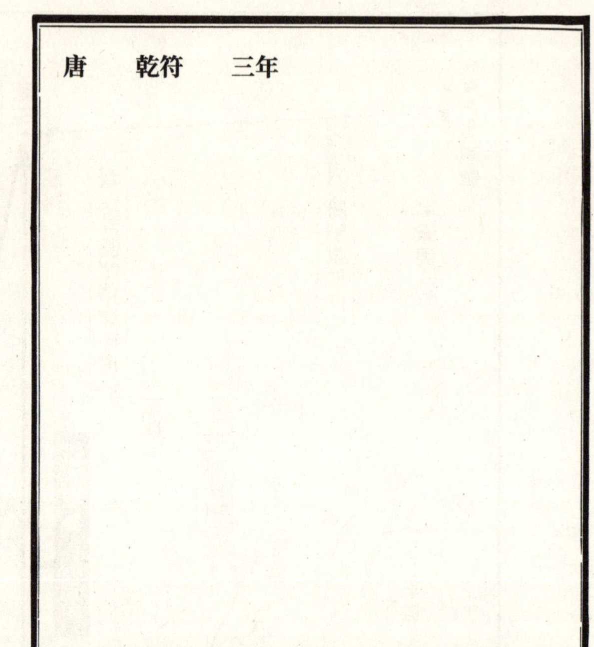

唐 乾符 三年

1 春季，正月，唐王朝（首都长安〔陕西省西安市〕）天平战区（总部设郓州〔山东省东平县〕）奏报说：派将领张晏等增援沂州（山东省临沂市），返回基地时，走到义桥（山东省临沂市西），中央听说北方又有民变，下令留他们就在原地驻防。张晏等拒不接受，发动兵变，喧哗呐喊，直奔向郓州（天平战区总部，山东省东平县）。城中守军指挥官（都将）张思泰、李承祐，急上马出城，跟变军盟誓，撕裂衣袖作证，用自己的薪俸摆设酒席，百般沟通解释，大家情绪才恢复安定。

中央命本战区处理善后，不准追究。

2 二月，唐帝（二十一任僖宗）李儇（本年十五岁），训令福建道（首府设福州〔福建省福州市〕）、江西道（首府设洪州〔江西省南昌市〕）、湖南道（首府设潭州〔湖南省长沙市〕）各道行政长官（观察使）及所属各州州长（刺史），特别加强战斗训练。又命全国各村落都要自备弓箭刀枪、战鼓盾牌，防备突发情况。

3 兖海战区（总部设兖州〔山东省济宁市兖州区〕）改名泰宁战区。

4 三月，卢龙战区（总部设幽州〔北京市〕）司令官（节度使）李茂勋请求退休，推荐他的儿子、左参谋长（左司马）李可举代理候补司令官（知留后）。

李儇命李茂勋以国务院左最高执行长（左仆射）名义退休；命李可举当卢龙战区（总部设幽州〔北京市〕）候补司令官（留后）。

5 副监督长（门下侍郎）、二级实质宰相（同平章事）崔彦昭免职，改任太子太傅（太子三师之二）；命国务院左最高执行长（左仆射）王铎，兼副监督长（兼门下侍郎）、二级实质宰相（同平章事）。

6 大礼帝国（首都苴咩城〔云南省大理市〕。苴咩，音xié miē）一面派使节晋见西川战区（总部设成都府〔四川省成都市〕）司令官（节度使）高骈，请求和解，可是一面却不停的攻击边界，劫掠财产，高骈把他们的使节斩首。最初，大礼远征军攻陷交趾（参考八六〇年十二月），俘虏安南军管区（总部设安南府〔越南河内市〕）军事执行官（经略判官）杜骧的妻子李瑶。李瑶，是皇族中血统较疏远的一支。而今，大礼（云南省）把李瑶送回，用木制公文夹把公文书送给高骈，上面说：“首席部长（督爽）

致函西川战区（总部成都府）司令官（节度使）。”措辞极端傲慢，高骈把李瑶送往京师（首都长安）。

三月二十六日，高骈复信大礼（云南省），责备大礼辜负历代皇帝相待的恩德，竟屡次侵犯边境，残杀人民，犯下大罪；又叙述大礼远征军在安南（越南河内市）、大渡河（岷江支流）两次惨败情形，作为羞辱（安南之战，参考八六六年十月；大渡河之战，参考去年〔八七五〕十二月）。

7 原州（宁夏固原市）州长史怀操贪赃枉法，性情凶暴。夏季，四月，兵变，把史怀操赶走。

8 李儇下达秘密诏书给宣武（总部汴州）、感化（总部徐州）战区司令官（节度使）及泗州（江苏省盱眙县淮河北岸）警备区司令（防御使），命他们严格的选拔英勇战士各数百人，在辖区里巡逻，保护前往京师（首都长安）的运输船队，每五天向中央呈递一次钱粮平安快报。

9 五月，昭王李汭逝世（李汭，是十九任帝李忱的儿子）。

10 擢升卢龙战区（总部设幽州〔北京市〕）候补司令官（留后）李可举，实任司令官（节度使）。

11 六月，抚王李纮逝世（李纮，是十三任帝李诵的儿子）。

12 雄州（宁夏中宁县东北）地震，地面崩裂，大水从地下涌出，把州城冲坏，无论政府官舍及民间住宅，全都荡然无存。

13 秋季，七月，命前岩州（广西来宾市）州长高杰当左骁卫（卫军第五军）将军，充任沿海舰队总作战司令（沿海水军都知兵马使），讨伐镇海战区（总部设润州〔江苏省镇江市〕）狼山（江苏省南通市东南）变军（参考去年〔八七五〕四月）首领王郢。

14 鄂王李润逝世（李润，是十九任帝李忱的儿子）。

15 命魏博战区（总部设魏州〔河北省大名县〕）司令官（节度使）韩简，遥兼二级宰相（同平章事·使相）。

16 各战区特遣兵团剿匪司令（诸道行营招讨草贼使）宋威，在沂州（山东省临沂市）城下，大破长垣变民（参考前年〔八七四〕十二月）首领王仙芝（围沂州，参考去年〔八七五〕十二月），王仙芝逃出一命。宋威奏报说："王仙芝已被诛杀！"命各战区特遣兵团解散，各自回防，而自己则返平卢战区（总部设青州〔山东省青州市〕）。中央文武官员都进宫向李儇道贺。可是，三天后，州县政府奏报说：王仙芝仍在人世，劫掠财产，攻打城寨，跟从前一样。当时，各战区特遣兵团刚刚复员休息，李儇下诏再行征调，官兵忿恨，都恨不得哗然叛变。

八月，王仙芝攻陷阳翟（河南省禹州市）、郏城（河南省郏县）。李儇命忠武战区（总部设许州〔河南省许昌市〕）司令官（节度使）崔安潜派军讨伐。崔安潜，是崔慎由的老弟（崔慎由，曾任宰相，参考八五六年十二月）。又命昭义战区（总部设潞州〔山西省长治市〕）司令官（节度使）曹翔，率本战区步骑兵五千人，会同义成战区（总部设滑州〔河南省滑县〕）特遣兵团，南下保护东都洛阳（河南省洛阳市）皇宫；另命监督院最高顾问官（左散骑常侍）曾元裕，当副剿匪司令（招讨草贼副使），驻守东都洛阳；又命山南东道战区（总部设襄州〔湖北省襄阳市〕）司令官（节度使）李福，派步骑兵二千人守卫汝州（河南省汝州市）、邓州（河南省邓州市）交通要道。王仙芝逼近汝州（河南省汝州市），中央命邠宁战区（总部设邠州〔陕西省彬州市〕）司令官（节度使）李侃、凤翔战区（总部设凤翔府〔陕西省宝鸡市凤翔区〕）司令官（节度使）令狐绹派步兵一千人、骑兵五百人，保护陕州（陕虢道首府，河南省三门峡市）、潼关（陕西省潼关县）。

17 李儇命成德战区（总部设镇州〔河北省正定县〕）司令官（节度使）王景崇，兼任最高立法长（兼中书令·使相）。

18 九月一日，日蚀。

19 九月二日，王仙芝攻陷汝州（河南省汝州市），生擒州长王镣。王镣，是现任宰相王铎的堂兄弟，东都洛阳（河南省洛阳市）大为震动，居民们扶老携幼、拖家带眷，出城逃难。

九月十一日，李儇下诏赦免王仙芝、尚君长罪状，改任政府官职，作为招安。王仙芝又攻陷阳武（河南省原阳县），攻击郑州（河南省郑州市）；昭义兵团（总部潞州）监军执行官（监军判官）雷殷符，驻防中牟（河南省中牟县），攻击王仙芝，王仙芝战败逃走。

冬季，十月，王仙芝飘忽南下，攻击唐州（河南省泌阳县）、邓州（河南省邓州市）。

20 西川战区（总部设成都府〔四川省成都市〕）司令官（节度使）高骈（音pián〔胼〕），兴筑成都罗城（外城），命佛教和尚景仙设计，共长二十五华里，集合成都特别市（成都府）所属各县县长（成都府共辖十县：成都县、华阳县〔二县皆在成都府城内〕、新都县〔四川省成都市新都区〕、犀浦县〔四川省成都市郫都区东南犀浦街道〕、新繁县〔四川省成都市新都区西北新繁街道〕、双流县〔四川省成都市双流区〕、广都县〔成都市双流区东南〕、郫县〔四川省成都市郫都区〕、温江县〔四川省成都市温江区〕、灵池县〔成都市东南龙泉街道〕)，命他们亲自管理工匠及补给事宜，官吏受贿一百钱以上的，一律处死。成都一带土质松软，于是把土烧成砖块砌墙，就在附近十华里以内，削平小山丘取土，而不挖掘平地，对种植庄稼丝毫没有影响。工匠只工作十天，十天期满，第二班即行接替，人民喜爱劳役平均，所以用不着鞭打棍击，都在限期里完成，自八月九日开工，到十一月十五日全部完竣。

当准备开工时，高骈恐怕万一大礼帝国(首都苴咩城〔云南省大理市〕)忽然扬言将对唐王朝攻击，明知道他们不敢真的出兵，但工匠们一定惊惶不安。于是上疏批准，派总工程师景仙，以佛教游行僧身份，前往大礼(云南省)，游说大礼皇帝酋龙归附唐王朝，并向酋龙保证：唐王朝愿许配公主，特来讨论婚礼细节，反反复复，故意很久不作决定。高骈又宣布南下巡视边境，早晚都把烽火传递到大渡河边，实际上却没有行动，大礼国内受到压力，人心恐惧。因此，从开始筑城到全部竣工，边境安静，没有任何警报。从前，西川战区(总部成都府)将领或官员，前去大礼(云南省)，酋龙都坐在那里接受他们叩头。高骈利用大礼人民信奉佛教的特点，特派景仙前去，大礼皇帝果然亲率他的高级文武官员叩头迎接，信任景仙所作的承诺。

21 王仙芝攻陷郢州(湖北省钟祥市)、复州(湖北省天门市)。

22 狼山变军(参考去年〔八七五〕四月)首领王郢(音yǐng〔影〕)，透过

九世纪·八七六年八月至十月
王仙芝剽掠河洛一带

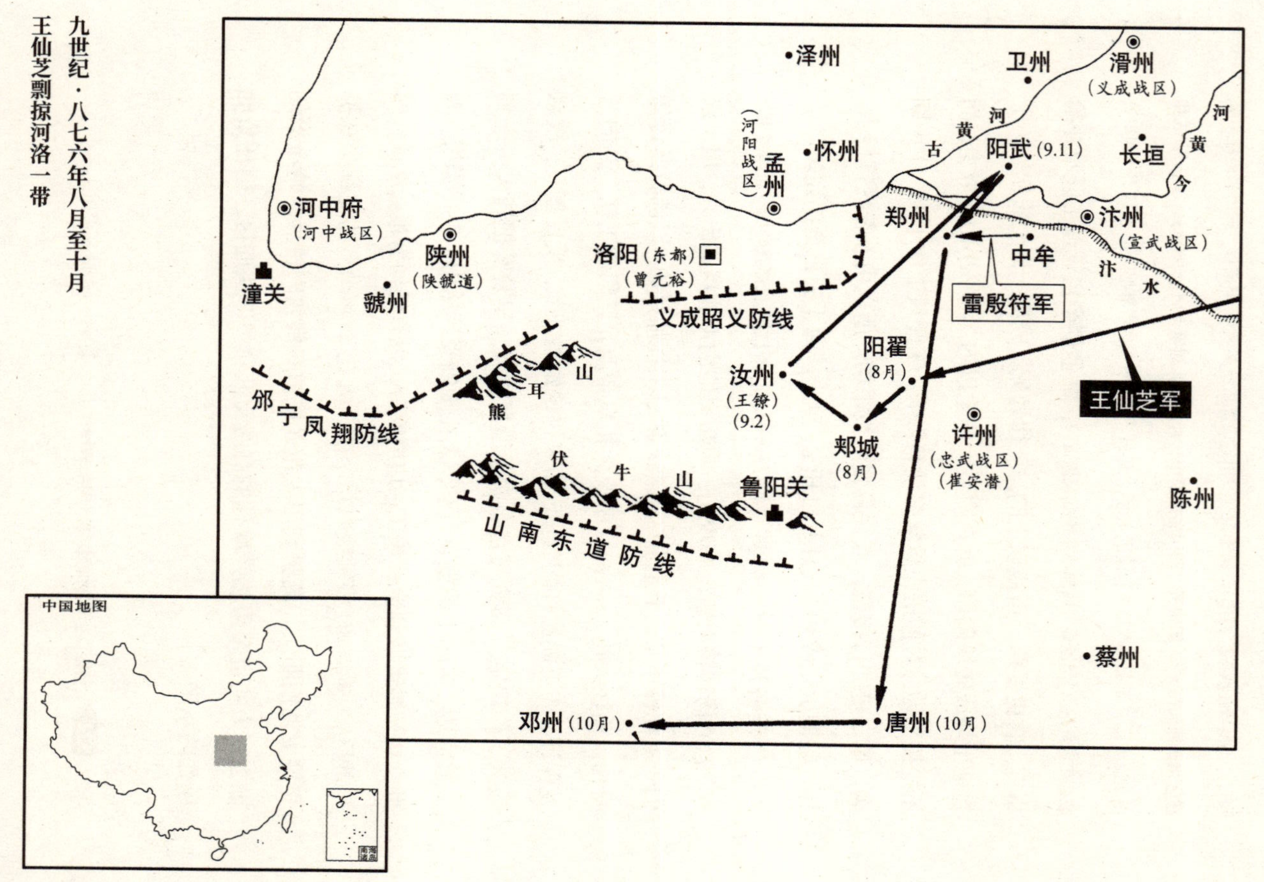

温州（浙江省温州市）州长鲁寔，请求投降。鲁寔屡次上疏强调招安王郢的好处，中央接受，但命王郢放弃军队，单身前往京师（首都长安）朝见皇帝；王郢当然不肯放弃军队，推托迟延半年之久，不见王郢动身，而王郢转而要求任命他当望海（浙江省宁波市东北镇海区）防守司令（镇使），中央不准，只命王郢当太子宫右翼侍卫军（右率府）司令（率，正四品上），命左神策军另行安置重要官职，并且保证王郢过去所掠夺的金银财宝，一律仍归他所有。

23 十二月，王仙芝攻击申（河南省信阳市）、光（河南省潢川县）、庐（安徽省合肥市）、寿（安徽省寿县）、舒（安徽省潜山市）、蕲（湖北省蕲春县）等州。淮南战区（总部设扬州〔江苏省扬州市〕）司令官（节度使）刘邺，上疏请求增援，中央命感化战区（总部设徐州〔江苏省徐州市〕）司令官（节度使）薛能，派精锐部队数千人助战。

宰相郑畋（音tián〔田〕）因屡次建议都不被采纳，声称有病，请求辞职，李儇不准。郑畋上疏指出："自从沂州（山东省临沂市）奏报大捷之后，王仙芝势力越发扩张，每次攻击，都夺取五六个州城，数千华里之遥，一片残破。各战区特遣兵团剿匪司令（招讨草贼使）宋威，年老多病，自从谎报军情，各战区对他都不再敬重，现在一直逗留亳州（安徽省亳州市），毫无进军之意。副剿匪司令（招讨草贼副使）曾元裕，手握重兵，驻防蕲（湖北省蕲春县）、黄（湖北省武汉市新洲区）二州，利欲熏心，一旦有变，他会望风而逃，如果盗贼（王仙芝）占领扬州（江苏省扬州市），恐怕连长江以南，都不再是政府领土。忠武（总都许州）司令官（节度使）崔安潜的威势和声望，都超过别人；左威卫（卫军第九军）上将军张自勉是一位骁勇良将；皇家林苑管理总监（宫苑使）李瑑（音zhuàn〔撰〕），是西平王李晟的孙儿（李晟，奉天定难功臣第一人，参考七八四年七月十三日），严厉而勇敢。我建议命崔安潜当特遣兵团总指战官（行营都统），李瑑当剿匪司令（招讨草贼使），代替宋威，张自勉当副剿匪司令（副使），代替曾元裕。”李儇很多地方采纳他的建议（参考明年〔八七七〕七月，可发现宋威、张自勉等全都原官不动，怎么会冒出“李儇很多地方采纳郑畋的建议”记载？）。 110

24 平卢战区（总部设青州〔山东省青州市〕）、义昌战区（总部设沧州〔河北省沧州市东南〕）派驻安南（越南河内市）的特遣兵团，返防回乡途中，路过桂州（广西桂林市）时，驱逐桂州道（首府桂州）行政长官（观察使）李瓒。李瓒，是李宗闵的儿子（李宗闵是牛党主角，参考八三三年六月）。中央命立法院高级顾问官（右谏议大夫）张禹谟当桂州道（首府设桂林〔广西桂林市〕）行政长官（观察使）。

桂州道监军宦官李维周（参考八六五年七月），骄傲蛮横，李瓒曲意奉承，日子一久，李维周权势膨胀，没有人可以控制。桂州道直属部队八百人，警备司令（防御使）只有一百人，其他七百人全属监军宦官。李维周这次又参与驱逐统帅的兵变，强行夺取行政长官（观察使）、警备司令（防御使）两颗印信，擅自任命州长县长；又扣留昭州（广西平乐县）呈缴道政府的经费（唐王朝制度，州税分三份：一呈缴中央，一呈缴战区道，一留本州自用）。

李儇下诏命张禹谟调查。张禹谟，是张彻的儿子（张彻事，参考八二一年七月）。

25 副剿匪司令（招讨草贼副使）、总监军宦官（都监）杨复光奏报说：长垣变民（参考前年〔八七四〕十二月）首领之一尚君长的老弟尚让，占领查牙山（即碴砑山，河南省遂平县西）。政府军退守邓州（河南省邓州市）。

杨复光，是宦官杨玄价的养子（杨玄价事，参考八六六年十月）。

26 长垣变民首领王仙芝，进攻蕲州（湖北省蕲春县）。蕲州州长裴偓（音wò〔握〕），是宰相王铎当总考试官时录取的进士。王镣在变民军中（参考本年〔八七六〕九月），替王仙芝写信给裴偓，裴偓遂跟王仙芝约定，双方停止战斗，允许奏请皇帝招安，赐给他一个官职。王镣也说服王仙芝接受这项条件。裴偓遂大开城门，延请王仙芝以及黄巢等高级干部三十余人进城，盛宴款待，摆出大量金银财宝，全部送给他们，上疏陈述招安请求。多数宰相都认为："先帝（二十任李漼）拒绝赦免庞勋，一年后终于把他诛杀（参考八六九年九月六日）。王仙芝不过一个小小蟊贼，怎么能跟庞勋相比。如果赦免他的叛乱大罪，又给他官职，反而鼓励奸邪。"但王铎坚持招安，中央批准。遂命王仙芝当左神策军大营管理官（押牙）兼行政监察官（兼监察御史），中央派宦官把任命状送到蕲州（湖北省蕲春县）颁发。

王仙芝得到官职，十分高兴，王镣、裴偓都向他道贺，还没有告辞，黄巢因为官职没有落到自己头上，勃然大怒说："开始的时候，我们向神明立下滔天大誓，除暴安良，横行天下，现在，你却为自己弄了一官半职，一个人独去左神策军到差，使我们五千多名将士，往哪里投奔？"挺身殴打王仙芝，王仙芝的头部受伤，部众也喧哗吵闹，王仙芝恐惧，遂拒绝接受，大肆剽掠蕲州（湖北省蕲春县），城里居民，一半被杀，一半被裹挟而去，官舍民房，焚烧成一片灰烬。裴偓逃往鄂州（鄂岳道首府，湖北省武汉市），钦差宦官逃往襄州（山南东道战区总部，湖北省襄阳市），王镣仍被变民军掳走。

变民军遂分为两支，三千余人追随王仙芝及尚君长，二千余人追随黄巢，各奔前程。

八七七年 丁酉

唐　乾符　四年

1 春季，正月，狼山（江苏省南通市东南）变军（参考前年〔八七五〕四月）首领王郢，把唐王朝（首都长安〔陕西省西安市〕）温州（浙江省温州市）州长鲁寔引诱到自己战舰上（王郢通过鲁寔请求投降，参考去年〔八七六〕十一月）生擒，随从鲁寔的将士，霎时溃散。

中央得到报告，命右龙武（禁军第四军）大将军宋皓，当江南各路征剿司令（江南诸道招讨使），除先行下令各战区道派军外，更动员忠武（总部许州）、宣武（总部汴州）、感化（总部徐州）三战区以及宣（安徽省宣城市）、泗（江苏省盱眙县淮河北岸）二州士卒，新旧共计一万五千余人，交宋皓指挥。

二月，王郢攻陷望海镇（浙江省宁波市东北镇海区），剽掠明州（浙江省宁波市），又进攻台州（浙江省临海市），攻破；台州州长王葆退守唐兴（浙江省天台县）。唐帝（二十一任僖宗）李儇（本年十六岁）下诏命镇海（总部设润州〔江苏省镇江市〕）、浙东（首府设越州〔浙江省绍兴市〕）、福建（首府设福州〔福建省福州市〕）三战区道各派海军征剿。

2 长垣（河南省长垣市）变民（参考八七四年十二月）首领王仙芝攻陷鄂州（鄂岳道首府，湖北省武汉市）。

3 冤句（山东省东明县南马头镇）变民（参考前年〔八七五〕六月）首领黄巢攻陷郓州（山东省东平县。郓，音yùn〔运〕），诛杀天平战区（总部郓州）司令官（节度使）薛崇。

4 大礼帝国（首都苴咩城〔云南省大理市〕。苴咩，音xié miē）皇帝酋龙，自从改建帝国（参考八五九年十二月）以来，对唐朝边疆侵略骚扰将近二十年，唐王朝国力为之枯竭，而大礼也同时衰败。本年（八七七），酋龙逝世，绰号景庄皇帝。太子隆舜（法）继位，改年号贞明承智大同（开历史上六字年号的先河），改称鹤拓帝国，也称大封人帝国。隆舜喜爱打猎、酗酒，军国大事全交给高级官员去做。

闰二月，岭南西道战区（总部设邕州〔广西南宁市〕）司令官（节度使）辛谠奏报说：鹤拓帝国派执行官（陁西）段瑳宝等前来请求和解，强调："各战区道特遣兵团驻防邕州（广西南宁市），时间已久，粮饷支出，使大唐民穷财尽，我建议接受他们的和解，使重病之身，卸下重担。"李儇批准。辛谠派大将杜弘等携带公文及礼物，送段瑳宝南返。只留下荆南战区（总部设江陵府〔湖北省江陵县〕）及宣歙道（首府设宣州〔安徽省宣城市〕）等几个特遣兵团继续驻防邕州（广西南宁市），其他各战区道特遣兵团，减少十分之七。

5 狼山变军（参考前年〔八七五〕四月）首领王郢，在镇海战区（总部设润州〔江苏省镇江市〕）境内横行无阻，战区司令官（节度使）裴璩，加强备战，严阵以待，不跟变军接触，却秘密招安变军大将朱实，朱实投降后，变军六七千人解散，缴出武器二十余万件，战舰、船舶、粮食，数目也有这么多。李儇命朱实当金吾（卫军第十一、十二军）将军。变军开始离散，王郢集结残余部众，前进到东方的明州（浙江省宁波市），甬桥（安徽省宿州市汴河桥）卫戍司令（镇遏使）刘巨容用筒箭——藏于竹筒内的暗箭（即武侠小说中所说的“袖箭”，也可能是非洲土著用的“吹箭”），把王郢射死，于是兵变全部平定。裴璩，是裴谞的堂侄孙（裴谞，参考七七九年六月）。

6 三月，冤句变民首领黄巢，攻陷沂州（山东省临沂市）。

7 夏季，四月一日，日蚀。

8 江西（江西省）变军首领柳彦璋，在江西（江西省）一带抢夺剽掠。

9 陕虢道（首府设陕州〔河南省三门峡市〕）兵变，驱逐行政长官（观察使）崔碣。

中央贬崔碣当怀州（河南省沁阳市）军务秘书长（司马）。

10 冤句变民首领黄巢，跟长垣变民另支首领尚让会合，共守查牙山（河南省遂平县西）。

11 五月二十四日，中央命御前监督官（给事中）杨损当陕虢道（首府设陕州〔河南省三门峡市〕）行政长官（观察使）。杨损到差后，诛杀变军首领。杨损，是杨嗣复的儿子（杨嗣复事，参考八四〇年五月）。

12 最初，桂州道（首府设桂州〔广西桂林市〕）行政长官（观察使）李瓒，是一个无能之辈，行政秘书（支使）薛坚石屡次规劝建议，李瓒不能听从。后来，李瓒被变军驱逐（参考去年〔八七六〕十二月），薛坚石代理主持政务，通知四邻各战区道镇压变军，地方赖以平安无事。李儇擢升薛坚石当国立贵族大学教授（国子博士）。

13 六月，江西变民首领柳彦璋，奇袭江州（江西省九江市），攻陷，生擒州长陶祥；命陶祥上疏皇帝，柳彦璋也附呈奏章，请求招安。李儇任命柳彦璋当右监门（卫军第十四军）将军，要柳彦璋解散他的部众，单身前往京师（首都长安）到差。另任命左武卫（卫军第三军）将军刘秉仁，当江州（江西省九江市）州长。柳彦璋拒绝接受，集结战舰一百余艘，封锁湓江（流经九江市东），建立码头基地，继续抢劫剽掠。

14 忠武战区（总部设许州〔河南省许昌市〕）特遣兵团大将李可封，参加秋季边防期满，率军返防，路过邠州（邠宁战区总部，陕西省彬州市），用暴力威胁统帅，强迫偿还从前积欠特遣兵团官兵们的粮秣、食盐，在邠州（陕西省彬州市）停留四天，全境惊恐。

秋季，七月，李可封回到许州（河南省许昌市），战区司令官（节度使）崔安潜把他们逮捕，全部诛杀。

柏杨曰

部属用暴力胁迫统帅，当然应该制裁，但部属如果只是为了讨回统帅的欠账，事情就不平常。当权的人只追究他们犯上作乱，却不追究他们为什么犯上作乱，是鼓励人们继续不断的犯上作乱。问题就出在这里，如果追究统帅，而统帅的官位是向全国最高首领——无论他被称为“皇帝”“宰相”“总统”“主席”，花大价钱买来的，统帅也只好剥削部属。威权政治下任何腐败，第一因永远是最高首领，没有人敢追究的原因在此，而中国祸乱之永不能消失的原因也在此！

15 七月二十一日，王仙芝、黄巢联军进攻宋州（河南省商丘市）；政府军三路应战（三路：平卢〔总部青州〕、宣武〔总部汴州〕、忠武〔总部许州〕），失利。变民军遂把各战区特遣兵团剿匪司令（招讨草贼使）宋威，围困在宋州（河南省商丘市）之内。

七月十五日（前后日期必有一误），左威卫（卫军第九军）上将军张自勉，率忠武（总部许州）特遣兵团七千人增援宋州（河南省商丘市），杀变民军二千余人，变民军解除包围撤退。

宰相王铎、卢携，打算命张自勉率所部接受宋威指挥，另一宰相郑畋（音tián〔田〕）认为宋威跟张自勉之间，早就猜疑嫉妒，互相痛恨，张自勉如果一旦转作宋威部属，一定会被宋威杀害，所以拒绝在奏章上签名。

八月三日，王铎、卢携，报告李俨，请求辞职。

八月十二日，郑畋请求回浐川（陕西省蓝田县西南）养病。

李儇全不批准。

16 王仙芝攻陷安州（湖北省安陆市）。

17 盐州（陕西省定边县）兵变，驱逐州长王承颜。李儇派高级宦官牛从珪前去沟通安抚，贬王承颜当象州（广西象州县）户籍官（司户）。

王承颜跟崔碣担任地方政府长官，都有很好的名声，只因为态度严肃，喜爱摆谱端架子，以致触怒骄兵悍将，竟被赶下官位，中央把他们跟因凶暴激起暴乱的人一样看待，贬逐远方，当时的人都十分惋惜（陕虢〔首府陕州〕行政长官崔碣被逐，参考本年〔八七七〕四月）。牛从珪从盐州（陕西省定边县）返京师（首都长安），奏报说：军中推荐大将王宗诚继任州长。

李儇召王宗诚进京（首都长安），赦免全体将士的罪，还增加赏赐。

18 八月乙卯日（八月己巳朔，没有乙卯），王仙芝攻陷随州（湖北省随州市），生擒州长崔休征，山南东道战区（总部设襄州〔湖北省襄阳市〕）司令官（节度使）李福，派他的儿子率军增援随州（湖北省随州市），阵亡（随州属山南东道战区）。李福上疏皇帝请求增援。

李儇派左武卫（卫军第三军）大将军李昌言，率凤翔战区（总部设凤翔府〔陕西省宝鸡市凤翔区〕）特遣兵团骑兵五百人前往。王仙芝遂转往复州（湖北省天门市）、郢州（湖北省钟祥市）。忠武战区（总部设许州〔河南省许昌市〕）大将张贯等率四千人，会合宣武（总部设汴州〔河南省开封市〕）特遣兵团向襄州（湖北省襄阳市）增援，走到申州（河南省信阳市）、蔡州（河南省汝南县）之间，却从小路分别逃回本战区。李儇下诏命忠武（总部许州）

司令官（节度使）崔安潜、宣武（总部汴州）司令官（节度使）穆仁裕，派人阻截，说服他们继续南下增援襄州（湖北省襄阳市）。

19 冬季，十月，邠宁（总部邠州）司令官（节度使）李侃奏报说：派军讨伐盐州（陕西省定边县）变军首领王宗诚，把王宗诚斩首，变乱平息。

20 宰相郑畋、王铎、卢携，在皇帝李儇面前讨论中央战略，发生争论。郑畋辩论失败，等退出宫门，再上奏章，指出："自从王仙芝起事，崔安潜（忠武〔许州〕司令官）首先建议集结军队讨伐，接着派出特遣兵团，充分供应辎重粮草。盗匪虽来去飘忽，瞬间千里，蹂躏各州，却不敢侵犯忠武（总部许州）边境。又把特遣兵团交给张自勉（左威卫上将军）指挥，解除宋州（河北省商丘市）包围，使江淮（华东地区）到京师（首都长安）的水上粮运（指汴淮运输线），得以畅通无阻，没有落到盗匪之手。而今，陛下命张自勉把所率领的忠武七千人，交给忠武（总部许州）大将张贯，转隶宋威。张自勉交出军权后，单身一人，返回忠武（总部许州）；宋威仍不肯放过，上疏诬告诋毁。张自勉因建立功勋而受羞辱，我深感痛心。崔安潜自出兵以来，克敌制胜，不仅一次，现在，精锐部队却全交别人，良将空手而归，如果强敌突然进攻，他用什么抵抗？我建议忠武（总部许州）四千人拨付宋威，剩下的三千人仍由张自勉率领，保护忠武（总部许州）边境，既不损及宋威的功劳，也免得使崔安潜惭愧羞辱。"但卢携反对，十六岁的李儇不能决定。郑畋再上疏说："宋威欺骗中央，被盗匪击败，死伤惨重。我听说王仙芝七次上疏，请求投降，宋威都不呈报中央。无论官民对他都咬牙切齿，我认为应依照军法处决，证据如此明显，不应该再让他掌握军权，请陛下跟宫内大臣商议讨论（宫内大臣，指神策军总指挥宦官〔中尉〕，及宫廷机要室主任宦官〔枢密使〕），早日罢黜。”李儇不准。

21 河中战区（总部设河中府〔山西省永济市〕）兵变，驱逐司令官（节度使）刘侔，变军为所欲为，烧杀剽掠。

中央命首都长安特别市长（京兆尹）窦璟，当河中战区宣慰军政总监（宣慰制置使）。

22 冤句变民首领黄巢，攻击剽掠蕲州（湖北省蕲春县）、黄州（湖北省武汉市新洲区）。各战区特遣兵团副剿匪司令（诸道行营招讨草贼副使）曾元裕把他击败，杀四千人；黄巢逃走。

23 十一月一日，中央命窦璟当河中战区（总部设河中府〔山西省永济市〕）司令官（节度使）。

24 各战区特遣兵团副剿匪司令（诸道行营招讨草贼副使）、总监军宦官（都监）杨复光（时驻邓州〔河南省邓州市〕），派人说服王仙芝接受招安，王仙芝派尚君长等晋见杨复光正式投降，各战区特遣兵团剿匪司令（招讨草贼使）宋威派军于半途劫走尚君长等。

十二月，宋威奏报说：跟尚君长等在颍州（安徽省阜阳市）西南会战，生擒活捉，押送京师（首都长安）献俘。杨复光上疏说明尚君长等已经归降，并不是宋威俘虏。李儇命中央监察官（侍御史）归仁绍等调查，竟不能发掘真相。于是把尚君长等押解狗脊岭（陕西省西安市长安区境），斩首。

25 黄巢攻陷匡城（河南省长垣市西南），又攻陷濮州（山东省鄄城县）。李儇下诏命颍州（安徽省阜阳市）州长张自勉率各战区特遣兵团反击。

26 江州（江西省九江市）州长刘秉仁，乘坐政府驿马车到差，驾一叶小舟，闯进变民首领柳彦璋水军大寨，变民军大出意外，只好叩头迎接，刘秉仁遂斩柳彦璋，把部众解散。

27 长垣变民首领王仙芝攻击荆南（总部设江陵府〔湖北省江陵县〕），战区司令官（节度使）杨知温，是杨知至的老哥（杨知至曾当首都长安市长〔京兆尹〕，以勇于谄媚闻名于世，参考前年〔八七五〕七月），因文学上的成就，受到赏识，不懂军事，有人警告他变民军已经到达，杨知温认为胡说八道，毫不戒备，当时，汉水水位正浅，江面狭窄，变民军遂自贾堑（湖北省钟祥市南）渡江南下。

八七八年 戊戌

唐 乾符 五年

（冲天大将军黄巢王霸元年）

1 春季，正月一日，唐王朝（首都长安〔陕西省西安市〕）荆南战区（总部设江陵府〔湖北省江陵县〕）天降大雪，司令官（节度使）杨知温正接受文武官属新年祝贺，长垣（河南省长垣市）变民首领王仙芝（参考八七四年十二月）突然抵达城下，外城（罗城）立即陷落。将领们急关闭中城（子城）守卫，可是到了黄昏，杨知温还不肯出来跟大家见面，将士们请他劳军，杨知温才头戴乌纱帽，身穿黑皮袍，勉强出来，将领们建议他改穿铠甲，以防流箭。杨知温看到士卒奋战的情形，诗兴大发，当场作诗一首，请他的幕僚官员传观。杨知温急派使节向山南东道战区（总部设襄州〔湖北省襄阳市〕）司令官（节度使）李福求救，李福集结全部兵力南下救援。当时，沙陀部落（山西省北部）骑兵五百人，驻防襄阳（襄州州政府所在县），李福命他们同行，前进到荆门（湖北省荆门市），跟长垣变民军遭遇，沙陀指挥官发动紧急攻击，把长垣变民军击破。王仙芝得到消息，放火焚烧民房官舍，大肆剽掠而去。江陵（湖北省江陵县）城外原有三十万户人，到此死亡十分之三四。

2 正月六日，各战区特遣兵团副剿匪司令（招讨草贼副使）曾元裕在申州（河南省信阳市）东，大破王仙芝，诛杀一万人，招降及遣散也一万人。

李儇下令说：宋威长期患病，应解除各战区道特遣兵团剿匪司令（诸道行营招讨草贼使）官职，返回青州（山东省青州市），专任平卢战区（总部青州）司令官（节度使）。另擢升曾元裕接任剿匪司令（招讨使），颍州（安徽省阜阳市）州长张自勉接任副剿匪司令（副使）。

3 正月十四日，中央命西川战区（总部设成都府〔四川省成都市〕）司令官（节度使）高骈（音pián〔胼〕），当荆南战区（总部设江陵府〔湖北省江陵县〕）司令官（节度使）兼盐铁专卖暨运输总监（兼盐铁转运使）。

4 振武战区（总部设安北府〔内蒙古和林格尔县〕）司令官（节度使）李国昌（朱邪赤心）的儿子李克用，是沙陀军副作战司令（沙陀副兵马使），驻防蔚州（河北省蔚县）。当时，黄河以南民变纷纷爆发，云州（大同警备区总部，山西省大同市）沙陀军作战司令（沙陀兵马使）李尽忠，跟营门官（牙将）康君立、薛志勤、程怀信、李存璋等，互相商议说："而今，天下大乱，中央号令，已不能推行全国，这正是英雄豪杰建立功名、追求富贵的良机。我们虽然都手握军队，可是司令官（李国昌〔朱邪赤心〕）功劳大，地位高，名闻天下，他的儿子（李克用）勇敢善战，超过其他所有部众，如果拥护他起事，代北（山西省北部）地带，很容易平定。”大家完全同意。康君立，是兴唐（蔚州州政府所在县，河北省蔚县）人。李存璋，是云州（山西省大同市）人。薛志勤，是奉诚（内蒙古宁城县西南）人。

正巧，大同警备区（总部云州）司令官（防御使）段文楚，兼水陆运输总监（兼水陆发运使）。代北（山西省北部）连年饥荒，军事补给供应不足，段文楚大量裁减官兵的服装或粮食，而且执法严峻，官兵怨恨愤怒，李尽忠派康君立暗中前往蔚州（河北省蔚县），游说李克用领导起事，除掉段文楚，由李克用代替。李克用说：“我家老爹（李国昌）在振武（内蒙古和林格尔县），等我禀告。”康君立说：“事机已经泄露，延缓不发，将有变化，哪有时间请示于千里以外？”于是李尽忠利用夜晚，率侍卫部队攻击内城（牙城），生擒段文楚及执行官（判官）柳汉璋，囚禁监狱，自己主持全州军政大事，派人召唤李克用，李克用率他的部众直向云州（山西省大同市），沿途招兵买马。

二月四日，李克用抵达云州城外，部众已扩充到将近一万人，驻屯斗鸡台（大同市东）下。

二月六日，李尽忠派使节送上印信符节，请李克用担任警备区候补司令（防御留后）。

二月七日，李尽忠把段文楚等五个人，戴上脚镣手铐刑具，送到斗鸡台下。李克用下令士卒把段文楚等五人，用酷刑活生生剐下他们身上的肉吞吃，只剩下一副白骨，再由骑兵践踏粉碎。

二月八日，李克用到警备区司令部开始处理公事，命各将领上疏中央请求任命；中央不准。

李国昌（朱邪赤心）上疏说：“请求中央早日指派大同（山西省大同市）警备区司令（防御使），如果李克用拒绝接受，我就亲率本战区军队讨伐，绝不会为了爱一个儿子，而辜负帝国。”中央正准备请李国昌出面说服李克用，接到这份奏章，于是任命农林部长（司农卿）支详，当大同军基地慰劳特使（宣慰使），李儇下诏命李国昌（朱邪赤心）转告李克用，如果能对新任司令迎送参拜，所有礼节都跟过去一样，中央一定另行任命李克用一个满意的官职。于是任命畜牧部长（太仆卿）卢简方当大同警备区司令（防御使）。

5 贬杨知温当郴州（湖南省郴州市。郴，音chēn〔嗔〕）军务秘书长（司马）。

6 各战区道特遣兵团剿匪司令（招讨草贼使）曾元裕奏报说：在黄梅（湖北省黄梅县）大破长垣变民首领王仙芝，杀五万余人，追击，斩王仙芝；把人头呈献京师（首都长安），党羽部众星散。

冤句（山东省东明县南马头镇）变民首领黄巢（参考八七五年六月）正包围亳州（安徽省亳州市），还没有攻下，尚让率王仙芝残余部众前去投靠，推举黄巢当最高领袖，称“冲天大将军”，年号王霸，任命文武百官及僚属。随即攻陷沂州（山东省临沂市）、濮州（山东省鄄城县。《新唐书·黄巢传》：黄巢军先攻陷考城〔河南省民权县〕，再进攻濮州）。但不久就不断被政府军击败，于是，写信给天平战区（总部设郓州〔山东省东平县〕）司令官（节度使）张裼（音xī〔希〕。参考八七二年五月十二日），请上疏皇帝招安。李儇下诏命黄巢当右卫（卫军第二军）将军，先赴郓州（山东省东平县）解除武装，遣散部众，然后前往京师（首都长安）到差。黄巢不予理会。

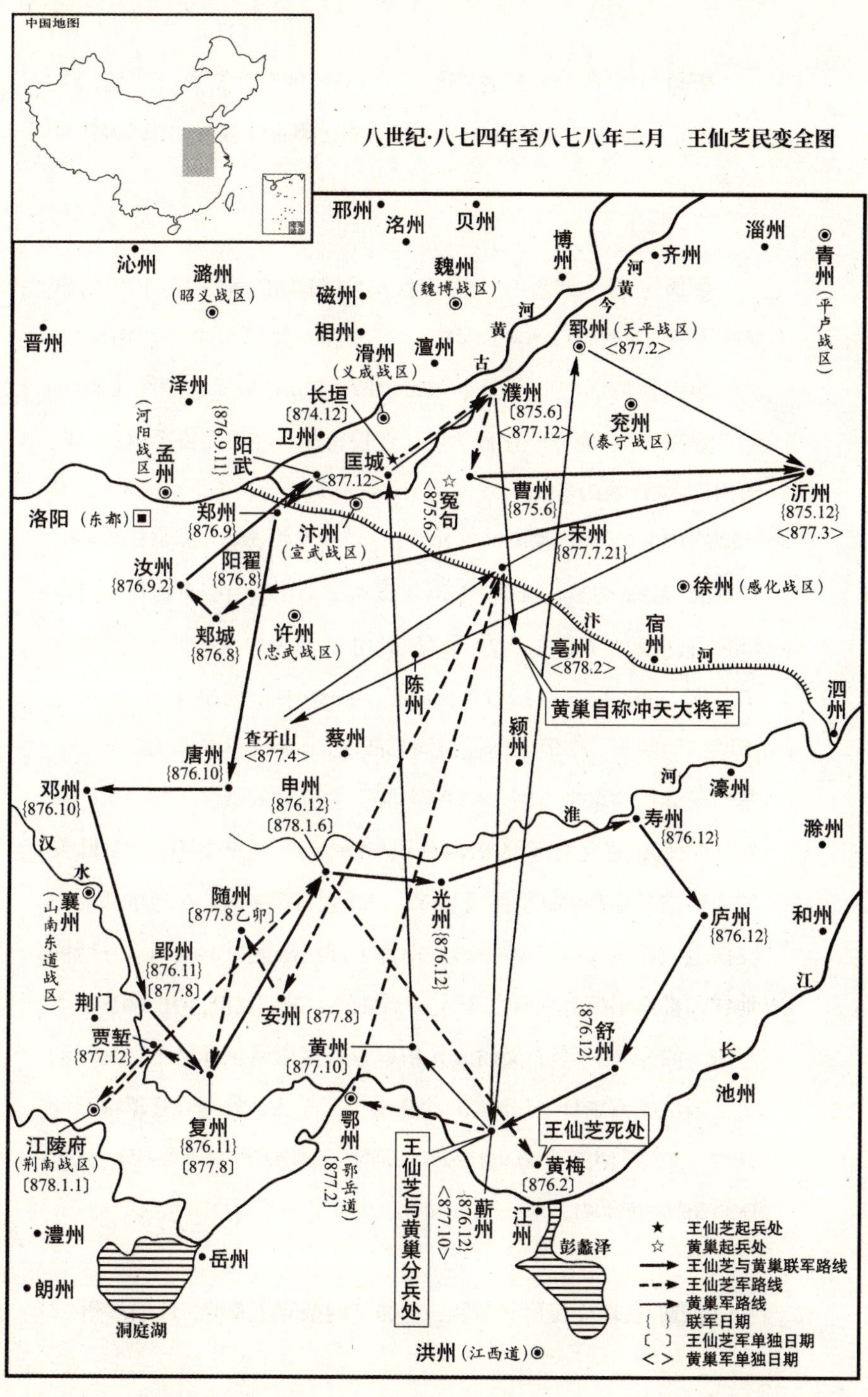

中国地图
八世纪·八七四年至八七八年二月　王仙芝民变全图
邢州
洺州
贝州
博州
淄州
青州（平卢战区）
齐州
今黄河
沁州
潞州（昭义战区）
魏州（魏博战区）
磁州
相州
晋州
郓州（天平战区）<877.2>
古黄河
滑州（义成战区）
澶州
泽州
长垣〔874.12〕
濮州｛875.6｝<877.12>
兖州（泰宁战区）
孟州（河阳战区）
｛876.9.11｝
卫州
阳武
匡城<877.12>
冤句<875.6>
曹州｛875.6｝
沂州｛875.12｝<877.3>
洛阳（东都）
郑州｛876.9｝
汴州（宣武战区）
宋州｛877.7.21｝
汝州｛876.9.2｝
阳翟｛876.8｝
徐州（感化战区）
郏城｛876.8｝
许州（忠武战区）
汴河
宿州
亳州<878.2>
陈州
黄巢自称冲天大将军
泗州
查牙山<877.4>
蔡州
颍州
唐州｛876.10｝
邓州｛876.10｝
申州｛876.12｝〔878.1.6〕
淮河
濠州
寿州｛876.12｝
滁州
汉水
襄州（山南东道战区）
随州〔877.8乙卯〕
光州｛876.12｝
庐州｛876.12｝
和州
郢州｛876.11｝〔877.8〕
安州〔877.8〕
荆门
贾堑〔877.12〕
舒州｛876.12｝
黄州〔877.10〕
长江
池州
复州｛876.11｝〔877.8〕
江陵府（荆南战区）〔878.1.1〕
鄂州（鄂岳道）〔877.2〕
王仙芝死处
王仙芝与黄巢分兵处
黄梅〔876.2〕
蕲州｛876.12｝<877.10>
江州
彭蠡泽
澧州
岳州
朗州
洞庭湖
洪州（江西道）
★ 王仙芝起兵处
☆ 黄巢起兵处
王仙芝与黄巢联军路线
王仙芝军路线
黄巢军路线
｛ ｝联军日期
〔 〕王仙芝军单独日期
< >黄巢军单独日期

7 中央命山南东道战区（总部设襄州〔湖北省襄阳市〕）司令官（节度使）李福，遥兼二级宰相（同平章事·使相），酬庸他救援荆南（总部江陵府）的功劳。

8 三月，湖南（湖南省）变民军攻陷朗州（湖南省常德市）、岳州（湖南省岳阳市。《新唐书·黄巢传》记载，此支变军乃自王仙芝军分出，则应自江陵〔湖北省江陵县〕南下攻击）。剿匪司令（招讨草贼使）曾元裕驻军江陵（湖北省江陵县）、襄阳（湖北省襄阳市）之间。冤句变民首领、冲天大将军黄巢，自濮州（山东省鄄城县）出发，攻击宋（河南省商丘市）、汴（河南省开封市）二州（《新唐书·黄巢传》：黄巢军剽掠二州所属之襄邑〔河南省睢县〕、雍丘〔河南省杞县〕二县。义成兵团〔总部滑州〕则进驻原武〔河南省原阳县西南〕防备）。中央命副剿匪司令（副使）张自勉，充任东南方面军征剿司令（东南面行营招讨使）。黄巢攻击卫南（河南省滑县东），接着攻击叶县（河南省叶县）、阳翟（河南省禹州市）。中原情势紧张，李儇下诏征调河阳战区（总部设孟州〔河南省孟州市〕）士卒一千人前往东都洛阳（河南省洛阳市），会同宣武战区（总部设汴州〔河南省开封市〕）、昭义战区（总部设潞州〔山西省长治市〕）士卒二千人，共同保护东都洛阳皇宫。命左神武（禁军第五军）大将军刘景仁，当东都洛阳支援卫戍司令（东都应援防遏使），指挥上述三战区特遣兵团，并特许他在东都洛阳招募新兵二千人。刘景仁，是刘昌的孙儿（刘昌事，参考七七六年闰八月）。李儇又命曾元裕率军直接返回东都洛阳，同时动员义成战区（总部设滑州〔河南省滑县〕）士卒三千人，分别驻守轘辕（河南省登封市西北）、伊阙（洛阳市南五公里）、河阴（河南省郑州市西北桃花峪）、武牢（河南省荥阳市汜水镇）。

9 长垣变民另一首领、王仙芝的余党王重隐，攻陷洪州（江

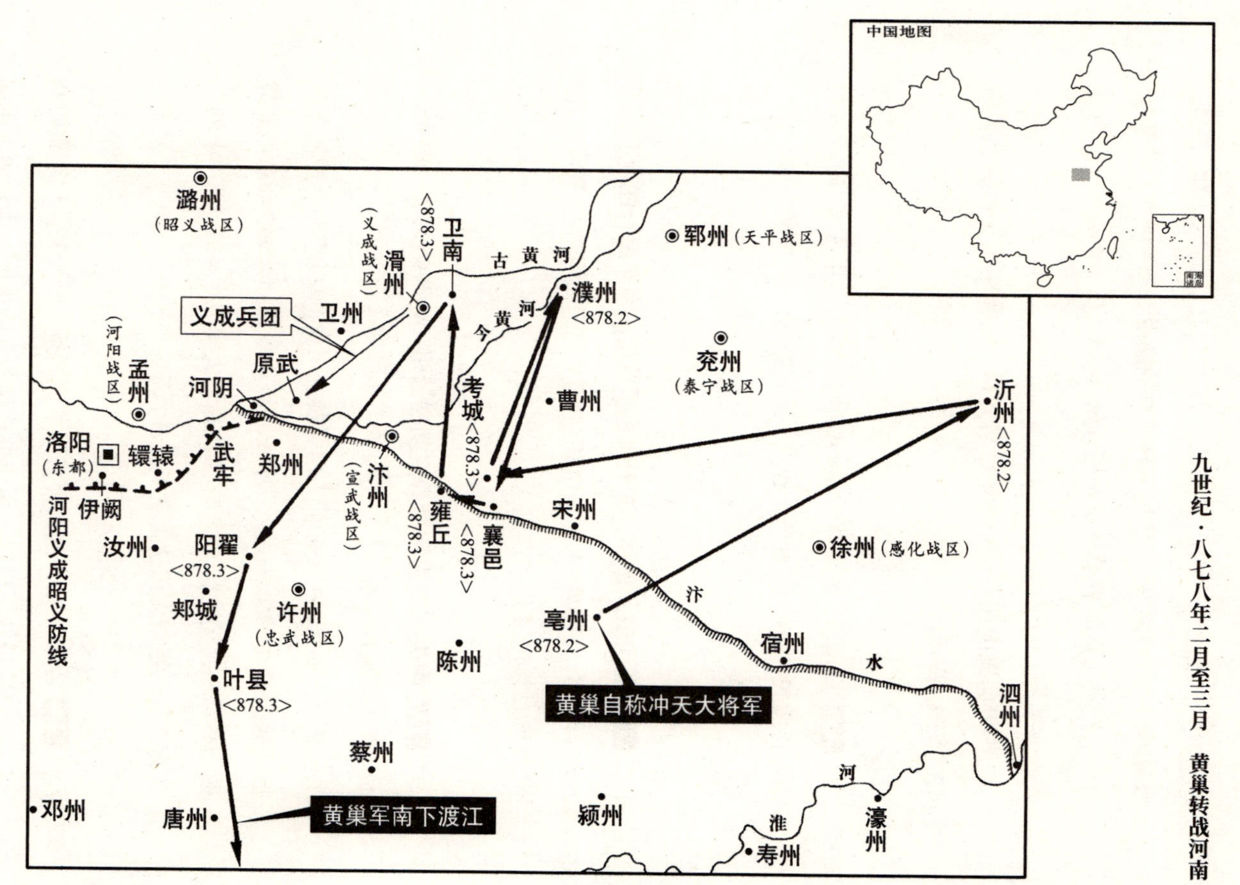

九世纪·八七八年二月至三月　黄巢转战河南

西省南昌市)；江西道（首府设洪州〔江西省南昌市〕）行政长官（观察使）高湘，逃奔湖口（江西省湖口县）。变民军转往剽掠湖南道（首府设潭州〔湖南省长沙市〕），别动部队将领曹师雄剽掠宣州（宣歙道首府，安徽省宣城市）、润州（镇海战区总部，江苏省镇江市）。

李儇命剿匪司令（招讨草贼使）曾元裕、总监军宦官杨复光率军增援宣州、润州。

10 湖南道（首府设潭州〔湖南省长沙市〕）兵变，指挥官（都将）高杰驱逐行政长官（观察使）崔瑾。崔瑾，是崔郾的儿子（崔郾事，参考八三一年八月）。

11 冤句变民首领、冲天大将军黄巢，率军渡长江南下，一连攻陷虔州（江西省赣州市）、吉州（江西省吉安市）、饶州（江西省鄱阳县）、信州（江西省上饶市）等州。

12 中央因李克用借兵变割据云州（大同警备区总部，山西省大同市），希望用诡计化解。

夏季，四月，中央命前大同警备区司令（前大同防御使）卢简方当振武战区（总部设安北府〔内蒙古和林格尔县〕）司令官（节度使），而命振武战区（总部安北府）司令官（节度使）李国昌当大同战区（总部云州）司令官；认为李克用绝对无法抗拒老爹上任。

13 李儇下诏，因东都洛阳军事储备不够充实，只好暂时向商人富户借贷钱币粮食，用来维持几个月的供应，于是颁发未填姓名的宫廷监察官（殿中侍御史）任命状五件、行政监察官（监察御史）

任命状十件，赏赐给捐献家产较多的商人或富户。

这时，一连几年大旱成灾，蝗虫遍地，变民变军以及强盗土匪到处都是，耕种田地和养蚕织布，几乎半数荒废。政府征收的田赋捐税，不够使用，库藏全空，却毫无办法。国务院国防部副部长（兵部侍郎）、全国财政总监（判度支）杨严，一连三次上疏陈述自己能力有限，无法胜任他的工作，请求解除财政总监职务，措辞哀痛恳切，李儇不准。

14 长垣变民首领曹师雄，攻击湖州（浙江省湖州市），镇海战区（总部设润州〔江苏省镇江市〕）司令官（节度使）裴璩，派军把他击破（湖州属镇海战区）。另一首领王重隐逝世，部将徐唐莒占领洪州（江西省南昌市）。

15 饶州（江西省鄱阳县）将领彭幼璋，会合保乡义勇军（义营兵），克复饶州。

16 鹤拓帝国（首都苴咩城〔云南省大理市〕。苴咩，音xié miē）皇帝隆舜（法），派左副宰相（酋望）赵宗政前来京师（首都长安），催促两国皇家结亲事宜，赵宗政并没有携带奏章，而只把他们首席部长（督爽）的一封公文，交给宰相联合办公厅（中书），表示隆舜（法）可以称“弟”，但不能称“臣”。

李儇命文武百官研究讨论，国务院教育部副部长（礼部侍郎）崔澹等认为：“南诏（鹤拓帝国）骄傲僭越，不知礼仪，高骈（音pián〔胼〕）眼光短浅，不识大体，竟然借着一个佛教和尚（景仙）跟几句顺口谦卑的话，引诱蛮夷派遣使节，如果允许他们的请求，恐怕后人讥笑。”高骈听到消息，上疏反驳崔澹，互相争辩，李儇下诏命他们和解。

崔澹，是崔玙的儿子（崔玙，参考八二八年闰三月）。

五月一日，郑畋（音tián〔田〕）、卢携，讨论鹤拓帝国（云南省）外交关系，卢携主张应跟鹤拓和亲，郑畋坚决反对，认为绝不可以。卢携怒不可遏，拂袖而起，袖角碰到砚台，把砚台拂到地上跌碎。李俨听到消息，说："宰相对骂，怎么能做全国榜样！"

五月二日，郑畋、卢携都被免职，改任太子宾客（正三品），在东都洛阳办公。命皇家文学研究院院长（翰林学士承旨）、国务院财政部副部长（户部侍郎）豆卢瑑，当国务院国防部副部长（兵部侍郎）；命国务院文官部副部长（吏部侍郎）崔沆（音hàng），当国务院财政部副部长（户部侍郎）；二人同时都兼二级实质宰相（同平章事）。

当时，有位宰相最喜爱施舍，常常派人拿着布袋，里面满装着钱，紧跟自己身后，沿途施舍给乞丐。每次他一出门，穿破烂衣服的人塞满道路。一位官员写信规劝他说："现在，人民穷苦，盗匪满街，宰相应该遴选贤能的人才，重振国法，节省不急需的开支，切断私人行贿请托的管道，使万物各得其所，自然家家富裕，人人满足，天下根本就不会再有乞丐，何必专去搞这种小恩小惠！"该宰相大怒。

17 岭南西道战区（总部设邕州〔广西南宁市〕）大将杜弘送鹤拓（云南省）执行官（陁西）段瑳宝返国（参考去年〔八七七〕闰二月）；杜弘过了一年才回来。

五月九日，战区司令官（节度使）辛谠再派摄理巡察官（摄巡官）贾宏、大将左瑜、曹朗，出使鹤拓（云南省）。

18 振武战区（总部设安北府〔内蒙古和林格尔县〕）司令官（节度使）

李国昌（朱邪赤心），打算父子同时割据两镇（振武〔总部安北府〕、大同〔总部云州〕），所以，接到中央调他到大同（总部云州）的诏书时，大失所望，撕毁诏书，诛杀监军宦官，拒绝新任战区司令官（节度使）卢简方到差，跟儿子李克用联合攻陷遮虏军（山西省岢岚县东南）基地，进击宁武（今地不详）及岢岚军（山西省岢岚县）。卢简方前往振武（总部安北府），走到岚州（山西省岚县），逝世。

五月二十二日，河东战区（总部设太原府〔山西省太原市〕）司令官（节度使）窦澣（音huàn〔换〕），动员民众挖掘晋阳（太原府所在县，山西省太原市）护城壕沟。

五月二十四日，窦澣命大营总管理官（都押牙）康传圭当代州（山西省代县）州长，又征调民众自卫队（土团）一千人增援代州（山西省代县）。民众自卫队走到城北，突然停下来，全军备战，拒绝前进，要求优厚赏赐。当时财政枯竭，窦澣派步骑兵总纠察官（马步都虞候）邓虔前往沟通慰问，民众自卫队（土团）把邓虔活生生剥皮剐死，把尸体放到床上，抬到战区司令部。窦澣跟监军宦官亲自出来安抚解释，每人发给钱三百、布一端（六十尺），大家才算安定下来。大营管理官（押牙）田公锷经手发放钱布，大家就劫持他当指挥官（都将），前去代州（山西省代县），窦澣向商人借五万串钱劳军。中央认为窦澣无能。

六月，中央命前昭义战区（总部设潞州〔山西省长治市〕）司令官（节度使）曹翔，当河东战区（总部设太原府〔山西省太原市〕）司令官（节度使）。

19 残余的长垣变民军剽掠镇海战区（总部设润州〔江苏省镇江市〕）。中央认为荆南战区（总部设江陵府〔湖北省江陵县〕）司令官（节度使）高骈，担任天平战区（总部设郓州〔山东省东平县〕）司令官（节度使）时（参考八七三年九月），很有声望威名，而王仙芝党羽很多是郓州（山东省东平县）人，遂调高骈当镇海战区（总部设润州〔江苏省镇江市〕）司令官（节度使）。

20 沙陀（山西省北部）变军首领李国昌（朱邪赤心）、李克用父子，焚烧唐林（山西省原平市）、崞县（原平市北崞阳镇），进入忻州（山西省忻州市）边境。

21 秋季，七月，河东战区（总部太原府）司令官（节度使）曹翔抵达晋阳（太原所在县，山西省太原市）。

七月五日，逮捕残杀邓虔的凶手十三人，斩首。义武兵团（总部设定州〔河北省定州市〕）到达晋阳（山西省太原市）后，拒绝脱下铠甲，全副武装叫闹呼喊，请求优厚赏赐，曹翔诛杀带兵官（十将）一人，才镇压平息。中央又命义成（总部滑州）、忠武（总部许州）、昭义（总部潞州）、河阳（总部孟州）各派特遣兵团到晋阳（山西省太原市）会师，抵御沙陀变军。

八月十三日，曹翔率军增援忻州（山西省忻州市）。沙陀变军进攻岢岚军（山西省岢岚县），攻陷外城（罗城），在洪谷（岢岚县东南）击败政府军。晋阳（山西省太原市）得到消息，紧闭城门防守。

22 冤句变民首领、冲天大将军黄巢，进攻宣州（安徽省宣城市），宣歙道（首府宣州）行政长官（观察使）王凝抗拒，在南陵（安徽省南陵县）被击败，但黄巢不能攻克城池，于是率军渡长江南下，攻击浙东（首府设越州〔浙江省绍兴市〕），凿开山路七百华里，进入福建（首府设福州〔福建省福州市〕），剽掠各州（《新唐书·黄巢传》记载，黄巢军自江西〔江西省〕开凿山路，直趋建州〔福建省建瓯市〕，可知采取的是仙霞岭〔浙江省江山市西南〕路线，变军实际上并没有攻击浙东首府越州）。

23 九月，平卢战区（总部设青州〔山东省青州市〕）奏报说：司令官（节度使）宋威逝世。

九月九日，中央命各战区道特遣兵团剿匪司令（诸道行营招讨草贼使）曾元裕，充任平卢战区司令官。

24 九月十日，河东战区（总部设太原府〔山西省太原市〕）司令官（节度使）曹翔暴毙。

九月十四日，昭义（总部潞州）特遣兵团对晋阳（太原府所在县，山西省太原市）大肆剽掠。市民群起反击，诛杀一千余人，昭义特遣兵团才溃散。

25 副立法长（中书侍郎）、二级实质宰相（同平章事）李蔚免职，调任东都洛阳留守长官。李儇命国务院文官部长（吏部尚书）郑从谠，当副立法长（中书侍郎）、二级实质宰相（同平章事）。郑从谠，是郑余庆的孙儿（郑余庆，参考七九八年七月）。

26 命国务院财政部长（户部尚书）、主持税务司事务（判户部事）李都，遥兼二级宰相（同平章事 · 使相），充当河中战区（总部设河中府〔山西省永济市〕）司令官（节度使）。

27 冬季，十月，李儇下诏命昭义（总部潞州）司令官李钧、卢龙（总部幽州）司令官李可举，会同吐谷浑部落（黄河河套及山西省北部）酋长赫连铎、白义诚，沙陀别部酋长安庆、萨葛部落酋长米海万，联合讨伐割据蔚州（河北省蔚县）的沙陀变军首领李国昌（朱邪赤心）、李克用父子。

十一月三日，岢岚军（山西省岢岚县）政府守城士卒翻城而出，响

九世纪·八七八年五月至十二月 沙陀李国昌父子叛变

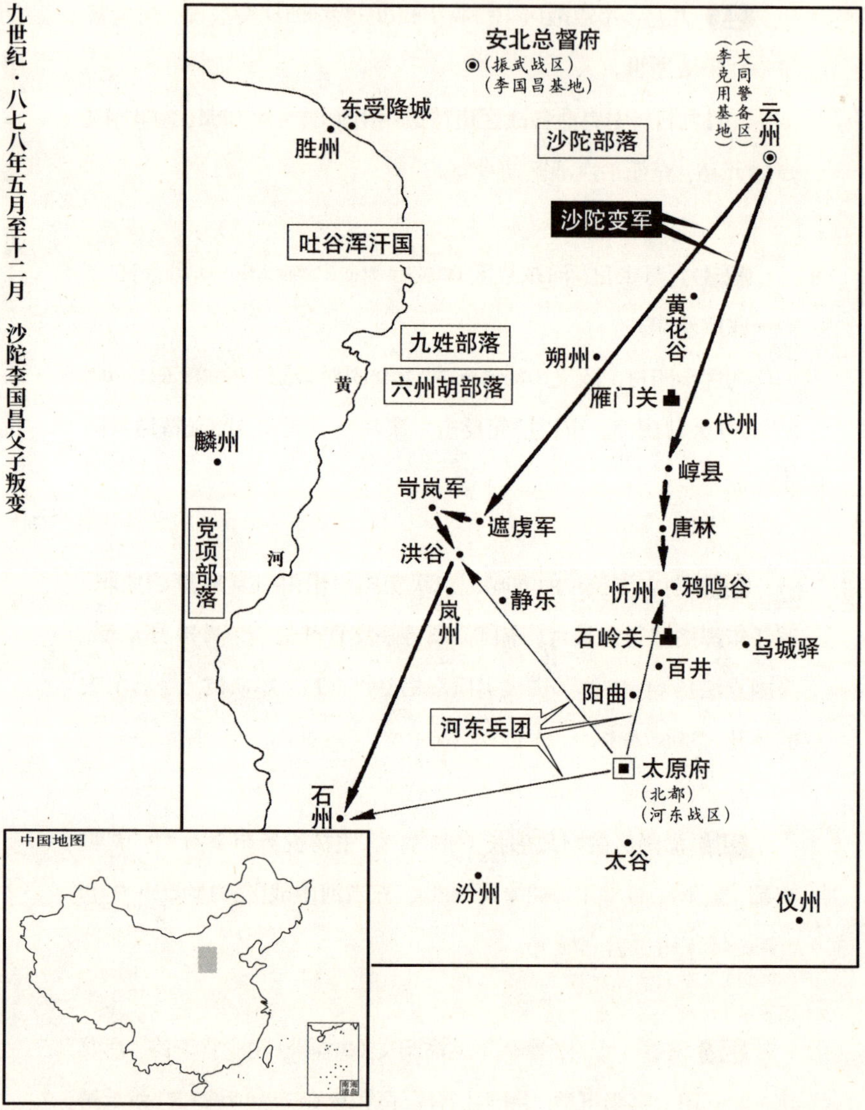

安北总督府
(振武战区)
(李国昌基地)
云州
(大同警备区)
(李克用基地)
东受降城
胜州
沙陀部落
沙陀变军
吐谷浑汗国
九姓部落
六州胡部落
黄
河
麟州
党项部落
黄花谷
朔州
雁门关
代州
崞县
岢岚军
遮虏军
唐林
洪谷
忻州
鸦鸣谷
静乐
岚州
石岭关
乌城驿
百井
阳曲
河东兵团
太原府
(北都)
(河东战区)
石州
太谷
汾州
仪州
中国地图

应围城的沙陀变军。

十一月十六日，中央命河东战区（总部太原府）慰问特使崔季康，当河东战区司令官（节度使），兼代北（山西省北部）方面军征剿司令（代北行营招讨使）。沙陀变军进攻石州（山西省吕梁市离石区）。

十一月十九日，崔季康增援石州（山西省吕梁市离石区）。

28 十二月十三日，冤句变民首领、冲天大将军黄巢攻陷福州（福建省福州市），福建道（首府福州）行政长官（观察使）韦岫（音xiù〔秀〕），放弃城池逃走。

29 鹤拓帝国（首都苴咩城〔云南省大理市〕）使节赵宗政回国。宰相联合办公厅（中书）对首席部长（督爽）的信件，不作反应；但以西川战区（总部设成都府〔四川省成都市〕）司令官（节度使）崔安潜名义，撰写复函，交由崔安潜署名回答。

30 崔季康及昭义战区（总部设潞州〔山西省长治市〕）司令官（节度使）李钧，在洪谷（山西省岢岚县东南）跟沙陀变军将领李克用会战，政府军大败，李钧战死。昭义特遣兵团撤退到代州（山西省代县），大肆剽掠，代州人民武装反击，把昭义士卒几乎杀光，残余人马穿过鸦鸣谷（山西省忻州市东北），逃回上党（潞州州政府所在县，山西省长治市）。

31 狼山（江苏省南通市东南）变军首领王郢（参考八七五年四月）起事时，临安（浙江省杭州市临安区）人董昌率领民众自卫队（土团）抵抗变军，建立功勋，升任石镜（临安区东南）指挥官（镇将）。

本年（八七八），长垣变民将领曹师雄进攻镇海（总部润州）、浙东

（首府越州）等战区道，杭州（浙江省杭州市）州政府招募各县民众自卫队士卒各一千人，阻击讨伐，董昌跟钱塘（杭州州政府所在县，浙江省杭州市）人刘孟安、阮结，富阳（浙江省杭州市富阳区）人闻人宇，盐官（浙江省海宁市西南盐官镇）人徐及，新城（富阳区西南新登镇）人杜棱，余杭（浙江省杭州市余杭区西南余杭街道）人凌文举，临平（浙江省杭州市临平区）人曹信，都当军事指挥官（都将），号称"杭州八指挥"，董昌当他们的首领（杭州境内设置八个"都"〔特别营〕：石镜都〔浙江省杭州市临安区东南〕、清平都〔浙江省杭州市余杭区〕、於潜都〔浙江省杭州市临安区西於潜镇〕、盐官都〔浙江省海宁市南盐官镇〕、新登都〔浙江省杭州市富阳区西南新登镇〕、唐山都〔浙江省杭州市临安区西昌化镇〕、富春都〔浙江省杭州市富阳区〕、龙泉都〔今地不详〕，每个特别营设一指挥官）。后来，闻人宇逝世，钱塘（杭州州政府所在县）人成及接替。临安（浙江省杭州市临安区）人钱镠（音吢〔流〕），强壮骁勇，在董昌手下当差，因立功升石镜（临安区东南）总作战司令（都知兵马使）。

八七九年 己亥

唐 乾符 六年
（冲天大将军黄巢王霸二年）

1 春季，正月，唐王朝（首都长安〔陕西省西安市〕）魏王李佾（音yì〔易〕）逝世（李佾，是二十任帝李漼的儿子）。

2 镇海战区（总部设润州〔江苏省镇江市〕）司令官（节度使）高骈（音pián〔胼〕），派将领张璘、梁缵，分道攻击冤句（山东省东明县南马头镇）变民首领、冲天大将军黄巢（参考去年〔八七八〕二月），屡次把变民军击败，黄巢手下将领秦彦、毕师铎、李罕之、许勍等数十人，分别投降。黄巢遂转向广南（岭南·南岭以南）。秦彦，是徐州（江苏省徐州市）人。毕师铎，是冤句（山东省东明县南马头镇）人。李罕之，是项城（河南省沈丘县）人。

3 岭南西道战区（总部设邕州〔广西南宁市〕）司令官（节度使）辛谠，派摄理巡察官（摄巡官）贾宏等前往鹤拓帝国（参考去年〔八七八〕五月），还没有到达，就前后相继的在中途病死，随从人员也逝世大半。此时，辛谠身患瘫痪，躺床不起，召唤另一摄理巡察官（摄巡官）徐云虔，握住他的手，说："我已上疏奏报，要派使节前往南诏（鹤拓帝国），想不到使节接连去世，怎么办？你既担任国家官职，自然想到为国献身，能不能走这一趟？我恨我半身不遂，不能向你下跪叩头！"流涕满面，呜咽哭泣。徐云虔说："士为知己者死，大帅擢升我这个官职，一直自恨没有能力回报大恩，怎么敢不完成这次使命。"辛谠大喜，为他准备丰富的行装，送他上路。

唐王朝政府到了九世纪七〇年代，已烂了个透，官全腐而民全叛，将领把士卒当猪狗，士卒则一有机会就把刀插到将领背上，所谓忠孝节义，到此完全失踪。辛谠先生垂死之际，还替国家忧心，为这个黑烟滚滚的世纪末日，带来一滴清泉。

二月六日，徐云虔抵达善阐城（云南省昆明市），鹤拓皇帝隆舜（法）召见正使徐云虔时，用平等的礼节，召见副使以下官员时，则接受叩头大礼。

二月九日，隆舜派教育部副部长（慈双〔爽〕羽）杨宗，到礼宾馆告诉徐云虔说："贵府的公文，打算教我们皇上向唐王朝称'臣'，并上疏进贡土产，我们皇上已另派专人从西川（总部成都府）前往京师（首都长安），跟唐王朝约定成为兄弟之邦，否则就成为甥舅之邦（指中国公主下嫁）。不管兄弟也罢、甥舅也罢，见面不过送点礼物而已，哪里来奏章进贡之类的话！"徐云虔说："皇上既然愿意当老弟、当外甥。而皇上是景庄皇帝（酋龙）的儿子，景庄皇帝（酋龙）难道没有兄弟，那些兄弟都是皇上的叔父！皇上是君主，叔父都得向他称'臣'，何况既是'老弟'，又是'外甥'？而且，皇上的祖先，因为唐政府册封的缘故，才统一'六诏'，成立庞大王国（参考七三八年九月），恩德十分深厚。以后固有小小误会，原因都在两国边疆。而今，皇上如果有意和解，怎么可以违背祖先的意愿。要知道，遵守祖先的意愿，是'孝'；事奉大国，是'义'；消灭战争，是'仁'；遵守名分，是'礼'。这四种行为，都是美德，能不受钦敬！"隆舜待徐云虔十分优厚，徐云虔逗留善阐（云南省昆明市）十七天，才回唐王朝。隆舜把两份内装公文书的档案木夹交给徐云虔，一份递交宰相联合办公厅（中书），一份递交岭南西道战区（总部设邕州〔广西南宁市〕），但仍拒绝上疏进贡称臣。

4 二月十一日，河东战区（总部设太原府〔山西省太原市〕）特遣兵团前进到静乐（山西省静乐县），忽然兵变，诛杀文书官（孔目官）石裕等。

二月十二日，河东战区（总部太原府）司令官（节度使）崔季康逃回晋阳（太原府所在县）。

二月十四日，作战司令（都头）张锴、郭昢（音pò〔魄〕），率特遣兵团攻破晋阳东阳门，进入官邸，诛杀崔季康。

二月二十一日，中央命陕虢道（首府设陕州〔河南省三门峡市〕）行政长官（观察使）高浔，当昭义战区（总部设潞州〔山西省长治市〕）司令官（节度使）；命邠宁战区（总部设邠州〔陕西省彬州市〕）司令官（节度使）李侃，当河东战区（总部设太原府〔山西省太原市〕）司令官（节度使）。

5 三月，天平战区（总部设郓州〔山东省东平县〕）司令官（节度使）张裼（音xī〔希〕）逝世，营门官（牙将）崔君裕自称“主持州务”，淄州（山东省淄博市）州长曹全晸出军讨伐，斩崔君裕（淄州属平卢战区〔总部青州〕）。

6 夏季，四月一日，日蚀。

7 西川战区（总部设成都府〔四川省成都市〕）司令官（节度使）崔安潜到差之后，对盗匪横行，不闻不问，巴蜀（四川省）人都感到奇怪，崔安潜说：“盗匪如果不受治安官员包庇，就不可能行动，现在如果穷追猛查，应该受罚的人就太多了，一一搜捕，徒增加纷扰。”

四月五日，崔安潜拿出公款一千五百串，分别放在三个市场（成都三市：“蚕市”“药市”及杂货“七宝市”），在钱堆上挂出悬赏公告，说：“有人捕捉一个盗匪的，赏钱五百串。盗匪不能单独作案，定有同党，如果同党告发，本人的罪状一律赦免，赏赐跟普通平民一样。”不久，有一个人生擒一个强盗前来领赏，强盗不服，咆哮说：“你跟我一块当强盗，前后十七年，赃物都平分，你怎么能捉拿我？我要跟你同归于尽！”崔安潜说：“你既然知道我的文告，为什么不把他捉来？那时，他就应诛杀，你就可以受赏！他既然比你先下手，你还有什么怨言！”立刻在强盗面前把五百串钱给捕盗的人，然后把强盗押解街市，活生生剐死，并诛杀他的全家。于是所有强盗跟同党之间，互相猜忌，没有一个地方可以完全立足，当天夜晚，还不到天亮，就纷纷逃亡出境，境内再没有一个强盗。

崔安潜因巴蜀（四川省）士卒一向怯懦，上疏皇帝批准，派大将携带公文前往陈州（河南省周口市淮阳区）、许州（河南省许昌市）招募青年勇士，跟巴蜀（四川省）士卒混合编组训练，挑选三千人，分作三军，也头戴黄帽，称“黄头军”（忠武〔总部许州〕精锐，称黄头军，参考八五八年七月）。又上疏奏准，由洪州（江西道首府，江西省南昌市）弓箭部队，训练巴蜀（四川省）士卒如何用箭射中抛到半空的泥丸，然后选拔一千人，称“神弓营”。巴蜀（四川省）战斗部队，自此日渐强大（四川一向防卫力量薄弱，参考八三一年八月）。

8 凉王李侹逝世（李侹，是二十任帝李漼的儿子）。

9 唐帝李儇忧心各地军民俱变，宰相王铎说：“我是资深宰相，在中央不能分担陛下的忧虑，请准我亲自出征，督促各将领讨伐。”李儇乃命王铎暂任司徒（守司徒·三公之二），遥兼最高监督长（兼侍中·使相），充任荆南战区（总部设江陵府〔湖北省江陵县〕）司令官（节度使），兼正南方面军征剿总指战官（南面行营招讨都统）。

10 五月二日，李儇下令赏赐河东战区（总部设太原府〔山西省太原市〕）官兵银两。营门官（牙将）贺公雅所属士卒哗变，焚烧剽掠三城（宫城〔大明城〕、东城、中城。实际上指太原全城），逮捕文书官（孔目官）王敬，押解到步骑兵联合纠察处（马步司）；战区司令官（节度使）李侃，跟监军宦官亲自出来安抚解释，并立即在大营门前诛杀王敬，事件才平息。

11 泰宁战区（总部设兖州〔山东省济宁市兖州区〕）司令官（节度使）李

系，是李晟的曾孙（李晟敉平朱泚事，参考七八四年五月），口才清楚敏捷，谈话头头是道，但实际上并没有勇气和谋略（又一个赵括〔参考前二六〇年〕），王铎只因他有良将家世的背景，上疏推荐他当副总指战官（行营副都统）兼湖南道（首府设潭州〔湖南省长沙市〕）行政长官（观察使），命他率精锐部队五万人，连同乡民自卫队（土团），驻守潭州（湖南省长沙市）。防守岭北（南岭以北）要道，阻截黄巢北返。

12 河东战区（总部设太原府〔山西省太原市〕）总纠察官（都虞候），每天夜晚都秘密逮捕贺公雅部属中参加作乱的士卒，屠灭全族。

五月二十八日，贺公雅部属中将近一百人，自称“报冤将”，再度剽掠三城（太原市），纵火焚烧步骑兵总纠察官（马步都虞候）张锴、城厢总纠察官（府城都虞候）郭昢（音pò〔魄〕）二人的家。战区司令官（节度使）李侃下令说：“张锴、郭昢引起军政部门动乱不安，为安军心，逮捕二人，就在营门斩首，家属驱逐出境！”另派贺公雅当步骑兵总纠察官（马步都虞候）。张锴、郭昢临刑之前，向围观的士卒们哭泣说：“所杀的人，都根据治安情报处（捕盗司）密报，今天受冤而死，难道没有英雄烈士伸手相救！”士卒们暴跳呼叫，从行刑队抢出张锴、郭昢，送回总纠察处（都虞候司）。不久，李侃下令：恢复二人原职，召回家属。逮捕治安情报处（捕盗司）官员元义宗等三十余家，全部诛杀。

五月三十日，李侃命步骑兵总教练官（马步都教练使）朱玫等，当“三城砍杀官（三城斩砍使）”，率军搜捕“报冤将”，一律斩首，社会才恢复秩序。

13 冤句变民首领、冲天大将军黄巢，写信给浙东道（首府设越州〔浙江省绍兴市〕）行政长官（观察使）崔璆（音qiú〔球〕）及岭南东道战区（总部设广州〔广东省广州市〕）司令官（节度使）李迢，表示只要中央任命他当天平战区（总部设郓州〔山东省东平县〕）司令官（节度使），他就接受招安。二人奏报皇帝，中央拒绝。黄巢直接上疏，请求命他当岭南东道战区（总部设广州〔广东省广州市〕）司令官（节度使），李俨命高阶层官员讨论。国务院左最高执行长（左仆射）于琮反对，认为："广州是国际船舶及海外珠宝聚集的地方（参考七九二年六月），怎么可以让盗匪得到！"也不同意，另行讨论任命其他官职。

六月，宰相建议任命黄巢当太子宫侍卫军司令（率府率，正四品上）；李俨批准。

14 河东战区（总部设太原府〔山西省太原市〕）司令官（节度使）李侃，因军政首府不断发生事端，无法控制，不敢恋栈，遂声称有病，请求辞职去寻医治疗。李俨命代州（山西省代县）州长康传圭当河东战区（总部太原府）作战参谋长（行军司马）；征调李侃返回京师（首都长安）。

秋季，八月七日，李侃从晋阳（太原府所在县）出发。不久，中央命东都洛阳留守长官李蔚，遥兼二级宰相（同平章事·使相），充任河东战区（总部太原府）司令官（节度使）。

15 镇海战区（总部设润州〔江苏省镇江市〕）司令官（节度使）高骈上疏提出征剿黄巢大战略，高骈说："我建议命舒州（安徽省潜山市）暂任州长郎幼复当候补司令官（留后），留守镇海战区（总部润州）。另派总作战司令（都知兵马使）张璘率军五千人据守郴州（湖南省郴州市）险要；候补作战司令（兵马留后）王重任率军八千人，进驻循（广东省惠州

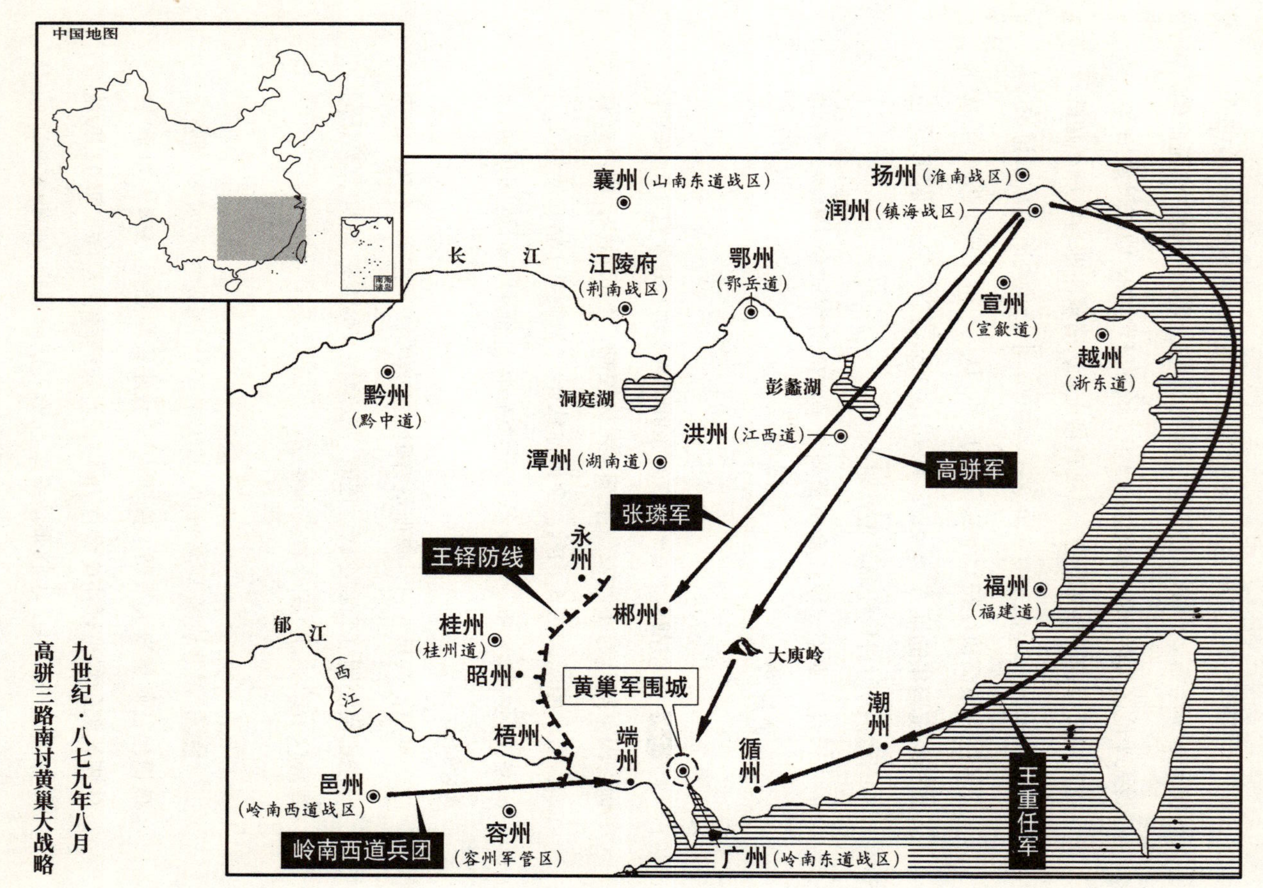

九世纪·八七九年八月
高骈三路南讨黄巢大战略

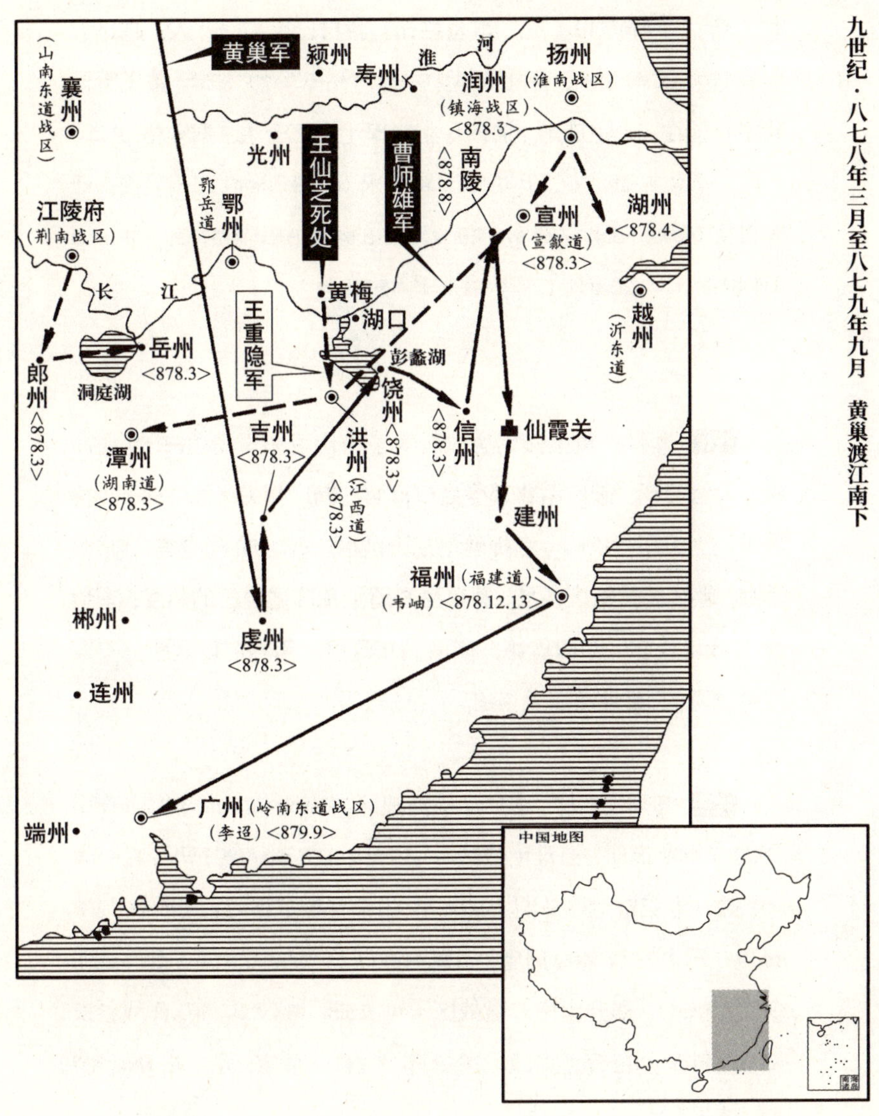

九世纪·八七八年三月至八七九年九月 黄巢渡江南下

市）、潮（广东省潮州市）二州，准备拦击；我自己率军一万人，越过大庾岭（五岭〔南岭〕之一），直向黄巢大本营广州（广东省广州市）。黄巢听说我亲自前往，一定逃走，请训令王铎率士卒三万人，据守梧（广西梧州市）、桂（广西桂林市）、昭（广西平乐县）、永（湖南省永州市）四州险要，严阵以待（根据《新唐书·高骈传》，高骈建议王重任南攻，乃是循海路而进。另外，又建议岭南西道战区〔总部邕州〕派军驻守端州〔广东省肇庆市〕）。”

李俨不准。

16 九月，黄巢接到唐政府太子宫侍卫军司令（率府率）任命状，大怒若狂，破口诟骂那些当权高官，向广州（广东省广州市）急行攻击，当天即行攻陷，活捉岭南东道战区（总部广州）司令官（节度使）李迢，辗转剽掠辖区各县。黄巢命李迢上疏陈述自己的感受，李迢说：“我世代都受帝国恩德，亲戚满布政府，手腕可以砍断，奏章不可以写。”黄巢遂诛杀李迢。

17 冬季，十月，李俨命镇海战区（总部设润州〔江苏省镇江市〕）司令官（节度使）高骈，当淮南战区（总部设扬州〔江苏省扬州市〕）司令官（节度使）、盐铁专卖暨运输总监（盐铁转运使）；命泾原战区（总部设泾州〔甘肃省泾川县〕）司令官（节度使）周宝，当镇海战区（总部设润州〔江苏省镇江市〕）司令官（节度使）；擢升山南东道战区（总部设襄州〔湖北省襄阳市〕）作战参谋长（行军司马）刘巨容当本战区司令官（节度使）。周宝，是平州（河北省卢龙县）人。

18 黄巢在岭南（南岭以南），士卒受瘴气瘟疫传染，死亡十分之三四，高阶层干部劝他回北方图谋大事，黄巢接受。遂自桂州

（广西桂林市）编制大木筏数十条，乘着山洪暴发，水势湍急，顺湘江而下，经过衡州（湖南省衡阳市）、永州（湖南省永州市）。

十月二十一日，抵达潭州（湖南道首府，湖南省长沙市）城下。唐政府副总指战官（行营副都统）李系登城固守，不敢出战，黄巢急行攻击，只一天，便把城攻破，李系逃往朗州（湖南省常德市）。黄巢下令屠杀政府军所有士卒，尸首塞满湘江，顺流而下。变民军将领尚让乘胜逆长江而上，进逼江陵（荆南战区总部，湖北省江陵县），号称大军五十万。当时，各战区道特遣兵团还没有集结完成，江陵守军不满一万人。总指战官（都统）王铎心胆俱裂，命他的部将刘汉宏留下来保护江陵（湖北省江陵县），而自己率部众逃奔襄阳（襄州州政府所在县，湖北省襄阳市），声称跟山南东道战区（总部襄阳）司令官（节度使）刘巨容会师。再料不到，王铎离开之后，刘汉宏立刻发动兵变，在江陵（湖北省江陵县）大肆剽掠，纵火焚烧，全城几乎平为废墟，人民逃窜山谷。不巧又遇上大雪，漫山遍野都是被杀死或被冻死饿死的僵尸。十余天后，冤句变民军才到。刘汉宏，是兖州（山东省济宁市兖州区）人，于烧杀抢劫之后，率领部众北返，正式成为盗匪。

19 闰十月一日，河东战区（总部设太原府〔山西省太原市〕）司令官（节度使）李蔚患病，命补给副司令（供军副使）李邵暂任候补行政长官（权观察留后），监军宦官李奉皋暂任候补作战司令（权兵马留后）。

闰十月二日，李蔚逝世。总纠察官（都虞候）张锴、郭昢缮写奏章，罢黜李邵，而命太原特别市副市长（少尹）丁球，当候补行政长官（观察留后）。

20 十一月三日，李俨命定州（河北省定州市）以南军政总监（定州已来制置使）、万年（首都长安东半城）人王处存，当义武战区（总部设定州〔河北省定州市〕）司令官（节度使）。命河东战区（总部设太原府〔山西省太原市〕）作战参谋长（行军司马）、雁门关（山西省代县西北）以南军政总监（雁门关已来制置使）康传圭，当河东战区司令官（节度使）。

21 黄巢由江陵（湖北省江陵县）北上，直扑襄阳（襄州州政府所在县，湖北省襄阳市），山南东道战区（总部襄州）司令官（节度使）刘巨容，会同江西（江西省）征剿司令（招讨使）淄州（山东省淄博市）州长曹全晸，联军驻防荆门（湖北省荆门市）阻截。变民军抵达，刘巨容在林中埋伏兵马，曹全晸率轻装备骑兵迎战，伪装无法取胜，向后撤退，变民军追击，政府军发动埋伏，大破变民军，乘胜向南追击，一直追到江陵（湖北省江陵县）城外，格杀及俘虏十分之七八。黄巢跟尚让收拾残兵败将，渡长江向东逃走。有人劝刘巨容继续追击，就可以把变民军一网打尽。刘巨容说："最高领袖喜爱辜负人，紧急的时候对人又升官又赏赐，一旦平定，就把人抛弃，甚至还定罪判刑（胡三省注：唐王朝末年的政治情形，跟刘巨容形容的一样），不如留些盗匪在世界上，作为升官发财的资本。"大家才停止。只曹全晸渡过长江，继续追击，但正巧中央命泰宁战区（总部设兖州〔山东省济宁市兖州区〕）指挥官（都将）段彦谟，代替曹全晸当征剿司令（招讨使），曹全晸也停止行动。因此，变民军声势再度振作，攻击鄂州（湖北省武汉市），攻陷外郭（砖城外的土城)，辗转剽掠饶(江西省鄱阳县)、信(江西省上饶市)、池(安徽省池州市贵池区)、宣(安徽省宣城市)、歙(安徽省歙县)、杭(浙江省杭州市)等十五州，部众多达二十万人。

22 康传圭自代州(山西省代县)前往晋阳(山西省太原市)就任河东战区(总部太原府)司令官(节度使)。

十一月二十五日，康传圭抵达乌城驿(山西省盂县西北)，总纠察官(都虞候)张锴、郭咄出城迎接，康传圭把二人乱刀砍死。进城视事，屠杀二人满门。

23 十二月，王铎免职，改任太子宾客(正三品)、东都洛阳办公。

24 最初，国务院国防部长(兵部尚书)卢携，曾经推荐高骈有能力担任总指战官(都统)。现在，高骈的部将张璘等，不断击败黄巢，李俨于是再命卢携当副监督长(门下侍郎)、二级实质宰相(同平章事)。凡是关东地区(潼关以东)司令官(节度使)王铎、郑畋所任命的官员，多数都被更换。

25 本年(八七九)，桂阳(连州州政府所在县，广东省连州市)变民集团首领陈彦谦，攻陷柳州(广西柳州市)，诛杀州长董岳。

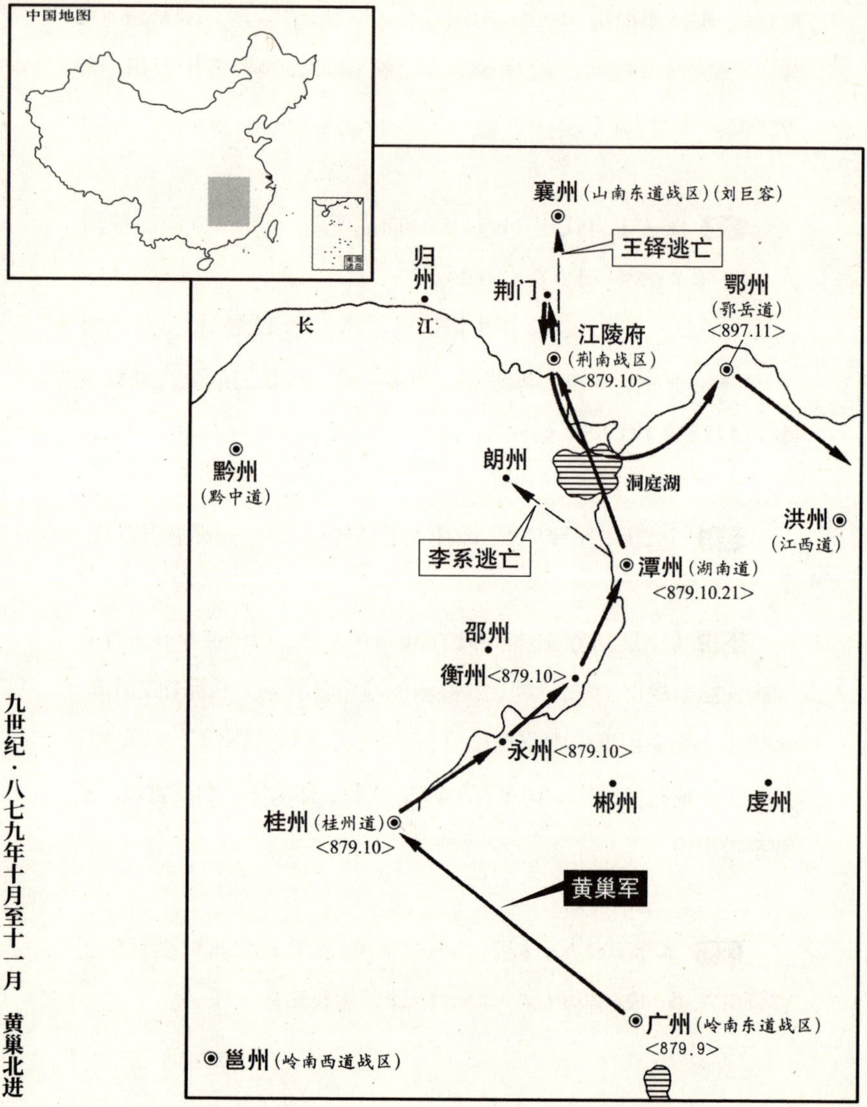
中国地图
南海诸岛
襄州（山南东道战区）（刘巨容）
王铎逃亡
归州
荆门
鄂州
（鄂岳道）
<897.11>
长江
江陵府
（荆南战区）
<879.10>
黔州
（黔中道）
朗州
洞庭湖
洪州
（江西道）
李系逃亡
潭州（湖南道）
<879.10.21>
邵州
衡州<879.10>
永州<879.10>
郴州
虔州
桂州（桂州道）
<879.10>
黄巢军
广州（岭南东道战区）
<879.9>
邕州（岭南西道战区）

九世纪·八七九年十月至十一月　黄巢北进

唐王朝

九世纪

八〇年代

八八〇—八八一年

- 河东兵变，杀司令官康传圭。
- 静海兵变，逐司令官曾衮。
- 忠武兵变，杀司令官薛能。
- 黄巢陷洛阳，入长安，称齐帝。
- 唐帝李俨逃亡成都。
- 感化兵变，杀司令官支详。
- 凤翔兵变，逐司令官郑畋。

- 教皇约翰八世为胖子查理加冕为法兰克皇帝。

八八〇年 庚子

唐　广明　元年
（冲天大将军黄巢王霸三年）
（齐帝黄巢金统元年）

1 春季，正月一日，唐王朝（首都长安〔陕西省西安市〕）皇帝（二十一任僖宗）李俨（本年十九岁），改年号广明。

2 沙陀（山西省北部）变军（参考前年〔八七八〕五月）进入雁门关（山西省代县西北），攻击忻（山西省忻州市）、代（山西省代县）二州。

二月二十六日，沙陀变军二万余人，逼近晋阳（太原府所在县，山西省太原市）。

二月二十七日，沙陀变军攻陷太谷（山西省晋中市太谷区）。中央派汝州（河南省汝州市）警备区司令（防御使）、博昌（山东省博兴县）人诸葛爽，率东都洛阳（河南省洛阳市）警备部队，增援河东（总部太原府）。

河东战区（总部设太原府〔山西省太原市〕）司令官（节度使）康传圭，专用酷刑峻罚展示威严，又常报私人仇怨，强行夺取富人钱财。曾派前遮虏军（山西省岢岚县东南）基地司令（使）苏弘轸，迎击已经占领太谷（山西省晋中市太谷区）的沙陀变军，走到秦城（太谷区西南），跟沙陀变军遭遇，失利而还，康传圭大怒，斩苏弘轸。当时，沙陀变军已撤退到代北（山西省北部），康传圭派总训练官（都教练使）张彦球率军三千人追击。

二月二十八日（原文“壬戌”，《新唐书》载于二月十四日，误，《旧唐书》只载二月），张彦球追到百井（山西省阳曲县东北），兵变，回军直向晋阳（山西省太原市），康传圭紧闭城门抵抗，变军却自西明门进城，斩康传圭。监军宦官周从寓亲自出来慰问解释，动乱才归平定，遂由张彦球当城厢总纠察官（府城都虞候）。中央得到消息，派使节前来安抚说：“你们杀了司令官（节度使），只是一时冲动，中央充分谅解，各位应该各自安心，不必忧虑恐惧。”

3 关东（潼关以东）变民蜂起，各地纷传狼烟，而唐帝李儇仍然不问国事，专门游戏玩耍，随意赏赐，毫无节制。宦官田令孜专权独断，没有把少年首领放到眼里，以致天象改变，帝国陷于危急（田令孜事，参考八七五年正月）。监督院（门下省）见习监督官（左拾遗）侯昌业，上疏苦苦规劝，李儇火冒三丈，召唤侯昌业到宦官总管署（内侍

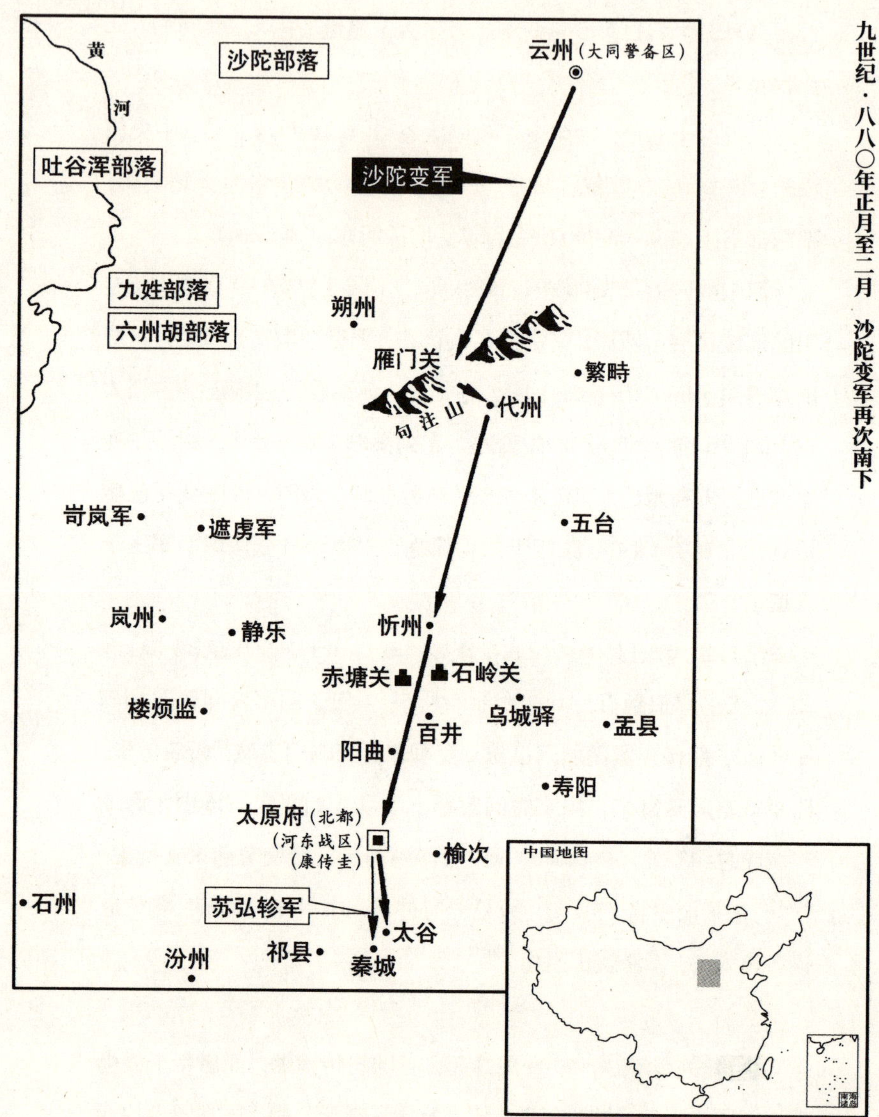

九世纪·八八〇年正月至二月 沙陀变军再次南下

省），命他自杀。

根据《通鉴考异》所引《续宝运录》，李儇加到侯昌业头上的罪状是：“侯昌业出身平民之家，擢升到清高亲近官位，不知谨慎言行，反而愚妄的奏报一些捕风捉影的闲话，侮辱最高领袖，诽谤百次征召才允就职的各位官员，依照国法，不能宽容。赐他自尽。”

自本年（八八〇）算起，二十七年后（九〇七），唐王朝亡，李姓皇家屠灭。上帝都救不了的灾祸，侯昌业如何能救！

李儇喜爱骑马射箭，十八般武器中尤精于使用短剑、长矛，而且数学、音乐、赌博，没有一种不是高手；喜爱蹋球、斗鸡，常跟其他亲王赌鹅，一头鹅价钱高达五十串。李儇最纯熟的一项运动是打球，曾经向皇家戏剧演员石野猪夸口说：“我如果报考‘打球进士科’，一定夺得状元。”石野猪说：“也不见得，如果遇到伊祁放勋（尧帝）、姚重华（舜帝）当主考官，恐怕陛下免不了要落榜！”李儇忍不住大笑。

4 全国财政总监署（度支）因国库不够开支，上疏要求向富户及外国商人“暂借”，李儇批示：“暂借他们财富的一半。”盐铁专卖暨运输总监（盐铁转运使）高骈（音pián〔胼〕）上疏警告说：“天下盗匪蜂起，都由于饥寒，现在，只剩下富户和外国商人还拥护政府。”这才停止行动（之前与大礼帝国发生战争时，已剥削商人，参考八六三年七月）。

高骈奏请把杨子院（参考七八〇年七月）改作“发运总监（发运使）”。

5 三月十七日，中央命左金吾（卫军第十一军）大将军陈敬瑄当西川战区（总部设成都府〔四川省成都市〕）司令官（节度使）。陈敬瑄是许州（河南省许昌市）人，是宦官田令孜的老哥（田令孜于六〇年代随义父入宫，改姓田）。

最初，崔安潜当忠武战区（总部设许州〔河南省许昌市〕）司令官（节度使）时（参考八七六年八月），田令孜推荐陈敬瑄当作战司令（兵马使），崔安潜拒绝。但在田令孜强硬支持下，陈敬瑄进左神策军，只几年，就擢升到“大将军”高位。田令孜发现关东（潼关以东）民变兵变事件，越来越多，已不可收拾，暗中拟订逃难巴蜀（四川省）计划，遂奏请命陈敬瑄，以及心腹、左神策军大将军杨师立、牛勖、罗元杲，分别出镇三川（三川：东川战区〔总部设梓州，四川省三台县〕、西川战区〔总部设成都府，四川省成都市〕、山南西道战区〔总部设兴元府，陕西省汉中市〕）。李儇用三川司令官（节度使）作为赌注，命四个人打球比赛，依优胜顺序挑选，陈敬瑄得到第一，遂即命他当西川战区司令官（节度使），接替崔安潜。

6 三月十八日，李儇命副监督长（门下侍郎）、二级实质宰相（同平章事）郑从谠，遥兼二级宰相（同平章事 · 使相），充任河东战区（总部设太原府〔山西省太原市〕）司令官（节度使）。康传圭被杀之后，河东官兵更骄傲凶暴，所以特派宰相镇压，并命郑从谠自己选择辅佐的幕僚。郑从谠奏请命长安（首都长安西半城）县长王调，当副司令官（节度副使）；前国务院国防部军政司副司长（兵部员外郎）、国史馆编撰官（史馆修撰）刘崇龟，当战区执行官（节度判官）；前国务院文官部勋赏司副司长（司勋员外郎）、国史馆编撰官（史馆修撰）赵崇，当道政府行政执行官（观察判官）；进士及第未曾任过公职（前进士）的刘崇鲁，当司法审判官（推官）。当时认为是一个小型中央政府，形容知名人士之多。刘崇龟、刘崇鲁，是刘政会的七世孙（刘政会，唐王朝初建时功臣，参考六一七年五月）。当时，河东战区（总部太原府）变乱刚刚平定，每天都发生杀人抢财的事情，郑从谠面貌温和，但内心刚毅，有智谋、决断，将士们打算做坏事时，郑从谠总会早早发觉，把他们诛杀，邪恶终于消失平息。对一心向善的人则全心安抚，使人毫不猜疑，像城厢总纠察官（府城都虞候）张彦球，办事有方法也有谋略，百井（山西省阳曲县西北）兵变，不是他的本心，郑从谠只找出首先发动的人诛杀，召见张彦球安慰解释，把兵权全交给他，军心遂告安定。张彦球为郑从谠竭尽死力，也得以施展自己的才能。

7 淮南战区（总部设扬州〔江苏省扬州市〕）司令官（节度使）高骈，派将领张璘等攻击冤句（山东省东明县南马头镇）变民首领、冲天大将军黄巢（参考八七五年六月），不断传出捷报，宰相卢携上疏推荐高骈当全国各战区道特遣兵团总指战官（诸道行营都统）。高骈遂下令征集全国武装部队，而自己也乘机招兵买马，尽量扩张，淮南军加上来自各战区道的特遣兵团，共集结七万人，威望如日当午，中央十分倚重。

8 静海战区（总部设安南府〔越南河内市〕）兵变，战区司令官（节度使）曾衮逃出府城躲藏。

各战区道派往岭南西道战区（总部设邕州〔广西南宁市〕）担任边防的特遣兵团，往往自行回去。

9 夏季，四月十四日，中央命畜牧部长（太仆卿）李琢，当蔚

（河北省蔚县）、朔（山西省朔州市）等州征剿总指战官暨特遣兵团司令官（蔚朔等州招讨都统行营节度使）。李琢，是李听的儿子（李听，是李晟的儿子，参考八三六年闰五月）。

10 淮南战区（总部扬州）特遣兵团大将张璘，渡长江南下，攻击冤句变民将领王重霸，王重霸投降；张璘发动不断攻击，黄巢退守饶州（江西省鄱阳县），所属别动部队将领常宏率部众数万人，投降张璘，张璘进攻饶州，攻克，黄巢再撤退。当时，江淮（华东地区）各军屡次奏报击破变民军，多数没有那回事。张璘却真正取胜，宰相以下高级官员，都上疏皇帝祝贺，中央稍感安定。

11 中央命李琢当新成立的蔚朔战区司令官（节度使），仍任蔚朔等州总指战官（都统）。

12 中央命杨师立当东川战区（总部设梓州〔四川省三台县〕）司令官（节度使）；牛勖当山南西道战区（总部设兴元府〔陕西省汉中市〕）司令官（田令孜的退路布置完成）。

13 命汝州（河南省汝州市）警备区司令（防御使）诸葛爽，当正北方面军副征剿司令（北面行营副招讨）。

14 最初，山南东道战区（总部设襄州〔湖北省襄阳市〕）司令官（节度使）刘巨容，返回襄阳（参考去年〔八七九〕十一月），荆南战区（总部设江陵府〔湖北省江陵县〕）监军宦官杨复光，命忠武战区（总部许州）特遣兵团指挥官（都将）宋浩，暂代江陵特别市市长（权知府事）。当时，泰宁战区

(总部兖州)特遣兵团指挥官(都将)段彦谟守护城池。中央命宋浩当荆南战区(总部江陵府)安抚特使(安抚使),段彦谟对自己由平等地位反而屈居下位,感到羞辱。宋浩禁止士卒擅自砍伐街上的槐树、柳树,段彦谟的部属违犯禁令,宋浩棍打犯卒脊背,段彦谟暴怒,带刀冲进特别市市长官邸,连同宋浩的两个儿子,一起诛杀。杨复光上疏指控宋浩残暴凶悍,所以被部众诛杀。中央遂命段彦谟当朗州(湖南省常德市)州长(朗州属荆南战区),命国务院工程部副部长(工部侍郎)郑绍业当荆南战区(总部江陵府)司令官(节度使)。

15 五月十六日,中央命汝州(河南省汝州市)警备区司令(防御使)诸葛爽,当振武战区(总部设安北府〔内蒙古和林格尔县〕)司令官(此时振武仍在沙陀变军首领李国昌之手)。

16 江陵(湖北省江陵县)变军首领刘汉宏(参考去年〔八七九〕十月)的部众,越发强大,剽掠宋(河南省商丘市)、兖(山东省济宁市兖州区)二州。

五月二十三日,中央下令征调东方各战区道,派军讨伐刘汉宏。

17 冤句(山东省东明县南马头镇)变民首领、冲天大将军黄巢(参考前年〔八七八〕二月),驻扎信州(江西省上饶市),瘟疫流行,士卒患病,很多人丧生。淮南战区(总部扬州)将领张璘急行攻击,黄巢不能抵抗,十分窘迫,于是乞灵于贿赂,呈献张璘大量黄金,并写信给淮南战区(总部扬州)司令官(节度使)高骈,请求准许他投降,为了证明诚意,还要求高骈向中央保举自己当官。高骈也打算把黄巢骗来生擒活捉，于是允许替他取得战区司令官（节度使）任命状。当时，昭义（总部潞州）、感化（总部徐州）、义武（总部定州）各战区特遣兵团，都已抵达淮南（总部扬州），高骈唯恐别人抢去他的功劳，于是迫不及待上疏给皇帝说：盗匪不久就要扫平，不再需要各军协助，请他们各返原防。中央批准。

黄巢侦察到各战区特遣兵团纷纷渡淮河北上，立刻跟高骈断绝来往，并且要求决战。高骈大怒，下令张璘攻击，想不到大败，张璘就在战场上被杀，变民军声势重振。

18 五月二十二日，中央命宫廷机要室主任宦官（枢密使）西门思恭（西门，复姓。然而自从《金瓶梅》的作者把男主角定名为西门庆之后，遂再难有人愿姓西门），当凤翔战区（总部设凤翔府〔陕西省宝鸡市凤翔区〕）监军宦官。

五月二十三日，命宫廷事务总监（宣徽使）李顺融，当宫廷机要室主任宦官（枢密使），两项任命诏书，都用白麻纸书写（唐王朝初年，封皇后、太子，以及任命宰相，都用白色普通纸。七世纪七〇年代中叶，因为白色普通纸容易被虫蛀蚀，所以改用白色麻纸），送到宰相联合办公厅，任用仪式跟任用大将或宰相一样。

19 西川战区（总部设成都府〔四川省成都市〕）司令官（节度使）陈敬瑄，出身微贱，当公报传到巴蜀（四川省）时，巴蜀（四川省）人民大吃一惊，不知道陈敬瑄是谁。青城（四川省成都市温江区西北）一位法术师利用这个机会，率领他的党徒群众，声称："陈司令官下榻宾馆！"命地方政府紧急供应白马，步骑兵管理官（马步使）瞿大夫发觉他冒名顶替，立刻逮捕，用狗血浇到他头上身上（民间传说，染上狗血之后，法术就完全失灵），法术师认罪，所有党徒一律诛杀。

六月八日，陈敬瑄抵达成都（四川省成都市）。

20 冤句变民军别动部队将领攻陷睦州（浙江省建德市）、婺州（浙江省金华市）。

21 宰相卢携中风瘫痪，不能走路，请假在家休养。

六月十七日，卢携才进宫晋见皇帝，李儇命他不必下跪叩头，并派两个宦官两边扶持。卢携内靠田令孜、外靠高骈，深受皇帝宠爱，因此专权霸道；处理国事，全看自己高兴或不高兴。患病之后，精神涣散，思考不能集中，国家大事的决定，全落在亲信助理杨温、李修之手，二人公开接受贿赂。另一宰相豆卢瑑没有别的才干，唯一的才干是对卢携听命唯谨。另一宰相崔沆有时奏报一些事情，常被豆卢瑑阻挠。

22 六月十八日，蔚朔等州总指战官（都统）李琢奏报说：沙陀变军（山西省北部）二千人投降。李琢当时率军一万人驻扎代州（山西省代县），会合卢龙战区（总部设幽州〔北京市〕）司令官（节度使）李可举、吐谷浑军区（黄河河套及山西省北部）总司令（都督）赫连铎，联军讨伐沙陀变军。沙陀变军首领李克用派大将高文集保护朔州（山西省朔州市），自己亲率部队进驻雄武军（河北省兴隆县南），抵抗李可举。赫连铎派人说服高文集归降中央，高文集生擒沙陀变军的另两位将领傅文达，以及沙陀酋长李友金，跟萨葛军区总司令（都督）米海万、安庆军区总司令（都督）史敬存，一同投降李琢，大开城门欢迎中央军。李友金，是李克用的堂叔。

23 六月二十八日，冤句变民军攻宣州（宣歙道首府，安徽省宣城市），攻陷。

24 江陵变军首领刘汉宏，南下剽掠申州（河南省信阳市）、光州（河南省潢川县）。

25 鹤拓帝国（首都苴咩城〔云南省大理市〕）使节赵宗政回国时（参考前年〔八七八〕十二月），西川战区（总部设成都府〔四川省成都市〕）司令官（节度使）崔安潜，上疏赞成崔澹的立场，反对跟鹤拓帝国皇家通婚（崔澹意见，参考前年〔八七八〕四月），强调说："南诏（鹤拓帝国）不过一个小小蛮夷部落，面积不过一个云南郡（三国时代蜀汉帝国时，分割建宁郡、永昌郡，另设云南郡），我们却派出使节跟他们和解，他们认为唐政府已经害怕，如果得寸进尺，请娶公主，唐王朝怎么拒绝！"李俨命各宰相商议。卢携、豆卢瑑上疏说："本世纪（九）五〇年代末期，国库充实，可是六〇年代之后，蛮夷两次攻陷安南（越南河内市。参考八六〇年十二月，及八六三年正月）及邕州军管区（首府设邕州〔广西南宁市〕。参考八六一年七月，及八六三年三月），一次深入黔中（首府设黔州〔重庆市彭水县〕。参考八七三年五月），四次侵犯西川（参考八六三年十二月、八六五年五月、八七〇年正月、八七四年十一月。事实上远超过此数），征集士卒，运输钱粮，天下陷于穷困，已超过十五年之久，田赋租税大部分送不到京师（首都长安），政府三司（全国财政总监署〔度支〕、国务院财政部〔户部〕、盐铁专卖暨运输总监署〔盐铁〕）国库，跟陛下的宫库，全都空虚，战士死于瘴气瘟疫，人民极度穷苦，流失成为盗匪，以至于锦绣中原山河，遍地荒草，都由于蛮夷之故。前年冬季，蛮夷没有发动侵略，只因赵宗政还没有回去（赵宗政出使唐朝，参考前年〔八七八〕四月）。去年冬季，蛮夷仍没有发动侵略，只因徐云虔还没有返国（徐云虔出使鹤拓帝国，参考去年〔八七九〕正月），蛮夷尚有盼望。而今，安南（越南河内市）中城（子城，第二道城）被叛徒占领，战区司令官（静海节度使曾衮）反攻，不能攻克；其他战区道的特遣兵团，很多自行返回（参考本年〔八八〇〕三月），岭南西道战区（总部设邕州〔广西南宁市〕）里的协防部队，又减少一半。冬季马上来临，万一蛮夷侵犯，我们用什么抵抗！不如姑且派使节前往回报，即令不能使他称'臣'进贡，也不要使他们的怨恨加深，只要不再对边境采取军事行动，我们就很满意！”李俨遂下诏给现任西川战区（总部设成都府〔四川省成都市〕）司令官（节度使）陈敬瑄，准允接受鹤拓帝国（云南省）的和解，不向唐王朝称“臣”，命陈敬瑄转抄诏书中的话，并写信说明，另行赠送金银绸缎。派嗣曹王李龟年当皇族事务部副部长（宗正少卿），充当钦差大臣，徐云虔当副钦差大臣，另外加派宦官，共同前往鹤拓（云南省）。

26 秋季，七月，黄巢自采石（安徽省马鞍山市西南）横渡长江北上，包围天长（安徽省天长市）、六合（江苏省南京市六合区），声势十分强大。淮南战区（总部设扬州〔江苏省扬州市〕）将领毕师铎（原黄巢部将，降高骈，参考去年〔八七九〕正月），警告高骈说：“帝国安危，中央依靠大帅，而今盗匪数十万，以如此庞大数目，乘战胜余威，长驱北上，如入无人之境，如果不能紧守险要，迎头痛击，他们一旦越过长淮关（安徽省蚌埠市东），就没有人可以控制，一定成为中原的灾难！”可是高骈因各战区道特遣兵团早已遣返，大将张璘又死，自己知道没有能力阻止黄巢前进，心里畏惧，不敢出军，只命各将领加强戒备，保守阵地，并且上疏向中央报告情况紧急，说：“盗匪六十余万人进驻天长（安徽省天长市），距我所在的扬州城（江苏省扬州市），不到五十华里。”

先前，宰相卢携认为：“高骈有文武全才，如果把军权全部交给他，削平黄巢毫无问题！”无论政府与民间，虽然也有人警告说高骈并不可靠，但大家仍希望他可靠。直到高骈求救的奏章到达，上下一片失望，人心也陷于恐慌。李俨下诏责备高骈不该解散各战区道特遣兵团，以致变民得以利用政府军没有戒备，北渡长江。高骈上疏反唇相讥说：“我固然上疏建议遣返各战区道特遣兵团，但批准的却是陛下，并不是我自己专断独行。现在我竭力保护这一块地方，安全没有问题，怕的是盗匪辗转北渡淮河，陛下最好紧急下令给东方各战区道，严密戒备。”遂声称身体瘫痪，不再派军出击。

李俨下诏黄河以南各战区道派兵进驻溵水（沙河，流经河南省项城市西北），泰宁战区（总部设兖州〔山东省济宁市兖州区〕）司令官（节度使）齐克让进驻汝州（河南省汝州市），防御黄巢北上。

七月九日，又命淄州（山东省淄博市）州长曹全晸，当天平战区（总部设郓州〔山东省东平县〕）司令官（节度使），兼正东方面军副总指战官（东面副都统）。

27 江陵（湖北省江陵县）变军首领刘汉宏（参考去年〔八七九〕十月二十一日），请求投降，中央接受。

七月十六日，命刘汉宏当宿州（安徽省宿州市）州长。

28 沙陀变军首领李克用（参考前年〔八七八〕五月）自雄武军（河北省兴隆县南）反击叛将高文集驻守的朔州（山西省朔州市）；卢龙战区（总部设幽州〔北京市〕）司令官（节度使）李可举派作战参谋长（行军司马）韩玄

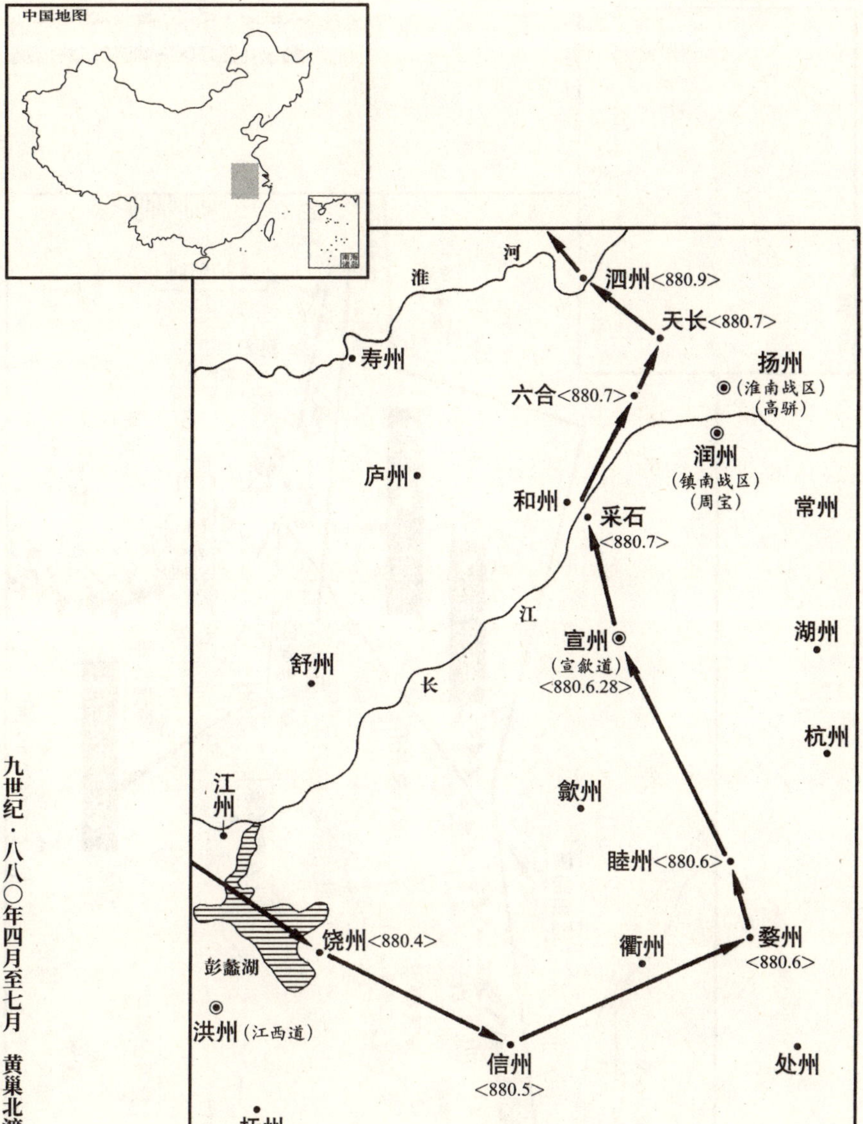

九世纪·八八〇年四月至七月　黄巢北渡长江

中国地图

淮　河
泗州<880.9>
天长<880.7>
寿州
扬州
六合<880.7>
(淮南战区)
(高骈)
润州
(镇南战区)
(周宝)
庐州
和州
采石
<880.7>
常州
长　江
宣州
(宣歙道)
<880.6.28>
湖州
舒州
杭州
江州
歙州
睦州<880.6>
饶州<880.4>
衢州
婺州
<880.6>
彭蠡湖
洪州(江西道)
信州
<880.5>
处州
抚州

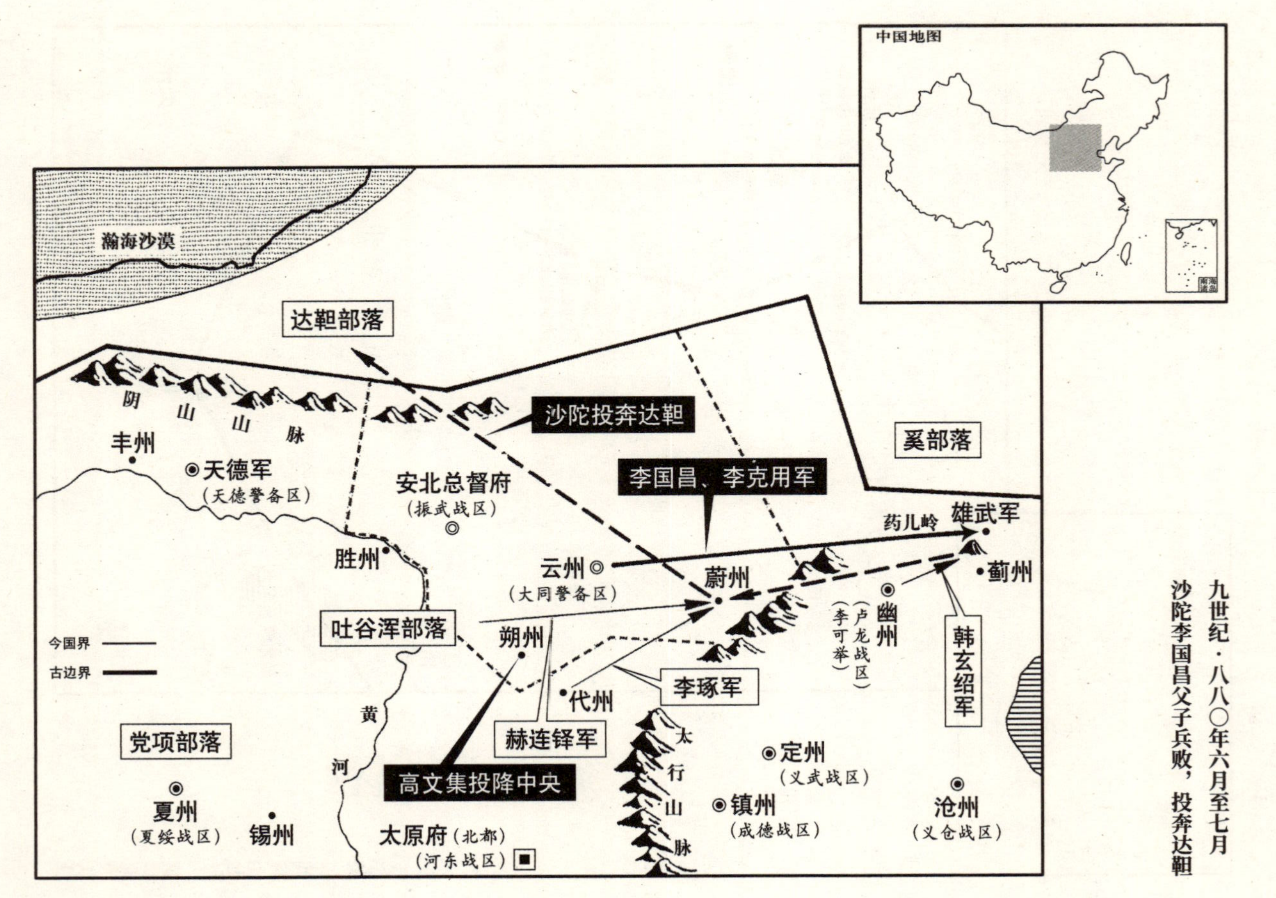

九世纪·八八〇年六月至七月
沙陀李国昌父子兵败，投奔达靼

绍，在药儿岭（河北省兴隆县西南）突击，大破沙陀变军，杀七千余人，沙陀变军将领李尽忠、程怀信全被格杀，接着又在雄武军（河北省兴隆县南）境内大破沙陀变军，杀一万人。蔚朔等州征剿总指战官（招讨都统）李琢、吐谷浑军区总司令（都督）赫连铎，联合进攻蔚州（河北省蔚县），李国昌（朱邪赤心）战败，部众溃散，只好跟他的儿子李克用以及家族，向北逃亡，投奔达靼部落（瀚海沙漠南）。

李儇下诏命赫连铎当云州（山西省大同市）州长兼大同（云州）警备区司令（防御使）；吐谷浑部落另一将领白义成当蔚州（河北省蔚县）州长；萨葛部落酋长米海万当朔州（山西省朔州市）州长（蔚朔战区当已自动撤销）；加授李可举：兼最高监督长（兼侍中·使相）。

达靼部落是靺鞨部落（黑龙江下游）的一个支派，在阴山（内蒙古阴山山脉）一带游牧。几个月后，赫连铎暗中贿赂达靼酋长，命他诛杀李国昌、李克用父子。李克用得到消息，当时正在跟达靼高阶层贵族在一起游戏打猎，李克用挂起马鞭，指定某一片落叶，甚至悬挂一根针，用箭射击，百发百中，那些贵族都惊骇佩服。李克用又摆设酒席招待他们，喝得醉醺醺之后，向大家声明："我冒犯天子，本想效忠帝国，却无法效忠。听说黄巢已流窜北方，一定给中原制造灾难。一旦天子赦免了我的罪，到时候就可以会合各位南下，共同建立大功，岂不是乐事？人生能活几年，谁肯老死沙漠！"达靼知道沙陀人没有久留之意，谋害的意思才算停止。

29 八月三十日，李儇命前西川战区（总部设成都府〔四川省成都市〕）司令官（节度使）崔安潜当太子宾客（正三品）、东都洛阳办公。

30 九月，东都洛阳留守长官奏报说："汝州（河南省汝州市）招募的新兵李光庭等五百人，从代州（山西省代县）返乡，路过东都洛阳时，纵火焚烧安喜门（东北门），剽掠街市，从长夏门（东南门）扬长而去。”

31 黄巢号称大军十五万，而政府正东方面军副总指战官（东面副都统）曹全晸的部众才六千人，奋勇迎战，有相当的杀戮、俘虏，但终因众寡相差太大，无法抵挡，退驻泗州（江苏省盱眙县淮河北岸），等候各路援军抵达后联合反击。可是高骈（淮南〔总部扬州〕司令官）竟不出兵救援，变民军攻击，把曹全晸击破。

32 感化战区（总部设徐州〔江苏省徐州市〕）特遣兵团三千余人，前往溵水（沙河，流经河南省项城市西北），路过许昌（许州州政府所在县，河南省许昌市），徐州士卒凶悍狂悖，恶名远播，忠武战区（总部设许州）司令官（节度使）薛能，自以为当过感化战区司令官，驻扎彭城时（参考八七六年十二月），对徐州士卒有恩德威信，所以把这些老部下招待住进球场。可是，到了天晚，徐州士卒大喊大叫，薛能登上子城（内城，第三道城），询问原因，徐州士卒抗议供应缺失，薛能纾解慰劳了很久，大家才平静下来。但许州（忠武战区总部）军民却大为恐惧。当时，忠武大将周岌率特遣兵团前往溵水（沙河，流经河南省项城市西北），还没有走得太远，得到消息，当天夜晚，就率部众折返，天将亮时，进城，袭击徐州士卒，全部诛杀。又怨恨薛能对徐州士卒过于优厚，遂驱逐薛能。薛能准备投奔襄阳（襄州州政府所在县，湖北省襄阳市），变军追上，连同他的家人，全部屠灭。周岌自称战区候补司令官（留后）。汝（河南省汝州市）郑（河南省郑州市）围堵军政总监（把截制置使）齐克让，恐怕周岌对他袭击，率军返回兖州（齐克让本职是泰宁战区〔总部兖州〕司令官）。于是，各战区道驻防溵水（沙河）的特遣兵团，一哄而散。这个进入中原最重要的关口，豁然洞开，冤句变民军遂渡淮河北上，所经过的地方不再剽掠，只裹挟青年，增加兵力。

33 先前，中央征调振武战区（总部设安北府〔内蒙古和林格尔县〕）司令官（节度使）吴师泰，回京师（首都长安）出任左金吾（卫军第十一军）大将军，而命诸葛爽接替（参考本年〔八八〇〕五月十六日）。吴师泰眼看中央自顾不暇，于是发动军民上疏慰留自己。

冬季，十月，中央命吴师泰恢复原职，而命诸葛爽当夏绥战区（总部设夏州〔陕西省靖边县北白城则村〕）司令官（节度使）。

34 黄巢攻陷申州（河南省信阳市），遂进入颍（安徽省阜阳市）、宋（河南省商丘市）、徐（江苏省徐州市）、兖（山东省济宁市兖州区）等州境，兵锋所到之处，官民人等纷纷逃窜溃散。

35 各地变民联合攻陷澧州（湖南省澧县。澧，音ㄌ〔里〕），格杀州长李询、执行官（判官）皇甫镇。

皇甫镇投考"进士科"二十三次，都没有及格，李询聘请他出任现官。变民军攻城，城就要陷落，皇甫镇逃走，问别人说："州长脱难了没有？"回答说："盗贼已把他捉住。"皇甫镇说："我受他如此重大的恩惠，往什么地方逃？"遂直接前往变民军总部，竟跟李询同被处死。

36 十一月，河中战区（总部设河中府〔山西省永济市〕）总纠察官（都虞候）王重荣，发动兵变，把住家商店抢劫一空。

37 宿州（安徽省宿州市）州长刘汉宏，怨恨中央给他的官职太小。

十一月四日，中央命刘汉宏当浙东道（首府设越州〔浙江省绍兴市〕）行政长官（观察使）。

38 李儇下诏命河东战区（总部设太原府〔山西省太原市〕）司令官（节度使）郑从谠，把战区军队全部交给诸葛爽及代州（山西省代县）州长朱玫，南下讨伐黄巢。

十一月五日，命代北（山西省北部）总指战官（代北都统）李琢，当河阳战区（总部设孟州〔河南省孟州市〕）司令官（节度使）。

39 最初，黄巢将要北渡淮河时（本年〔八八〇〕九月之前），宰相豆卢瑑建议把天平战区（总部设郓州〔山东省东平县〕）司令官（节度使）的位置，授给黄巢，等他到差之后，再加讨伐。另一宰相卢携反对，说："盗匪全都贪得无厌，即令给他战区司令官（节度使）的符节印信，并不能阻止他烧杀剽掠，不如紧急征调各战区道派军把守泗州（江苏省盱眙县淮河北岸），命宣武战区（总部设汴州〔河南省开封市〕）司令官（节度使）当总指战官（都统），盗匪前进不能进关（长淮关，安徽省蚌埠市东），只好回头剽掠淮河以南及浙江（钱塘江）两岸，在海滨水涯苟且偷生而已。"李儇支持卢携。想不到淮河以北一地连一地报告情况紧急，卢携束手无策，只好声称有病，不出家门，京师（首都长安）人心恐惧。

十一月十日，东都洛阳奏报说：黄巢已进入汝州（河南省汝州市）边境。

40 十一月十日，中央命王重荣暂代河中战区（总部设河中府〔山西省永济市〕）候补司令官（权知留后），而命原任战区司令官（节度使）、遥兼二级宰相（同平章事·使相）李都，回京（首都长安）当太子少傅（太子三少之二）。

41 汝（河南省汝州市）、郑（河南省郑州市）围堵军政总指挥官（汝郑把截制置都指挥使）齐克让奏报说："黄巢自称天补大将军，发布文告，通告政府各军，声称：'你们最好各守岗位，不要冒犯我的先锋！我就要进入东都（洛阳），再到京师（首都长安），我只想亲自审问罪犯（指唐王朝皇帝李俨及统治阶级），不干大家的事。'"李俨召集宰相商议。豆卢瑑、崔沆请征调关内（潼关以西）各战区特遣兵团及左右神策军，守卫潼关（陕西省潼关县）。

十一月十二日，冬至，李俨登延英殿，对着宰相，惶恐焦急，流泪哭泣。皇家观察兵马阵容最高监军宦官（观军容使）田令孜奏报说："请准我遴选左右神策军弓箭部队，前去守卫潼关（陕西省潼关县），我愿充当总指挥军政围堵司令官（都指挥制置把截使）。"李俨说："禁卫将士不熟悉战场厮杀，恐怕没有用处。"田令孜说："从前，安禄山叛变，玄宗（九任帝李隆基）前往巴蜀（四川省）避难！"崔沆说："安禄山只有五万人，比起黄巢，不能相提并论。"豆卢瑑说："哥舒翰有十五万大军，仍守不住潼关（应是十八万大军，参考七五六年六月），现在黄巢大军有六十万，而潼关却没有哥舒翰的庞大军队。幸好田令孜为帝国着想，事先都有安排，三川战区司令官（节度使），都是他的心腹（西川〔成都府〕陈敬瑄、东川〔梓州〕杨师立、山南西道〔兴元府〕牛勖），比起玄宗（九任帝李隆基），现在可是早有准备。"李俨大不高兴，对田令孜说："你姑且替我派军防守潼关！"

当天（十一月十二日），李俨前往左神策军，亲自检阅。田令孜推荐左神策军骑兵将军张承范、右神策军步兵将军王师会、左神策军作战司令（兵马使）赵珂。李俨召见三人，命张承范当大军先锋司令（兵马先锋使）兼潼关军政围堵司令（兼把截潼关制置使），王师会当关卡军政粮秣供应司令（制置关塞粮料使），赵珂当处理关塞事务总监（句当寨栅使）；命田令孜当左右神策军京师（首都长安）各基地及各战区道派遣军总指挥暨军政征剿司令（左右神策军内外八镇及诸道兵马都指挥制置招讨使）等职，皇家天龙马厩管理宦官（飞龙使）杨复恭当副总指挥暨副征剿司令。

十一月十三日，齐克让奏报说：“黄巢已进入东都（洛阳）边境，我集结残兵败将，退保潼关（陕西省潼关县），在关外兴建营寨阵地。政府军将士经过长期战斗，早就缺少物资粮食，州县残破，不见人烟，东西南北，看不到一个政府官员，我们又冻又饿，内外交迫，而武器也都破旧迟钝，士卒思念家乡，深恐忽然崩溃，大家四散逃生。请陛下早日赐下物资粮食，迅速增援！”李俨命遴选左右神策军弓箭部队，共集结二千八百人，命张承范等率领，开赴前线。

十一月十七日，黄巢攻陷东都洛阳，留守长官刘允章率文武百官迎接晋见。黄巢进城，只不过安抚慰劳而已，乡村街市，一派升平。刘允章，是刘迺的曾孙（刘迺事，参考七八四年二月）。田令孜奏报说：已在京师（首都长安）街市招募新兵数千人，补充左右神策军空缺。

十一月二十一日，陕虢道（首府设陕州〔河南省三门峡市〕）奏报说：东都洛阳已经陷落。

十一月二十二日，李俨命田令孜当汝（河南省汝州市）、洛（河南省洛

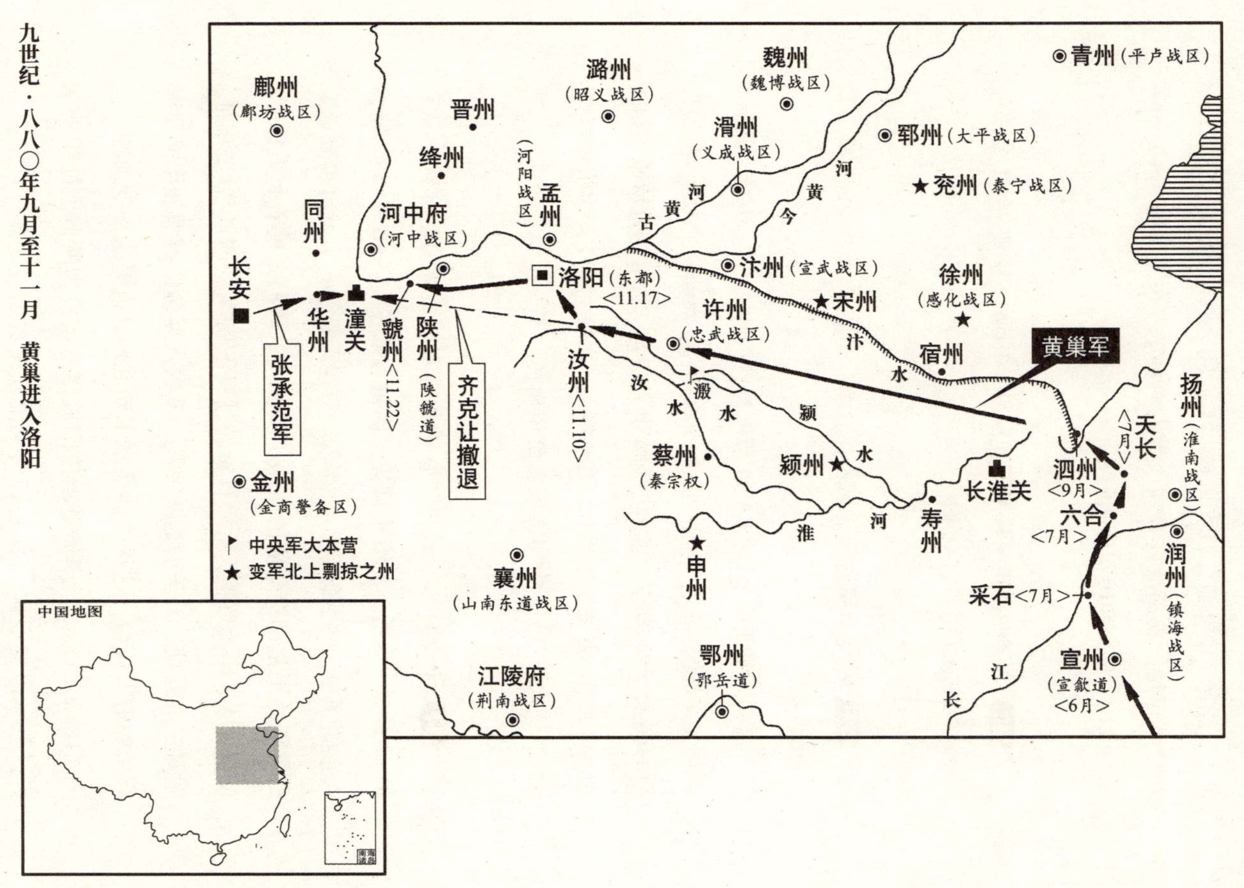

九世纪·八八〇年九月至十一月　黄巢进入洛阳

阳市)、晋(山西省临汾市)、绛(山西省新绛县)、同(陕西省大荔县)、华(陕西省渭南市华州区)地区总指战官(都统),率左右神策军东下讨伐。当天(十一月二十二日),黄巢变民军攻陷虢州(河南省灵宝市)。

42 李俨命神策军将领罗元杲(田令孜心腹)当河阳战区(总部设孟州〔河南省孟州市〕)司令官(节度使)。

43 中央命周岌当忠武战区(总部设许州〔河南省许昌市〕)司令官(节度使)。

最初,前任司令官(节度使)薛能派营门官(牙将)、上蔡(河南省上蔡县)人秦宗权,前往蔡州(河南省汝南县)驻防(蔡州属忠武战区),听说许州(河南省许昌市)兵变,遂借口回军共救灾难,大批招募蔡州(河南省汝南县)士卒,驱逐蔡州州长,占领城池。而今,周岌实任司令官(节度使),顺水推舟,任命秦宗权当蔡州州长。

44 十一月二十五日,张承范等率神策军弓箭部队,从京师(首都长安)出发。神策军官兵,都是首都长安(陕西省西安市)富有人家的子弟,贿赂宦官,把姓名登记在军籍簿上,就可得到皇家的赏赐,平常都穿华丽的衣服、骑漂亮的骏马,仗着有人撑腰,仗势欺人,声大气粗,从没有参加过真正战争。一听说就要出征,面对生离死别,父子们抱头哭泣,多数人用金银绸缎雇用病患收容所的穷人代替,这些人往往拿不动武器,也无法接受训练。当天(十一月二十五日),李俨登章信门城楼,亲自为所谓出征将士送行,张承范奏报说:“消息说黄巢部众有数十万之多,在战鼓声中西上,齐克让率领饥寒交迫的老弱残兵一万人,依附在潼关城外，现在又派我率二千余人进驻潼关，却没有听说怎么发给粮饷，竟想用这些人阻挡盗匪，我暗中感到寒心，但愿陛下催促各战区道早派精锐部队，前来增援。”李俨说：“你只管出发，援军随后就到。”

十一月二十七日，张承范等前进到华州（陕西省渭南市华州区）。遇上州长裴虔余调升宣歙道（首府设宣州〔安徽省宣城市〕）行政长官（观察使），州政府正在真空状态，全城军民都逃上华山（西岳，陕西省华阴市南），城里满目萧条，州库空空荡荡，积存的尘埃上只有老鼠的脚迹，幸好粮仓里还有谷米一千余斛，士卒携带三天的粮食，继续前进（统治者竟想用三天粮食买穷人的命，保护自己的荣华富贵，可谓异想天开）。

十二月一日，张承范等抵达潼关，大肆搜索，在野草丛中捕捉到抖成一团的村民一百余人，命他们搬运石头，担送饮水，加强防御工程。但张承范军及齐克让军，食粮断绝，士卒毫无斗志。当天（十二月一日），冤句变民军前锋抵达潼关城外，白旗满布原野，看不到边际；齐克让接战，变民军稍稍后退，可是一会工夫，黄巢亲到前线，大军兴奋得高声欢呼，声振河山，齐克让仍竭力抵抗，自中午十二时僵持到下午六时，士卒饥饿难忍，遂大声喧哗，纵火焚烧营寨，四散逃命，齐克让退入潼关。潼关之北，有一条山谷，平时禁止平民来往，以便利关卡征税，称为“禁坑”。变民军突然而来，政府忘记派人把守，溃散的政府军遂一涌而入，谷里丛生的灌木及野草藤蔓，纵横攀附，好像网织，可是，一夜之间，被败兵踏成平坦大道。张承范把所有物资及粮食，散发给士卒，一面派使节送奏章向皇帝告急，说：“我离开京师（首都长安）已经六天，武装士兵没有增加一人，赏赐及粮饷不见踪影。抵达潼关的当天，巨大的盗匪集团也抵达潼关，用两千多人抵抗六十万人。关外友军（齐克让军）因饥饿难忍，霎时崩溃，闯开禁坑。我有失职守，即令受炉锅烹杀，也所甘心。但中央身负帝国安危的高官谋士，颜面却放在何处！有人说陛下已考虑前往西方视察（暗指李俨将逃亡巴蜀），殊不知御驾一动，上下立刻瓦解。我大胆用尚存的人身，说出必被诛杀的直言，请陛下跟最亲密的官员再作深入讨论，万不可以轻率行动，而应急速征调各军，增援潼关，则高祖（一任帝李渊）、太宗（二任帝李世民）的大业或许还可能保持！使黄巢继安禄山之后灭亡，我则比哥舒翰能光荣殉国。”

十二月二日，冤句变民军猛烈攻击潼关，张承范全力抗拒，从上午四时到下午四时，守关的政府军箭已用完，改投石头。关外有天然壕沟，变民军驱逐村民一千余人到里面，挖掘泥土填塞，一会工夫，就把壕沟填平，大军立刻越过。夜晚，纵火焚烧潼关城楼，全部化成灰烬。张承范派军八百人，命王师会守护禁坑，等赶到那里，变民军已经进入。

十二月三日，早晨，变民军夹攻潼关，守关政府军崩溃，王师会自杀，张承范换穿平民衣服，率残余部众逃走，逃到野狐泉（陕西省华阴市西南），遇到奉天（陕西省乾县）援军二千人赶到，张承范叹息说：“你们来得晚了。”博野部队（李寰部众的第二代。参考八二二年三月）及凤翔（总部凤翔府）特遣兵团，也跟着撤退，走到渭桥（中渭桥，陕西省咸阳市东），看见田令孜招募的新兵，身穿新制的温暖皮衣，发怒说：“你们有什么功劳？穿得这么豪华，我们反而挨饿受冻！”遂把他们剥光，反过来充当变民军的向导，直向首都长安（陕西省西安市）。

变民军攻击潼关时，中央命首都长安特别市前任市长（前京兆尹）萧廪，当东路粮秣供应总监（东道转运粮料使）。萧廪声称有病，请求退休。李俨贬他作贺州（广西贺州市八步区）户籍官（司户）。

黄巢进入华州（陕西省渭南市华州区），留下他的部将乔钤据守。河中战区（总部设河中府〔山西省永济市〕）候补司令官（留后）王重荣，投降黄巢。

十二月四日，李儇下诏任命黄巢当天平战区（总部设郓州〔山东省东平县〕）司令官（企图化解黄巢的攻势，但今日的黄巢已非六个月前的黄巢）。

十二月五日，李儇命皇家文学研究院院长（翰林学士承旨）、国务院左秘书长（尚书左丞）王徽，当国务院财政部副部长（户部侍郎）；命皇家文学研究官（翰林学士）、国务院财政部副部长（户部侍郎）裴澈，当国务院工程部副部长（工部侍郎）；二人同时任二级实质宰相（同平章事）。贬卢携当太子宾客（正三品）、东都洛阳办公。宦官田令孜听到黄巢已经入关消息，恐怕李儇怪罪他，于是把所有罪状都推到卢携头上，加以贬黜。而另行推荐王徽、裴澈继任宰相。当天夜晚，卢携服毒自杀。裴澈，是裴休的侄儿（裴休当过宰相，参考八五二年八月）。

文武百官刚刚退朝出宫，传来紧急消息：变民军已进入京师（首都长安），大家分别逃亡躲藏。田令孜率神策军五百人，保护十九岁皇帝李儇，从金光门（长安西城中门）逃走，只有福王、穆王、泽王（全不知名字）、寿王李杰四个亲王和几位妃嫔小老婆随从，其他文武百官都不知道皇帝去处。李儇骑在马上，惊惶恐惧，日夜不停的没命狂奔，随从官员很多都追赶不上。皇帝逃走之后，来不及逃走的士卒和长安街市居民，争着闯进国库，抢夺金银绸缎。

中午过后，变民军前锋将领柴存，才进长安，左金吾（卫军第十一军）大将军张直方率文武官员数十人，前往霸上（陕西省西安市东灞河畔）迎接黄巢。黄巢乘坐黄金装饰的双人小轿，卫士的头发随意披散，都用红巾扎束，身穿锦绣衣服，手拿武器，紧紧跟随；全副武装的铁甲骑兵，多如流水，辎重车辆塞满道路，一千华里不绝。
长安居民聚集在道路两旁观看，尚让在所经过的地方，向大家宣示说：“黄王（黄巢）兴起义军，只是为了人民，不像唐王朝李姓皇帝，不爱你们！各位尽管安居乐业，不要害怕！”黄巢先住在田令孜宅，部众因为长期抢劫，每人都非常富有，看到贫苦人民，往往施舍。然而定居几天之后，各人又都出去大肆剽掠，纵火焚烧街道店铺，杀人满路，黄巢无法禁止。变民军对政府官吏（雇员级官员），尤其憎恨，只要捉到，立即诛杀。

45 李俨直奔骆谷（陕西省周至县西南）逃命，凤翔战区（总部设凤翔府〔陕西省宝鸡市凤翔区〕）司令官（节度使）郑畋（音tián〔田〕），在路上迎见李俨，请车驾停在凤翔，李俨说：“我不打算太接近巨盗，暂且先到兴元（陕西省汉中市），征调大军，再计划收复。你去东方抵抗盗匪刀锋，我去南方安抚各军事重镇，集结邻近各战区道的力量，勉励他们建立大业。”郑畋说：“道路阻塞，奏章难以即时送到，请授权我可以相机行事。”李俨允许。

十二月九日，李俨抵达壻水（汉水支流，流经陕西省洋县西北），下诏给牛勖（山南西道〔兴元府〕司令官）、杨师立（东川〔梓州〕司令官）、陈敬瑄（西川〔成都府〕司令官），通知他们说：“京师（首都长安）失守，我姑且前往兴元（陕西省汉中市），如果盗匪的声势仍然强大，将再往成都（四川省成都市），最好先行准备。”

十二月十一日，黄巢下令屠杀唐王朝所有留在长安（陕西省西安市）的李姓皇族，一个婴儿也不留下。

十二月十二日，黄巢才住进皇宫。

十二月十三日，黄巢在含元殿登极称帝，把黑色绸缎画作衮龙袍（帝王所穿的绣龙礼服），擂动数百个战鼓，代替管弦乐器。黄巢登丹凤楼，下诏大赦；国号齐，改年号金统（之前是王霸三年，之后是金统元年）。指出：唐王朝所用的“广明”年号，已经显示：黄巢的“黄”字，已夺取唐王朝“唐”字的内脏，升起黄姓皇家日月，认为那是上天告诉人民的祥瑞。又下诏命唐政府三品以上高阶层官员，一律停职，四品以下官员，照常上班办公。黄巢封妻子曹女士当皇后。命尚让当太尉（三公之一）兼最高立法长（兼中书令），赵璋兼最高监督长（兼侍中），崔璆（音qiú〔求〕）、杨希古二人同时任二级实质宰相（同平章事）；孟楷、盖洪当国务院左、右最高执行长（左右仆射）并兼左右两翼野战军总司令官（知左右军事），费传古当宫廷机要室主任宦官（枢密使）；命祭祀部礼仪官（太常博士，从七品上）皮日休当皇家文学研究官（翰林学士）。崔璆，是崔邠的儿子（崔邠曾抨击裴延龄，参考七九五年四月），当时，崔璆刚离开浙东道（首府设越州〔浙江省绍兴市〕）行政长官（观察使）位置，回到长安（陕西省西安市），黄巢遇到他，命他担任宰相（崔璆在浙东时，就跟黄巢有来往。参考去年〔八七九〕五月）。

唐政府代北（山西省北部）特遣兵团征剿司令（代北行营招讨使）诸葛爽，驻扎栎阳（陕西省西安市临潼区北栎阳街道），黄巢的部将、砀山（安徽省砀山县。砀，音dàng〔荡〕）人朱温，驻扎东渭桥（陕西省西安市高陵区南）。黄巢命朱温引诱说服，诸葛爽遂向新建的齐政府投降。朱温从小没有父亲，家庭贫苦，跟老哥朱昱、朱存，随着娘亲王女士，投靠萧县（安徽省萧县）刘崇家，刘崇对朱温经常鞭打羞辱，只有刘崇的娘亲怜悯他，告诫她的家人说：“朱三（朱温在兄弟中排行第三）不是平凡人，你们好好待他！”黄巢命诸葛爽当河阳战区（总部设孟州〔河南省孟州市〕）司令官（节度使），诸葛爽前往到差，唐政府任命的战区司令官（节度使）罗元杲出军拒抗，士卒们都脱下铠甲，迎接诸葛爽，罗元杲逃奔皇帝所在地。

46 唐政府凤翔战区（总部凤翔府）司令官（节度使）郑畋，于晋见李儇后，返回凤翔（陕西省宝鸡市凤翔区），召集军事会议，讨论作战方略，将领们异口同声说："盗贼（齐政府）的势力十分强大，应该慢慢处理，等待各路人马集结，再研究收复。"郑畋说："难道各位劝我向盗匪称臣！"一时气结，昏倒在地，撞到砖砌的护栏上，被砖刮伤脸面，自中午直到第二天早晨，还不能说话。而在这时候，齐政府使节携带大赦令到达，监军宦官袁敬柔跟全体将领，依照次序站在那里，恭听宣读黄巢的诏书，并用郑畋的名义撰写奏章，签署郑畋姓名，向黄巢叩谢皇恩。监军宦官跟齐政府的使节欢宴，音乐齐奏，将领以下的官员都流下眼泪，使节十分奇怪，幕僚孙储说："只因战区司令官（节度使郑畋）中风躺床，不能前来，所以生悲！"民间听到消息，也都哭泣。郑畋得到报告，说："我固然知道，人心还没有放弃唐政府，盗贼交出人头的日子不远！"于是割破手指，用血写奏章，派亲信从小路前往皇帝逃亡所在地。然后，郑畋召集各将领，向他们解释叛逆与忠顺的分别，大家都愿接受他的命令，郑畋再割指出血，跟大家盟誓，迅速整修城墙和护城壕沟，磨利武器，训练士卒，暗中跟相邻各战区道约定联合讨伐，他们都允诺出军，在凤翔会师（陕西省宝鸡市凤翔区）。当时，禁军分驻关中（陕西省中部）各基地的还有数万人（禁军八基地，参考八二〇年十月），听说皇帝逃往巴蜀（四川省），正无所归属，郑畋派人召唤，都来追随郑畋，郑畋散出财产结交，军威大振。

47 十二月十八日，唐帝李儇抵达兴元（陕西省汉中市），下诏全国各战区道：出动所有兵力收复京师（首都长安）。

48 十二月二十日，齐帝黄巢下诏说：唐政府文武百官应一律晋见最高监督长（侍中）赵璋，凡去赵宅投递官衔名片的，官复原职。宰相豆卢瑑、崔沆，以及国务院左最高执行长（左仆射）于琮、右最高执行长（右仆射）刘邺、太子少师（太子三少之一）裴谂、副总监察官（御史中丞）赵濛、国务院司法部副部长（刑部侍郎）李溥、首都长安特别市长（京兆尹）李汤，追随李俨逃走已来不及，就躲藏在普通民家，齐政府把他们搜索出来，全部诛杀。于琮的妻子广德公主说："我是唐王朝皇家的女儿，誓跟我丈夫死在一起！"抓住刑刀不让它砍下，行刑官员遂连她一并斩首。行刑队并挖掘卢携的坟墓，把尸体拖到市场上，砍下人头示众。建筑部长（将作监）郑綦、国务院国防部军械司长（库部郎中）郑系，坚持大义，不向齐政府称"臣"，全家自杀。左金吾（卫军第十一军）大将军张直方，虽然投降齐政府，但他收容很多唐政府的逃亡高官，藏匿到夹墙里面，齐政府遂把张直方诛杀（张直方是卢龙〔总部幽州〕张仲武之子，入朝京师，参考八四九年闰十一月）。

49 最初，唐政府宫廷机要室主任宦官（枢密使）杨复恭，推荐隐士、河间（河北省河间市）人张濬，被任命当祭祀部礼仪官（太常博士），升任国务院财政部会计司副司长（度支员外郎）。冤句变民军逼近潼关时，张濬逃到商山（陕西省商洛市东）避难。李俨逃往兴元（陕西省汉中市），中途没有供应，汉阴（陕西省汉阴县）县长李康派数百只骡马，满驮各种饮食呈献，随从士卒才有东西可吃。李俨问李康道："你不过一个县长，怎么能想到这些？"李康回答道："我确实想不到，这是张副司长（张濬）教我！”李儇命张濬前来皇帝所在地，任用他当国务院国防部军政司长（兵部郎中）。

50 义武战区（总部设定州〔河北省定州市〕）司令官（节度使）王处存，听到京师（首都长安）失守消息，号叫哭泣几天，不等中央诏书，即出动全部军队入援；另派二千人从小路直往兴元（陕西省汉中市）保护皇帝御驾。

51 齐帝黄巢派使节前往河中战区（总部设河中府〔山西省永济市〕）征收各种供应物品，前后有数百人之多，无论官府及民间，都无法承受这种繁琐的搜刮，战区候补司令官（留后）王重荣对大家说："最初，我委屈自己，不过是企图减少我们的沉重压力，而今征收财货已没有个完，不久势将征调军队，死亡的日期就在眼前，不如现在就动员抵抗。"大家完全赞同，于是把齐政府所有使节集中在一起，全部诛杀。黄巢命部将朱温自同州（陕西省大荔县）出兵，黄巢的老弟黄邺自华州（陕西省渭南市华州区）出兵，夹攻河中（山西省永济市），王重荣迎战，大破齐军，掳获粮食武器四十余船，派使节跟王处存（义武〔总部定州〕司令官）结盟，率军进抵渭水以北扎营。

52 唐政府西川战区（总部设成都府〔四川省成都市〕）司令官（节度使）陈敬瑄听到皇帝逃亡消息，派步骑兵三千人北上迎接，上疏请李儇前来成都。

此时，勤王军逐渐集合，兴元（陕西省汉中市）粮食及物资储备，都不充足。宦官田令孜也劝李儇南下，李儇同意。

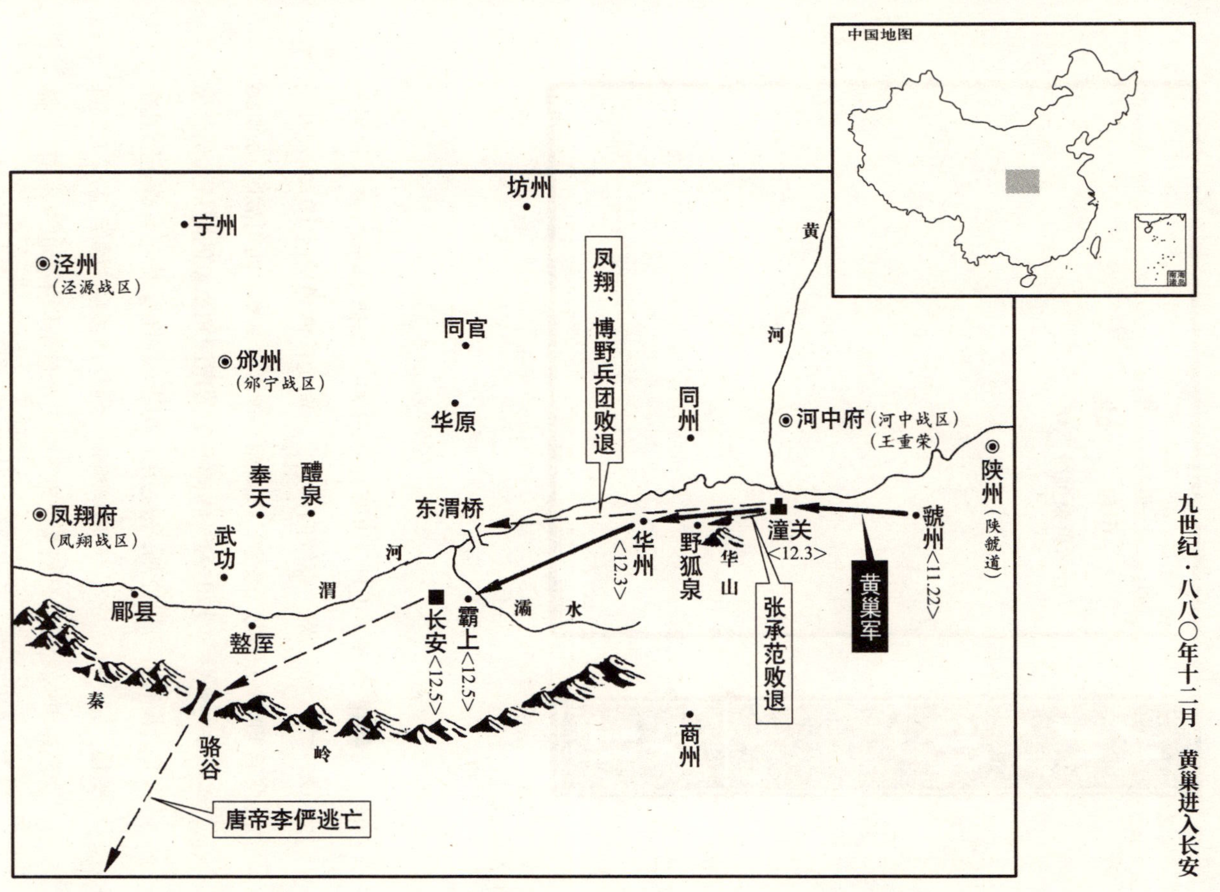

九世纪・八八〇年十二月 黄巢进入长安

八八二年

辛丑

唐　　广明　　二年
　　　中和　　元年
（齐帝黄巢金统二年）

1 春季，正月，唐帝（二十一任僖宗）李儇（本年二十岁），从兴元（陕西省汉中市）出发，继续向南逃亡。命山南西道战区（总部兴元府）司令官（节度使）牛勖，遥兼二级宰相（同平章事·使相）。西川战区（总部设成都府〔四川省成都市〕）司令官（节度使）陈敬瑄深知皇家的随从人员骄傲蛮横，没有人可以控制，决心用严厉手段对付。恰巧有御花园几个差役，先行抵达成都（四川省成都市），到行宫参观，嬉笑说："大家都说西川（四川省中部）是蛮荒之地，今天看这个样子，也满不错！"陈敬瑄把他们逮捕，乱棍打死，从此，皇家随从人员纪律森严。陈敬瑄前往鹿头关（四川省德阳市北黄许镇）迎接李儇。

正月二十二日，李俨抵达绵州（四川省绵阳市），东川战区（总部设梓州〔四川省三台县〕）司令官（节度使）杨师立晋见。

正月二十三日，李俨擢升国务院工程部副部长（工部侍郎）、全国财政总监（判度支）萧遘，兼二级实质宰相（同平章事）。

2 唐政府凤翔战区（总部设凤翔府〔陕西省宝鸡市凤翔区〕）司令官（节度使）郑畋（音tián〔田〕），会合前朔方战区（总部设灵州〔宁夏灵武市〕）司令官（节度使）唐弘夫、泾原战区（总部设泾州〔甘肃省泾川县〕）司令官（节度使）程宗楚，一同攻击齐帝黄巢。齐政府派将领王晖携带诏书召见郑畋，郑畋斩王晖，派儿子郑凝绩前往皇帝流亡所在地，郑凝绩紧急赶路，赶到汉州（四川省广汉市），才赶上李俨。

3 正月二十八日，李俨抵达成都（四川省成都市），下榻战区司令官（节度使）官邸。

4 李俨派宦官前往催促淮南战区（总部设扬州〔江苏省扬州市〕）司令官（节度使）高骈，出军讨伐黄巢，派去的钦差宦官一个接连一个，高骈始终拒绝。李俨抵达巴蜀（四川省），对高骈出兵的信念，仍不破灭，下诏授权给高骈：对辖区内各州长，以及有功将士，下自监察官（御史，最低级是从八品下），上到最高顾问官（散骑常侍，正三品），准许直接颁发任命状（墨敕），然后奏报备案。

5 唐政府宰相裴澈，从齐政府辖区逃到皇帝流亡所在地。当时，文武百官还没有全来，缺少撰写诏书的人才，见习立法官（右拾遗）乐朋龟晋见宦官田令孜时，下跪叩头，因此乐朋龟被擢升

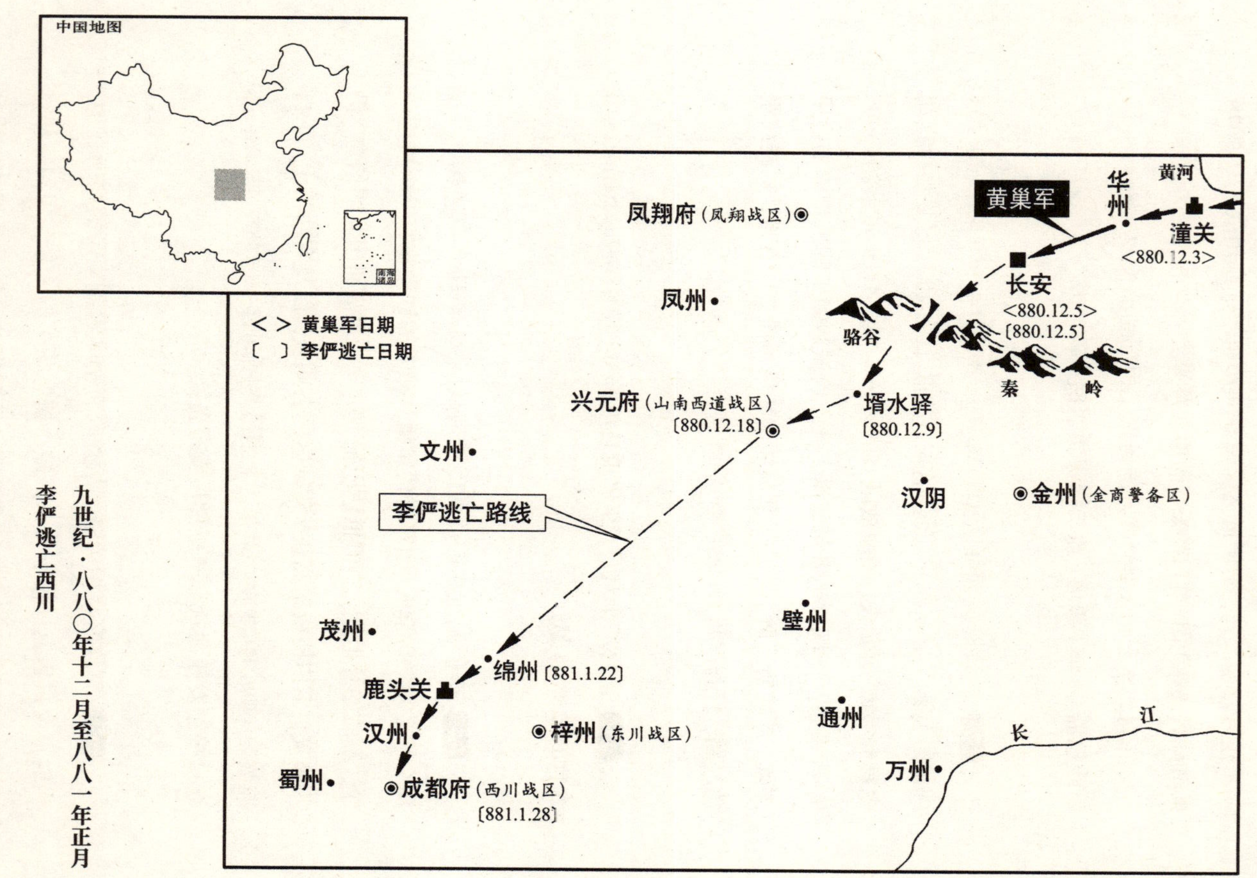

九世纪·八八〇年十二月至八八一年正月
李俨逃亡西川

当皇家文学研究官（翰林学士）。国务院国防部军政司长（兵部郎中）张濬，从前也向田令孜下跪叩头。田令孜曾经宴请宰相及中央当权高官饮酒，张濬认为在大庭广众中向一个宦官下跪叩头，是一种羞辱，于是故意提前抵达，先行向田令孜下跪叩头，感谢赐宴。不久，宾客纷纷进场，田令孜说："我跟张司长（张濬）本来分属清浊两个世界，很荣幸的蒙他在中外官员面前，称赞推许。现在，既然恐惧受我的玷污，就不必害怕改变态度！但今天在没人时叩谢赐宴，似乎不太应该（知识分子与宦官对立，以清流、浊流划分，参考八六一年二月）。"张濬既羞惭，又惊骇，无地自容。

6 二月一日，李儇命太子少师（太子三少之一）王铎，暂任司徒（守司徒，三公之二）兼副监督长（兼门下侍郎）、二级实质宰相（同平章事）。

7 二月十八日，李儇命郑畋（凤翔〔总部凤翔府〕司令官）遥兼二级宰相（同平章事·使相）。

8 唐政府加授淮南战区（总部设扬州〔江苏省扬州市〕）司令官（节度使）高骈：东方军团总指战官（东面都统）；加授河东战区（总部设太原府〔山西省太原市〕）司令官（节度使）郑从谠：兼最高监督长（兼侍中·使相），仍保持特遣兵团征剿司令（行营招讨使）原职。

代北（山西省北部）监军宦官陈景思，率领效忠中央的沙陀部落酋长李友金及萨葛、安庆、吐谷浑各部落酋长，联合南下，增援京师（首都长安），抵达绛州（山西省新绛县），打算西渡黄河。绛州（山西省新绛县）州长瞿稹，也是沙陀人，警告陈景思说："齐军势力正在巅峰状态，不可以轻率前进，不如返回代北（山西省北部）招兵买马！"瞿稹遂陪陈景思一同撤退到雁门（山西省代县西北）。

9 唐帝李儇命宫廷机要室主任宦官（枢密使）杨复光，当京师（首都长安）西南方面军总监军宦官（西南面行营都监）。

10 齐帝黄巢命朱温当东南方面军总纠察官（东南面行营都虞候），率军进攻邓州（河南省邓州市）。

三月三日，朱温攻陷邓州（河南省邓州市），生擒州长赵戒，遂进驻邓州，紧扼江陵府（湖北省江陵县）、襄州（湖北省襄阳市）咽喉。

11 三月四日，唐政府命西川战区（总部成都府）司令官（节度使）陈敬瑄遥兼二级宰相（同平章事·使相）。

三月六日，陈敬瑄奏报说：已派左翼黄头军司令（西川黄头军，参考前年〔八七九〕四月）李铤（音chán〔蝉〕），率军北上攻击齐军。

12 三月十三日，唐政府命郑畋当京师地区各战区道派遣军总指战官（京城四面诸军行营都统）。李儇下达郑畋诏书，说："凡奔赴国难，建立功劳的将士，不论是洋人或汉人，你可以代表皇帝，直接颁发人事任命状。"郑畋上疏推荐泾原战区（总部泾州）司令官（节度使）程宗楚当副总指战官（副都统），前朔方战区（总部灵州）司令官（节度使）唐弘夫当作战参谋长（行军司马）。齐帝黄巢派太尉（三公之一）尚让及大将王播，率军五万人进攻凤翔（陕西省宝鸡市凤翔区）。郑畋命唐弘夫在险要地方埋伏，自己亲率士卒数千人，设置大量旌旗，稀疏的插在高岗上。齐军认为郑畋不过一个不懂军事的知识分子，看不到眼里，在战鼓声中缓缓前进，凌乱散漫，不成队伍。走到龙尾陂（陕西省岐山县东），唐军发动伏兵，大败齐军，杀二万余人，尸首躺满几十华里。

13 京师（首都长安）爆发文字灾难，有人在齐政府国务院（尚书省）大门题诗，嘲弄齐政府官员，太尉（三公之一）尚让大怒，首先向大门守卫及国务院（尚书省）官员报复，全部挖出眼珠，脚朝上头朝下，倒吊在那里，搜捕城中所有能写诗的知识分子，一律诛杀，死三千余人，凡是识字的市民，都罚做卑贱差役。

14 唐政府将领瞿稹、李友金，回到代州（山西省代县）后，招兵买马，十天工夫，集结三万人，都是北方各蛮夷青年；进驻崞县（山西省原平市北崞阳镇）以西，凶野粗暴，瞿稹和李友金无力控制。李友金游说监军宦官陈景思说："现在虽然士卒高达数万，可是如果没有有威信的将领率领，就什么都不能成功。我家老哥父子（李国昌〔朱邪赤心〕及李克用），勇敢善战，谋略超过常人，深受大家敬服。你如果奏报皇帝，赦免他们的罪，征召他们充当统帅，则只要军旗一挥，代北（山西省北部）人民自会群起响应，黄巢一撮猖狂的盗贼，不值得忧虑。"陈景思认为有理，派使节前往皇帝流亡所在地，向李俨报告，李俨批准。李友金遂派五百骑兵，携带诏书，前往达靼部落（瀚海沙漠南）迎接，李克用率达靼等部落军一万人南下。

15 唐政府文武百官，逐渐集中成都（四川省成都市），政府及宫廷官员参加早朝的，将近二百人。各战区道及四方蛮夷进贡不断，巴蜀（四川省）库藏丰富，跟京师（首都长安）没有两样，赏赐从不缺乏，士卒大为喜悦。

16 齐帝黄巢俘虏唐政府宰相王徽，强迫他接受齐政府官职，王徽假装喉咙已哑，不肯屈服。一个月有余，王徽逃往河中（山西省永济市），派使节从小路携带奏章前往皇帝流亡所在地（成都府，四川省成都市）。李儇命王徽当国务院国防部长（兵部尚书）。

17 齐政府河阳战区（总部设孟州〔河南省孟州市〕）司令官（节度使）诸葛爽，从河阳（总部孟州）上疏唐政府皇帝，请求回归（诸葛爽投降黄巢，参考去年〔八八〇〕十二月）。

李儇命诸葛爽仍当河阳战区司令官。

18 唐政府宥州（内蒙古鄂托克前旗东南）州长拓跋思恭，本是党项部落（陕西省北部）人，集合蛮夷及汉人部队，前往鄜州（陕西省富县。鄜，音fū〔夫〕），跟鄜延战区（总部鄜州）司令官（节度使）李孝昌会师，缔结盟约，共同讨伐黄巢。

奉天（陕西省乾县）防守司令（镇使）齐克俭，派使节晋见郑畋，请求指派任务。

三月十六日，郑畋下令征召全国各战区道勤王，联合讨伐黄巢。当时李儇逃亡巴蜀（四川省），诏书及命令都无法传达，全国人民都认为唐王朝不可能复兴，后来得到郑畋文告，争着派军响应。齐政府军恐惧，不敢再贪图京师（首都长安）以西土地。

19 夏季，四月一日，唐政府命宰相（同平章事）王铎兼最高监督长（兼侍中）。

20 唐政府命拓跋思恭暂代夏绥战区（总部设夏州〔陕西省靖边县北

白城则村〕）司令官（权知节度使）。

21 齐帝黄巢派将领王玫当邠宁战区（总部设邠州〔陕西省彬州市〕）司令官（节度使）。唐政府邠州（陕西省彬州市）通塞镇（陕西省彬州市北）防卫指挥官朱玫，起兵击斩王玫。朱玫命特别部队将领李重古当战区司令官，而自己率军向前推进，讨伐黄巢。

这时候，唐弘夫（作战参谋长）进驻渭水以北，王重荣（河中候补司令官）进驻沙苑（陕西省大荔县东南）、王处存（义武司令官）进驻渭桥（陕西省西安市高陵区南），拓跋思恭（夏绥暂代司令官）进驻武功（陕西省武功县西）、郑畋（凤翔司令官）进驻盩厔（陕西省周至县）。唐弘夫乘龙尾陂（陕西省岐山县东）战胜余威，进逼长安（陕西省西安市）。

四月五日，齐帝黄巢放弃长安（陕西省西安市），率军向东撤退；程宗楚首先发动攻击，从延秋门（宫城西门）进城，唐弘夫随后而至，王处存率精锐士兵五千人于夜晚也进入长安。长安市民欢欣鼓舞，争着出来迎接唐军，有的人用瓦片投击齐军，有的人拣起箭来拿给唐军使用。程宗楚等恐怕其他将领分去他们的功劳，所以不通知凤翔、鄜延、夏绥等兵团，而且军纪败坏，官兵们不去战斗，反而闯进民家住宅，大肆剽掠金银、绸缎、布匹、妇女。王处存下令部属用白布包头，作为标志，长安街上青少年有的也用白布包头冒充，到处剽掠。齐军在霸上（陕西省西安市东灞河畔）露天扎营，侦察出唐军全神贯注奸淫烧杀，已失去战斗力量，又没有增援部队，于是，发动反击，从各门分别进城，在长安城中苦战，程宗楚、唐弘夫被杀，唐军官兵抢劫的东西太多，十分沉重，驮在身上，寸步也逃不动，因此大败，死亡十分之八九。王处存集合残余回营。

四月十日，齐帝黄巢再进长安，对市民之帮助唐军，恨入骨

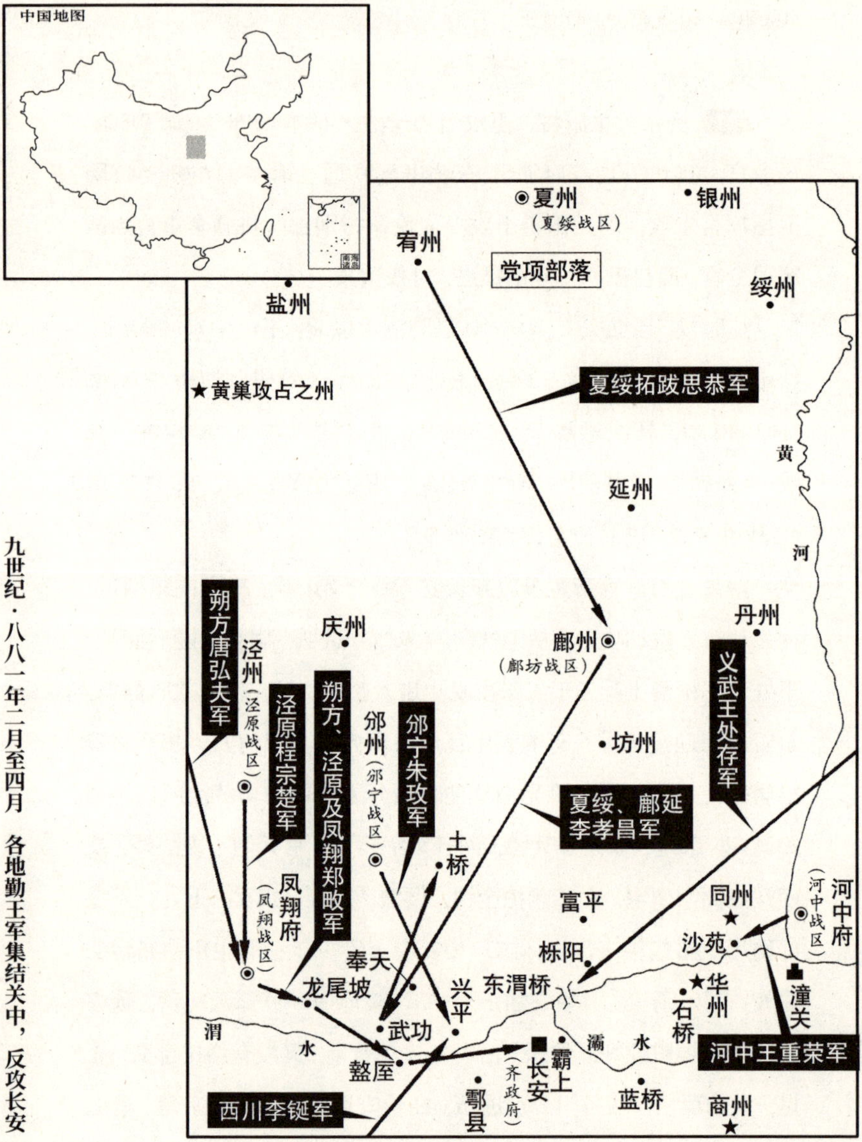

九世纪·八八一年二月至四月　各地勤王军集结关中，反攻长安

中国地图
南海诸岛

★黄巢攻占之州

夏州
（夏绥战区）
银州
宥州
党项部落
盐州
绥州
夏绥拓跋思恭军
黄
河
延州
丹州
鄜州
（鄜坊战区）
庆州
朔方唐弘夫军
泾州
（泾原战区）
泾原程宗楚军
朔方、泾原及凤翔郑畋军
邠州
（邠宁战区）
邠宁朱玫军
义武王处存军
坊州
夏绥、鄜延李孝昌军
土桥
凤翔府
（凤翔战区）
富平
同州
河中府
（河中战区）
沙苑
栎阳
奉天
龙尾坡
兴平
东渭桥
华州
石桥
潼关
渭
水
武功
盩厔
霸上
灞
水
河中王重荣军
长安
（齐政府）
鄠县
蓝桥
商州
西川李铤军

髓，派士卒四出屠杀，所流的鲜血，汇成小河，称为“洗城”。唐军全部撤退，齐政府声势更高，所任命的同州（陕西省大荔县）州长王溥、华州（陕西省渭南市华州区）州长乔谦、商州（陕西省商洛市）州长宋岩，听到黄巢放弃长安消息，纷纷率领他们的部众逃往邓州（河南省邓州市）。邓州守将朱温把王溥、乔谦斩首，但把宋岩开释，命他回任商州（陕西省商洛市）。

四月十三日，拓跋思恭、李孝昌，跟齐军在土桥（陕西省旬邑县东南）会战，失利。

22 唐帝李儇擢升河中战区（总部设河中府〔山西省永济市〕）候补司令官（留后）王重荣，实任司令官（节度使）。

23 齐政府文武百官呈献黄巢绰号：承天应运启圣睿文宣武皇帝。

24 有一对野鸡飞到唐政府淮南战区（总部设扬州〔江苏省扬州市〕）广陵（扬州州政府所在县）县政府官舍，法术师认为野鸡住进官舍，是城池将要一空的恶兆。战区司令官（节度使）高骈，大不高兴。于是向四方发出文告，声称：“将要进入中原，讨伐黄巢！”动员所属官兵八万人、船舰二千艘，军旗铠甲武器，十分壮观。

五月十二日，高骈从广陵（扬州州政府所在县）出发，进驻东塘（扬州市东），但不再前进，各将领多次请求指示行期，高骈总是借口风大浪急，阻碍行军，或者说日期不吉利，反正不肯出发。

25 被唐帝李儇赦免了的沙陀变军首领李克用，用公文正式通知河东战区（总部设太原府〔山西省太原市〕），声称奉中央指令，率军五万人，南下讨伐黄巢，命沿途供应酒食及准备运输工具。战区司令官（节度使）郑从谠紧闭城门，严密戒备。李克用率军扎营汾水东岸，郑从谠犒劳官兵，答应供应物资和粮草，可是一连数天，却不见发放。李克用亲自到城下大声呼叫，要求跟郑从谠对话，郑从谠登上城楼道歉。

五月十六日，李克用再要求发给赏赐，郑从谠只送出钱一千串、米一千斛。

五月十七日，李克用强烈反应，派出沙陀士卒大肆剽掠居民，太原（山西省太原市）城中十分惊骇，郑从谠向振武战区（总部设安北府〔内蒙古和林格尔县〕）司令官（节度使）契苾璋求救（契苾，复姓）。契苾璋率突厥部落、吐谷浑部落攻击李克用沙陀军，一连击破沙陀军两个营寨。李克用反击尾追，追到晋阳（太原府所在县）城南，契苾璋率军进城，李克用挥兵抢掠阳曲（山西省阳曲县）、榆次（山西省晋中市榆次区），满载回营。

26 齐帝黄巢攻克长安（陕西省西安市）时，唐政府忠武战区（总部设许州〔河南省许昌市〕）司令官（节度使）周岌，投降黄巢。

周岌于夜晚摆设筵席，紧急召请监军宦官杨复光，杨复光左右侍从说："周岌向盗匪称'臣'，恐怕对你不利，不要前往。"杨复光说："事情已到这个地步，在大义上不应计较自身的安危。"立即赴宴。酒过三巡，菜过五味，周岌谈到唐王朝，杨复光哭泣流泪，很久之后，说："大丈夫永不能忘的，只有恩义。你自一介平民，高升到公侯，为什么舍弃十八代皇帝（以辈分计，李儇是第十三代，以任数计，李儇是二十一任。以传统和稀泥算法，李显、李旦各算一任，李重茂根本不算，李儇才是十八任)，却去向一个盗匪称‘臣’！”周岌也流泪满面说：“我不能单独抵抗盗贼，所以表面事奉他，心里却在找机会把他除掉。今天请你来，正是为这件事！”于是浇酒在地，共同盟誓。当天夜晚，杨复光派他的养子杨守亮，到驿马车站宾馆，诛杀齐政府使节。

这时，蔡州（河南省汝南县）州长秦宗权，不接受周岌的决定，杨复光率忠武（总部许州）特遣兵团三千人，前去蔡州（河南省汝南县），说服秦宗权共同出军讨伐黄巢。秦宗权派他的将领王淑，率军三千人，跟随杨复光攻击邓州（河南省邓州市），王淑故意逗留，不肯前进，杨复光斩王淑，合并他的部队；把忠武（总部许州）特遣兵团八千人，分作八个独立单位，命营门官（牙将）鹿晏弘、晋晖、王建、韩建、张造、李师泰、庞从等八人分别担任司令。王建，是舞阳（河南省舞阳县）人。韩建，是长社（许州州政府所在县）人。鹿晏弘、晋晖、张造、李师泰，都是许州（河南省许昌市）人。杨复光率八司令攻击齐政府邓州（河南省邓州市）守将朱温，把朱温击败，遂攻克邓州（河南省邓州市），向北追逐到蓝桥（陕西省蓝田县东）才回。

27 唐政府昭义战区（总部设潞州〔山西省长治市〕）司令官（节度使）高浔，会合河中战区（总部设河中府〔山西省永济市〕）司令官（节度使）王重荣，联合进攻华州（陕西省渭南市华州区），攻克。

28 六月二十二日，唐政府擢升郑畋当司空（三公之三）兼副监督长（兼门下侍郎），遥兼二级宰相（同平章事·使相）；仍保持总指战官（都统）官职。

29 沙陀部落首领李克用遇到大雨。

六月二十三日，开始率军北进，攻陷忻州（山西省忻州市）、代州（山西省代县），遂驻扎代州（山西省代县）。河东战区（总部设太原府〔山西省太原市〕）司令官（节度使）郑从谠派训练司令（教练使）论安（论，姓）等率军进驻百井（山西省阳曲县西北），严密戒备。

30 唐政府邠宁战区（总部设邠州〔陕西省彬州市〕）副司令官（节度副使）朱玫，在兴平（陕西省兴平市）扎营。齐政府大将王播包围兴平，朱玫退守奉天（陕西省乾县）及龙尾陂（陕西省岐山县东）。

31 西川战区（总部成都府）黄头军基地司令（军使）李铤，率士卒一万人，巩咸率士卒五千人，进驻兴平（陕西省兴平市）县境，建立两个营寨，跟齐军战斗，屡次传出捷报；西川战区司令官（节度使）陈敬瑄派神射营司令（神机营使）高仁厚，率两千人增援（神射营也是崔安潜创办，参考前年〔八七九〕四月）。

32 秋季，七月十一日，唐政府改年号中和（之前是广明二年，之后是中和元年），赦免天下。

33 七月十四日，唐政府命皇家文学研究院院长（翰林学士承旨）、国务院国防部副部长（兵部侍郎）韦昭度，兼二级实质宰相（同平章事）。

34 河东战区（总部太原府）驻防百井（山西省阳曲县西北）派遣军司令论安，突然擅自返回太原（山西省太原市），战区司令官（节度使）郑从谠大怒，连便服、拖鞋都不换，急行升堂，诛杀论安，满门处斩。

另派作战司令（都头）温汉臣率军进驻百井（山西省阳曲县西北）。

振武战区（总部设安北府〔内蒙古和林格尔县〕）司令官（节度使）契苾璋率军回本战区。

35 最初，唐帝李俨抵达成都（四川省成都市），对西川（总部成都府）官兵，每人赏钱三串。后来，田令孜当行宫总指挥官兼军政总监（行在都指挥处置使），四面八方进贡金银绸缎，动辄用来赏赐随从皇帝南来的中央各军，没有一个月中断，却不再发给西川（总部成都府）士卒，西川士卒十分怨恨。

七月二十日，田令孜设宴款待中央军及地方部队将领，使用黄金铸成的酒杯，当时把金杯赏赐给大家，各将领纷纷叩头致谢，只西川（总部成都府）黄头军基地司令（军使）郭琪拒绝接受，站起来对田令孜说："各将领每月的薪俸及实物供应，用来维持一个家庭，绰绰有余，常想国恩深厚，难以回报，怎么敢贪得无厌。只是，西川（总部成都府）战士跟中央各军，同样担任皇家警卫，赏赐却有不同，所以相当怨恨失望，真怕万一发生兵变。我盼望总指挥官（田令孜）减少对将领们的赏赐，而平均发给西川战士，使中央跟地方好像一家，对上下都有裨益！"田令孜沉默了很久，问说："你有什么功劳？"郭琪说："我生长山东（崤山以东），无论远征长住，都在边疆，曾经跟党项（陕西省北部）作战十七次，跟契丹（辽河上游）作战十余次，伤疤满身！又曾经征剿吐谷浑（黄河河套及山西省北部），肋骨受伤，肠肚流出，医生用线缝合，重新出战！"田令孜用另外酒壶亲自斟了一杯酒给郭琪，郭琪知道其中有毒，万不得已，只好叩头拜谢，勉强喝下。回家后，杀死一位婢女，喝她的血来稀释身上的毒素，吐出几升黑色浆汁，遂率领部队发动兵变。

七月二十一日，郭琪焚烧街坊，剽掠抢劫。田令孜保护李俨投奔东城，紧闭城门，登上城楼，命各军反击。郭琪收兵回营，陈敬瑄命大营总管理官（都押牙）安金山率军进攻，郭琪乘夜晚突围而出，逃奔广都（四川省成都市双流区东南），部队星散，走到江边，只剩下一位助理员，停下来休息时，郭琪对那位助理员说："陈公（陈敬瑄）知道我没有罪，但军政首府惊惶骚动，不能不责罚我使大家安心。你对我有始有终，今天我就报答。你携带我的印信和佩剑，晋见陈公（陈敬瑄）报告说：'郭琪逃走，渡江时我用佩剑对他攻击，他掉到江里，尸首被急流冲走，只找到他的印信佩剑呈献。'陈公（陈敬瑄）一定根据你的报告，在街坊闹市挂出印信佩剑，张贴公告，用以安定人心。你自己可以获得厚重奖赏，我家也可以平安。我从这里前往广陵（扬州州政府所在县），投奔高骈。再过几天，你就秘密把话告诉我的家人。"遂解下佩剑印信，交给助理员，只身逃走。助理员呈献给陈敬瑄，果然赦免郭琪全家。

李儇日夜跟宦官玩在一起，也跟宦官讨论天下大事，对政府官员，却十分冷漠。

七月二十四日，见习监督官（左拾遗）孟昭图上疏警告说："天下太平时候，远近还应同心协力，何况家国多难之际，中外尤该合为一体。去年（八八〇）冬季，皇上向西巡视（逃亡），丝毫没有通知政府，遂使宰相、国务院最高执行长（仆射）以下官员，全被盗匪屠杀（指豆卢缘、崔沆、于琮等），只有宫廷宦官，全部平安。随后，政府官员到此，都冒着生命危险，千里跋涉，道路崎岖，远来侍奉君王，依照常理，自应跟宦官一样，受同等待遇。观察前天黄头军兵变，陛下只跟田令孜、陈敬瑄（西川〔总部成都府〕司令官）以及各宦官紧闭城门，登上城楼，并没有召唤宰相王铎等以及收容其他政府官员进城。第二天，既不见宰相的面，又不慰问文武百官。我是谏官，可是直到今天都不知道陛下身体是否平安，何况疏远的臣属！倘若文武百官不关心君王，固应诛杀，倘若陛下不体念文武百官，大义何在！唐王朝帝国，是高祖（一任帝李渊）、太宗（二任帝李世民）的帝国，不是宫廷宦官的帝国。天子，是四海九州的天子，不是宫廷宦官的天子。宫廷宦官未必每个人都可信赖，政府官员也未必每个人都毫无用处。难道天子跟宰相之间，竟丝毫没有关系？政府官员对陛下而言，难道全是路人？如果真是这样的话，恐怕反攻复国之期，仍要劳动陛下忧虑，而只坐官位不做事的人，却在那里欢宴偷安。我身受帝国的宠爱，只要可能对帝国有益的意见，就提出贡献陛下，因为那是我的责任。虽然过去的事不能挽回，但将来的事，仍可补救。”奏章呈上后，田令孜放到一旁，不让李儇知道。

七月二十五日，田令孜假传圣旨，把孟昭图贬作嘉州（四川省乐山市）户籍官（司户），派人中途把他抛到蟇颐津（四川省眉山市东北）淹死。消息传出，所有的人心寒气塞，不敢说话。

36 唐政府鄜延战区（总部设鄜州〔陕西省富县〕）司令官（节度使）李孝昌、暂代夏绥战区（总部设夏州〔陕西省靖边县北白城则村〕）司令官（节度使）拓跋思恭，联军进驻东渭桥（陕西省西安市高陵区南）。齐帝黄巢派大将朱温抗拒。

唐政府命义武战区（总部设定州〔河北省定州市〕）司令官（节度使）王处存，当东南方面军征剿司令（东南面行营招讨使）；擢升邠宁战区（总部设邠州〔陕西省彬州市〕）副司令官（节度副使）朱玫，实任司令官（节度使）。

37 八月十三日，夜晚，天上星辰大乱，互相交流，好像梭在织网，有的星有碗盘那么大，直到八月二十一日才停止。

38 唐政府感化战区（总部设徐州〔江苏省徐州市〕）司令官（节度使）支详，派营门官（牙将）时溥、陈璠，率军五千人，进关（潼关）讨伐黄巢，二人都出于支详赏识提拔。时溥抵达东都洛阳（河南省洛阳市）时，假造支详的命令，班师返防，跟陈璠的部队会合，屠杀河阴（河南省郑州市西北桃花峪）居民，大肆剽掠郑州（河南省郑州市）街市，向东进发。到了彭城（徐州州政府所在县），支详迎接他们，慰劳犒赏，都很优厚。时溥派亲信游说支详，指出："军心逼迫，请你把印信符节，移交给我！"支详无法控制，只好全家搬出官邸，移住大彭馆，时溥遂自称候补司令官（自知留务）。陈璠警告时溥道："支大帅对徐州（感化战区总部）人有恩惠，如果不把他除掉，将来一定后悔。"时溥不同意，遂送支详返回中央。陈璠在七里亭（江苏省徐州市西七华里）设下埋伏，连同支详的全家，屠杀净光。中央遂任命时溥当感化战区候补司令官（留后），时溥上疏任命陈璠当宿州（安徽省宿州市）州长。陈璠到差后贪污暴虐，时溥派大将张友接替，调回陈璠，把他诛杀。

39 唐政府忠武战区（总部许州）监军宦官杨复光，上疏请求把蔡州（河南省汝南县）升格为奉国警备区，命蔡州州长秦宗权当奉国警备区司令（防御使）。

寿州（安徽省寿县）杀猪屠户王绪，跟妹夫刘行全，聚集青年五百人，攻陷本州（寿州）城池，一个多月后，又攻陷光州（河南省潢川县），自称将军，扩张到一万余人。秦宗权上疏皇帝任命王绪当光州（河南省潢川县）州长。固始（河南省固始县）县政府佐理员王潮、老弟王审邦、王审知都有才气和知名度。王绪命王潮当军事执法官（军正），主持粮饷物资供应，检阅部队，十分信任。

40 唐政府昭义战区（总部设潞州〔山西省长治市〕）司令官（节度使）高浔，跟齐军将领李详，在石桥（王镇恶击破后秦大军处〔参考四一七年八月二十三日〕，陕西省渭南市华州区西南）会战，高浔大败，逃往河中（山西省永济市），李详乘胜克复华州（陕西省渭南市华州区）。黄巢即命李详当华州州长。

41 唐政府擢升夏绥战区（总部设夏州〔陕西省靖边县北白城则村〕）暂代司令官（权知节度使）拓跋思恭，实任司令官（节度使）。

42 皇族事务部副部长（宗正少卿）、嗣曹王李龟年出使鹤拓帝国（首都苴咩城〔云南省大理市〕）回来，鹤拓皇帝隆舜（法）上疏归附，表示一切遵照唐政府指示（李龟年出使，参考去年〔八八〇〕六月）。

43 九月，李孝昌（凤翔战区作战参谋长）、拓跋思恭，跟齐政府太尉（三公之一）尚让、东南方面军总纠察官（东南面行营都虞候）朱温，在东渭桥（陕西省西安市高陵区南）会战，唐军失利，撤退。

44 最初，淮南战区（总部设扬州〔江苏省扬州市〕）司令官（节度使）高骈跟镇海战区（总部设润州〔江苏省镇江市〕）司令官（节度使）周宝，都是神策军出身，高骈对周宝一向当作兄长尊敬。但等到高骈先一步建立功名，擢升高位，对周宝遂逐渐瞧不起。后来，两个战区紧紧相邻，为了一些小事，不断发生争执，感情遂完全破裂。高骈以总指战官（都统）身份传令周宝派军增援京师（首都长安），周宝集结水上船舰，等候下一步命令，可是竟没有下一步命令，周宝十分奇怪，询问幕僚，有人告诉他："高骈最高兴的事莫过于中央一直有麻烦，他有并吞江东（太湖流域，镇海战区辖境）的野心，表面上虽然声称增援京师（首都长安），其实未必不是想对我们突袭，我们应严密戒备。”周宝不相信，派人到淮南（总部扬州）侦察，发现高骈果然没有勤王的意思。就在这时候，高骈派人邀请周宝到瓜洲（江苏省扬州市南长江北岸）出席军事会议，周宝遂认为高骈果然企图对自己不利，声称有病，不肯前去，并且告诉使节说：“我可不是李康（高骈的祖父高崇文斩东川战区司令官李康，参考八〇六年三月），高大人难道仍想用祖传的那一套拿别人人头当敲门砖，立功建勋，欺骗中央！”高骈大怒，再派使节责备周宝说：“你怎么敢轻率侮辱大臣？”周宝诟骂说：“你我隔着一条长江，都是战区司令官（节度使），你是大臣，我岂是看守街坊的小兵！”因此二人结成深仇。

高骈驻扎东塘（江苏省扬州市东）一百余天，唐帝李俨不断下诏催促，高骈上疏借口周宝及浙东道（首府设越州〔浙江省绍兴市〕）行政长官（观察使）刘汉宏，将造成后患，所以不敢行动。

九月六日，高骈下令复员，返回扬州（江苏省扬州市）官邸。事实上，高骈根本没有勤王赴难的心，只是为了化解野鸡带来的“城池一空”预兆而已。

高骈召唤石镜镇（浙江省杭州市临安区东南）防守司令（镇将）董昌前来广陵，打算命他一同西上，联合攻击黄巢。董昌的部将钱镠（音刘〔流〕）警告董昌道：“观察高骈，他根本不打算讨伐盗匪，不如借口保卫家乡，告辞而去。”董昌接受，高骈准董昌返镇。正巧，新任杭州（浙江省杭州市）州长路审中要去杭州到差，走到嘉兴（浙江省嘉兴市），董昌自石镜（浙江省杭州市临安区东南）率军突入杭州，路审中恐惧，不敢续进，即行返回。董昌遂自称杭州大营总管理官（都押牙）、处理州务（知州事），派部属去请求周宝批准（杭州属镇海战区）。周宝没有力量控制，只好上疏任命董昌当杭州州长。

45 临海（台州州政府所在县，浙江省临海市）变民首领杜雄，攻陷台州（浙江省临海市）。

46 九月十六日，唐帝李儇封皇子李震当建王。

47 唐政府昭义战区（总部设潞州〔山西省长治市〕）特遣兵团带兵官（十将）成麟，诛杀战区司令官（节度使）高浔（时驻河中府〔山西省永济市〕），率军返回潞州（山西省长治市）。天井关（山西省晋城市南）防守司令（镇将）孟方立出军攻击变军，诛杀成麟。孟方立，是邢州（河北省邢台市）人。

48 唐政府忠武战区（总部设许州〔河南省许昌市〕）监军宦官杨复光，率军进驻武功（陕西省武功县西）。

49 永嘉（温州州政府所在县，浙江省温州市）变民军首领朱褒，攻陷温州（浙江省温州市）。

50 凤翔战区（总部设凤翔府〔陕西省宝鸡市凤翔区〕）作战参谋长（行军司马）李昌言，率特遣兵团驻扎兴平（陕西省兴平市）。当时，凤翔仓库空竭，犒赏稍稍微薄，粮草薪饷，无以为继；李昌言知道城里留守部队很少，于是，激怒部众。

冬季，十月，李昌言率军返防，袭击凤翔。战区司令官（节度使）郑畋登上城楼对话，特遣兵团官兵下马叩头说：“大帅诚然没有辜负我们！”郑畋说：“参谋长（李昌言）只要能约束士卒，施爱人民，为国家消灭叛贼，逆来顺守，也可以建立功业。”于是把事务移交给李昌言，当天出发南下，投奔皇帝流亡所在地（成都府，四川省成都市）。

51 唐政府天平战区（总部设郓州〔山东省东平县〕）司令官（节度使）、南路特遣兵团征剿司令（南面招讨使）曹全晸，跟齐军作战，阵亡，军中拥护他的侄儿曹存实当候补司令官（留后）。

52 十一月一日，齐政府将领孟楷、朱温，袭击驻扎富平（陕西省富平县）的唐政府鄜坊战区（总部鄜州）及夏绥战区（总部夏州）特遣兵团，唐军溃败，各自逃回本战区（鄜坊司令官李孝昌、夏绥司令官拓跋思恭）。

53 郑畋逃到凤州（陕西省凤县），屡次上疏请求辞职。李儇下诏命郑畋当太子少傅（太子三少之二）、东都洛阳办公。命李昌言当凤翔战区司令官兼特遣兵团征剿司令（凤翔节度行营招讨使）。

54 唐政府贬副监督长（门下侍郎）、二级实质宰相（同平章事）裴澈，当鄂岳道（首府设鄂州〔湖北省武汉市〕）行政长官（观察使）。

55 唐帝李儇命镇海战区（总部设润州〔江苏省镇江市〕）司令官（节度使）周宝，遥兼二级宰相（同平章事·使相）。

56 遂昌（浙江省遂昌县）变民首领卢约，攻陷处州（浙江省丽水市）。

57 十二月，江西道（首府设洪州〔江西省南昌市〕）将领闵勖，率领驻防湖南道（首府设潭州〔湖南省长沙市〕）特遣兵团返回本道，路过潭州（湖南省长沙市）时，驱逐行政长官（观察使）李裕，自称候补行政长官（留后）。

58 唐帝李儇擢升感化战区（总部设徐州〔江苏省徐州市〕）候补司令官（留后）时溥，实任司令官（节度使）。

59 唐政府把夏绥战区（总部设夏州〔陕西省靖边县北白城则村〕）改称定难战区。

60 最初，高骈当荆南战区（总部设江陵府〔湖北省江陵县〕）司令官（节度使）时，任命武陵蛮（湖南省西部境内蛮夷）雷满当营门官（牙将），率领蛮夷部队，随从高骈前往淮南（总部扬州）。不久，率部队逃回，聚集一千人，袭击朗州（湖南省常德市），格杀州长崔翥（音zhù〔注〕）。唐帝李儇遂下诏任命雷满当朗州候补州长（留后）。每年总有三四次，雷满率军攻击荆南（总部江陵府），深入江陵外郭，剽掠抢劫，满载而去，成为荆南（总部江陵府）人民的灾难。

陬溪（湖南省常德市境。陬，音zōu〔邹〕）人周岳，曾经跟雷满在一块打过猎，为了争夺猎肉，发生斗殴，打算诛杀雷满，没有成功，听说雷满占据朗州（湖南省常德市），也聚众起兵，袭击衡州（湖南省衡阳市），驱逐州长徐颢。唐帝李儇即命周岳当衡州州长。石门洞蛮（湖南省石门县蛮夷）酋长向瓌，也集结夷部落、獠部落青年勇士数千人，攻陷澧州（湖南省澧县。澧，音lǐ〔里〕），格杀州长吕自牧，自称州长。

61 唐政府宰相王铎，因高骈虽身是全国总指战官（都统），却没有心意讨伐黄巢，自认为既是首席宰相，应该亲自出动，于是向李儇恳求，再三再四，甚至泣涕流泪，李儇终于允许。

狼虎谷

导读

狼虎谷，是山东省莱芜市西南一个平凡的山谷，顾名思义，不难想象它平时人迹罕至，只有狼虎出没。但它却留下使人震撼的名声，只因中国历史上影响最大而又最受争议的变民首领之一的黄巢，于八八四年，在那里败死。

九世纪五〇年代之前，唐王朝可能还有救，但十九任帝李忱一死，继起登台演出的是花花公子李漼，以及更等而下之的烂货李俨，唐王朝就铁定要亡。但正式敲响丧钟、公告天下皆知的，却由黄巢动手。狼虎谷虽使黄巢悲剧落幕，但改朝换代型的人民悲剧，则仍继续，并且越来越惨。从前，“官”“匪”多少还有一点区分，九世纪六〇年代之后，二者合而为一。中国人陡地发现，竟仍有那么多灾难，一生一世，都无法度完。

柏杨　一九九一·五·一五

目录

九世纪

八〇年代

唐王朝

八八二—八八八年

唐王朝

- 平卢兵变，逐司令官安师儒。
- 魏博攻天平，天平司令官曹存真战死。
- 魏博兵变，杀司令官韩简。
- 黄巢兵败被杀。
- 秦宗权称帝。
- 卢龙兵变，司令官李可举自焚死。
- 静难兵变，杀司令官朱玫。
- 淮南兵变，杀司令官高骈。
- 护国兵变，杀司令官王重荣。
- 二十一任帝李俨卒，二十二任帝李晔继位。
- 魏博兵变，杀司令官乐彦祯。
- 灾难十年。

- 俄罗斯人建基辅公国，为俄国最早国家组织。
- 丹麦王禁基督徒。
- 日本阳成天皇让位给光孝天皇（五十八代）。
- 法兰克诸侯投票罢黜胖子查理。

八八二年 壬寅

唐 中和 二年
（齐帝黄巢金统三年）

1 春季，正月八日，唐王朝（流亡政府设成都府〔四川省成都市〕）皇帝（二十一任僖宗）李儇（本年二十一岁），命宰相王铎兼最高立法长（兼中书令·使相），充任全国最高指战官（诸道行营都都统），暂代义成战区（总部设滑州〔河南省滑县〕）司令官（节度使），等复员后再回中央。命高骈（淮南〔扬州〕司令官）仍兼盐铁专卖暨运输总监（领盐铁转运使），其他兼职及总指战官（都统）一律免除。授权王铎自行物色将领及辅佐，命太子少师（太子三少之一）崔安潜当副最高指战官（副都统）。

正月二十八日，命周岌（忠武〔总部许州〕司令官）、王重荣（河中〔总部河中府〕司令官）分别兼最高指战部左右作战参谋长（都都统左右司马），命诸葛爽（河阳〔总部孟州〕司令官）及康实（宣武〔总部汴州〕司令官），分别兼左右先锋官；时溥（感化〔总部徐州〕司令官）兼催征粮食、运输租税、武装防暴镇压司令（催遣纲运租赋防遏使）；命皇家观察右神策军兵马阵容最高监军宦官（右神策观军容使）西门思恭当全国最高监军宦官（诸道行营都都监）。又命王处存（义武〔总部定州〕司令官）、李孝昌（鄜坊〔总部鄜州〕司令官）、拓跋思恭（定难〔总部夏州〕司令官）分别兼京师（首都长安）东、北、西方面军总指战官（京城东北西面都统）；命杨复光（忠武〔总部许州〕监军）兼京师南方军团总监军宦官（京城南面行营都监使）。又命立法官（中书舍人）郑昌图当义成战区（总部滑州）作战参谋长（行军司马），御前监督官（给事中）郑畯（音jùn〔俊〕）当执行官（判官），皇家研究院当值院长（直弘文馆）王抟当司法官（推官），国务院文官部勋赏司副司长（司勋员外郎）裴贽当机要秘书（掌书记）。郑昌图，是郑从谠（河东〔总部太原府〕司令官）的远房堂兄弟。郑畯，是郑畋（前凤翔〔总部凤翔府〕司令官）的老弟。王抟，是王玙的曾孙（王玙因媚鬼神当宰相，参考七五八年五月）。裴贽，是裴坦的儿子（裴坦节俭，参考八六九年二月）。又命陕虢道（首府设陕州〔河南省三门峡市〕）行政长官（观察使）王重盈，兼京师（首都长安）东方军团供应总监官（东面都供军使）。王重盈，是王重荣的老哥。

2 齐帝黄巢命朱温当同州（陕西省大荔县）州长，由他自己攻取。

二月，唐政府同州州长米诚逃往河中（山西省永济市），朱温遂占领同州。

3 二月六日，唐政府命太子少傅（太子三少之二）、东都洛阳（河南省洛阳市）办公郑畋（音tián〔田〕），当司空（三公之三）兼副监督长（兼门下侍郎）、二级实质宰相（同平章事），前来皇帝流亡所在地（时郑畋在凤州〔陕西省凤县〕，李儇在成都府），所有军事，皇帝李儇都询问他的意见。

又命王铎主管国务院财政部税务司业务（判户部事）。

4 齐政府同州（陕西省大荔县）州长朱温，进攻河中战区（总部设河中府〔山西省永济市〕），唐政府河中战区司令官（节度使）王重荣把齐军击退。

5 唐政府命凤翔战区（总部设凤翔府〔陕西省宝鸡市凤翔区〕）司令官（节度使）李昌言，当京师（首都长安）西方军团总指战官（京城西面都统），邠宁战区（总部设邠州〔陕西省彬州市〕）司令官（节度使）朱玫，当河南总指战官（河南都统）。

6 泾原战区（总部设泾州〔甘肃省泾川县〕）司令官（节度使）胡公素逝世，军中向最高指战官（都都统）王铎请示，王铎以皇帝名义任命大将张钧当候补司令官（留后）。

7 沙陀（瀚海沙漠南）变军首领李克用进攻蔚州（河北省蔚县）。

三月，振武战区（总部设安北府〔内蒙古和林格尔县〕）司令官（节度使）契苾璋奏报说："我会同天德（内蒙古乌拉特前旗东北）及大同（山西省大同市）二警备区，共同讨伐叛徒李克用！"唐帝李儇命河东战区（总部设太原府〔山西省太原市〕）司令官（节度使）郑从谠支援。

8 西川战区（总部设成都府〔四川省成都市〕）司令官（节度使）陈敬瑄，采取恐怖统治，时常派特务到各州县乡镇刺探隐秘，称为"寻事人”，所到的地方，敲诈勒索，无所不为。有一天，两个陌生人经过资阳镇（四川省资阳市），竟然没有向地方官员要一文钱，防守司令（镇将）谢弘让设宴邀请，二人也不接受。谢弘让惊恐，认为自己一定犯了什么罪，当天夜晚就弃职逃亡，躲到强盗出没的山寨。第二天一早，两个陌生人离去，而谢弘让事实上根本没有犯罪。捕盗官（捕盗使）杨迁引诱谢弘让出面自首，而就在谢弘让出面时，把谢弘让逮捕，移送战区总部，声称：“出动军队搜捕，活捉生擒！”用以图谋升迁。陈敬瑄不再审问，下令打谢弘让脊背二十棍，钉到西城城墙上十四日。用滚油泼他，又用胶黏的麻刺，去擦他身上的燎泡，使它溃烂，哀号震天，刑罚极端残酷，见到的人都为他从心底呼冤！

又有邛州（四川省邛崃市。邛，音qióng〔琼〕）营门官（牙官）阡能，没有在限期内把公事办妥，为了逃避棍刑，弃职逃亡，去当强盗，杨迁也保证他不受处罚，作为引诱，阡能正准备向政府自首，听到谢弘让蒙冤惨死情形，大骂杨迁，发誓继续当强盗，为了扩张实力，还裹挟强迫善良的农民参加，凡拒绝的，都诛杀全家。一个月后，部众多达一万人，于是建立战斗组织，设置官职等级，横行邛（四川省邛崃市）、雅（四川省雅安市）二州之间，攻陷城池，抢劫财物，所经过的地方，血流满地。

从前，巴蜀（四川省）很少强盗（参考八七九年四月），从此之后，变民蜂起，到处都有奸淫烧杀，抢劫剽掠，州县政府不能禁止。陈敬瑄派营门官（牙将）杨行迁率三千人，胡洪略、莫匡时分别各率二千人，讨伐阡能。

9 唐政府命右神策将军齐克俭，当左右神策军内外八基地（参考八二〇年十月），以及博野兵团（应是李寰突围所率父子兵，参考八二二年三月)、奉天战区(总部设奉天〔陕西省乾县〕)司令官(节度使)。

10 唐政府把鄜坊战区(总部设鄜州〔陕西省富县〕。鄜,音fū〔夫〕)改称保大战区。

11 夏季,四月二十二日,唐帝李儇加授西川战区(总部设成都府〔四川省成都市〕)司令官(节度使)陈敬瑄:兼任最高监督长(兼侍中·使相)。

12 大同(云州〔山西省大同市〕)警备区司令(防御使)赫连铎、卢龙战区(总部设幽州〔北京市〕)司令官(节度使)李可举,跟沙陀(瀚海沙漠南)变军首领李克用(参考八七八年五月)会战,失利。

13 最初,淮南战区(总部设扬州〔江苏省扬州市〕)司令官(节度使)高骈(音pián〔胼〕),崇拜神仙(高骈认为撒豆可以成兵,参考八七五年三月)。有位名叫吕用之的巫法师,曾被政府指控妖言惑众、结党作乱,下令通缉,吕用之无处容身,于是投奔高骈,高骈不但收留他,待他十分优厚,还给他补上一个军官职位。

吕用之,是鄱阳(饶州州政府所在县,江西省鄱阳县)茶商的儿子,长期居住广陵(扬州州政府所在县,江苏省扬州市),对广陵的风物人情,十分熟悉,烧炼黄金仙丹之余,时常对政府措施的利弊,提出批评,都很中肯,高骈越发认为他真是一位有道奇士,开始信任。高骈的老部属、旧日将领梁缵(音zuǎn〔纂〕)、陈珙、冯绶、董瑾、俞公楚、姚归礼,一向受高骈的尊重及厚待,吕用之为了夺权,透过设计,终于一一把他们排斥出权力圈外。高骈遂解除梁缵的军事指挥官职务,屠杀陈珙全族,并对冯绶、董瑾、俞公楚、姚归礼疏远。

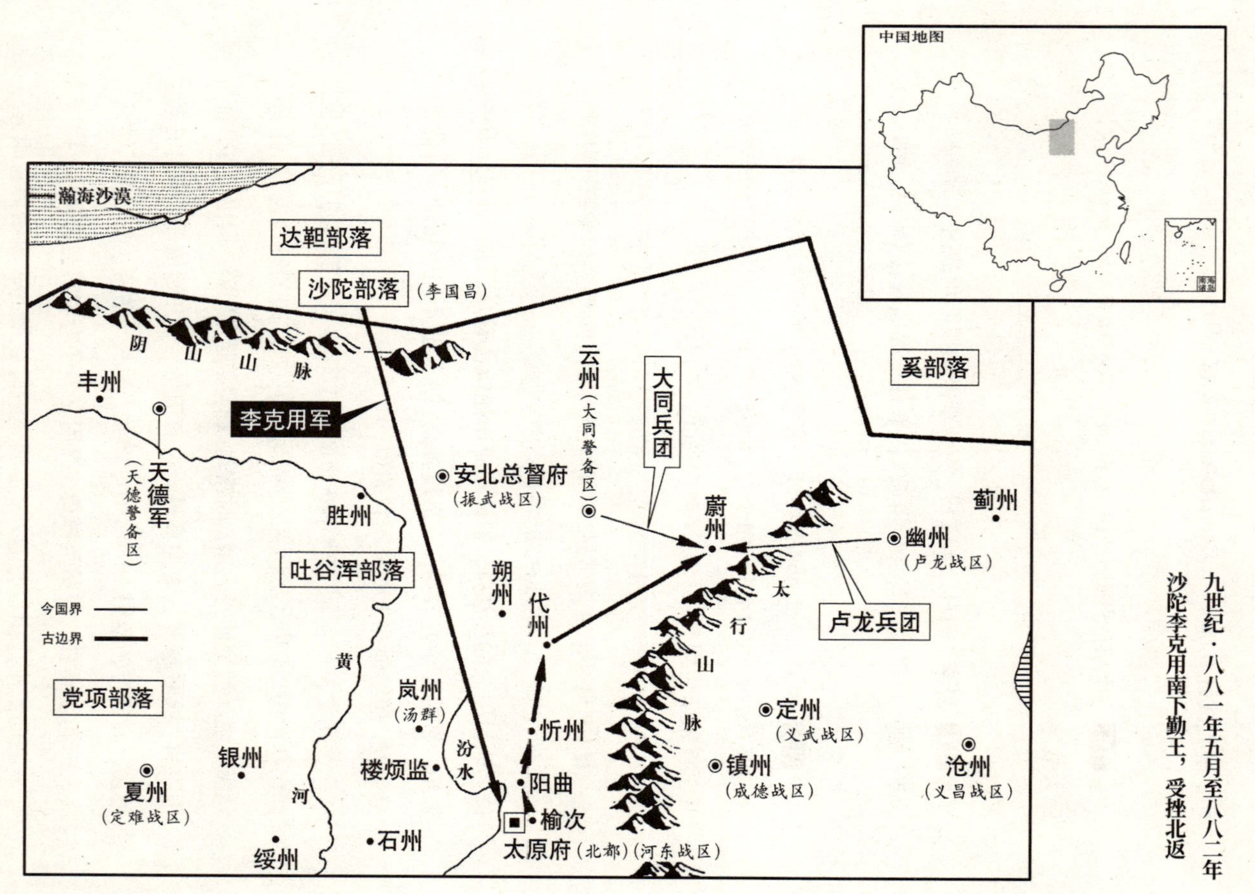

九世纪·八八一年五月至八八二年
沙陀李克用南下勤王，受挫北返

吕用之引用他的党徒张守一、诸葛殷，共同诱惑高骈跳进他们所设的圈套。张守一本来是沧州（河北省沧州市东南）跟景州（河北省泊头市）之间一个小村庄的乡民。稍早曾经晋见高骈，展示过自己的法术，但高骈并不欣赏，以致穷愁潦倒，贫苦不堪。吕用之告诉他："只要你跟我一条心，不怕没有荣华富贵！"遂把张守一推荐给高骈，高骈宠爱他跟宠爱吕用之一样。诸葛殷刚从鄱阳（江西省鄱阳县）到扬州（江苏省扬州市），吕用之先对高骈说："玉皇大帝认为大帅的工作繁重，特别把他左右尊贵的神仙，派一位降临红尘，辅佐你处理公务，希望你好好相待，如果想教他长期留下来，也不妨给他一个尘世上的重要官位。"第二天，诸葛殷晋见，言辞流利，反应迅速，谈笑风生，高骈认为果然是神仙下凡，于是命他担任盐铁专卖暨运输总监署（盐铁）的重要官职。高骈性情严肃、仪态整洁，从不允许外甥、侄儿等晚辈坐在自己身旁，而诸葛殷身染大疮，痛时抚摸、痒时抓搔，从没有停止过动作，手指甲里经常塞满脓血，高骈不但毫不介意，反而跟他同一个饭桌吃饭，膝盖相碰，紧紧坐在一起，酒杯和其他用具互相传递入口。左右侍从大惑不解，提醒高骈，高骈说："你懂得什么？神仙故意装成这个模样，试探凡人！"高骈养了几条狗，闻到诸葛殷疮口脓血的腥味，都到他身旁环绕亲热，高骈十分惊讶，诸葛殷笑说："我曾经在玉皇大帝前见过它们，一别就是数百年，想不到仍认识我！"高骈跟宰相郑畋（音tián〔田〕）结怨，有一天，吕用之忽然警告高骈说："宰相派杀手来向大帅行刺，今天晚上到达！"高骈大为恐惧，询问有没有办法逃过此劫，吕用之说："张守一先生学过这方面的法术，可以抵御！"高骈请张守一救命，张守一满口答应，教高骈穿女人的衣服，暗中移住其他房间，而由张守一代替高骈，睡到高骈床上，午夜时分，张守一把铜器丢到台阶上，发出巨响，又暗中用皮袋盛装猪血，洒到庭院，好像有人在格斗中负伤流血。天亮之后，张守一笑着对高骈说："几乎落到那奴才的手里！"高骈感激得流涕哭泣，致谢说："先生对于我，有再生之恩！"酬劳他大量金银珠宝。一位名叫萧胜的人，贿赂吕用之，希望当盐城（江苏省盐城市）管理官（盐城监），高骈脸上露出困难的颜色，吕用之说："我并不是为了萧胜，而是为了大帅。最近接到海上传来的仙书说：盐城（江苏省盐城市）古井中有一把宝剑，需要一位有灵气的官员前往捞取，因萧胜是上仙的左右侍从，只不过为了要他取回那把宝剑！"高骈兴奋的允许。萧胜到差几个月，用木匣装一支铜匕首，呈献给高骈，吕用之看见，叩头说："这是北帝佩带的那一把，得到它，一百华里之内，没有一种武器能侵犯大帅。"高骈遂用珍珠璧玉把它装饰起来，经常放在左右。吕用之认为自己是磻溪真君、张守一是赤松子、诸葛殷是葛将军、萧胜是嬴任好（春秋时代秦国六任国君穆公）的女婿。

吕用之又在一块青石上刻出奇怪的字，说："玉皇授白云先生高骈。"暗中派人放到高骈修道院的香案上。高骈看见，大为惊喜。吕用之说："玉皇大帝因大帅焚香修行，功德显著，将要在天上给你一个仙职，计时不久，就会有仙鹤降临此地，迎接大帅飞升。我们这几个人被贬谪到尘世的日期，也要届满，势必陪同大帅，回归上清！"（道教认为除了"人世""天庭"之外，上面还有仙境，称"三清"，分为三个层次：太清、玉清、上清，都是神仙居住的地方。）以后，高骈就在他的修道院广场中，雕刻一只巨大的木鹤，高骈不时的身穿羽衣（道士特用的鸟类羽毛编织的衣服，表示神仙凌空飞翔之意。白居易《梦仙诗》："坐乘一白鹤，前引双红旌。羽衣忽飘飘，玉鸾俄铮铮。"），跨到木鹤背上。早晚不停的设坛祷告祭拜，提炼黄金，烧制长生不老仙丹，费用以亿为单位计算。

吕用之年轻落魄时，曾寄宿江阳后土庙（隋王朝改广陵为江阳，但史书上仍称广陵，很少称江阳），一举一动都祈祷神仙保佑指引。后来当官掌权，报告高骈，对后土庙扩大改建，几乎把长江以南所有的一流工匠及材料，搜刮一空，每遇到军事行动，就在这里用“少牢”（猪羊各一）献祭祈福。吕用之强调神仙喜爱住在高楼之上，说服高骈兴筑迎仙楼，用钱十五万串；又兴筑延和阁，高八丈。

吕用之经常在高骈面前装神弄鬼，一会呵责风，一会叱咤雨，一会忽然向天际作揖行礼，声称有神仙正通过云端，高骈则如影随形，跟着叩拜。但吕用之必须经常用重金贿赂高骈左右，请他们窥探高骈的行动，一起欺骗高骈，高骈不能醒悟，左右侍从有些实在忍不住，略微表示一点异议，还没有移动脚步，就被吕用之陷害而死，最后没有一个人敢说真话，只有捶胸扼腕，不敢吐露半个不字。高骈把吕用之当作左右手，无论公事私事、大事小事，全交给他决定，于是，斥退贤能，录用奸邪，横施刑罚，滥加赏赐，高骈在淮南战区（总部设扬州〔江苏省扬州市〕）政事，严重败坏。

吕用之知道上下大小官员，都对自己怨恨愤懑，恐怕万一发生突变，难以收拾。于是建议高骈设置巡察司令（巡察使），高骈遂用吕用之兼任。吕用之招募地痞无赖一百余人，穿街过巷，称为“调查员”（察子），包括民间吆喝妻子、诟骂儿女在内，一切细小的事，吕用之都得到报告。吕用之打算掠夺别人的货物财产，或抢夺别人的妻女，就诬告他们阴谋叛变，逮捕后苦刑拷打，取得“自动招认”“坦承不讳”的口供，再把他们诛杀，把财产妻女没收。用这种方法，已屠灭数百家，路上的人连抬头看他都不敢，文武官员、知识分子以及平民，在家都忍气吞声，连移动脚步和打个呵欠，都小心翼翼。

吕用之又打算组织新军，威胁各将领，建议高骈从现有各军遴选骁勇士卒二万人，分别编为“左莫邪特别营”“右莫邪特别营”(左右莫邪都)。高骈任命张守一、吕用之当左右莫邪特别营司令(军使)，设置司令部，跟战区总部一样。官兵们的武器犀利精良，军服华丽整洁，吕用之每逢出入，警卫及侍从、前导，都将近一千人。

吕用之小老婆有一百余位，生活豪华奢侈，开支自然不够，于是截留呈缴中央三司(国务院财政部〔户部〕、全国财政总监署〔度支〕、盐铁专卖暨运输总监署〔盐铁〕)的款项及财货，供自己挥霍。

虽然各方面都在吕用之控制之下，但他仍怕有人揭穿他的奸谋，于是告诉高骈说：“神仙不难请到，只怪凡夫俗子不能完全断绝世俗的牵累，所以才请不到。”高骈于是不再接见宾客，并排除人间世事，不但宾客，连小老婆以及将领和文官幕僚，都无法跟他见面。有不得已非见面不可的话，也都教他们先行沐浴斋戒、祭祀鬼神，驱逐身上的恶魔，然后才可以见面；礼宾官引导叩头，刚刚起身，送客的时间已到，就又把人引导而出。在这种天罗地网的设计下，高骈被完全孤立，吕用之遂专权独断，作威作福，毫无顾忌，辖境之内无论官员或人民，渐渐不再知道高骈是谁。

14 唐政府最高指战官(都都统)王铎，率两川(西川〔总部成都府〕、东川〔总部梓州〕)及山南西道(总部兴元府)特遣兵团驻扎灵感寺(陕西省富平县西)，泾原(总部泾州)特遣兵团驻扎京师(首都长安)西郊，义武(总部定州)、河中(总部河中府)特遣兵团驻扎渭水北岸，邠宁(总部邠州)、凤翔(总部凤翔府)特遣兵团驻扎兴平(陕西省兴平市)，保大(原“鄜坊”，总部鄜州)、定难(原“夏绥”，总部夏州)特遣兵团驻扎渭桥(陕西省西安市高陵区南)，忠武(总部许州)特遣兵团驻扎武功(陕西省武功县西)，唐军从四面八方，逐渐集结。齐帝黄巢的势力开始萎缩，军令超不出同(陕西省

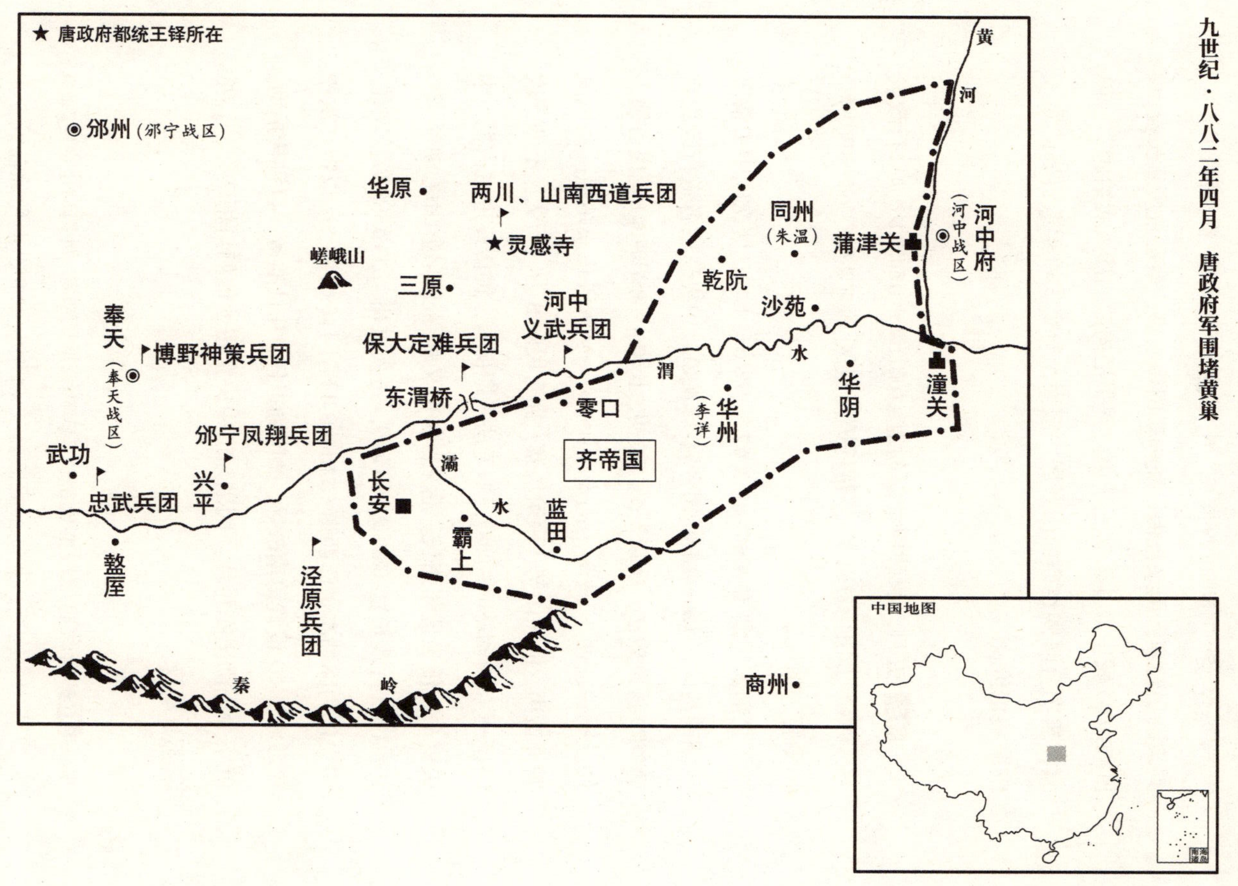

九世纪·八八二年四月　唐政府军围堵黄巢

大荔县）、华（陕西省渭南市华州区）二州，人民逃避兵灾，都到深山远谷，兴筑碉堡营寨，用来自保；播种耕田等农事，全都荒废。长安（陕西省西安市）城里一斗米卖三十串。齐军把掳掠的活人卖给唐军当粮食，唐军有时候也掳掠山寨居民贩卖，一个人可卖数百串，看人的肥瘦论价。

15 五月，唐政府命湖南道（首府设潭州〔湖南省长沙市〕）行政长官（观察使）闵勖（音xù〔序〕），暂任镇南战区（总部设洪州〔江西省南昌市〕）司令官（节度使）。

之前，闵勖（割据湖南事，参考去年〔八八一〕十二月）屡次向中央请求当湖南战区（以湖南道升格）司令官（节度使），中央恐怕各道行政长官（观察使）援例效法，所以拒绝。最初，长垣（河南省长垣市）变民首领王仙芝剽掠江西（江西省），高安（江西省高安市）人钟传集结獠部落以及其他蛮夷，依照山势，兴筑堡寨，拥有民间武力一万人。王仙芝攻陷抚州（江西省抚州市临川区），却无法长期保有，钟传遂进城占据，中央就命钟传当抚州州长。后来，钟传又驱逐江西道（首府设洪州〔江西省南昌市〕）行政长官（观察使）高茂卿，进入洪州（江西省南昌市）。现在，中央认为闵勖本是江西道（首府洪州）的营门官（牙将），所以特在洪州（江西省南昌市）设置镇南战区，命闵勖担任；并且准备一旦钟传拒绝，就下令闵勖出军讨伐。闵勖知道中央企图使他们自相残杀，遂推辞不肯动身。

16 唐政府加授淮南战区（总部设扬州〔江苏省扬州市〕）司令官（节度使）高骈中央官衔：兼任最高监督长（兼侍中·使相），但免除盐铁专卖暨运输总监（盐铁转运使）。高骈既被解除指挥其他战区道的军权（参考本年〔八八二〕正月八日），又被解除有利可图的财政上重要职务，怒火上冲，卷起衣袖，举臂挥手，对中央破口大骂，命他的幕僚顾云撰写奏章呈递，为自己辩护，措辞十分傲慢，大略说："是陛下不用我，不是我辜负陛下。"又说："奸臣还没有觉悟，陛下仍然迷失，不思量皇家祖庙被盗匪焚烧，不哀痛皇家祖坟被盗匪挖掘。"又说："王铎不过一个败军之将（王铎自江陵逃走，参考八七九年十月），崔安潜在西川（总部成都府）贪赃枉法（崔安潜没有战败记录，无法发挥，只好咬定他贪污），两个白痴文官，怎有力量阻止强大敌军！"又说："而今，陛下所任命的官员，上自元帅，下到最底层的士官，如果允许我作预言的话，我坐在这里就能把他们生擒活捉，逮捕归案。"又说："不要使百代以来有遗憾的臣属，也不要让千年以下有刮席羞辱的君王（玄汉王朝一任帝刘玄不敢面对群臣，畏缩低头，一味用指甲刮他的座席，参考二四年二月），我只怕盗匪崛起东方，刘家（刘邦）复兴，则跪在轵道之旁的灾祸（秦王朝三任帝〔秦王〕嬴婴跪轵道投降，参考前二〇六年十月），岂只古时候才有。"又说："而今，贤才都在民间，邪恶的人塞满中央，以致使陛下成为亡国之君，那些人有什么办法拯救？"唐帝李俨命宰相郑畋起草诏书，严厉斥责，大略说："财政，则你手握盐铁专卖；军事，则你身任总指战官（都统），指挥权直到京师（首都长安）以北及以西，包括左、右神策军，连同其他各战区道，全在你号令之下，说明中央授权范围广大。而你贵为帝国的'司徒'（三公之二）、'太尉'（三公之一），如果这还不能称为对你信任，怎么才叫信任？"又说："我因为交给你兵权的时间太久，而你并不能铲除元凶，盗贼自从天长（安徽省天长市）之役，成为漏网之鱼，大量渡淮河而北（参考前年〔八八〇〕九月），你并没有出动一个士卒追击，以致盗贼盘踞京师（首都长安），前后算起来，已有三年，而广陵（江苏省扬州市）的勤王大军，没有离开辖区一步，忠臣累积太多的失望，勇士发出愤怒的讥讽，中央这才遴选重臣，用以剿灭巨匪。”又说：“中央对你一向专心依靠，一旦落空，没有地方可以诉说，向东南凝神长望，只感到凄凉痛心！”又说：“谢玄在淝水击破苻坚（参考三八三年十月），裴度在淮西（总部设蔡州〔河南省汝南县〕）削平吴元济（参考八一七年十月），文官未必不如武将。”又说：“皇家祖庙被焚烧，皇家陵墓被挖掘，龟甲和宝玉在柜子里被毁，这是谁的罪过！”又说：“‘奸臣还没有醒悟’，谁肯自认他是奸臣？‘陛下仍然迷失’，我可不敢承当。”又说：“你在天长（安徽省天长市），连黄巢都捉不住，怎么能坐在那里生擒所有将领？”又说：“你说刘家复兴，不知道谁是首领？又把我比作刘玄（玄汉王朝一任帝）、嬴婴（秦王朝三任帝），岂不是太污蔑欺罔！”又说：“何况，上天的脚步没有跌倒，皇家的纲纪仍然完整，三灵（日月星）仍然当头，国法照旧存在，君臣间的礼仪、上下间的名分，都应该遵守，不可以任它堕落废弛。我虽然是一个少年，怎么可以轻率的侮辱！”

但是，高骈已破坏了一个当臣属的形象，自此遂不再向中央进贡及呈缴赋税。

17 唐政府擢升天平战区（总部设郓州〔山东省东平县〕）候补司令官（留后）曹存实，实任司令官（节度使）。

18 齐帝黄巢进攻兴平（陕西省兴平市），驻扎兴平的唐政府军，退守奉天（陕西省乾县）。

19 唐政府命河阳战区（总部设孟州〔河南省孟州市〕）司令官（节度使）诸葛爽，遥兼二级宰相（同平章事·使相）。

20 六月，唐政府擢升泾原战区（总部设泾州〔甘肃省泾川县〕）候补司令官（留后）张钧，实任司令官。

21 荆南战区（总部设江陵府〔湖北省江陵县〕）司令官（节度使）段彦谟（杀宋浩取荆南，参考前年〔八八〇〕四月），跟监军宦官朱敬玫交恶，互相仇视，朱敬玫另行遴选健壮战士三千人，号称“忠勇军”，自任统帅。段彦谟暗中计划诛杀朱敬玫，朱敬玫先行下手。

六月二十八日，朱敬玫率“忠勇军”发动攻击，斩段彦谟，命江陵特别市副市长（少尹）李燧当战区候补司令官（留后）。

22 巴蜀（四川省）人罗浑擎、句胡僧、罗夫子，各自聚集部众数千人，响应邛州（四川省邛崃市）变民首领阡能（参考本年〔八八二〕三月）的号召。西川战区（总部成都府）营门官（牙将）杨行迁等率军征剿，连连失败，请求增援，可是总部已没有后备兵源，司令官（节度使）陈敬瑄下令征调仓库管理员及守门卫士，都要从军补充。本月（六月），政府军跟变民军在乾谿（四川省大邑县东）会战，政府军大败，杨行迁等恐怕受到处罚，就大量掳掠村民，当作俘虏，呈献总部，每天有数十人或数百人，陈敬瑄也不调查审问，全部斩首。其中也有老年人、小孩，以及妇女，围观的群众有人问他们怎么回事，都说：“我们正在种田、绩麻（把麻劈开拉丝），政府军忽然闯进村庄，把我绳捆索绑到这里，不知道犯了什么罪？”

23 秋季，七月二十九日，唐政府命钟传当江西道（首府设洪州〔江西省南昌市〕）行政长官（观察使），这是接受高骈的推荐。

钟传离开抚州(江西省抚州市临川区),南城(江西省南城县)变民首领危全讽接着进入抚州(江西省抚州市临川区),继续割据,又派他的老弟危仔倡进入信州(江西省上饶市)。

24 齐政府太尉(三公之一)尚让,进攻宜君寨(陕西省宜君县),不料天降大雪,累积一尺有余,齐军冻死十分之二三。

25 唐政府蜀中(四川省)人韩求,聚集数千人,响应阡能。

26 唐政府镇海战区(总部设润州〔江苏省镇江市〕)司令官(节度使)周宝奏报说:“高骈以皇帝名义任命(承制)变民首领孙端当宣歙道(首府设宣州〔安徽省宣城市〕)行政长官(观察使)。”

唐帝李儇下诏,命周宝会同宣歙道(首府宣州)行政长官(观察使)裴虔余,出军拒抗孙端。

27 鹤拓帝国(首都苴咩城〔云南省大理市〕。苴咩,音xié miē)皇帝隆舜(法),上疏唐帝李儇,要求公主早日下嫁。

李儇下诏说:正在讨论公主出嫁礼仪。

28 唐政府擢升保大战区(总部设鄜州〔陕西省富县〕。鄜,音fū〔夫〕)候补司令官(留后)东方逵,实任司令官(节度使),充任京师(首都长安)东方军团征剿司令(京城东面行营招讨使)。

29 闰七月,加授魏博战区(总部设魏州〔河北省大名县〕)司令官(节度使)韩简中央官衔:兼任最高监督长(兼侍中·使相)。

30 八月，命国务院国防部副部长（兵部侍郎）、全国财政总监（判度支）郑绍业，遥兼二级宰相（同平章事·使相），充当荆南战区（总部设江陵府〔湖北省江陵县〕）司令官（节度使）。

31 浙东道（首府设越州〔浙江省绍兴市〕）行政长官（观察使）刘汉宏，派他的老弟刘汉宥，跟步骑兵总纠察官（马步都虞候）辛约，率军二万人，驻扎西陵（浙江省杭州市滨江区西北西兴街道），企图兼并浙西（浙江〔钱塘江〕以西）；杭州（浙江省杭州市）州长董昌，派总作战司令（都知兵马使）钱镠（音㽞〔流〕）阻截。

八月十三日，钱镠在夜晚大雾掩护下，渡浙江（钱塘江）袭击，大破浙东军，几乎全部杀光。刘汉宥、辛约逃走。

32 魏博战区（总部设魏州〔河北省大名县〕）司令官（节度使）韩简，也有吞并其他战区道的野心，亲自率军三万人，攻击河阳战区（总部设孟州〔河南省孟州市〕），在修武（河南省修武县）击败河阳司令官（节度使）诸葛爽，诸葛爽放弃城池逃走。韩简留下部队镇守，大肆抢掠邢州（河北省邢台市）、洺州（河北省邯郸市永年区东南广府镇），然后回军（邢洺二州属昭义战区〔总部潞州〕）。

33 沙陀变军首领李国昌（朱邪赤心），从达靼部落（瀚海沙漠南）率领部众，迁回代州（山西省代县。李国昌投奔达靼部落，参考前年〔八八〇〕七月。李克用先回代州，参考去年〔八八一〕六月。基础稳固，老爹才返）。

34 齐帝黄巢任命的同州（陕西省大荔县）警备区司令（防御使）朱温，屡次向中央请求增援，以抵抗唐政府河中战区（总部设河中府〔山西省永济市〕）的压力。右最高统帅（知右军事）孟楷故意拦阻，不作回答。朱温看出齐政府的势力日渐萎缩，预料它一定覆亡，亲信将领胡真、谢瞳乘机劝朱温向唐政府归降。

九月十七日，朱温诛杀监军宦官严实，率领全州军民，投降唐政府河中战区（总部设河中府〔山西省永济市〕）司令官（节度使）王重荣，朱温把王重荣当作舅父事奉（朱温的娘亲姓王之故）。全国最高指战官（诸道行营都都统）王铎，以皇帝名义，任命朱温当同华战区（总部同州）司令官（节度使），派谢瞳携带奏章，前往皇帝所在地奏报。谢瞳，是福州（福建省福州市）人。

齐政府华州（陕西省渭南市华州区）州长李详（参考去年〔八八一〕八月），因唐政府对待朱温宽大优厚，也考虑向唐政府归降，被监军宦官发觉检举。黄巢遂斩李详，命老弟黄思邺当华州州长。

35 岭南西道战区（总部设邕州〔广西南宁市〕）兵变，驱逐司令官（节度使）张从训。

唐政府命前容州军管区（首府设容州〔广西容县〕）军事指挥官（经略使）崔焯，接任岭南西道战区司令官（节度使）。

36 平卢战区（总部设青州〔山东省青州市〕）兵变，大将王敬武驱逐司令官（节度使）安师儒，自称候补司令官（留后）。

37 最初，徐州（江苏省徐州市）变军首领庞勋（参考八六八年七月）的部将汤群，投降唐政府，唐政府命他当岚州（山西省岚县）州长。汤群暗中跟沙陀变军来往，中央得到情报，调汤群当怀州（河南省沁阳市）州长。河东战区（总部设太原府〔山西省太原市〕）司令官（节度使）郑从谠派使节携带任命状，前去当面交付。

冬季，十月一日，汤群诛杀使节，据守城池，背叛中央，归附沙陀部落。

十月三日，郑从谠派步骑兵总纠察官（马步都虞候）张彦球率军讨伐。

38 峡路（长江三峡）变民首领韩秀昇（《新唐书·高仁厚传》记载，韩秀昇是涪州〔重庆市涪陵区〕州长）、屈行从，武装反抗唐王朝政府，切断峡江道路（长江三峡）。

十月十四日，西川战区（总部设成都府〔四川省成都市〕）司令官（节度使）陈敬瑄，派大营管理官（押牙）庄梦蝶，率军二千人讨伐。再派另一大营管理官（押牙）胡弘略，率一千人增援。

39 魏博战区（总部设魏州〔河北省大名县〕）司令官（节度使）韩简，再度率军攻击郓州（天平战区总部所在，山东省东平县），天平战区（总部郓州）司令官（节度使）曹存实迎战，兵败身亡。天平指挥官（都将）下邑（河南省夏邑县）人朱瑄，收拾残兵败将，登城拒守。韩简进攻，不能攻克。

唐帝李儇下诏，命朱瑄暂代天平战区（总部郓州）候补司令官（留后）。

40 唐政府命朱温当右金吾（卫军第十二军）大将军、河中（总部设河中府〔山西省永济市〕）特遣兵团副征剿司令（河中行营招讨副使），赐名朱全忠。

41 沙陀（山西省北部）变军首领李克用，虽然屡次上疏唐政府

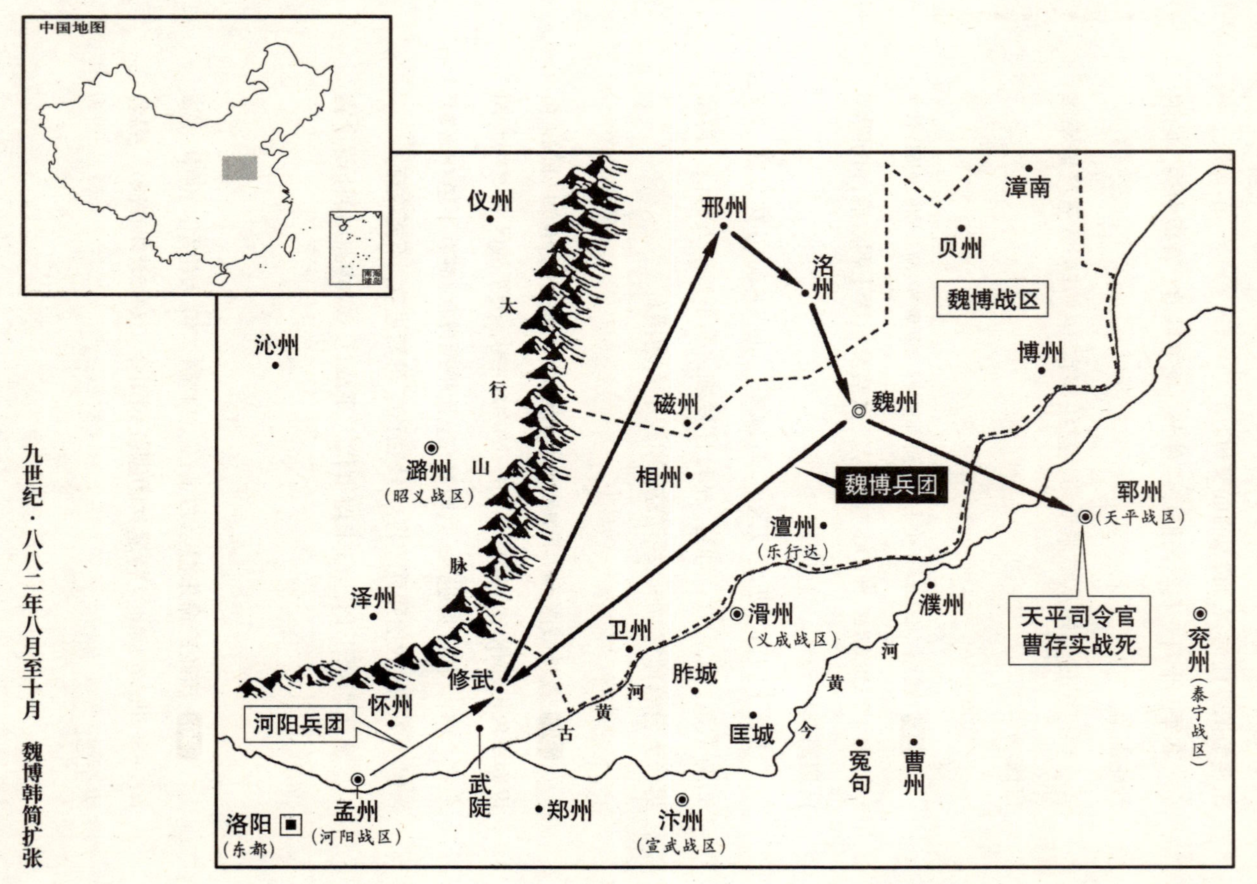

九世纪·八八二年八月至十月　魏博韩简扩张

请求招安，但仍占领忻（山西省忻州市）、代（山西省代县）二州，并不断剽掠太原府（山西省太原市）、汾州（山西省汾阳市），争夺楼烦（山西省娄烦县）牧马场。义武战区（总部设定州〔河北省定州市〕）司令官（节度使）王处存，跟李克用世代结亲，关系密切，李儇下诏给王处存，命王处存告诉李克用说："你如果诚心归附，就应回到朔州（山西省朔州市）等候中央命令。如跟过去一样凶暴横行，我当会同河东（总部太原府）、大同（总部云州）两总部，共同讨伐。"

42 唐政府命平卢战区（总部设青州〔山东省青州市〕）大将王敬武，当候补司令官（留后）。

当时，全国各战区道都派特遣兵团前往关中（陕西省中部）集结，围攻齐帝黄巢，只平卢战区拒绝出兵。最高指战官（都都统）王铎，派最高指战部执行官（都统判官）、监督院高级顾问官（谏议大夫）张濬，前往游说。王敬武（平卢〔总部青州〕司令官）已经接受齐帝黄巢的官职，所以并不出来迎接，张濬见到王敬武，责备说："你是保卫天子的高官、帝国的屏障，却对钦差大臣傲慢侮辱！不能事奉你的长官，怎能驱使你的部下！"王敬武呆了一下，连忙道歉。于是张濬宣读诏书，然而读完之后，将士们都没有反应，张濬慢慢解释说："人生一世，要了解什么是逆？什么是顺？其次还要了解什么是利？什么是害？黄巢这个人，前些日子还是一个卖私盐的小贩（参考八七五年六月），各位却舍弃历代皇家，去向一个卖私盐的小贩称臣，对你们有什么好处？而今，全国勤王之师，集中京畿，只平卢（总部青州）不派军参与。有一天盗匪铲平，天子回宫，各位有什么脸面再见国人？不急着去抢夺功名，换取富贵，后悔时已来不及！"将领们都听得动容，深自责备，大家对王敬武说："张先生的话是对的！”王敬武遂派军随同张濬西上。

43 浙东道（首府设越州〔浙江省绍兴市〕）行政长官（观察使）刘汉宏，又派登高（今地不详）防守司令（镇将）王镇，率军七万人，进驻西陵（浙江省杭州市滨江区西北西兴街道）；杭州（浙江省杭州市）总作战司令（都知兵马使）钱镠（音刘〔流〕），再渡浙江（钱塘江）袭击，又大破浙东军，杀戮及俘虏以万为单位计算，查获刘汉宏擢升各将领的齐政府任命状二百余件；王镇逃奔诸暨（浙江省诸暨市）。

44 齐帝黄巢的势力仍很强大，唐政府河中战区（总部设河中府〔山西省永济市〕）司令官（节度使）王重荣，深为忧虑，对特遣兵团总监军宦官（行营都监）杨复光说：“投降盗贼，则辜负国家；讨伐盗贼，又力量不足，怎么办？”杨复光说：“雁门（代州州政府所在县，山西省代县）李克用，骁勇非常，手下又有强兵猛将，他家老爹跟我家老爹，曾经在一起共事，感情亲密（杨复光养父杨玄价当过盐州〔陕西省定边县〕监军宦官，沙陀部落最初投奔唐王朝时，经过盐州，参考八〇八年六月。李国昌〔朱邪赤心〕跟杨玄价当在那时结交），他自己也有为国牺牲的志愿，所以没有南下，只因跟河东战区（总部太原府）结下梁子而已。如果能把皇上的旨意训示郑从谠，召唤李克用勤王，李克用一定听命，只要他参战，盗贼（齐政府）就用不着我们铲除。”东方慰劳特使（东面宣慰使）王徽也认为如此。当时，王铎驻扎河中（山西省永济市），遂以皇帝名义撰写诏书，向郑从谠解释召唤李克用勤王的必要。

十一月，李克用率沙陀军一万七千人，绕道岚（山西省岚县）、石（山西省吕梁市离石区）二州，直向河中（山西省永济市），不敢经过太原（山西省太原市），而单独率数百名骑兵到晋阳城（太原府所在城）下，向郑从说告别，郑从谠送给他名马、器具、金银。

45 被齐帝黄巢诛杀的前华州（陕西省渭南市华州区）州长李详，他的残余部众发动兵变，驱逐新任州长黄思邺，推举华阴（陕西省华阴市）防守司令（镇使）王遇当首领，献出城池，投降唐政府河中战区（总部设河中府〔山西省永济市〕）司令官（节度使）王重荣。

王铎以皇帝名义，任命王遇当华州州长。

46 邛州（四川省邛崃市）变民首领阡能的组织，逐渐扩张，势力越来越大，已侵入蜀州（四川省崇州市）州境，西川战区（总部设成都府〔四川省成都市〕）司令官（节度使）陈敬瑄，认为营门官（牙将）杨行迁等拖得太久，毫无功效，于是改命大营管理官（押牙）高仁厚当总征剿指挥司令（都招讨指挥使），率军五百人，前往接替。出发的前一天，有一个卖面条的小贩，从早上到中午，进出营区四次之多，巡逻队起疑，把他逮捕审讯，果然是阡能派遣的间谍。高仁厚命解开他的捆绑，用温和的言语相待，那人说：“我是某一个村庄的农民，阡能把我的父母妻子囚进监狱，吩咐我说：‘你去探听回来，如果事情实在，我放出你的家人，不然的话，满门诛杀。’我并不愿做这种事。”高仁厚说：“我就知道不是你的本意，我怎么忍心杀你！现今就放你回去，救出你的父母妻子，只要你告诉阡能说：‘高部长（高仁厚）明天就出发（时世越乱，官爵越滥，高仁厚不过一个大营管理官〔押牙〕，刚被委任，还没有出发，就当了“摄理部长”〔检校尚书〕），只有五百人，没有很多军队！’但是我救活你全家，你应该回报，只要暗中告诉寨里的人说：‘陈大帅（陈敬瑄）怜悯你们都是善良人民，受盗匪控制，不是出于自愿。高部长（高仁厚）打算拯救你们，洗刷冤屈，所以一旦大军来到，你们应放下武器，迎接投降，高部长会派人在你们背上书写“归顺”二字，让你们回去重整旧业。高部长打算诛杀的，只不过阡能、罗浑擎、句胡僧、罗夫子、韩求五个匪徒而已，决不伤害小民。’”变民军间谍说：“这都是人们心里所想的事，你全都知道，而且赦免，谁不欢欣鼓舞，听从命令！一个人传一百人，一百人传一千人，河川澎湃、海洋沸腾，无法遏止，等政府军到达，人民势将如同婴儿看见娘亲，只剩下阡能孤孤单单，非被生擒活捉不可。”高仁厚遂命他回去。

明天（第一天），高仁厚率军出发，抵达双流（四川省成都市双流区），围堵司令（把截使）白文现出来迎接。高仁厚绕着营寨观察一遍，大怒说：“阡能不过一个恶棍，他的部众全是种田农夫。浪费一个特别市（府）的兵力，一年有余，不能把他逮捕归案，现在，防御工程重重叠叠，精密牢固到如此地步，怪不得你们可以安安稳稳的睡觉，痛痛快快的吃喝，对盗匪纵容培养，不慌不忙，慢慢建立功劳！”下令把白文现绑出斩首，监军宦官竭力拯救，僵持了很久，才算免掉一死。于是，高仁厚命撤除栅栏，只留下五百人留守，其他所有的军队一律纳入野战兵团，追随自己出发。又征调各营寨的部队，陆续集结。

阡能听到高仁厚将要到达消息，派大将罗浑擎在双流（四川省成都市双流区）以西建立五个营寨，在野桥箐（音jīng〔精〕。四川省成都市双流区西南）埋伏一千人，准备狙击政府军。高仁厚得到报告，率军展开包围，下令不要诛杀，只派人换穿平民服装，前往变民军中把昨天告诉间谍的话，向大家再一次宣布。变民军大喜若狂，欢声雷动，争着脱下铠甲，抛弃武器，请求政府接受他们的投降，跪下叩头，好像山崩。高仁厚一律接受，安抚解释，命人在背上书写“归顺”二字，教他们回变民军大营告诉还没有投降的同伴，变民军大营剩下的部众，都争着出来投降。罗浑擎狼狈不堪，翻出寨墙逃走，被他的部属捕捉，押送给高仁厚。高仁厚说：“他只是一个粗汉，连跟我谈话都不够资格。”把罗浑擎戴上脚镣手铐刑具，押送战区总部。高仁厚下令把变民军五个营寨和所有铠甲武器，全部焚毁，只留下旗帜作为战利品带回呈献，一次就招降四千人。

明天（第二天）早上，高仁厚对所有投降士卒说：“我本来打算马上遣送你们回家，可是，前面各营寨变民，还不知道我的用心，有时恐怕仍然忧虑怀疑，我想请你们当我的先锋，南下经过穿口（四川省成都市新津区北）、新津（四川省成都市新津区）营寨外面，把背上的字指给他们观看，等走到延贡（四川省崇州市西南十公里），就可以各自回家。”于是取过罗浑擎的军旗，颠倒悬挂，每五十个人成一个小队，挥动这些倒悬的变民军旗，连声高叫说：“罗浑擎已被政府军生擒活捉，送往战区总部；征剿大军，马上就要到达。营寨里的弟兄，还不赶快跟我们一样，出来投降，立刻就是善良公民，平安无事。”抵达穿口（四川省成都市新津区北），句胡僧建立有十一个营寨，寨中变民争着出寨投降，句胡僧大为震骇，拔出佩剑阻止，部众用砖块瓦砾向他投掷，把他生擒，押送给高仁厚，变民五千余人，全部归降。

后天（第三天），高仁厚纵火焚烧句胡僧营寨，命降卒手举倒悬的大旗，充当前导，跟对待双流（四川省成都市双流区）降卒一样，抵达新津（四川省成都市新津区），变民首领韩求建立的十三个营寨，也都迎降。韩求投入深壕自杀，被他的部众用铁钩钩出，发现已气绝身死，于是割下人头呈献。政府军打算立即焚烧营寨，高仁厚阻止说：“归顺的人还没有吃饭！”命先把辎重、粮食运出来，然后纵火。新近招安的人争着煮食，跟先前招安报信的人，共同进餐、说

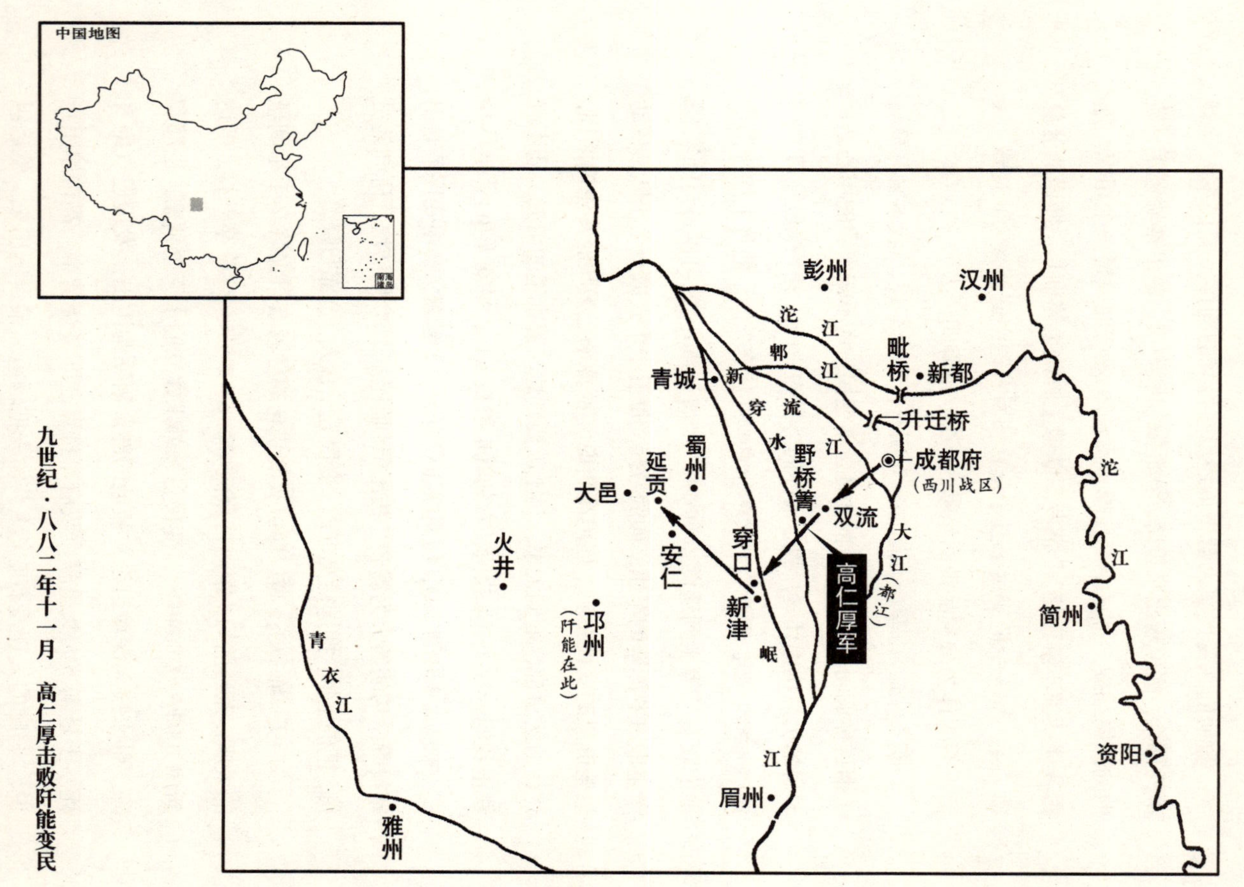

九世纪·八八二年十一月　高仁厚击败阡能变民

话、谈笑、唱歌、吹奏乐器，彻夜不停。

明天（第四天），高仁厚命双流（四川省成都市双流区）、穿口（四川省成都市新津区北）归降的变民，先行回家，而命新津（四川省成都市新津区）新近归降的变民，手举倒悬的变民军旗，作为前导，吩咐说：“只要进入邛州（四川省邛崃市）州境，你们就可以解散，各自回家。”罗夫子在延贡（四川省崇州市西南）建立九个营寨，他的部众前一天晚上就远远望见新津（四川省成都市新津区）方面的火光，惊恐忧虑，已经无法入睡。等到新津（四川省成都市新津区）归降的变民抵达，罗夫子放弃营寨，急脱身逃走，投奔首领阡能，部众全部向政府军投降。

明天（第五天），罗夫子逃到阡能大营，共同计划出动全军，决一死战，讨论还没有完，天色已晚，延贡（四川省崇州市西南）归降的变民已经涌到，阡能、罗夫子骑马巡视防御工事，打算反攻，可是命令下达后，部众没有人行动。高仁厚率军在夜色掩护下，逼近变民大营，明天早晨（第六天），变民军各寨知道政府大军已经逼近，就高声呼叫呐喊，争着出寨，搜捕阡能，阡能窘困交加，打算投井，被大家生擒，无法自杀，部众又生擒罗夫子，罗夫子举刀自杀。大家携带罗夫子的人头，把阡能绳捆索绑，命他走在前面，迎接政府大军。看见高仁厚，大家拥着马头，大声呼喊，哭泣叩头说：“人民含冤受苦很久，没有地方申诉。自从间谍回来，我们伸长脖子盼望，一分钟犹如一年，而今遇到大帅，是把我们从九泉之下救出，再见天日，我们已死，现在回生！”雀跃欢呼，不能停止。其他地方有变民军营寨的，高仁厚派出将领分别前往招降。共计出军六天，五个变民集团全被平服。每克服一个城或一个县，都委任一个卫戍司令（镇遏使），命他安抚返乡的新户。

西川战区（总部设成都府〔四川省成都市〕）司令官（节度使）陈敬瑄，把韩求、罗夫子的人头，悬挂街市示众，把阡能、罗浑擎、句胡僧钉在成都（成都市）西门城墙上，七日后再剐下身上肌肉。阡能的文书官（孔目官）张荣，本是安仁（四川省大邑县东南安仁镇）进士（地方政府推荐到中央参加“进士科”考试的知识分子），可是考了很多年，都不能考试及格，于是投奔阡能，充当他的智囊，给他撰写文告。阡能失败，张荣写诗呈献高仁厚，哀求宽恕，高仁厚把他解送总部，钉死在马市场上；其余的没有杀一个人。

被政府称为“盗”、称为“贼”、称为“匪”的邛州变民，一听到赦免不死，立刻欢欣鼓舞，举手投降；他们的顺服、善良、懦弱，跃然纸上。这样的人民竟会被政府逼反，说明官员们的贪污颟顸和凶悍，已无人可以克制。

历史上的中国，官如果不逼，民不会反。民如果反，一定全由于官逼，这就是中国的历史传统。

十二月，陈敬瑄擢升高仁厚当眉州（四川省眉山市）警备区司令（防御使）。

陈敬瑄在邛州（四川省邛崃市）张贴布告：凡阡能等变民首领的亲戚、朋友，或共同起事的余党，一律不再追究。可是，不久，邛州（四川省邛崃市）州长呈报说：捕获阡能的叔父阡行全家人三十五人，囚禁监狱，请依照惩治叛乱条例法办。陈敬瑄询问文书官（孔目官）唐溪的意见，唐溪说：“大帅已经贴出布告，命地方官员不要再追查这件事，而州长却硬是大肆逮捕，其中定有缘故。如果把阡行全等诛杀，岂只是大帅对人民丧失信誉而已，恐怕阡能的残余党羽，会纷纷再起！”陈敬瑄接受，派大营管理官（押牙）牛晕前往处理，牛晕抵达后，在州政府门前开庭，下令砍开阡行全等身上的脚镣手铐，当堂释放。然后询问阡行全说：州长为什么跟他过不去？果然，阡行全有一片肥沃耕田，州长打算购买，阡行全不肯，州长遂怨恨报复。陈敬瑄把该州长调回成都（四川省成都市），打算判他的刑，州长忧虑过度而死。后来，阡行全终于知道他全家因唐溪的话得以逃出浩劫，暗中赠送唐溪“蚀箔金”一百两（“蚀箔金”，依常识判断，应是一种纯度极高的黄金薄片，所谓“金叶”），唐溪大怒说：“这都是太师（陈敬瑄的中央官衔是“摄理太师”）仁慈英明，才有这项决定，跟我什么相干？你把祸根送给我！”退还黄金，驱逐他出去。

47 唐政府河东战区（总部设太原府〔山西省太原市〕）司令官（节度使）郑从谠奏报说：攻克岚州（山西省岚县），生擒汤群（汤群降沙陀，参考本年〔八八二〕十月一日），斩首。

48 唐政府命忻（山西省忻州市）代（山西省代县）等州候补州长（留后）李克用，当新成立的雁门战区（总部设代州）司令官（同时把大同战区〔总部设云州，山西省大同市〕降为警备区）。

49 最初，唐政府派郑绍业当荆南战区（总部设江陵府〔湖北省江陵县〕）司令官（节度使）。当时，泰宁战区（总部设兖州〔山东省济宁市兖州区〕）指挥官（都将）段彦谟，正割据江陵（参考前年〔八八〇〕四月），郑绍业畏惧，拖延到半年之后，总算到差。京师（首都长安）沦陷，唐帝李俨逃往巴蜀（四川省），召回郑绍业，命段彦谟继任战区司令官（节度使）。后来，段彦谟被监军宦官朱敬玫诛杀（参考本年〔八八二〕六月），唐政府再命郑绍业当战区司令官（节度使），郑绍业畏惧朱敬玫，徘徊逗留，仍不敢前进，战区武装部队遂长期缺少统帅。于是，朱敬玫任命大营管理官（押牙）陈儒主持军政总部事务（知府事）。陈儒，是江陵（湖北省江陵县）人。

50 唐政府命奉天战区（总部设奉天〔陕西省乾县〕）司令官（节度使）齐克俭、河中战区（总部设河中府〔山西省永济市〕）司令官（节度使）王重荣，同时遥兼二级宰相（同平章事·使相）。

51 李克用率沙陀军四万人，抵达河中（山西省永济市），派堂弟李克修先率五百人渡黄河作试探性攻击。

最初，李克用的老弟李克让，被南山（秦岭）寺庙和尚诛杀（李克让被杀原因及经过，各书资料互相矛盾，司马光在《考异》中推测是李国昌父子叛离中央时〔参考八七八年二月〕，李克让正在京师〔首都长安〕，逃往南山〔秦岭〕，被寺庙和尚诛杀。但因没有积极证据，只好含糊其词），李克让的奴仆浑进通投降齐帝黄巢。自从高浔失败（参考去年〔八八一〕八月），唐政府所有勤王军，对齐军都十分畏惧，不敢前进。等到李克用抵达，齐军开始有点害怕，说："乌鸦军来了，我们应躲躲风头！"沙陀军都穿黑色服装，所以被称为"乌鸦军"。黄巢逮捕南山寺庙和尚十余人，派出使节，携带诏书及厚重的奇珍异宝，作为贿赂，请浑进通带领晋见李克用，谋求和解。李克用诛杀南山寺庙和尚，哭悼李克让，把奇珍异宝接受下来，分赠给各个将领，烧掉黄巢的诏书，送他的使节回去，率军西渡黄河至夏阳（陕西省合阳县东南），进驻同州（陕西省大荔县）。

52 昭义战区（总部设潞州〔山西省长治市〕）天井关（山西省晋城市南）

防守司令（镇将）孟方立，诛杀叛将成麟后（参考去年〔八八一〕九月），率军返回邢州（河北省邢台市）；潞州（山西省长治市）军民请求中央任命监军宦官吴全勖代理候补司令官（知留后）。本年（八八二），最高指战官（都都统）王铎，以皇帝名义下诏命孟方立代理邢州（河北省邢台市）州长（知邢州事），孟方立拒绝接受，并囚禁吴全勖（孟方立声称宦官不可以担任地方官），写信给王铎，表示希望派一位文官镇守潞州（山西省长治市）。王铎命义成战区（总部设滑州〔河南省滑县〕）作战参谋长（行军司马）郑昌图，当昭义战区（总部潞州）代理司令官（知昭义军事）。

不久，唐政府命国务院右最高执行长（右仆射）、物资调节总监（租庸使）王徽，遥兼二级宰相（同平章事·使相），充任昭义战区（总部潞州）司令官（节度使）；王徽因为皇帝逃亡，中原沸腾，孟方立割据昭义战区太行山以东的邢（河北省邢台市）、洺（河北省邯郸市永年区东南广府镇）、磁（河北省磁县）三州，深知中央没有力量改变现状，所以坚决辞让，不肯动身，而且建议暂时交给郑昌图。唐帝李儇下诏命王徽当大明宫留守长官、京畿安抚慰劳特使、军政总监，以及整修皇家陵墓特使（大明宫留守京畿安抚制置修奉园陵使）。

郑昌图抵达潞州（昭义战区总部所在，山西省长治市），不到三个月，即辞职离去。孟方立遂把战区总部迁到邢州（河北省邢台市），自称候补司令官（留后），上疏唐帝李儇，推荐他的将领李殷锐当潞州（山西省长治市）州长。

53 唐政府和州（安徽省和县）州长秦彦，派他的儿子率军数千人，袭击宣州（安徽省宣城市），驱逐宣歙道（首府宣州）行政长官（观察使）窦潏（音yù〔玉〕），由自己接代（秦彦是黄巢部将，投降高骈，参考八七九年正月）。

八八三年 癸卯

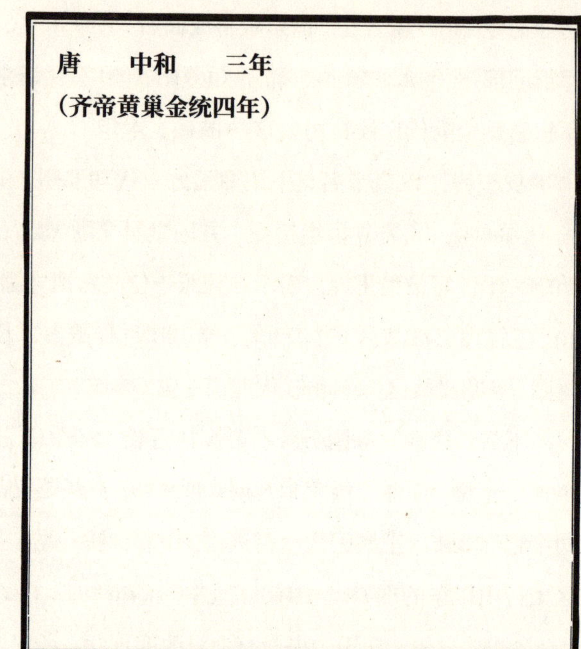

1 春季，正月一日，唐王朝政府雁门战区（总部设代州〔山西省代县〕）司令官（节度使）李克用的部将李存贞，在沙苑（陕西省大荔县东南）击败齐政府的亲王黄揆。黄揆，是齐帝黄巢的老弟。

正月二日，李克用进驻沙苑。最高指战官（都都统）王铎以皇帝名义任命李克用当东北方面军总指战官（东北面行营都统），命杨复光当东方军团总监军宦官（东面都统监军使），陈景思当北方军团总监军宦官（北面都统监军使）。

正月八日，唐帝（二十一任僖宗）李儇（本年二十二岁）下令免除王铎所任最高立法长（中书令·使相）、全国各战区特遣兵团最高指战官（都都统）职务，贬作义成战区（总部设滑州〔河南省滑县〕）司令官（节度使），命他直接前往到差。宦官田令孜打算把大权从政府收回，仍握宦官之手，所以抨击王铎：讨伐黄巢很久没有功劳，最后不得不采用杨复光的策略，征召沙陀部落军，才把齐军击破，所以罢黜王铎的军权，以讨杨复光的喜悦。又贬副最高指战官（副都统）崔安潜当东都洛阳（河南省洛阳市）留守长官，命最高监军宦官（都都监）西门思恭当右神策军总指挥宦官（右神策中尉），充任全国物资调节总监兼督促各战区道进军特使（充诸道租庸兼催促诸道进军等使）等职。田令孜认为自己首先建议唐帝李儇逃亡巴蜀（四川省）、携带传国玉玺、历代皇帝画像，并变卖家产劳军，对帝国有很大的功劳，命宰相跟各地方政府，共同请求李儇赏赐，李儇遂命田令孜当皇家观察神策十军及卫军十二军阵容特派监军宦官（十军兼十二卫观军容使）。

2 唐政府成德战区（总部设镇州〔河北省正定县〕）司令官（节度使）、常山王（忠穆王）王景崇逝世（年三十七岁），军队拥护他的儿子、副司令官（节度副使）王镕代理候补司令官（知留后事）。本年（八八三），王镕十岁。

3 唐政府擢升天平战区（总部设郓州〔山东省东平县〕）候补司令官（留后）朱瑄，实任战区司令官（节度使）。

4 二月十五日，李克用前进到乾阬（陕西省大荔县西），跟河中（总部河中府）、义定（总部定州）、忠武（总部许州）各战区特遣兵团会师。

齐政府太尉（三公之一）尚让等率大军十五万人，驻扎梁田陂（陕西省渭南市华州区西南）。第二天（二月十六日），会战，从中午到傍晚，齐军大败，被俘及被杀数万人，尸首横卧三十华里。齐政府将领王璠、亲王黄揆袭击华州（陕西省渭南市华州区），攻克，州长王遇逃走（王遇降唐政府，参考去年〔八八二〕十一月）。

5 最初，光州（河南省潢川县）州长李罕之（黄巢旧将，降高骈，参考八七九年正月），受奉国（蔡州，河南省汝南县）警备区司令（防御使）秦宗权的攻击，不能抵御，于是放弃州城，投奔项城（河南省沈丘县），率领残余部众，归附河阳战区（总部设孟州〔河南省孟州市〕）司令官（节度使）诸葛爽，诸葛爽命他当怀州（河南省沁阳市）州长。

魏博战区（总部设魏州〔河北省大名县〕）司令官（节度使）韩简攻击郓州（天平战区总部所在，山东省东平县）半年之久，不能攻克，诸葛爽乘势收复河阳（去年〔八八二〕八月，韩简破诸葛爽，夺取河阳）。天平战区（总部设郓州〔山东省东平县〕）司令官（节度使）朱瑄，向韩简要求和解，韩简遂放弃郓州（山东省东平县），率军再攻击河阳（孟州州政府所在县）。诸葛爽派李罕之在武陟（河南省武陟县。陟，音zhì〔至〕）迎头痛击，魏博兵团大败而还。大将澶州（河南省内黄县东南）州长乐行达，先一步进入魏州（河北省大名县），发动兵变，占领州城，将领们一致推举他当候补司令官（留后），而韩简则被部属诛杀（韩君雄于八七〇年八月割据魏博战区，传子韩简，共两代，前后十四年而灭）。

二月二十二日，唐政府命乐行达当魏博战区（总部魏州）候补司令官（留后）。

6 二月二十七日，李克用包围华州（陕西省渭南市华州区），齐政府将领黄思邺、亲王黄揆，登城坚守，李克用派遣一部分骑兵，驻扎渭水北岸。

7 唐政府命王镕当成德战区（总部设镇州〔河北省正定县〕）候补司令官（留后）。

8 调任荆南战区（总部设江陵府〔湖北省江陵县〕）司令官（节度使）郑绍业，当太子宾客（正三品）、东都洛阳（河南省洛阳市）办公。命大营管理官（押牙）陈儒当荆南战区候补司令官（郑绍业畏惧朱敬玫，不敢到任。参考去年〔八八二〕十二月）。

9 唐政府峡路（长江三峡）征剿指挥司令（招讨指挥使）庄梦蝶，被峡路变民首领韩秀昇、屈行从（参考去年〔八八二〕十月十四日）击败，退入忠州（重庆市忠县）自保；援军司令（应援使）胡弘略出击，也不顺利；于是，江淮（华东地区）呈缴中央的贡品及赋税，被变民阻拦，船队无法通过，中央文武百官连薪俸都发不出。而云安（重庆市云阳县）、涪井（四川省珙县）遍地民变，陆路也行不通，民间开始缺少食盐。

西川战区（总部设成都府〔四川省成都市〕）司令官（节度使）陈敬瑄奏请任命眉州（四川省眉山市）警备区司令（防御使）高仁厚，当作战参谋长（行军司马），率军三千人，东下讨伐。

10 唐政府命凤翔战区（总部设凤翔府〔陕西省宝鸡市凤翔区〕）司令官（节度使）李昌言，遥兼二级宰相（同平章事·使相）。

11 齐帝黄巢军事上屡次受到挫败，而首都长安（陕西省西安市）的粮食又已吃完，于是秘密计划撤出，先行派军三万人控制蓝田（陕西省蓝田县）要道。

三月六日，黄巢派尚让率军援救华州（陕西省渭南市华州区）。唐军李克用（雁门〔总部代州〕司令官）、王重荣（河中〔总部河中府〕司令官）率军进抵零口（陕西省西安市临潼区东北）迎战，大破齐军。李克用遂进逼渭桥（陕西省西安市高陵区南），而骑兵驻扎渭水以北，李克用每天夜晚都派他的将领薛志勤、康君立，暗中进入长安（陕西省西安市），焚烧堆积在一起的草料或粮食，杀人掳掠，然后安全撤退，齐政府官员大为惊骇。

12 唐政府命淮南战区（总部设扬州〔江苏省扬州市〕）大营管理官（押牙）合肥（安徽省合肥市）人杨行愍当庐州（安徽省合肥市）州长。

杨行愍本是庐州（安徽省合肥市）营门官（牙将），勇敢善战，立下很多功劳，可是指挥官（都将）对他十分嫉妒，报告州长郎幼复，把杨行愍派到外地驻防。命令发表后，杨行愍晋见指挥官（都将）辞行，指挥官（都将）说了很多甜言蜜语，以取悦杨行愍，最后问他有什么需要，自己一定会尽力相助，杨行愍说："我需要你的人头！"跳起来把指挥官（都将）斩首，立刻控制军队，自称八营总作战司令（八营都知兵马使）。郎幼复不能约束，于是推荐给战区司令官（节度使）高骈，建议取代自己州长的位置。高骈遂命杨行愍当战区大营管理官（押牙），代理庐州（安徽省合肥市）州长，中央政府也发布同样人事命令。

杨行愍听说本州（庐州）知识分子王勖贤德，召唤他见面，打算用作自己的助手，王勖坚决推辞。杨行愍问他家子弟情形，王勖说："我的儿子王潜，喜爱研究学问，性情谨慎周密，可以完成交给他的任务。侄儿王稔（音rěn〔忍〕），有志气节操，可以担任将领。”杨行愍延聘王潜充当幕僚，任命王稔跟定远（安徽省定远县东南）人季章，当骑兵部队将领。

最初，吕用之由于左骁雄军基地司令（左骁雄军使）俞公楚的推荐，才见到战区司令官（节度使）高骈（吕用之事，参考去年〔八八二〕四月）。吕用之越来越横暴，有人就抱怨俞公楚，俞公楚警告吕用之应稍稍收敛，不要连累自己，吕用之怀恨在心。右骁雄军基地司令（右骁雄军使）姚归礼，豪迈爽直，敢于说出心里的话，尤其痛恨吕用之所作所为，时常当面斥责他的恶行，屡次要亲手诛杀吕用之。

三月十七日，夜晚，吕用之跟他的党羽在妓女院聚会，姚归礼暗中派人前去纵火，诛杀相貌跟吕用之类似的好几个人，吕用之换上别的衣服，得以逃出一命。第二天一早（三月十八日），全力追查，逮捕纵火的人，发现都是骁雄军的士卒。吕用之于是日夜不停的在高骈面前，陷害两位将领。不久，高骈派二人率骁雄军三千人，袭击慎县（安徽省肥东县）变民，吕用之秘密通知杨行愍说：“俞公楚、姚归礼准备袭击庐州（安徽省合肥市）。”杨行愍立即反应，发动奇袭，两位将领没有戒备，全军都被歼灭，然后向高骈报告两位将领阴谋作乱。高骈不知道是吕用之的诡计，对杨行愍厚加赏赐。

13 三月二十三日，唐政府擢升河中（山西省永济市）特遣兵团副征剿司令（河中行营招讨副使）朱全忠（朱温），当宣武战区（总部设汴州〔河南省开封市〕）司令官（节度使），等收复长安（陕西省西安市），再往到差。

14 三月二十七日，李克用等收复华州（陕西省渭南市华州区），齐军亲王黄揆放弃城池，逃走。

15 浙东道（首府设越州〔浙江省绍兴市〕）行政长官（观察使）刘汉宏，派军分别进驻黄岭、岩下、贞女三镇（三镇都在浙江省杭州市萧山区西南，黄岭最北）。杭州（浙江省杭州市）总作战司令（都知兵马使）钱镠（音㳅〔流〕）率八特别营（八都兵）从富春（浙江省杭州市富阳区）出击（八特别营，参考八七八年十二月），攻克黄岭，生擒岩下守将史弁、贞女守将杨元宗。

刘汉宏率精锐部队驻扎诸暨（浙江省诸暨市），钱镠又把他击破，刘汉宏退走。

16 唐政府峡路（长江三峡）征剿指挥司令（招讨指挥使）庄梦蝶，攻击变民首领韩秀昇、屈行从（参考去年〔八八二〕十月），又被击败，残兵败将纷纷逃回家乡，所到的地方，虽然官员多方面规劝解释，都无法阻止。最后，在路上遇到作战参谋长（行军司马）高仁厚，高仁厚喝令他们停止，他们才停止。高仁厚斩总纠察官（都虞候）一人，命他们重整队伍。召集当地年高德劭的老人，询问山川形势，以及山涧水流和变民军安营扎寨情况，大喜说：“盗贼的精锐部队都驻在船上，而山寨根据地，囤积全部辎重粮食，却由老弱把守。这正是‘重战轻防’，一定失败！”于是在长江岸上展示军威，摆出就要强行渡江的模样。变民军日夜戒备，派军挑战。高仁厚不作反应，暗中遴选敢死队一千人，手拿武器，身背枯草，于夜晚由小路攻击变民山寨，纵火焚烧。变民在岸上看到，急派一部分军队返回基地救火，已来不及，辎重粮食，全部化成灰烬，变民军心动摇。高仁厚再招募精于潜水游泳的人，凿破变民军的船底，船只相继沉没，变民军在山寨江岸之间，奔跑来往，恐惧惊慌，不能挽回颓势。高仁厚派军到要道拦截招降，变民军全部投降。韩秀昇、屈行从发现部众崩溃，急挥佩剑乱砍，打算阻止，变民越来越愤怒，一拥而上，把二人生擒，呈献给高仁厚，高仁厚诘问道："为什么叛变，反抗中央？"韩秀昇回答说："自从大中皇帝（十九任帝宣宗李忱，年号大中）逝世（八五九年），全国再没有公理，人间也再没有公道，政府解体，法纪败坏。今天谋反的人，难道只有我一个？成功的，他就是'正义'，失败的，他就是'罪犯'。现在既已成了砧板上的肉，被煮被烹，或被割成肉酱，任凭你们胜利的这一边！"高仁厚恻然忧惧，脸色沉重，命加上脚镣手铐刑具，但在饮食上特别给予优待。

夏季，四月四日，把韩秀昇、屈行从押送皇帝所在地（成都府，四川省成都市），斩首。

17 李克用会同忠武（总部许州）将领庞从、河中（总部河中府）将领白志迁等，率军先行挺进。跟齐军在渭河南岸接触，一天之内，三次会战，都传出捷报。义成（总部滑州）、义武（总部定州）等特遣兵团继续推进，齐军瓦解，逃走。

四月五日，李克用等从光泰门进入京师（首都长安），齐帝黄巢竭力奋战，不能取胜，于是纵火焚烧皇宫，逃走（黄巢于八八〇年十二月五日进入长安，八八三年四月五日退出，共占领两年四个月），齐政府官员及军队，战死及投降的很多。唐军奸淫烧杀，凶暴劫掠，跟齐军没有分别，长安城（陕西省西安市）房舍及住民，残存下来的，寥寥无几。黄巢自蓝田（陕西省蓝田县）进入商山（陕西省商洛市东），把大量的奇珍异宝抛弃到道路上，唐军争着捡取，不能急追，齐军遂安全逃走。

东方军团总监军宦官（东面都统监军使）杨复光，派使节向唐帝李

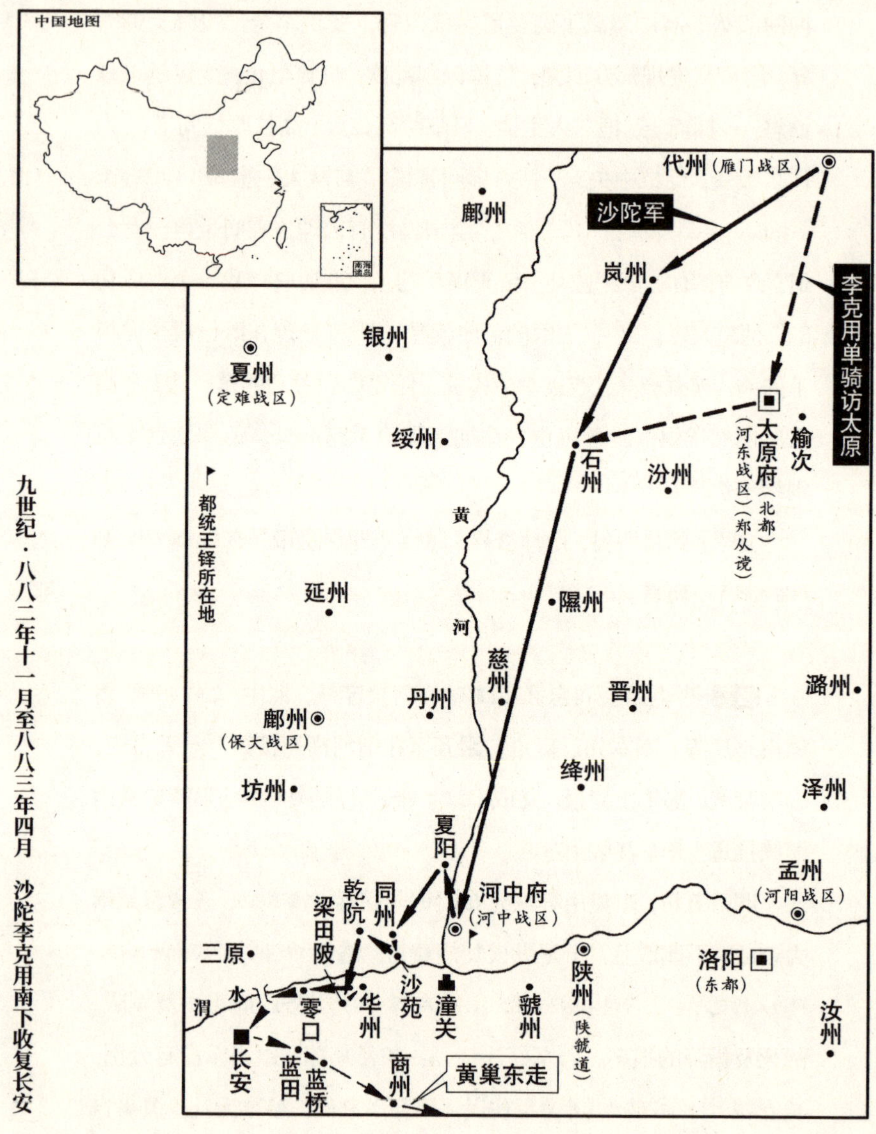

九世纪·八八二年十一月至八八三年四月　沙陀李克用南下收复长安

俨奏报大捷，文武百官到行宫向李俨祝贺。李俨下诏命留下忠武战区（总部许州）等特遣兵团二万人，交由大明宫留守长官王徽，跟京畿军政总监（制置使）田从异调动，保护长安（陕西省西安市）。

五月，李俨命朱玫（邠宁〔总部邠州〕司令官）、李克用（雁门〔总部代州〕司令官）、东方逵（保大〔总部鄜州〕司令官），三人同时遥兼二级宰相（同平章事·使相）。把陕虢道（首府设陕州〔河南省三门峡市〕）升格为陕虢战区，命王重盈当战区司令官（节度使）。又成立保塞战区，总部设延州（陕西省延安市），命保大（总部鄜州）作战参谋长（行军司马）、延州州长李孝恭当战区司令官（节度使）。李克用本年二十八岁，在所有高级将领中，年纪最小，但在击破齐帝黄巢，收复京师（首都长安）战役中，却功高第一，武装部队的战斗力也最强，其他将领都对他畏惧。李克用的一只眼睛稍微有点小，人们给他一个绰号："独眼龙"。

李俨认为崔璆（音qiú〔求〕）家世高贵，身居显位，却出任黄巢的宰相（崔璆降黄巢，参考八八〇年十二月），头尾加在一起，有三年之久，既不逃走，也不躲藏。下令就在捕获的地方，立即处决。

18 齐帝黄巢派右最高统帅（右知军事）孟楷，率一万人当前锋，攻击蔡州（河南省汝南县），唐政府奉国战区（总部蔡州）司令官（节度使）秦宗权迎战，失败（蔡州刚升为奉国警备区〔参考前年〔八八一〕八月〕不知何时再升为战区）。齐军攻击州城，秦宗权遂开门投降，向黄巢称"臣"，联军作战。

最初，黄巢在长安（陕西省西安市）时，陈州（河南省周口市淮阳区）州长、宛丘（陈州州政府所在县）人赵犨（音chōu〔抽〕），对他的将领及助理人员说："黄巢如果不死在长安，一定向东逃走，陈州（河南省周口市淮阳区）首当其冲。而且黄巢跟忠武战区（总部许州）有深仇大恨（黄巢初起事，跟宋威、张自勉作战，二人均忠武将领，参考八七七年七月），不可以不严加戒备。”于是整修城墙，挖掘壕沟，磨利铠甲武器，积蓄草料粮食；厉行坚壁清野，六十华里以内，稍有余粮的民家，全部强行迁到城里。大量招募健壮勇敢的青年，命他的老弟赵昶珝（音xǔ〔许〕）、儿子赵麓林，分别率领。齐军右最高统帅（右知军事）孟楷既攻陷蔡州（河南省汝南县），立即进驻项城（河南省沈丘县）准备进攻陈州（河南省周口市淮阳区），赵犨隐藏实力，先显示自己衰弱，等到齐军不再戒备，就马上发动奇袭，几乎把齐军全部杀戮和俘虏；生擒孟楷，斩首。黄巢得到孟楷死亡消息，惊骇震怒，率领所有部众进驻溵水（沙河，流经河南省项城市西北）。

六月，黄巢跟秦宗权联军包围陈州（河南省周口市淮阳区），挖掘五道深沟，从四面八方，猛烈攻城。陈州（河南省周口市淮阳区）居民大为恐惧，赵犨向大家宣布说：“忠武（总部许州）以忠义闻名于世，陈州（河南省周口市淮阳区）人民号称骁勇善战。何况，我们赵家很久以来，就吃陈州（河南省周口市淮阳区）的薪俸，自当誓死跟州城共存共亡。大丈夫应该在死中求生，即令求生不得，为国而死，岂不比活着当盗匪的臣属好！不同意的人，一律斩首。”率领精锐部队，不断开门出击，每次都把齐军击破。黄巢更加愤怒，在州城以北建立营寨，修筑宫殿，设立各政府单位，作长期打算。当时，民间毫无积蓄，齐军就掳掠农民充当粮食，把人投入特制的大号石臼或磨眼里，连同骨头一并捣碎或磨碎吞食，人们把“军粮发放处”称为“舂磨寨”（舂，音chōng〔冲〕）。黄巢放纵他的士卒四出剽掠，自河南（洛阳，河南省洛阳市）、许（河南省许昌市）、汝（河南省汝州市）、唐（河南省泌阳县）、邓（河南省邓州市）、孟（河南省孟州市）、郑（河南省郑州市）、汴（河南省开封市）、曹（山东省菏泽市定陶区）、濮（山东省鄄城县）、徐（江苏省徐州市）、兖（山东省济宁市兖州区）等数十个州，都受到荼毒。

19 最初，上蔡（河南省上蔡县）人刘谦，在岭南东道战区（总部设广州〔广东省广州市〕）当一名初级军官（小校），司令官（节度使）韦宙惊佩他的才华器识（韦宙在职时间为本世纪〔九〕六〇年代，参考八六二年六月），把侄女嫁给他为妻，刘谦攻击各地盗贼，屡次都建立功劳。

六月七日，唐政府命刘谦当封州（广东省封开县）州长。

20 唐政府命东川战区（总部设梓州〔四川省三台县〕）司令官（节度使）杨师立，遥兼二级宰相（同平章事·使相）。

21 宣武战区（总部设汴州〔河南省开封市〕）司令官（节度使）朱全忠（朱温）率部属数百人到差。

秋季，七月三日，朱全忠（朱温）抵达汴州（河南省开封市）。当时，汴（河南省开封市）、宋（河南省商丘市）二州正大饥荒，政府与民间全都困苦，对内官兵骄傲蛮横，难以控制；对外则大敌不断攻击，每天都有战斗，危机重重，军民忧惧。然而，朱全忠（朱温）却勇气百倍，更为振奋。

李儇下诏说：黄巢还没有铲除，加授朱全忠（朱温）东北方面军总征剿司令（东北面都招讨使）。

22 鹤拓帝国（前身南诏王国。首都苴咩城〔云南省大理市〕）派元帅（布燮）杨奇肱前来唐王朝迎接公主。唐帝李儇得到消息，命西川战区（总部设成都府〔四川省成都市〕）司令官（节度使）陈敬瑄回信推辞说："皇帝大驾正在边疆巡视考察，应用物品不能齐备，等回到京师（首都长

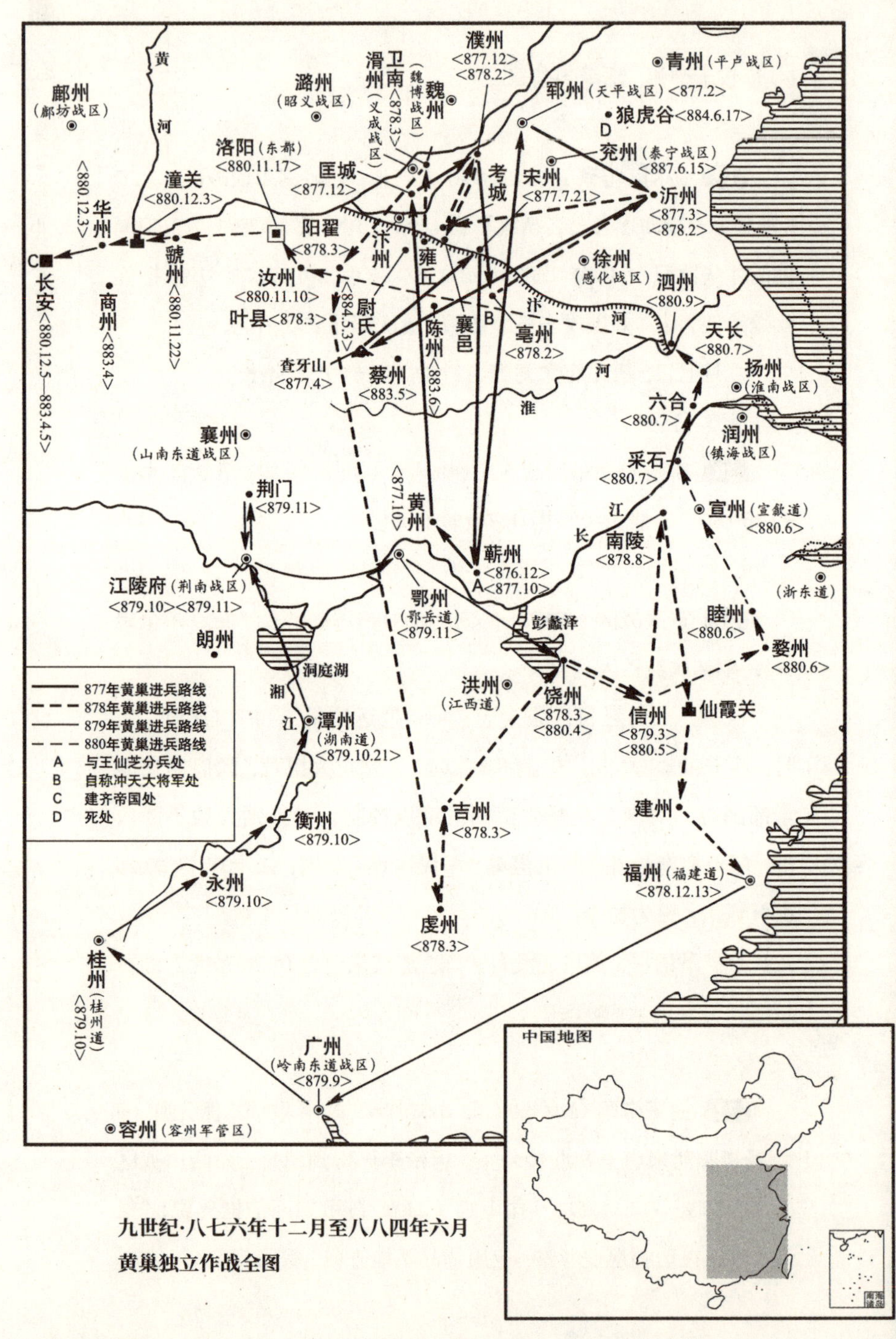

九世纪·八七六年十二月至八八四年六月

黄巢独立作战全图

安），然后护送公主出嫁。”

杨奇肱拒绝接受，遂一路直抵成都（四川省成都市）。

23 李克用（雁门〔总部代州〕司令官）从首都长安（陕西省西安市）率军返回雁门（代州州政府所在县，山西省代县）。不久，李俨下诏，命李克用当河东战区（总部设太原府〔山西省太原市〕）司令官（节度使），召唤现任战区司令官（节度使）郑从谠前来皇帝所在地（李俨此时在成都府）。李克用绕道太原（山西省太原市）以东，从小路通过榆次（山西省晋中市榆次区），前往雁门看望老爹李国昌（朱邪赤心）。李克用在河东战区普遍张贴公告，安慰军民说：“以前的事都成过去，不要再想它，各人应安心经营自己的事业。”

24 左骁卫（卫军第五军）上将军、宦官杨复光，在河中（山西省永济市）逝世（年四十二岁）。

杨复光直爽慷慨，满腔忠义，很会带兵，逝世后，军营中一连几天，恸哭不止。忠武八特别营司令（参考前年〔八八一〕五月）鹿晏弘等也各奔前程，各率自己的部队离去。田令孜对杨复光一向猜忌畏惧，得到他逝世消息，大喜过望，立刻就把杨复光的老哥、宫廷机要室主任宦官（枢密使）杨复恭贬作皇家飞龙马厩管理官（飞龙使）。田令孜专权霸道，没有一个人敢跟他抗衡，只杨复恭一再争论得失是非，所以田令孜对他十分厌恶，杨复恭遂声称有病，退休返回蓝田（陕西省蓝田县）家宅。

25 李俨擢升成德（总部镇州）候补司令官（留后）王镕、魏博（总部魏州）候补司令官（留后）乐行达、天平（总部郓州）候补司令官（留后）

朱瑄，实任本战区司令官（节度使）。

26 司徒（三公之二）、副监督长（门下侍郎）、二级实质宰相（同平章事）郑畋（音tián〔田〕），虽然政府播迁流离，但一切行政，仍坚持遵照法令规章。宦官田令孜企图使自己部属执行官（判官）吴圆转任政府机关司长、科长级官职，郑畋不同意。陈敬瑄遥兼宰相（使相），却打算位于实质宰相（同平章事）之上，郑畋依照传统惯例，认为“使相”的官品再高，一向位于实质宰相之下（唐王朝末年，凡战区司令官〔节度使〕，加授同平章事、摄理三院首长〔检校三省长官〕、三公、三师，都称“使相”），坚持不肯让步。田令孜与陈敬瑄乃唆使凤翔战区（总部设凤翔府〔陕西省宝鸡市凤翔区〕）司令官（节度使）李昌言上疏威胁说：“军心猜忌不安，郑畋护驾回京（首都长安）时，不可经过凤翔！”（李昌言驱逐郑畋事，参考前年〔八八一〕十月。田令孜为眼前利益，开创藩镇干涉中央事务先例。）郑畋也不断上疏辞职，于是改任太子太保（太子三师之三）。又任命郑畋的儿子、国务院国防部副部长（兵部侍郎）郑凝绩，当彭州（四川省彭州市）州长，命郑畋前往彭州（四川省彭州市）投靠儿子养老。

任命国务院国防部长（兵部尚书）、全国财政总监（判度支）裴澈，当副立法长（中书侍郎）、二级实质宰相（同平章事）。

27 八月十一日，李克用抵达晋阳（太原府所在县）。

李俨下诏任命前振武战区（总部设安北府〔内蒙古和林格尔县〕）司令官（节度使）李国昌（朱邪赤心），当代北战区（雁门战区改）司令官（节度使），镇守代州（山西省代县）。

28 唐政府把湖南道（首府设潭州〔湖南省长沙市〕）升格为钦化战

区，命道行政长官（观察使）闵勖，当战区司令官（节度使）。

29 九月，加授陈敬瑄（西川〔总部成都府〕司令官）中央官衔：兼最高立法长（兼中书令·使相），晋封颍川郡王。

30 感化战区（总部设徐州〔江苏省徐州市〕）司令官（节度使）时溥，驻扎溵水（沙河）。唐政府加授时溥：东方步骑军团总指战官（东面兵马都统）。

31 擢升荆南战区（总部设江陵府〔湖北省江陵县〕）候补司令官（留后）陈儒，实任战区司令官（节度使）。

32 昭义战区（总部设邢州〔河北省邢台市〕）司令官（节度使）孟方立，认为潞州（山西省长治市）地势险要，人民凶悍，屡次篡夺统帅的宝座，打算渐渐削弱潞州（山西省长治市）的影响力，于是把总部迁到邢州（参考去年〔八八二〕十二月），命大将的家属及富有人家，也跟着迁到山东（太行山以东），潞州人大不高兴。监军宦官祁审诲因人心动荡，遂派武乡（山西省武乡县）防守司令（镇使）安居受用蜡丸藏信，秘密向李克用（河东〔总部太原府〕司令官）求援，请把总部再迁回潞州（山西省长治市）。

冬季，十月，李克用派将领贺公雅等出动，被孟方立击败。于是，再派李克修进攻。

十月十八日，李克修攻克潞州（山西省长治市），诛杀州长李殷锐。

自此以后，李克用每年都要派军争夺山东（太行山以东）三州（昭义战区山东〔太行山以东〕三州：邢州〔河北省邢台市〕、洺州〔河北省邯郸市永年区东南广府镇〕、磁州〔河北省磁县〕），三州人民，一半都成俘虏，原野千里，再看不到庄稼。

33 李俨封一位皇族女儿当安化长公主，下嫁鹤拓帝国（首都苴咩城〔云南省大理市〕）皇帝隆舜（法）。

34 浙东道（首府设越州〔浙江省绍兴市〕）行政长官（观察使）刘汉宏，率十余万人西出西陵（浙江省杭州市滨江区西北西兴街道），打算攻击杭州（浙江省杭州市）州长董昌。

十月二十五日，杭州总作战司令（都知兵马使）钱镠（音liú〔流〕）渡浙江（钱塘江）而南，迎头痛击，大破浙东军，刘汉宏改穿厨师衣服，手拿着鲙鱼刀逃跑（鲙，音kuài〔快〕）。

十月二十六日，刘汉宏集合残兵败将四万人反攻，钱镠又把他击破，斩刘汉宏的老弟刘汉容跟他的大将、步骑兵总纠察官（马步都虞候）辛约。

35 十一月一日，奉国战区（总部设蔡州〔河南省汝南县〕）司令官（节度使）秦宗权，包围许州（忠武战区所在，河南省许昌市）。

36 忠武八司令之一的鹿晏弘，率领他的部众，自河中（山西省永济市）南下，剽掠襄（湖北省襄阳市）、邓（河南省邓州市）、金（陕西省安康市）、洋（陕西省洋县）各州，所经过的地方，奸淫烧杀，人烟灭绝，声称前往西方皇帝所在地（唐帝李俨此时在成都府）。

十二月，鹿晏弘抵达兴元（陕西省汉中市），驱逐山南西道战区（总部兴元府）司令官（节度使）牛勖。牛勖逃往龙州（四川省平武县东南）西部山区。鹿晏弘占领兴元（陕西省汉中市），自称候补司令官（留后）。

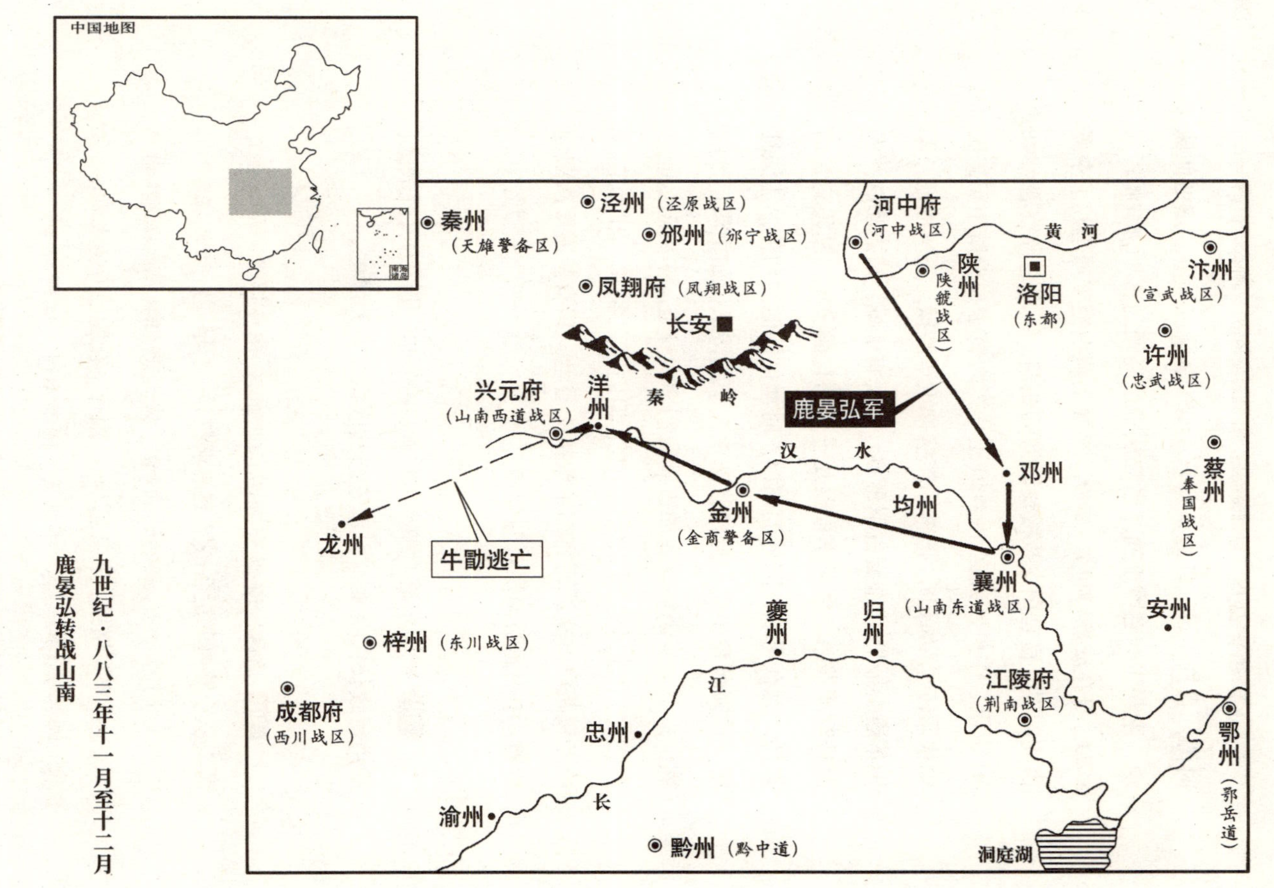

九世纪·八八三年十一月至十二月
鹿晏弘转战山南

37 感化战区（总部设徐州〔江苏省徐州市〕）司令官（节度使）时溥，食物中毒，怀疑执行官（判官）李凝古下手，遂把他诛杀。李凝古的老爹李损，当立法院最高顾问官（右散骑常侍，正三品），身在成都（四川省成都市），时溥上疏指控李损是儿子李凝古的同谋。宦官田令孜接受时溥的贿赂，下令总监察署（御史台）审讯。中央监察官（侍御史）王华竭力替李损论辩申冤，田令孜假传皇帝诏书，把李损转移神策军监狱，王华拒绝。宰相萧遘奏报说："李凝古下毒事，并没有证据，事态暧昧，人已被时溥诛杀。老爹李损跟儿子分别有很多年，从没有音信来往，怎么可以诬陷他们同谋？时溥仗恃他的功劳，违法乱纪，欺陵藐视中央，竟打算诛杀天子的侍从，如果满足他的欲望，下一步恐怕就要加害到我们宰相身上，中央怎么能够存在？"因此李损得以免除一死，但仍逐回乡里。当时，田令孜专权跋扈，文武百官都不敢抬头看他，只有萧遘屡次跟他争辩，中央官员全都对他仰赖。

38 把浙东道（首府设越州〔浙江省绍兴市〕）升格为义胜战区，命道行政长官（观察使）刘汉宏当战区司令官（节度使）。

39 唐政府陈州（河南省周口市淮阳区）州长赵犨（音chōu〔抽〕），派人从小路到邻近各战区道请求救兵，于是周岌（忠武〔总部许州〕司令官）、时溥（感化〔总部徐州〕司令官）、朱全忠（朱温，宣武〔总部汴州〕司令官），都率军增援。朱全忠（朱温）跟齐军在鹿邑（河南省鹿邑县）会战，把齐军击败，杀二千余人，遂率军进入亳州（安徽省亳州市），占为己有（亳州本属宣武战区〔总部汴州〕，之前或被齐军所夺，如今收复）。

八八四年 甲辰

唐　中和　四年

（齐帝黄巢金统五年）

1 春季，正月，唐政府命鹿晏弘当山南西道战区（总部设兴元府〔陕西省汉中市〕）候补司令官（留后）。

2 唐帝（二十一任僖宗）李儇（本年二十三岁），命魏博战区（总部设魏州〔河北省大名县〕）司令官（节度使）乐行达改名乐彦祯。

3 唐政府东川战区（总部设梓州〔四川省三台县〕）司令官（节度使）

杨师立，眼看西川战区（总部设成都府〔四川省成都市〕）司令官（节度使）陈敬瑄及宦官田令孜兄弟的权势和受皇帝的宠爱，日益上升，心里不能平衡。陈敬瑄派高仁厚讨伐峡路（长江三峡）变民首领韩秀昇时（参考去年〔八八三〕二月），告诉他说：“成功回来，当奏报天子，用东川（总部梓州）作为酬劳。”杨师立听到，大怒说：“彼此都是同样的藩镇，竟然一下子把我的位置，许诺给别人，真是无法无天！”田令孜恐怕杨师立发动兵变，遂趁他还没有准备完成，下令调杨师立回中央当国务院右最高执行长（右仆射）。

4 齐帝黄巢仍拥有强大兵力，周岌（忠武〔总部许州〕司令官）、时溥（感化〔总部徐州〕司令官）、朱全忠（朱温，宣武〔总部汴州〕司令官）不能支持，联合向河东战区（总部设太原府〔山西省太原市〕）司令官（节度使）李克用求援。

二月，李克用率蕃汉混合兵团五万人，南下出天井关（山西省晋城市南）。河阳战区（总部设孟州〔河南省孟州市〕）司令官（节度使）诸葛爽推辞说：黄河桥（河阳桥）还没有完工。并且在万善（河南省沁阳市北）驻扎大军，拒绝李克用借道。李克用只好回军从陕州（河南省三门峡市）、河中（山西省永济市），分别渡黄河南下。

5 杨师立（东川〔总部梓州〕司令官）接到诏书，大怒，拒绝移交，并且诛杀送递人事命令的中央使节及总监军宦官（监军使），下令动员，宣称讨伐陈敬瑄（西川〔总部成都府〕司令官）；大将中有人劝阻，杨师立立即把他处死，然后进军涪城（四川省三台县西北），派部将郝蠲（音juān〔捐〕）袭击绵州（四川省绵阳市），不能攻克。

二月十五日，唐帝李儇命陈敬瑄当西川（总部成都府）、东川（总部梓州)、山南西道(总部兴元府)总指挥征剿司令暨安抚特使兼绥靖司令等官(都指挥、招讨、安抚、处置等使)。

三月三日，杨师立通告皇帝所在地(李俨此时在成都府)文武百官、各战区道将士以及全国国民，列举陈敬瑄十大罪状；声称集结本战区所辖八个州的武装战士十五万人，长驱直入，惩罚罪犯(此时东川战区辖十二个州，不知为何只提八州)。李俨下诏削除杨师立官职爵位，命眉州(四川省眉山市)警备区司令(防御使)高仁厚，当东川战区(总部梓州)候补司令官(留后)，率军五千人讨伐；命西川战区(总部成都府)大营管理官(押牙)杨茂言，当作战副司令官(行军副使)。

6 宣武战区(总部设汴州〔河南省开封市〕)司令官(节度使)朱全忠(朱温)攻击齐帝黄巢的瓦子寨(齐军拆民房建筑营堡，称“瓦子寨”)，攻克。齐军将领、陕州(河南省三门峡市)人李唐宾，楚丘(山东省曹县)人王虔裕，投降朱全忠。

7 婺州(浙江省金华市)变民首领王镇，生擒州长黄碣，投降杭州总作战司令(都知兵马使)钱镠(音liú〔流〕)。义胜战区(总部设越州〔浙江省绍兴市〕)司令官(节度使)刘汉宏派他的将领娄赉(音lài〔赖〕)，诛杀王镇，取代他的官位(婺州属义胜战区)。浦阳(浙江省浦江县)防守司令(镇将)蒋瓌，会合钱镠，联军攻击婺州(浙江省金华市)，生擒娄赉而回。黄碣，是闽县(福建省福州市)人。

8 淮南战区(总部设扬州〔江苏省扬州市〕)司令官(节度使)高骈的侄儿、左骁卫(卫军第五军)大将军高澞(音yú〔于〕)，把吕用之的罪状，写满二十余张纸，秘密呈递高骈，流泪哭泣说：“吕用之对内假借神仙说辞，迷惑你的听闻，对外则盗取战区司令官的军政大权，残害人民。将领及辅佐官员怕死，没有一个人敢说实话。连年累月，他的羽毛就要丰满，假如不先铲除，恐怕高家历代功勋，势将一天之内，扫地出门！”悲伤出声，不能克制。高骈说：“你是不是醉了！”命左右扶他出去。第二天，高骈把高澞写的罪状，交给吕用之观看。吕用之说：“四十郎（高澞在堂兄弟中排行四十）曾经因紧急需要，向我告贷，不能使他完全满意，所以有这次报复。”遂拿出几张高澞亲笔写的借钱信件，呈给高骈，高骈深感惭愧，遂禁止高澞再进家门。月余之后，派高澞代理舒州（安徽省潜山市）州长。

同安（安徽省桐城市）变民首领陈儒（跟荆南〔总部江陵府〕司令官陈儒同名），攻击舒州（安徽省潜山市），高澞向庐州（安徽省合肥市）州长杨行愍求救，杨行愍兵力不够，跟部将李神福商量，李神福声称可以不用一寸武器，就把陈儒赶走。于是携带大量旗帜，从小路先行进入舒州（安徽省潜山市），停留一会，率舒州（安徽省潜山市）军队，却打着庐州（安徽省合肥市）的军旗出城，东指西指，好像勘察地形，布置阵地。陈儒恐惧，于夜晚逃走。李神福，是洺州（河北省邯郸市永年区东南广府镇）人。

过了很久，变民首领吴迥、李本，再攻舒州（安徽省潜山市），高澞无法坚守，放弃城池逃走，高骈派人就地把高澞诛杀。杨行愍命他的将领，合肥（庐州州政府所在县）人陶雅、清流（安徽省滁州市）人张训等，率军攻击吴迥、李本，把二人生擒，斩首；遂命陶雅摄理舒州（安徽省潜山市）州长。已投降齐帝黄巢的前奉国战区（总部设蔡州〔河南省汝南县〕）司令官（节度使）秦宗权，派他的老弟率军攻击庐州（安徽省合肥市），占据舒城（安徽省舒城县）；杨行愍派将领，合肥（安徽省合肥市）人田頵（音jūn〔君〕），把秦家班军队击退。

9 前杭州（浙江省杭州市）州长路审中（被董昌驱走事，参考八八一年九月），一直寄住黄州（湖北省武汉市新洲区），听到鄂州（鄂岳道首府，湖北省武汉市）州长崔绍逝世，就招募士卒三千人，进入鄂州（湖北省武汉市）。

鄂岳道（首府鄂州）营门官（牙将）杜洪，也驱逐岳州（湖南省岳阳市）州长，由自己接替。

10 齐帝黄巢围攻陈州（河南省周口市淮阳区）将近三百天，陈州州长赵犨（音chōu〔抽〕）兄弟，跟他大小数百次战斗，虽然兵源枯竭，粮食也快吃完，可是守城军民的意志，越发坚固。河东战区（总部设太原府〔山西省太原市〕）司令官（节度使）李克用跟忠武（总部许州）、宣武（总部汴州）、感化（总部徐州）、泰宁（总部兖州）各战区特遣兵团，在陈州（河北省周口市淮阳区）城外会师。当时，齐军大将尚让驻扎太康（河南省太康县）。

夏季，四月三日，唐军进攻，克复太康（河南省太康县）。齐军另一大将黄思邺驻扎西华（河南省西华县），唐军再作进攻，黄思邺逃走。黄巢得到消息，开始恐惧，率大军撤退到故阳里（河南省周口市淮阳区北）；陈州（河南省周口市淮阳区）的包围才告解除。

宣武战区（总部设汴州〔河南省开封市〕）司令官（节度使）朱全忠（朱温），听到齐帝黄巢行将抵达的消息，急率军返回大梁（汴州州政府所在城）。

五月三日，天降大雨，平地积水三尺，齐军营寨全被大水冲走，而且传言李克用的沙陀大军马上就到，黄巢遂率军向东北直扑汴州（河南省开封市），进入尉氏（河南省尉氏县），屠杀全城居民。大将尚让率骁勇骑兵部队五千人，进逼大梁（汴州州政府所在城），挺进到薄台（开封市西南薄塔），唐军宣武（总部汴州）将领、丰县（江苏省丰县）人朱

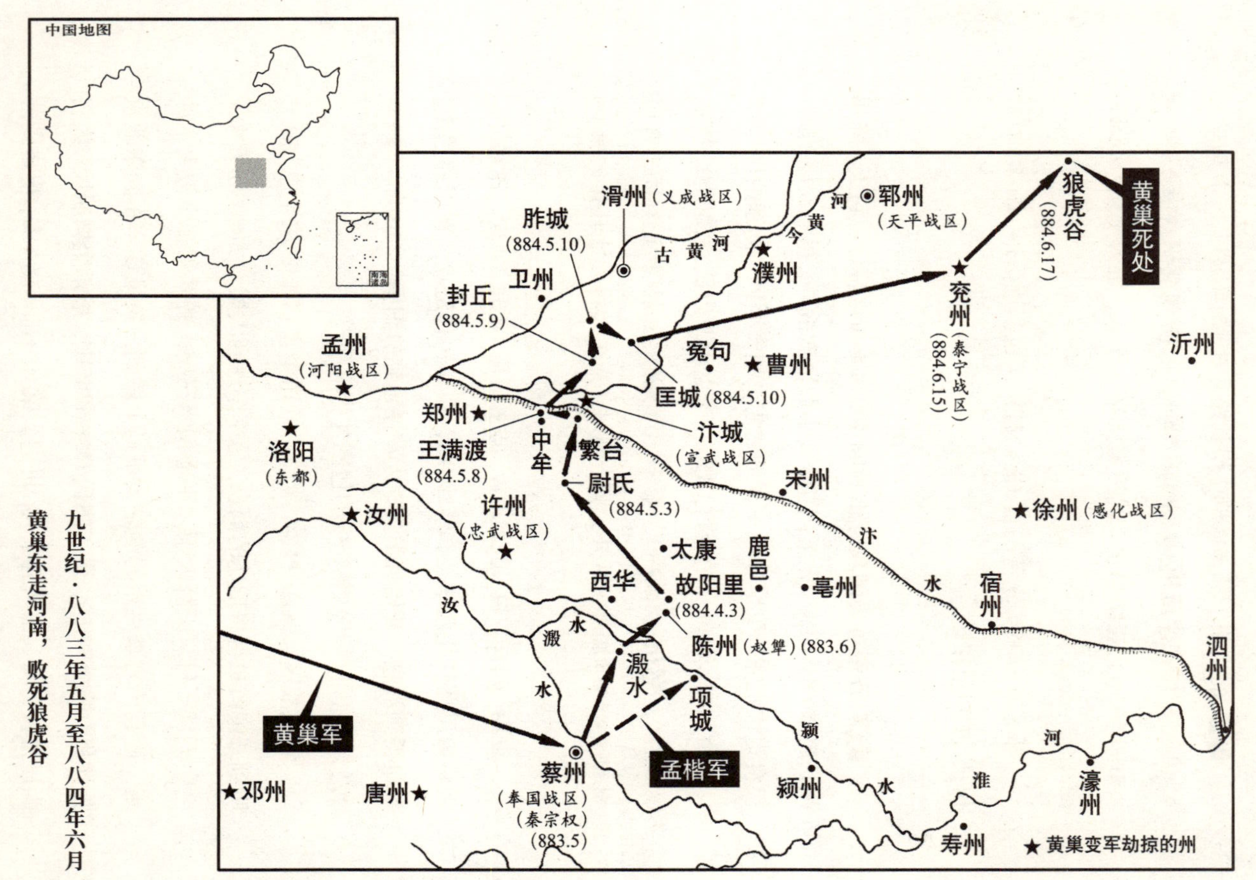

九世纪·八八三年五月至八八四年六月
黄巢东走河南，败死狼虎谷

珍，南华（山东省东明县）人庞师古，把尚让击退。朱全忠（朱温）再向李克用紧急乞援。

五月六日，李克用会同忠武战区（总部设许州〔河南省许昌市〕）总监军宦官（都监使）田从异，从许州（河南省许昌市）出发。

五月八日，李克用抵达中牟（河南省中牟县）北王满渡（中牟县北汴河渡口），追上黄巢，抓住齐军北渡黄河，渡到一半的机会，发动猛烈攻击，大破齐军，杀一万余人；齐军彻底崩溃，四散逃命。齐军大将尚让率部众投降时溥（感化〔总部徐州〕司令官），其他将领：临晋（山西省临猗县西南临晋镇）人李谠、曲周（河北省曲周县东北）人霍存、鄄城（山东省鄄城县）人葛从周、冤句（山东省东明县南马头镇）人张归霸及老弟张归厚，率领他们的部众，投降朱全忠。黄巢绕过汴州（河南省开封市），向北逃走。

五月九日，李克用紧追，在封丘（河南省封丘县）追到，发动攻击，再击破齐军。

五月十日，夜晚，天又降大雨，齐军官兵惊慌恐惧，继续向东逃走，李克用继续追杀，经过胙城（河南省延津县东北）、匡城（河南省长垣市西南）。黄巢收集残兵败将，只剩下近一千人，向东逃奔兖州（山东省济宁市兖州区）。

五月十一日，李克用追到冤句（山东省东明县南马头镇，黄巢故乡），骑兵中能跟得上的才几百人，日夜马不停蹄的奔走二百余华里，人困马乏，粮秣用尽，于是，暂回汴州（河南省开封市），打算携带干粮，上路再追。途中捕获黄巢最小的儿子以及所使用的皇家车轿、器具、衣服、印信。齐军掳掠的一万名男女，全部释放他们回乡。

11 五月十三日，东川战区（总部设梓州〔四川省三台县〕）候补司令官（留后）高仁厚，驻军德阳（四川省德阳市）。杨师立派他的部将郑君雄、张士安严守鹿头关（德阳市北黄许镇）抵抗。

12 五月十四日，李克用返抵汴州（河南省开封市），在城外扎营。宣武战区（总部汴州）司令官（节度使）朱全忠（朱温），十分诚恳的请他入城，在上源驿（开封市城内）宾馆下榻。朱全忠（朱温）设筵招待，乐队、菜肴、醇酒以及宴会用具，都十分精美丰富，态度也十分恭敬。然而李克用几杯下肚，借着酒意，发起酒疯，态度骄傲，言语粗野，对朱全忠（朱温）严重冒犯，朱全忠（朱温）不能忍受。日向黄昏，筵席结束，李克用的随从全酩酊大醉，宣武（总部汴州）将领杨彦洪跟朱全忠（朱温）秘密定计，把车辆以及树木塞住大街小巷，派军包围驿站宾馆，发动攻击，厮杀声震动天地。李克用大醉，人事不省，什么也听不见，亲兵薛志勤、史敬思等十余人奋力格斗。侍从郭景铢把蜡烛吹灭，把李克用塞到床底下，用水泼他的脸，慢慢告诉他发生什么事，李克用清醒，睁开眼睛，拿起弓箭，爬出床底，但仍头晕眼花。薛志勤封锁大门，射死企图进来的宣武（总部汴州）士卒数十人。刹那之间，浓烟烈火，从四面八方向宾馆燃烧，想不到，就在这千钧一发之际，天际雷鸣电闪，大雨倾盆，天地一片漆黑，伸手不见五指，薛志勤扶着李克用，率左右卫士几个人，翻过院墙，突围而出，利用每次闪电时间，辨识方向前进，宣武（总部汴州）士卒据守桥梁，薛志勤等拼死冲杀，总算通过，但担任后卫的史敬思却力竭战死。李克用登尉氏门（大梁城南门），左右用绳索把他缒下城墙，才算逃出一命。监军宦官陈景思等三百余人，全被宣武（总部汴州）士卒屠杀。杨彦洪曾告诉朱全忠（朱温）说：“蛮夷（沙陀军）

遇到紧急情况，一定跨马奔驰，只要看见有人骑马，就发箭射击。”当天夜晚，杨彦洪骑马恰巧经过朱全忠（朱温）面前，朱全忠（朱温）一箭把他射死。

李克用的妻子刘女士，有智慧又有谋略，李克用左右侍从有先逃回来的，报告汴州（河南省开封市）城中发生事变，刘女士不动声色，立刻把他斩首，秘密召唤大将紧急应变，拟定全军安全撤退计划。等到天亮，李克用回营，准备挥军攻击朱全忠（朱温）。刘女士说：“你最近为帝国讨伐盗贼，拯救东方各战区的危急，汴州（河南省开封市）忘恩负义，竟打算谋害，依照道理，应该向中央申诉。如果擅自出动军队，互相攻击，天下人怎么能辨别是非曲直？而且对方反而从中混淆，振振有词！”李克用接受，率军撤退。只送一封信给朱全忠，痛加斥责。朱全忠（朱温）回信说：“前天夜晚兵变，我根本不知道，后来才知道是中央使节跟杨彦洪的阴谋，现在杨彦洪既已处死，只有请你多多原谅！”

李克用的义子李嗣源，本年十七岁，在上源山宾馆（河南省开封市内）时就开始追随李克用，出入飞石乱箭之间，竟没有受到毫发损伤；李嗣源本是胡人（中国北方部族），名邈佶烈，不知道姓什么。李克用在军中选择骁勇的战士，往往收作义子，计有：回鹘部落人张政的儿子（张污落）改名李存信、振武战区（总部安北府〔内蒙古和林格尔县〕）人孙重进改名李存进、许州（河南省许昌市）人王贤改名李存贤、安敬思改名李存孝，都在李克用收养后改姓为李（沙陀部落崛起代北〔山西省北部〕，将领都是英雄豪杰，勇敢善战，统帅往往养作义子，称“义儿军”）。

五月十六日，李克用抵达忠武（总部许州）特遣兵团驻扎过的旧寨，向忠武（总部许州）司令官（节度使）周岌借粮，周岌回答说粮食缺乏，不能供应。李克用遂自陕州（河南省三门峡市）渡黄河北上，返回太原（山西省太原市）。

13 东川战区（总部设梓州〔四川省三台县〕）大将郑君雄、张士安等坚守营寨，不出应战，中央军统帅高仁厚说："进攻则对他们有利，对我们有害；包围则使他们困乏，我们反而可以保持精力。"于是建立十二个营寨，包围梓州（四川省三台县）。

五月十七日，夜半二更（二十一时至二十三时之间），郑君雄等出动精锐部队，偷袭城北中央军副司令官（副使）杨茂言大营，杨茂言不能抵抗，放弃营寨，率领部众逃走，相邻的几个营寨看见副司令官（副使）逃走，也跟着逃走。东川兵团遂集中兵力，进攻中央军统帅大营。高仁厚得到报告，下令大开辕门，燃起火炬，照得天地一片光明，亲率士卒向左右两翼道旁埋伏。东川兵团抵达，观察情势，只见辕门大开，不敢贸然进入，立即撤退而去。高仁厚发动伏兵攻击，东川兵团大败逃命，高仁厚追击，直追到城下，把东川士卒推挤到壕沟里，格杀及俘虏很多，然后撤退。

高仁厚考虑到抛弃营寨逃走的人太多，明天早晨一旦军法审判，恐怕要诛杀的人也太多，乃暗中召唤文书官（孔目官）张韶，吩咐道："你尽快派'步探子'（军中谍报人员）率领几十个人，分别追赶那些逃走的官兵，用你的口气告诉他们说：'大帅幸好没有出营，对你们逃走的事并不知情。快点回来，明天早上参见仪式照常举行，不要担心。'"张韶素来被认为忠厚长者，大家对他十分信任。所以，到了四更（凌晨一时至三时之间），逃走官兵纷纷回来。只有杨茂言，逃到张把（四川省三台县南），谍报人员才把他追到。高仁厚听到各营寨的更鼓声恢复，大喜道："他们全数都回来了。"第二天（五月十八日）一早，各将领集合统帅大营，都认为高仁厚真的并不知

九世纪·八八四年二月至五月 李克用南下追击黄巢，受朱全忠偷袭

道。各就各位落座，很久，高仁厚对杨茂言说：“我得到的报告是：昨天夜晚，你身先士卒，走到张把（三台县南），有没有这回事？”杨茂言说：“昨天夜晚盗匪攻击统帅大营，左右侍从说大帅已经出走，我就骑马追随，不久发现消息错误，立刻回来。”高仁厚说：“我跟你同时接受天子的任命，率大军讨伐叛贼，如果我先逃走，你就该当面把我吆喝下马，军法从事，代领大军，然后奏报中央。而今，身为副司令官（副使）却最先逃走，又打算谎言欺骗，依法应该怎么办理？”杨茂言拱手说：“应该处死！”高仁厚说：“确是如此。”命左右把杨茂言扶出，斩首，各将领吓得双腿发抖。高仁厚乃召见昨晚所俘虏的东川士卒数十人，松绑释放。郑君雄等听到消息，大为恐惧，说：“他的军法严明到这种程度，以后再不可出兵！”

14 五月二十日，感化战区（总部设徐州〔江苏省徐州市〕）司令官（节度使）时溥，派将领李师悦率军一万人，追击齐帝黄巢。

15 五月二十三日，高仁厚大军集结鹿头关（四川省德阳市北黄许镇）城下，郑君雄等全军出击，高仁厚在阵后设下埋伏，假装败走。郑君雄等追赶，埋伏突发，郑君雄等大败。当天夜晚，逃回梓州。陈敬瑄派军三千人增援高仁厚，遂把梓州（四川省三台县）团团包围。

六月三日，高仁厚奏报说：“郑君雄斩杨师立，出城投降。”

高仁厚包围梓州（四川省三台县），很久不能攻下，于是写信射到城里，警告守城将士说：“我不忍心城里人民玉石俱焚，所以特别停止攻击十天，给各位戴罪立功的机会。如果十天不送出杨师立

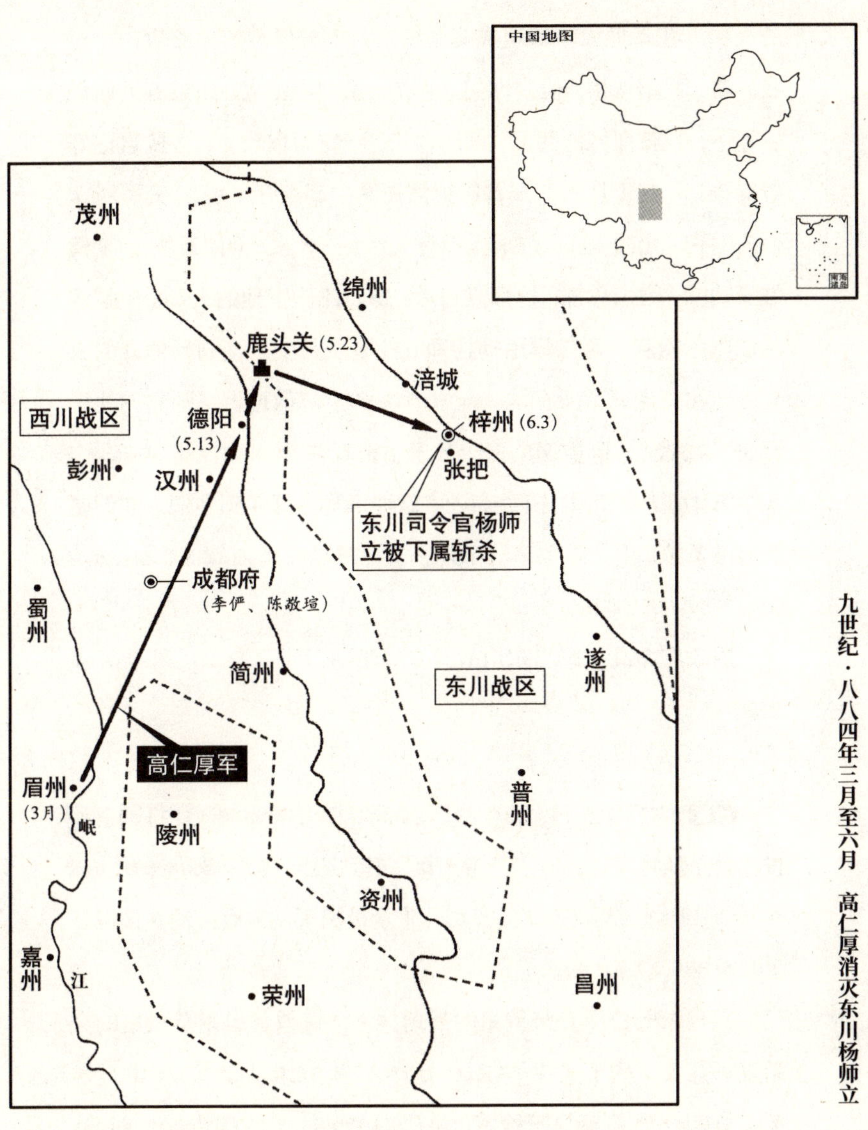

九世纪·八八四年三月至六月　高仁厚消灭东川杨师立

的人头，我就把大军编组成五个梯次，不分昼夜的轮流攻击，对我而言，并不费事，但对你们而言，一定疲困不堪。如果五天而仍攻不下，我就在城池四面，同时攻击，一定可以攻克，各位自己好好安排！”过了几天，郑君雄突然在军中高声呼号说：“天子所诛杀的，不过元凶一人，跟别人没有关系！”大家高叫“万岁”，全营鼓噪呐喊，突击总部，杨师立自杀，郑君雄砍下他的人头，呈献给高仁厚，投降。高仁厚逮捕杨师立的妻子儿女，连同杨师立的人头，一起押送皇帝所在地（李俨时在成都府），陈敬瑄把杨师立的儿子钉在北城墙上。陈敬瑄的三个儿子出来观看（杨陈二家子弟，从前是称兄道弟的好友），杨家的儿子呼喊说：“这种事马上就轮到你们，你们要努力准备领取！”陈敬瑄三个儿子急掉转马头而去（距领取之日，仍有九年。参考八九三年四月）。

唐政府命高仁厚当东川战区（总部设梓州〔四川省三台县〕）司令官（节度使）。

16 六月十五日，感化战区（总部设徐州〔江苏省徐州市〕）将领李师悦，会同降将尚让，追击齐帝黄巢，追到瑕丘（兖州州政府所在县，山东省济宁市兖州区），大破齐军，齐军几乎全被消灭，最后，进入狼虎谷（山东省济南市莱芜区西南）。

六月十七日，齐帝黄巢的外甥林言，诛杀黄巢以及黄巢的兄弟妻子儿女，砍下人头（黄巢自八七五年六月聚众起兵，于本年〔八八四〕六月覆灭，前后十年），打算呈献给感化战区（总部徐州）司令官（节度使）时溥，中途遇到沙陀军及博野兵团（当是李寰所率博野军第二代。参考八二二年三月），把黄巢等人头夺去，同时斩林言，连同林言的人头，一并呈献时溥。

赵翼曰

黄巢跟李自成两个流寇，有很多相似，黄巢最初追随王仙芝当强盗，王仙芝被杀，黄巢才当首领；李自成也先追随高迎祥当强盗，高迎祥被杀，李自成才当首领，相似之一。黄巢不过一个草贼，聚众起兵，攻陷京师（首都长安），盘踞皇宫，僭称皇帝，更改年号；李自成也是一个草贼，聚众起兵，攻陷京师（首都北京），盘踞皇宫，僭称皇帝，更改年号，相似之二。黄巢还没有进京（首都长安）之前，锐不可当，进京当了皇帝之后，逆运已满，不久就一败涂地；李自成从襄阳（湖北省襄阳市）、陕州（河南省三门峡市）向京（首都北京）进军，也所向无敌，进京当了皇帝后，逆运也满，不久也一败涂地，相似之三。黄巢因民谣有云“逢儒则内师必覆”的话，告诫军中，不准杀害知识分子，所俘虏民众有人称是知识分子，则予以释放，抵达福州（福建省福州市）时（参考八七八年十二月），杀人如麻，经过校勘官（校书郎）董朴家，下令说：“这是知识分子。”把火扑灭，得免焚毁；李自成所用的牛金星具有“举人”资格，而投考“进士科”不能及格，所以，对“进士科”及第的官员，每每迫害，对“举人”则告诫军中不可杀害，抵达河南时，将领误杀一位县长，有人告诉他：“那县长是‘举人’。”大家惊骇逃走，相似之四。黄巢进长安（陕西省西安市），命唐政府三品以上官员全部停职，四品以下，全回原任（参考八八〇年十二月十三日）；李自成进北京（北京市），也命明政府三品以上官员全部停职，四品以下，仍任原官，相似之五。又，黄巢失败后逃往狼虎谷，被林言斩杀，事见《唐书》及《资治通鉴》，而小说家则称：黄巢其实并没有死，后来在嵩山、洛水间出家当和尚，自题画像，有“铁衣著尽著僧衣”之句；李自成逃入九宫山（湖北省通山县东南二十五公里），被村民击毙，事情记载《明史》，而人们也议论纷纷，认为李自成的部队还有数十万，怎么可能死于村民之手？遂传出他也曾在武当山（湖北省丹江口市西北）出家为僧。这两个盗贼的先后事端，都是如此一样。

政治运转的轨迹，常被政治文化所决定，中国每次变革都停留在原地盘旋，不但不能起飞，反而更向地狱下陷，原因脉络可寻。西方则无论英国推翻专制、美国建立三权分立、法国砍掉国王人头，而政治质量，都在节节跃升，人性尊严也日益提高。西方文化中，很早就肯定人权、平等、自由、法治和权力制衡，而用心追求。而中国恰恰缺少这些，自西汉王朝罢黜百家、独尊儒术以来，两千年间，政治以及学术思潮，漫漫如同长夜，一片漆黑，所有反抗暴政的斗争，几乎每次都带给人民比原来暴政更沉重的枷锁。

最使人困惑的一件事是：罗马帝国怎么一开始就有元老院？当中国正沉醉在“罢黜百家，独尊儒术”、追求思想统一的时候，希腊、罗马已了解议会政治和权力制衡的功能。而中国知识分子，却只会注注《论语》、解解《孟子》，寻章摘句的研究研究所谓圣人的微言大义，盼望出现明君贤相；以致政治上的任何冲击，都只在原地踏步，没有崭新的终极理念和最高的指导原则。历史上所有的革命首领和民族救星，他只要坐上帝王宝座，最初还有一点清爽的措施，最后千篇一律的都会堕落得比旧统治者更为腐败。中国人被美丽口号戏弄了个够之后，唯一的收获是更痛苦和更失望。

黄巢在历史上得到两种极端的评价，一派称他为盗匪，一派称他为义军，事实上，他什么都是，也什么都不是，在那个时代，无论政府军和变民军，无一不是盗匪，所以他不能单独承担盗匪的责任。至于义军，如果靠几句话、几份文件、几桩善行，就可证明好人好事，则政府军恐怕更像正义之师。而黄巢杀人之多，仅广州（广东省广州市）的阿拉伯商行就有十二万人丧生，残酷恐怖比政府军更甚。黄巢不过变民中的一支，暴政之下，他不得不反。在饥饿的人民日益增多时，参加变民军是唯一求生的道路，所以他的武装部队越滚越大。

同时，黄巢也不得不当皇帝，而当皇帝后比当皇帝前更为凶残，也是中国政治上婆媳文化——“苦媳妇熬成恶婆文化”必然产生的结果。从前大家庭中，做媳妇的往往受婆母迫害，唯一盼望是自己也成为婆母，早日脱离苦海，可是等她成了婆母后，想到的却不是如何使她的媳妇永不再受苦，而是，她要继续在媳妇身上肆虐，好好享受自己得来不易的婆母权威。中国历史上的革命家，只要屁股坐上金銮宝殿，他就从一个可怜兮兮的小媳妇，变成一个青面獠牙的狠毒婆母，这正是中国人挥之不去的恶梦！

17 投降黄巢的蔡州（河南省汝南县）变军首领秦宗权，大军四出，侵略并吞相邻战区道的土地。天平战区（总部设郓州〔山东省东平县〕）司令官（节度使）朱瑄，有武装部队三万人；堂弟朱瑾，勇敢善战，超过三军任何将领；宣武战区（总部设汴州〔河南省开封市〕）司令官（节度使）朱全忠（朱温）被秦宗权攻击，情势危急，向朱瑄求救，朱瑄派朱瑾率军增援，在合乡（山东省枣庄市西南）击败秦宗权军，朱全忠（朱温）十分感激，跟朱瑄结拜成为义兄义弟。

18 秋季，七月二十四日，感化战区（总部设徐州〔江苏省徐州市〕）司令官（节度使）时溥，派使节押解黄巢以及他家属的人头，连同侍女、小老婆，抵达成都（四川省成都市）。唐帝李俨登大玄楼受降（大玄楼，是成都外城〔罗城〕正南门楼），询问黄巢侍女、小老婆说："你们都是皇亲国戚，高官贵爵家的女儿，世代承受国恩，为什么顺从盗匪？"最前面的一位回答说："盗匪猖狂，叛逆凶恶，我们政府出动百万雄师，结果仍被击败，连皇家祖庙都保护不住、连最高领袖都被迫流亡巴蜀（四川省），而今，陛下却拿不能抵抗盗匪的重罪，责备一个女子，请问，把那些高官显要，置于何地？"李儇目瞪口呆，不再多问，把她们绑赴街市刑场，全部斩首。路人纷纷献上酒食，其余女子都陷于悲痛恐怖，或昏迷不醒，或饮酒沉醉，只有最前面的那位，不饮酒、不哭泣，一直到刽子手行刑的时候，神色不变。

我们向这位居首的女子致敬，可惜史书没有记下姓名，姑且称她为"黄巢夫人"，真是一代豪杰，和被高骈诛杀的那位夫人媲美。一番义正词严的谈话，使李儇这个小猪仔，当场现出原形。李儇如果稍有天良，应该向各女道歉，礼送她们回家。问题是，如果李儇能有这种良知，他就不是小猪仔，也不可能为国人带来灾难！

19 宣武（总部汴州）司令官（节度使）朱全忠（朱温），在溵水（沙河，流经河南省项城市北）击败蔡州（河南省汝南县）变军首领秦宗权。

20 河东（总部太原府）司令官（节度使）李克用返抵晋阳（太原府所在县），大量制造铠甲武器，派榆次（山西省晋中市榆次区）防守司令（镇将）、雁门（代州州政府所在县）人李承嗣，携带奏章前往皇帝所在地（李儇此时在成都府），报告说："在消灭黄巢战役上，我建立大功（指收复首都长安），却被朱全忠暗算，我自己侥幸逃出一命，将领参谋以下随从官员三百余人以及印信令牌，全被夺去。朱全忠（朱温）还竟然在东都（洛阳，河南省洛阳市）、陕州（河南省三门峡市）、孟州（河南省孟州市）张贴布告传单，声称我已死亡，下令说：‘河东特遣兵团同时崩溃，所经过的地方政府或军事机关，应阻止散兵游勇流窜，彻底屠杀翦除，不要使他们漏网！’将领士卒都哀泣哭号，向我申诉冤酷，请求报仇。我认为中央大公无私，自应等候命令。百般安抚劝导，怨恨总算稍稍平息，撤回本战区。敬请陛下派遣使节询问调查，出动军队讨伐，我已派我的老弟李克勤率骑兵一万人，驻扎河中（山西省永济市），听候指示。”当时，中央因大敌黄巢刚刚铲除，只求平安无事，突然接到李克用的奏章，大感惊骇，但对两方面都不敢开罪，唯一的办法是派宦官携带语气温和的诏书，前往和解。李克用拒绝，而且前后呈递八次奏章，强调：“朱全忠（朱温）嫉妒有功劳和有能力的人，阴险狡猾，陷害忠良，将来一定成为帝国的祸患。敬请下诏削除他的官职和爵位，我自会率本战区的军队讨伐，不需要财政总监署（度支）的粮饷（战区特遣兵团只要是奉中央之命征战，出境之后，粮饷统由中央支付）。”李儇屡次派宦官杨复恭（已归隐蓝田，参考去年〔八八三〕七月。他的老哥杨复光与李克用父子情谊甚深，参考前年〔八八二〕十月，所以派他出马）等代表皇帝前去解释说：“我深知道你的委屈冤枉，只是国家多难，还望你顾及大体。”李克用虽不得不接受，但心里愤怒忧郁，始终不能平静。

当时，各战区道互相攻击（新的战国时代），中央也不再为他们分辨谁是？谁非？谁对？谁错？从此，大家像野兽一样，互相吞噬，再没有公理法纪约束，只看谁的军队强盛，对其他什么都不在意。

21 八月，李克用奏报中央，请把麟州（陕西省神木市）划归河东战区（总部太原府。麟州原属振武战区〔总部安北府，内蒙古和林格尔县〕）。又请任命老弟李克修当昭义战区（总部设潞州〔山西省长治市〕）司令官（节度使），中央全都批准。从此，昭义战区分割为二（以太行山为界，以西泽潞二州，以东邢洺磁三州）。晋封李克用当陇西郡王（本年李克用二十九岁）。李克用上疏建议撤销云（山西省大同市）蔚（河北省蔚县）警备区（防御使），仍隶属河东战区（蔚朔成立战区，参考八八〇年四月；之后降为警备区，如今撤销），中央批准。

22 九月二日，李儇命宣武战区（总部设汴州〔河南省开封市〕）司令官（节度使）朱全忠（朱温），遥兼二级宰相（同平章事。用以平衡李克用封陇西郡王）。

23 命国务院右最高执行长（右仆射）、大明宫留守长官王徽，代理首都长安特别市长（知京兆尹事）。李儇因长安（陕西省西安市）宫殿都被焚毁，所以一直逗留成都（四川省成都市），不肯回京（首都长安）。王徽召集安抚流亡失散的居民，人口数目稍稍回升；再整修重建皇宫御殿，以及政府官舍，各方面才有点头绪。

冬季，十月，关东（潼关以东）各战区道上疏请皇帝（李儇）驾返京师（首都长安）。

24 朱全忠（朱温）当初归降唐政府时，义成战区（总部设滑州〔河南省滑县〕）司令官（节度使）王铎正是最高指战官（都都统），以皇帝名义发表他的新职（参考去年〔八八三〕三月二十三日）。朱全忠（朱温）刚到大梁（汴州州政府所在城）时（参考去年〔八八三〕七月），小心翼翼的事奉王铎，礼貌周到、态度恭敬，王铎遂依靠他当自己的援手。可是一年之后，朱全忠（朱温）兵力越来越强，对王铎也越来越骄傲倨慢，王铎才发现朱全忠（朱温）绝不可依靠，于是上疏辞职，请求返回中央。

中央调王铎当义昌战区（总部设沧州〔河北省沧州市东南〕）司令官（节度使）。

25 山南西道战区（总部设兴元府〔陕西省汉中市〕）候补司令官（留后）鹿晏弘（参考本年〔八八四〕正月）离开河中（山西省永济市）时（参考去年〔八八三〕十一月），忠武（总部许州）八特别营司令中的王建、韩建、张造、晋晖、李师泰等，各率各的部队，跟他同时行动，后来占据兴元（陕西省汉中市），鹿晏弘分别命王建等当辖区内各州州长，但不让他们到差。鹿晏弘猜忌成性，军心不服。王建、韩建二人特别亲近，鹿晏弘尤其不能安心，于是，对二人特别优待，常把二人请到卧室，表示推心置腹。二建互相警告说："大帅话说得很甜，情意更是亲切，显然对我们已起疑心，大祸就要临头！"这时候，宦官田令孜秘密派人引诱他们前往中央，给他们很高的许诺。

十一月，二建跟张造、晋晖、李师泰，率领部队数千人，南下逃往皇帝所在地（李儇此时在成都府），田令孜把他们都收作义子，赏赐万万钱之多，一律出任各卫军将军，仍率各自的部队，号称"随驾五特别营（都）"（田令孜先前已招募新军五十四特别营，分属左、右神策军，参考明年〔八八五〕闰三月。似乎预感到神策军终于会滑出掌握，所以今之五营不再分属神策军，而直接成为自己私人武力）。

田令孜派禁军讨伐鹿晏弘，鹿晏弘放弃兴元（陕西省汉中市），向东逃走。

26 最初，宦官曹知悫（音què〔却〕），本是华原（陕西省铜川市耀州区）富家子弟，有胆识谋略。黄巢攻陷长安（陕西省西安市）时（参考八八

九世纪·八八四年十一月 鹿晏弘东返

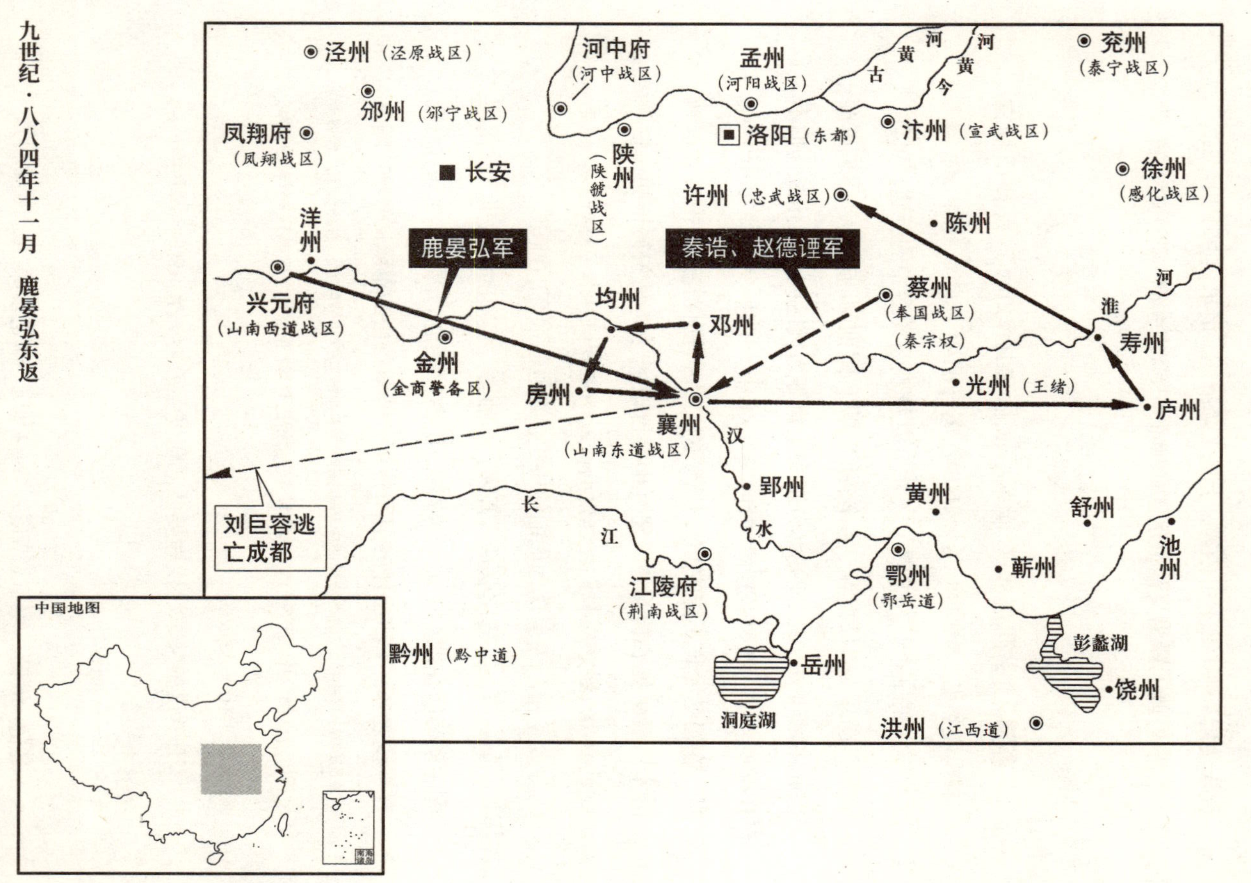

〇年十二月)，曹知悫回到故乡，集结青年战士，据守嵯峨山（陕西省三原县西北）以南，建筑堡垒营寨，固守抵抗，齐军不敢接近。曹知悫屡次派突击勇士化装易容，改变口音（仿效齐军士卒口音），冒充齐军，夜晚进入长安（陕西省西安市），攻击齐军营房，齐军惊骇，认为神差鬼使；同时也怀疑部属中有人叛变，军心不安。中央得到报告后，十分嘉许，擢升曹知悫当宦官总管府（内侍省）秘书长（内常侍），特准腰佩金鱼袋、身穿紫色服（三品以上高级官服）。曹知悫知道皇帝大驾将回京师（首都长安），对别人说："我略施小计，就使各路勤王军建立大功，随从天子圣驾的那些人只会在家踱方步而已，等他们抵达大散关（陕西省宝鸡市西南），我要看看哪一个像样，才让哪一个回来！"皇帝所在地（李儇此时在成都府）官员们听到这种话，十分恐慌，恐怕曹知悫发动政变，而田令孜对他尤其深恶痛绝，于是下达密诏给邠宁战区（总部设邠州〔陕西省彬州市〕）司令官（节度使）王行瑜，命他下手诛杀（此时司令官应是朱玫，后年〔八八六〕十二月王行瑜斩朱玫，八八七年正月才当司令官），王行瑜秘密率军进入嵯峨山（陕西省三原县西北）以北，居高临下，发动奇袭，曹知悫没有戒备，官兵全被歼灭。田令孜又铲除一个劲敌，越发骄傲横暴，甚至胁迫年轻的皇帝李儇（本年李儇二十三岁），不准他当家做主，有所决断。李儇对田令孜的专横，忧虑痛恨，时常向他的左右侍从诉苦，有时还呜咽流泪。

27 忠武（总部许州）变军首领鹿晏弘率军东下，直向襄州（湖北省襄阳市）。蔡州（河南省汝南县）变军首领秦宗权派他的将领秦诰、赵德諲率军会师，共同攻击襄州（湖北省襄阳市），攻陷。山南东道战区（总部襄州）司令官（节度使）刘巨容，逃奔成都（刘巨容不追击黄巢事，参考八七九年十一月）。赵德諲，是蔡州（河南省汝南县）人。

鹿晏弘率军绕道前进，剽掠襄（湖北省襄阳市）、邓（河南省邓州市）、均（湖北省丹江口市西北）、房（湖北省房县）、庐（安徽省合肥市）、寿（安徽省寿县）等州，最后，返回许州（河南省许昌市。鹿晏弘等八特别营司令率军追随杨复光出发勤王事，参考八八一年五月）。忠武战区（总部许州）司令官（节度使）周岌听到鹿晏弘逼近，自知不敌，放弃城池逃走，鹿晏弘遂进入许州（河南省许昌市），自称候补司令官（留后）。中央不能讨伐，只好命他当忠武战区司令官（节度使）。

28 十二月三日，西川战区（总部设成都府〔四川省成都市〕）司令官（节度使）陈敬瑄，上疏辞让三川（西川、东川、山南西道三战区）总指挥征剿司令暨安抚特使以及所兼的绥靖司令等职（都指挥招讨安抚制置等使），李儇批准。

29 最初，黄巢剽掠福建道（首府设福州〔福建省福州市〕）时（参考八七八年十二月），建州（福建省建瓯市）人陈岩，聚集民众数千人，保卫自己乡里，号称“九龙军”，行政长官（观察使）郑镒（庞勋旧部，参考八六九年四月二十九日）上疏委任陈岩当副民兵司令（团练副使）。后来，泉州（福建省泉州市）州长、左翼总纠察官（左厢都虞候）李连犯罪，逃往丛岭群洞，集结蛮夷攻击福州（福建省福州市），陈岩把他们击败。郑镒畏惧陈岩的胁迫，上疏推荐陈岩接替自己的官位。

十二月十六日，中央命陈岩当福建道（首府福州）行政长官（观察使）。陈岩恩威并用，闽中（福建省）人民愿意接受。

30 义昌战区（总部设沧州〔河北省沧州市东南〕）司令官（节度使）兼最高立法长（兼中书令·使相）王铎，生活奢侈糜烂，上任途中，经过魏州

（河北省大名县）时，服侍他的侍女、小老婆，多得排成行列，衣服、用具，都十分华丽鲜明，派头架势，也都好像升平盛世。魏博战区（总部魏州）司令官（节度使）乐彦祯（乐行达）的儿子乐从训，在漳南（山东省武城县）高鸡泊（武城县南）埋伏数百名士卒，当王铎经过那里时，伏兵把他围住，大肆屠杀，包括王铎以及宾客、随从在内，三百余人尽死；乐从训俘获所有的金银财宝和侍女、小老婆，满载而回。

乐彦祯（乐行达）奏报说：王铎被强盗诛杀。中央无法查证。

31 邠宁战区（总部设邠州〔陕西省彬州市〕）改名静难战区。

32 本年（八八四），余杭（浙江省杭州市余杭区西南余杭街道）兵变，防守司令（镇使）陈晟，驱逐睦州（浙江省建德市）州长柳超；颍州（安徽省阜阳市）总作战司令（都知兵马使）汝阴（颍州州政府所在县）人王敬荛，驱逐本州州长。二人各自主持州务，中央命他们实任州长。

33 均州（湖北省丹江口市西北）变民首领孙喜，聚集变民数千人，计划攻击州城，州长吕烨不知道怎么办才好。指挥官（都将）武当（均州州政府所在县）人冯行袭，在汉水南岸设下埋伏，亲自驾小船到汉水北岸迎接孙喜，告诉说："本州人民能得到好州长，没有人不欢欣鼓舞，然而你的随从部属太多，城里居民恐怕遭受劫掠抢夺，心里还在犹豫，不如把主力部队暂时留在北岸，由你跟心腹侍从，轻装备先行前往，我愿当你的马前向导，向大家解释，就没有人不归服你了。"孙喜认为合理，接受这项建议。渡过汉水之后，州政府文武官员上前谒见，伏兵发动，冯行袭挥刀攻击孙喜，当场斩首。孙喜的随从全部诛杀。汉水北岸的变民看得清清楚楚，一哄而散。

山南东道战区（总部设襄州〔湖北省襄阳市〕）司令官（此时应是赵德諲）上疏奏报冯行袭的功劳（均州属山南东道战区）。李儇下诏命冯行袭当均州（湖北省丹江口市西北）州长。均州西方有长山，正扼襄（湖北省襄阳市）、邓（河南省邓州市）通往巴蜀（四川省）要道，很多变民盘踞在那里，抄掠各地缴往中央的赋税及贡品，冯行袭把他们一一讨伐诛杀，巴蜀（四川省）道路才恢复畅通。

34 凤翔战区（总部设凤翔府〔陕西省宝鸡市凤翔区〕）司令官（节度使）李昌言患病，上疏推荐老弟李昌符代理候补司令官（知留后）。

李昌言逝世，李儇命李昌符当凤翔战区司令官（节度使）。

35 当时，黄巢民变虽然削平，但蔡州（河南省汝南县）变军首领秦宗权的势力跟着崛起，分别派出将领，率领军队，四出攻击相邻的各战区道，计：陈彦掠夺淮南（总部扬州），秦贤掠夺江南（长江以南），秦诰攻陷襄（湖北省襄阳市）、唐（河南省泌阳县）、邓（河南省邓州市），孙儒攻陷东都（洛阳，河南省洛阳市）、孟（河南省孟州市）、陕（河南省三门峡市）、虢（河南省灵宝市），张晊攻陷汝（河南省汝州市）、郑（河南省郑州市），卢瑭掠夺汴（河南省开封市）、宋（河南省商丘市）；兵锋所到，屠杀焚烧，奸淫掳掠，几乎不剩下一个活人，残酷凶暴的程度，比黄巢更厉害，大军行动，从来不带粮食，只把尸首撒上食盐，装到车上随军行动，当作军粮。北自卫（河南省卫辉市）、滑（河南省滑县），西到关辅（陕西省中部），东到青（山东省青州市）、齐（山东省济南市），南到长江、淮河以南，“州”“镇”幸而仍存在的，也不过仅留一座空城，举目眺望，千里之遥，看不见一个人影或一缕炊烟。

李儇将还都京师（首都长安），可是畏惧秦宗权的强大。

九世纪·八八四年十二月　蔡州秦宗权四出劫掠

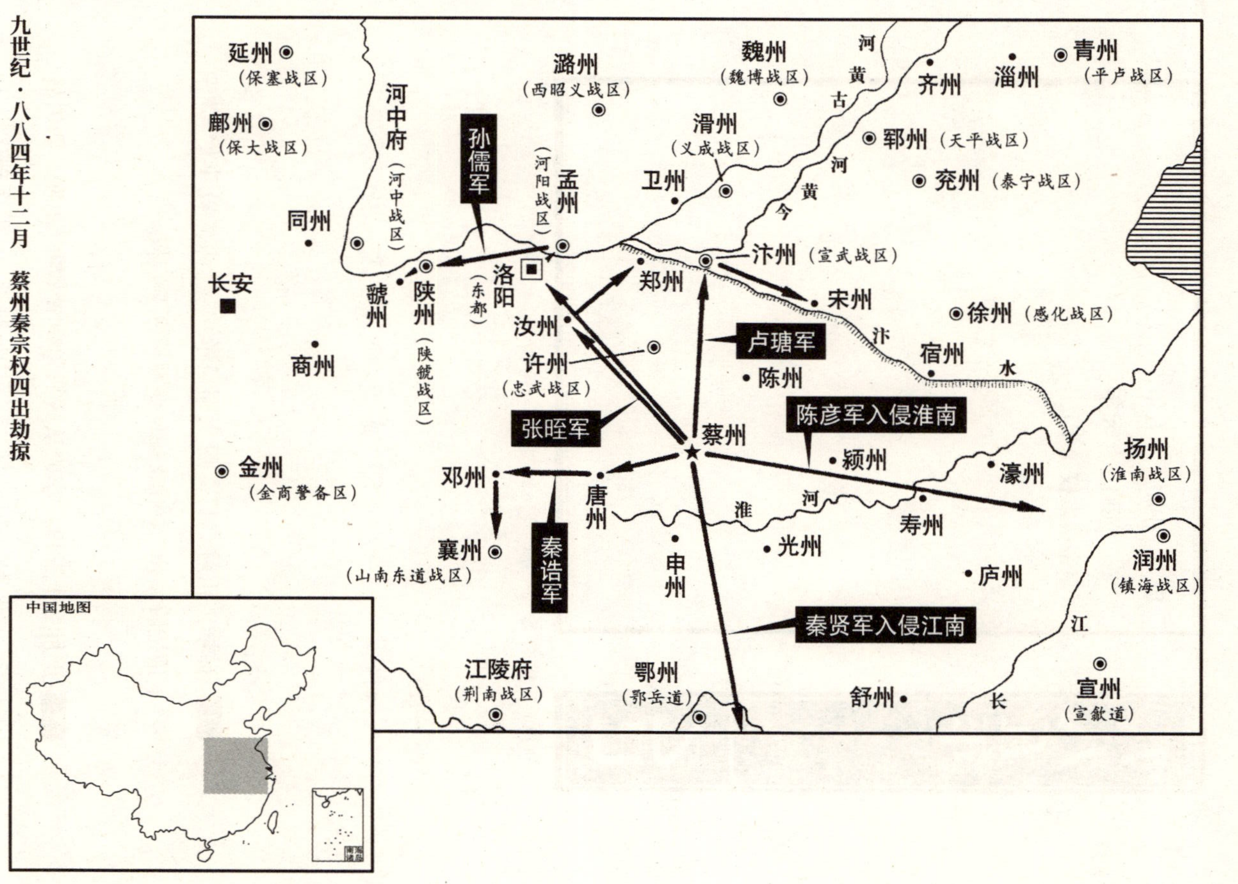

八八五年 乙巳

唐 中和 五年
光启 元年
（皇帝秦宗权元年）

1 春季，正月二日，唐王朝皇帝（二十一任僖宗）李儇（本年二十四岁）下诏招降蔡州（河南省汝南县）变军首领秦宗权。

2 正月二十三日，李儇从成都（四川省成都市）出发。西川战区（总部设成都府〔四川省成都市〕）司令官（节度使）陈敬瑄，护送到汉州（四川省广汉市）而回。

3 荆南战区（总部设江陵府〔湖北省江陵县〕）监军宦官朱敬玫所招募的忠勇军（参考八八二年六月），凶暴横行，司令官（节度使）陈儒十分忧虑。当初，郑绍业当司令官（节度使）时（参考八八〇年四月），派大将申屠琮（申屠，复姓）率军五千人增援京师（首都长安），抵御黄巢。现在，班师回来，陈儒告诉申屠琮情形，命申屠琮除掉忠勇军。忠勇军将领程君从得到消息，率领他的部队逃往朗州（湖南省常德市），申屠琮追击，格杀一百余人，其余的溃散。从此，申屠琮掌握军政大权。

朗州（湖南省常德市）州长雷满，不断攻击荆南（参考八八一年十二月），陈儒用贵重的金银珠宝，贿赂他撤退。淮南战区（总部设扬州〔江苏省扬州市〕）将领张瓌、韩师德，叛离司令官（节度使）高骈（音pián〔胼〕），盘踞复（湖北省天门市）、岳（湖南省岳阳市）二州，都自称州长；陈儒请张瓌摄理作战参谋长（摄行军司马），韩师德摄理副司令官（摄节度副使），命二人率军攻击雷满。二人并没有攻击雷满，韩师德率军西上到长江三峡，大肆剽掠，然后仍回岳州（湖南省岳阳市）。张瓌反而攻击陈儒，把陈儒赶下官位，而自己当荆南战区（总部江陵府）司令官（节度使）。陈儒打算逃奔皇帝所在地（李儇此时在由成都府返长安途中），张瓌派军把他从中途掳回，囚禁监狱。张瓌，是滑州（河南省滑县）人，性情贪婪凶暴，荆南（总部江陵府）旧日将领，几乎被他屠杀尽光。

先前，监军宦官朱敬玫不断诛杀战区大将和富商，没收他们的财产，使自己成为富翁。中央另派宦官杨玄晦接替他的职位，朱敬玫拒绝重回皇宫，就在荆南（总部江陵府）定居。有一天，家人在院子里晒衣服，华丽高雅，耀眼夺目，张瓌看到，想夺到手，于是派士卒于夜晚攻击，斩朱敬玫，掠取他所有的财宝。张瓌的营门官（牙将）郭禹，勇敢剽悍，张瓌心里厌恶，打算也把他杀掉，郭禹得到消息，集结同党一千人逃走。

正月四日，郭禹袭击归州（湖北省秭归县），进城据守，自称州长（归州属荆南战区）。郭禹，是青州（山东省青州市）人，原名成汭（成，姓），因杀人逃亡，改名换姓。

4 南康（江西省赣州市南康区）变民首领卢光稠，攻陷虔州（江西省赣州市），自称州长，用他的同乡谭全播当智囊。

5 蔡州（河南省汝南县）变军首领秦宗权，要求光州（河南省潢川县）州长王绪缴纳赋税，王绪无力缴纳，秦宗权大怒，出军对他攻击。王绪恐惧，于是集结光（河南省潢川县）、寿（安徽省寿县）二州全部民兵五千人，裹挟官民，渡长江南下，命刘行全当先锋，辗转剽掠江（江西省九江市）、洪（江西省南昌市）、虔（江西省赣州市）等州。本月（正月），攻陷汀（福建省长汀县）、漳（福建省漳州市）二州，然而，并不能久守。

6 秦宗权攻击颍（安徽省阜阳市）、亳（安徽省亳州市）二州，宣武战区（总部设汴州〔河南省开封市〕）司令官（节度使）朱全忠（朱温），在焦夷（安徽省亳州市东南）把他击败。

7 二月十日，李俨抵达凤翔（陕西省宝鸡市凤翔区）。

三月十二日，李俨抵达京师（首都长安）；大乱之后，满城都是荆棘野草，狐狸野兔来往奔跑，一片荒凉。李俨想不到还没有恢复旧观，大不高兴（王徽已作修缮，参考去年〔八八四〕九月）。

三月十四日，李俨下诏赦免天下，改年号光启（之前是中和五年，之后是光启元年）。

这时中央号令所能到达的地方，只有河西（黄河以西，陕西省北部）、山南（秦岭以南，陕西省南部及四川省东北部）、剑南（剑阁以南，四川省中南部）、岭南（南岭以南，广东、广西、海南及越南北部）数十个州而已。

8 秦宗权在蔡州（河南省汝南县）登极称帝（史书没有记载秦宗权的国号和年号），设置文武百官。

唐帝李俨下诏命感化战区（总部设徐州〔江苏省徐州市〕）司令官（节度使）时溥，当蔡州地区特遣兵团步骑兵总指战官（蔡州四面行营兵马都统），出兵讨伐。

9 卢龙战区（总部设幽州〔北京市〕）司令官（节度使）李可举、成德战区（总部设镇州〔河北省正定县〕）司令官（节度使）王镕，对河东战区（总部设太原府〔山西省太原市〕）司令官（节度使）李克用的强盛，十分憎恶。而义武战区（总部设定州〔河北省定州市〕）司令官（节度使）王处存却跟李克用友谊深厚，而且给侄儿王郜娶李克用的女儿（王李结亲，参考八八二年十月）。现在的情势是，黄河以北各战区道，只有义武（总部定州）还听命中央，李可举等恐怕李克用侵犯山东（太行山以东，指昭义三州），终于要侵犯到自己头上，所以跟王镕讨论说："易（河北省易县）、定（河北省定州市）二州，本来分别是卢龙（总部幽州）跟成德（总部镇州）的边疆领土（事实上，当初易定成立战区时，二州都自成德〔总部恒州〕划出，参考七八二年二月。李可举不过煽动王镕，遂歪曲历史）！"于是，决定消灭王处存，瓜分义武战区（总部定州）；同时说服大同（云州，山西省大同市）警备区司令（防御使）赫连铎（赫连，复姓），攻击李克用的后背。

李可举派他的将领李全忠率大军六万人，攻击易州（河北省易县），王镕派他的将领率军攻击无极（河北省无极县）。王处存向李克用紧急求救，李克用派他的将领康君立等率军增援。

10 闰三月，蔡州（河南省汝南县）皇帝秦宗权，派他的老弟秦宗言攻击荆南战区（总部设江陵府〔湖北省江陵县〕）。

11 最初，宦官田令孜在巴蜀（四川省）招募新兵五十四个特别营（五十四都），每个特别营（都）有一千人，分别隶属左、右两神策军，共组成十个军（每军五千四百人），用以加强统御。加上政府（南牙）及宫廷（北司）官员，共有一万余名。当时，各战区道都把应向中央呈缴的租税，截留下来自己使用，黄河南北、江淮（华东地区）一带，早已不再上缴中央，财政三司（国务院财政部〔户部〕、全国财政总监署〔度支〕、盐铁专卖暨运输总监署〔盐铁转运使〕）没有财政来源，财政总监署只靠京畿、同（陕西省大荔县）、华（陕西省渭南市华州区）、凤翔（陕西省宝鸡市凤翔区）等几个州府的租税，不够供应，发不出赏赐，士卒开始抱怨。田令孜十分担心，但无计可施。先前，安邑（山西省运城市东北安邑街道）、解县（运城市西南解州镇）两地盐池（称两池），都隶属盐铁专卖暨运输总监（盐铁使），设置官员管理（参考七八〇年七月），本世纪（九）八〇年代以来，河中战区（总部设河中府〔山西省永济市〕）司令官（节度使）王重荣截留这项专款（皇帝李儇逃奔巴蜀〔四川省〕，中央解体），每年只呈献食盐三千车给中央。田令孜上疏请求恢复原来编制。

夏季，四月，田令孜自己兼任两池食盐专卖总监（两池榷盐使），用专卖的盈余，供应手下的武装部队，王重荣上疏不断反对，李儇派宦官前往解释，王重荣坚持不肯。当时，田令孜派遣很多亲信到各战区道侦察动静，遇到不听从自己的人，就予以打击。田令孜的义子田匡祐被派到河中（山西省永济市），王重荣待他十分优厚，可是田匡祐骄傲得忘了他是谁，激起全体战士的愤怒。王重荣遂跟田令孜翻脸，斥责田令孜的罪恶，责备田匡祐凶暴无礼。监军宦官从中排解说情，田匡祐仅只能脱身而去。田匡祐返回后，把情况报告田令孜，劝田令孜下手。

五月，田令孜命李儇下诏，调王重荣当泰宁战区（总部设兖州〔山东省济宁市兖州区〕）司令官（节度使），而调泰宁战区司令官齐克让当义武战区（总部设定州〔河北省定州市〕）司令官（节度使），调义武战区司令官王处存当河中战区（总部设河中府〔山西省永济市〕）司令官（节度使）。另下诏命河东战区（总部设太原府〔山西省太原府〕）司令官（节度使）李克用，率本部兵马，护送王处存到差。

12 卢龙兵团（总部幽州）攻击易州（河北省易县），初级将领刘仁恭挖掘地道进入城里，遂夺取城池。刘仁恭，是深州（河北省深州市）人。李克用亲自率军救援无极（河北省无极县），击败成德兵团（总部镇州）。成德兵团（总部镇州）退守新城（河北省高碑店市东南新城镇），李克用进攻，再大破成德兵团（总部镇州），攻克新城，成德兵团（总部镇州）退走，李克用追到九门（河北省石家庄市藁城区西北），杀一万余人。卢龙兵团（总部幽州）夺取易州（河北省易县）后，得意洋洋，骄傲疏忽，王处存于夜晚派士卒三千人，蒙着羊皮，拥到城下，卢龙（总部幽州）士卒误认为他们真的是羊，争着出来剽掠，王处存奋勇攻击，大破卢龙兵团（总部幽州），克复易州（河北省易县）；李全忠逃走。

13 李儇命陕虢战区（总部设陕州〔河南省三门峡市〕）司令官（节度使）王重盈，遥兼二级宰相（同平章事·使相）。

14 李全忠被赶出易州（河北省易县），恐怕回去后受到处罚，索性一不做、二不休，集结残兵败将，反过来袭击幽州（北京市）。

六月，卢龙战区（总部设幽州〔北京市〕）司令官（节度使）李可举窘困急迫，全族登楼，纵火自焚而死（李茂勋于八七五年六月夺权割据，传子李可举，共二代，前后十一年而灭）。李全忠自称候补司令官（留后）。

15 东都洛阳（河南省洛阳市）留守长官李罕之跟蔡州（河南省汝南县）皇帝秦宗权的部将孙儒，僵持几个月，李罕之军队太少，粮食又吃完，遂放弃城池，向西退守渑池（河南省渑池县。渑，音miǎn〔勉〕），秦宗权遂占领东都洛阳。

16 秋季，七月，李儇命李全忠当卢龙战区（总部设幽州〔北京市〕）候补司令官（留后）。

17 七月二十三日，立法院初级立法官（右补阙，从七品上）常濬，上疏说："陛下对各战区道，太过姑息宽容，是非不分，功过不明，手和脚一样，好跟坏相同，以致天下大乱到现在这种程度，而陛下仍然没有醒悟。怎么能不想骆谷（陕西省周至县西南）的危险往事（指李儇逃黄巢之难，参考八八〇年十二月），而再种下向西张望的因素！应该稍微维持国家法纪，提高中央尊严！"田令孜的党徒警告李儇说："这份奏章如果传到藩镇那里，岂不引起他们的猜忌忿怒！"

七月二十八日，贬常濬当万州（重庆市万州区）户籍官（司户），不久，李儇下诏命他自杀。

18 义昌战区（总部设沧州〔河北省沧州市东南〕）兵变，驱逐司令官（节度使）杨全玫，拥护营门官（牙将）卢彦威当候补司令官（留后）。杨全玫逃奔幽州（北京市）。

中央派神策军保銮特别营指挥官（都将）曹诚（保銮，田令孜所募五十四都之一），当义昌战区（总部沧州）司令官（节度使），命卢彦威当德州（山东省德州市陵城区）州长（德州属义昌战区）。

19 蔡州（河南省汝南县）皇帝秦宗权的大将孙儒，入据东都洛阳一个月有余，纵火焚烧皇宫御殿、政府官舍、商店民宅，大肆劫掠，席卷一空，然后撤离，城中一片沉寂，连鸡犬的声音都没有。

李罕之率军再回洛阳，在街市西方建立营垒驻扎。

20 王重荣（河中〔总部河中府〕司令官）认为自己有收复京师（首都长安）的功劳（参考前年〔八八三〕四月），却受到宦官田令孜的排斥，因之拒绝前往泰宁战区（总部兖州）到差，不断上疏抨击田令孜离间领袖与部属之间的感情，揭发田令孜十条大罪。田令孜结交静难战区（总部邠州）司令官（节度使）朱玫、凤翔战区（总部凤翔府）司令官（节度使）李昌符，对抗王重荣。

王处存（义武〔总部定州〕司令官）也上疏说："卢龙（总部幽州）、成德（总部镇州）的侵略部队，刚刚退走，我暂时还不敢离开易（河北省易县）、定（河北省定州市）。而且，王重荣不但没有过失，反而为帝国立过大功，不应该轻率的调迁，动摇人心。"田令孜当然不理，李儇下诏（田令孜诏）命王处存出发上道。

八月，王处存率军抵达晋州（山西省临汾市），州长冀君武紧闭城门，拒不接受（晋州属河中战区），王处存只好回去。

21 洺州（河北省邯郸市永年区东南广府镇）州长马爽，跟东昭义战区（总部设邢州〔河北省邢台市〕）作战参谋长（行军司马）奚忠信，感情不睦，于是率军进抵邢州（河北省邢台市）城南扎营，胁迫战区司令官（节度使）孟方立诛杀奚忠信。可是没有多久，军队突然溃散，马爽逃奔魏州（河北省大名县），奚忠信派人贿赂魏博战区（总部魏州）司令官（节度使）乐彦祯（乐行达），把马爽诛杀。

22 蔡州（河南省汝南县）皇帝秦宗权攻陷相邻的战区道二十余州，只有陈州（河南省周口市淮阳区）距蔡州（河南省汝南县）一百余华里（二地航空距离一百公里），兵力薄弱，州长赵犨（音chōu〔抽〕）每天跟秦宗权会战，秦宗权无法取胜。

李俨下诏任命赵犨当奉国战区（总部设陈州〔河南省周口市淮阳区〕。原来的总部蔡州，已被秦宗权占领）司令官（节度使）。赵犨感谢朱全忠（朱温，宣武〔总部汴州〕司令官）的援助（自黄巢到秦宗权，赵犨都倚靠朱全忠支援），所以跟朱全忠（朱温）两家缔结姻亲之好，凡是朱全忠（朱温）调遣征发，没有一件事不马上办妥。

23 前光州（河南省潢川县）州长王绪转战到福建道（福建省），抵达漳州（福建省漳州市），因道路险恶，粮食不足，下令军中说：“不准携带老弱，违犯的斩首！”可是军法官（军正）王潮兄弟（参考八八一年八月）却扶着他们的娘亲董女士，沿着崎岖山道，攀山越岭，踉跄前进，被王绪发现，召见王潮等责备道：“军队有军法，自古以来从没有无法之军，你们违犯我的命令，如果不诛杀，就是无法。”王潮三兄弟说：“人都有娘亲，自古以来从没有无母之人！将军怎么能逼人遗弃自己的娘亲！”王绪大怒，下令把王潮等的娘亲斩首。

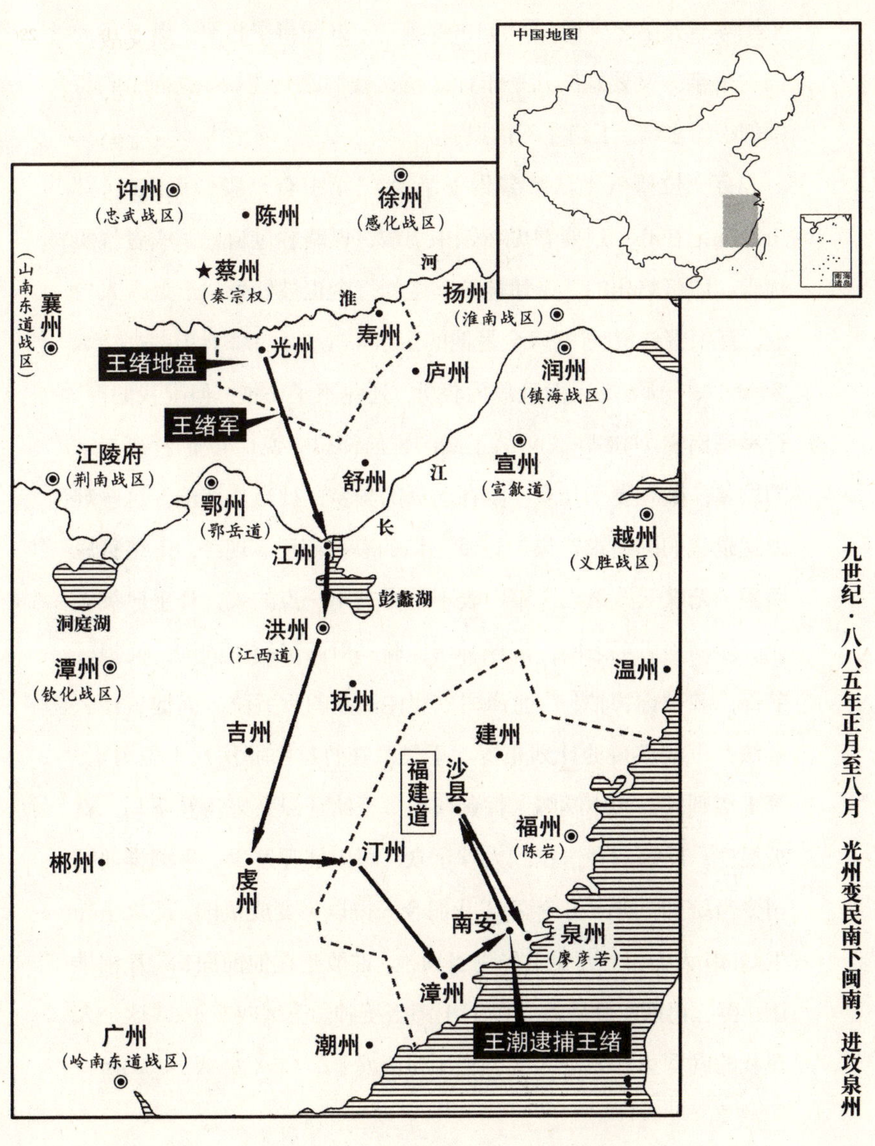

九世纪·八八五年正月至八月 光州变民南下闽南，进攻泉州

王潮等三兄弟乞求道：“我们事奉娘亲，好像事奉将军。既杀了他们的娘亲，又要她的儿子干什么用？我们愿死在娘亲之前！”将领们纷纷求情。王绪才不再追究。

有一位望气巫法师警告王绪说：“军中有一股帝王之气！”王绪深记在心，只要看见将领中勇敢、谋略胜过自己，或者气质优雅、体格魁梧的，一律诛杀，连刘行全也被处死，于是人人自危，互相警告说：“刘行全是他的至亲（刘行全是王绪的妹夫，当初联手起事，参考八八一年八月），而且最为骁勇，还免不了丧生，何况我们？”行军到南安（福建省南安市），王潮游说前锋司令说：“我们背离祖宗的坟墓，抛弃妻子儿女，困在遥远的异乡，被当作盗匪，这些难道就是我们的追求？只不过受王绪的裹挟而已。现今，王绪猜忌残暴，无缘无故杀人，军中表现稍微杰出一点的人，几乎已被杀光。你胡须眉毛之间，好像神明，骑马射箭又超过同列，又担任前锋，我替你害怕！”前锋司令握住王潮的手哭泣，问他有什么办法？王潮遂替他计划布置。于是，在竹林中埋伏几十位勇士，等王绪到来，大声呐喊，挥剑跳出，王绪还没有来得及下马，就被捉住，反绑双臂，拉到大营示众，军中都呼万岁。王潮推前锋司令当统帅，前锋司令说：“我们今天得以不变成鱼肉，都靠王先生（王潮）大力，上天要王先生当领袖，谁敢走在他前面！”互相推让，再三再四，最后终于拥护王潮当统帅。王绪叹息说：“这个人在我的网罗里却不能杀掉，岂不是天意！”（王绪以八八一年八月起事，迄今失败，前后五年。）

王潮率军准备返回故乡光州（河南省潢川县。参考本年〔八八五〕正月。由此可证明当初南迁时，确实出于王绪胁迫），跟部属相约，所经过的地方，一定要纪律严明，对人民不能有秋毫侵犯。前进到沙县（福建省三明市沙县区)，泉州(福建省泉州市)人张延鲁等，因州长廖彦若贪赃枉法，凶暴横行，率领本州父老，携带牛肉美酒，挡住道路，请求王潮留下来当州政府的将领，拯救他们脱离苦难。

王潮遂率军包围泉州(福建省泉州市)。

24 九月二十七日，唐政府任命西川战区(总部设成都府〔四川省成都市〕)司令官(节度使)陈敬瑄，当三川(西川、东川、汉川)暨长江三峡以西(峡内)各州总指挥官暨军政总监(都指挥制置使)等(田令孜扩张陈敬瑄的权力，为自己铺后路)。

25 蔡州(河南省汝南县)皇帝秦宗权的大军包围荆南(总部江陵府)，荆南战区步骑兵司令(马步使)赵匡，打算救出被囚禁的前任司令官(节度使)陈儒(参考本年〔八八五〕正月)，候补司令官(留后)张瓌发觉，诛杀赵匡跟陈儒。

26 冬季，十月二日，蔡州(河南省汝南县)皇帝秦宗权，在八角(河南省开封市西)击败唐政府所属宣武战区(总部设汴州〔河南省开封市〕)司令官(节度使)朱全忠(朱温)。

27 王重荣(河中〔总部河中府〕司令官)向李克用(河东〔总部太原府〕司令官)求救，李克用怨恨中央包庇朱全忠(朱温，宣武〔总部汴州〕司令官)，正招兵买马，集结北方各蛮夷部落，商议进攻汴州(河南省开封市)，所以回答说:“等我先消灭朱全忠(朱温)，回来后再扫荡那群老鼠，如同秋风扫荡落叶。”王重荣说:“等你从关东(潼关以东)回来，我已经成为俘虏。不如先铲除君王身旁的奸邪，下一步再捕捉朱全忠(朱温），就比较容易。”这时，朱玫（静难〔总部邠州〕司令官）、李昌符（凤翔〔总部凤翔府〕司令官）暗中支持朱全忠（朱温）。李克用遂上疏说：“朱玫、李昌符，跟朱全忠（朱温）密切合作，互相呼应，打算联合把我消灭，我不得不自我救亡！已集结华洋战士十五万人，定于明年（八八六）渡黄河西上，自渭河北岸，讨伐朱玫、李昌符，不接近京师（首都长安），保证不会带来惊扰！把二人诛杀之后，再回军消灭朱全忠（朱温），报仇雪耻！”李儇派宦官前去安慰解释，前后络绎不绝。

朱玫打算刺激中央讨伐李克用，好几次派人暗中进入京师（首都长安），纵火焚烧储存物资，或行刺皇帝的近身侍从，声称是李克用主使，京师（首都长安）遂成为恐怖世界，每天都有谣言。田令孜下令派朱玫、李昌符率各自军队，会同神策军及保大（总部鄜州）、保塞（总部延州）、朔方（总部灵州）、定难（总部夏州）等战区特遣兵团，共三万人，进驻沙苑（陕西省大荔县东南），讨伐王重荣。王重荣出军抵御，立刻向李克用报告情况紧急，李克用率军南下。

十一月，王重荣派军进攻同州（陕西省大荔县），州长郭璋出战，兵败阵亡。王重荣跟朱玫等对峙一个多月，李克用大军抵达，会合王重荣军，同时进驻沙苑（大荔县东南），上疏请斩田令孜、朱玫、李昌符；李儇下诏命他们和解，李克用拒绝。

十二月二十三日，会战。朱玫、李昌符大败，各自逃回本战区，溃不成军的士卒所经过的地方，奸烧杀掠，无所不为。李克用挥军进逼京师（首都长安）。

十二月二十五日，夜晚，田令孜保护李儇，从开远门（长安西城最北第一门）出奔凤翔（陕西省宝鸡市凤翔区）。

最初，齐帝黄巢焚烧长安皇宫离去，唐政府各战区特遣兵团进城之后，大肆劫掠，纵火焚烧政府官舍及民间住宅，被焚毁的占十分之六七。代理长安特别市长（知京兆尹）王徽，经过长年累月的修补整顿（参考去年〔八八四〕九月），勉强完工十分之一二，到现在，再被政府乱兵焚烧剽掠，没有剩下任何东西。

28 本年（八八五），河中战区（总部河中府）改名为护国战区。

八八六年 丙午

唐　光启　二年

（皇帝秦宗权二年）

（唐帝李煴建贞元年）

1 春季，正月，唐王朝（首都长安〔陕西省西安市〕）镇海战区（总部设润州〔江苏省镇江市〕）兵变，营门官（牙将）张郁攻陷常州（江苏省常州市）。

2 河东战区（总部设太原府〔山西省太原市〕）司令官（节度使）李克用把大军撤退到河中（山西省永济市），跟护国战区（总部设河中府）司令官（节度使）王重荣，联合上疏唐帝（二十一任僖宗）李儇（本年二十五岁），请大驾回宫，并指控田令孜的罪状，要求诛杀田令孜。

李儇命皇家飞龙马厩管理宦官（飞龙使）杨复恭（参考八八三年七月），当宫廷机要室主任宦官（枢密使）。

正月八日，田令孜请李儇再逃兴元（陕西省汉中市），李儇不肯。当天夜晚，田令孜率武装战士进入行宫（李儇此时在凤翔府），强迫李儇动身，南下宝鸡（陕西省宝鸡市），李儇贴身卫士跟随的才几百人，宰相及所有文武百官，没有一个人知道。皇家文学研究院院长（翰林学士承旨）杜让能正在行宫值班，得到消息，徒步追赶，出凤翔城（陕西省宝鸡市凤翔区）十余华里，看到一匹被人遗弃的马，没有缰绳，只好解下自己的腰带，拴住马的脖子，跨上去追赶，单独一个人追到宝鸡（陕西省宝鸡市）才追上。第二天（正月九日），太子少保（太子三少之三）孔纬等几个人继续赶到。杜让能，是杜审权的儿子（杜审权，参考八六三年五月）。孔纬是孔戣（音kuí〔魁〕）的孙儿（孔戣，参考八一七年七月二十三日）。皇族事务部长（宗正）携带皇家祖庙的历代皇帝牌位，走到鄠县（陕西省西安市鄠邑区），遇见强盗，牌位全被抢走。追赶皇帝的其他中央官员，追到盩厔（陕西省周至县）时，被乱兵劫掠，衣服行李也全被抢走。

正月十日，李儇擢升孔纬当总监察官（御史大夫），命他回京（首都长安）召唤文武百官，李儇停留宝鸡（陕西省宝鸡市）等待。

当时，宦官田令孜窃弄权威，以致皇帝第二次逃亡，全国人民十分忿怒厌恶。朱玫（静难〔总部邠州〕司令官）、李昌符（凤翔〔总部凤翔府〕司令官）也觉得跟田令孜站在一边是一种羞辱，而且对李克用（河东〔总部太原府〕司令官）、王重荣（护国〔总部河中府〕司令官）的强大力量，感到恐惧，于是又向李克用、王重荣靠拢。

宰相萧遘趁静难战区（总部设邠州〔陕西省彬州市〕）奏事执行官（奏事判官）李松年前来凤翔公干之便，召唤朱玫（静难〔总部邠州〕司令官）

迅速迎接皇帝。

正月十三日，朱玫率步骑兵五千人由邠州（陕西省彬州市）抵达凤翔。孔纬也自宝鸡（陕西省宝鸡市）抵达凤翔，打算晋见各宰相，传达皇帝命令，命他们前去皇帝所在地（李俨此时在宝鸡）。萧遘、裴澈，因田令孜像影子一样一直留在皇帝身边，不准备接受征召，就声称有病在身，拒绝接见孔纬。孔纬命总监察署（御史台）职员催促文武百官动身，大家都推辞说：既没有官袍，又没有笏板。孔纬召集本署三院（宫廷〔殿中〕、中央〔侍〕、行政〔监察〕）监察官（御史），忍不住流下眼泪，哭泣说："就是平民百姓，亲戚朋友有什么紧急事故，我们还会去帮助他。哪有天子出奔在外，蒙受风尘，作为他的臣属，却屡次征召，都不理会！"监察官（御史）们无法回答，只好请求给几天时间，去准备行装。孔纬气得发抖，拂袖而起，说："我的妻子病得将要断气，都抛下不管，你们却这么为自己精打细算，就此告辞！"乃晋见李昌符（凤翔〔总部凤翔府〕司令官），请派骑兵护送他前往皇帝所在地（李俨此时在宝鸡），李昌符被他的忠义感动，赠送他行装及旅费，派骑兵送他启程。

静难（总部邠州）及凤翔（总部凤翔府）两战区派军追赶李俨，在潘氏（陕西省宝鸡市东北）击败神策军基地司令（军使）杨晟，战鼓声及呐喊声，行宫都听得见。田令孜带着李俨从宝鸡（陕西省宝鸡市）仓皇南下，留下禁军据守石鼻（宝鸡市东），作为后卫。临时下令划兴（陕西省略阳县）、凤（陕西省凤县）二州成立感义战区（二州原属山南西道战区〔总部兴元府〕），命杨晟当战区司令官（节度使），固守散关（宝鸡市西南）。通往巴蜀（四川省）的道路，崎岖狭窄，逃亡的难民塞得水泄不通，军人跟平民混合在一起，携带的武器互相碰撞，寸步难行。田令孜命神策军基地司令（神策军使）王建、晋晖，当清道砍杀官（清道斩砍使），王建派战士五百人开路，手拿长剑，见人就杀，勇猛无比。终于杀开一条血路，皇帝才得以前进。李俨命王建把传国之宝——御玺，背到背上，跟随逃亡，攀登大散岭（宝鸡市西南），凤翔（总部凤翔府）追兵焚烧栈道一丈有余，眼看就要崩塌。王建扶着李俨，从熊熊火焰和滚滚浓烟中，跳跃通过。夜晚，就住在临时搭盖的板屋下面，李俨把王建的膝盖当作枕头，枕着睡觉。等到睡醒后，王建才吃饭。李俨解下身上穿的御袍赏赐给王建，说："因为上面有眼泪（有李俨的眼泪，或是有王建的眼泪，没说清楚），你留作纪念！"李俨刚进散关（宝鸡市西南），朱玫（静难〔总部邠州〕司令官）大军已包围宝鸡（宝鸡市）。留守石鼻（宝鸡市东）的禁军，全部崩溃，朱玫长驱直入，进攻散关（宝鸡市西南），不能攻克。

嗣襄王李煴（音yūn〔晕〕），是十任帝（肃宗）李亨的玄孙（李亨的儿子襄王李僙的曾孙），有病，追赶不上，留在遵涂驿宾馆（石鼻城里），被朱玫俘虏，带回凤翔（陕西省宝鸡市凤翔区）。

正月三十日，李克用（河东〔总部太原府〕司令官）返回太原（山西省太原市）。

3 二月，王重荣（护国〔总部河中府〕司令官）、朱玫（静难〔总部邠州〕司令官）、李昌符（凤翔〔总部凤翔府〕司令官）再上疏皇帝，要求诛杀田令孜。

4 李俨命前东都洛阳（河南省洛阳市）留守长官郑从说，暂任太傅（守太傅·三师之二）兼最高监督长（兼侍中·使相）。

5 朱玫（静难〔总部邠州〕司令官）、李昌符（凤翔〔总部凤翔府〕司令官）

命山南西道战区（总部设兴元府〔陕西省汉中市〕）司令官（节度使）石君涉，用栅栏木柴阻塞所有险要道路，烧毁驿马车站，拦截皇帝李儇南下。李儇绕道别的小路，继续逃亡。山高谷深，崎岖险恶，而后面又有静难（总部邠州）追兵，李儇有三四次几乎被追兵捉到，最后总算逃到山南（秦岭以南）。

三月三日，石君涉放弃兴元（陕西省汉中市），投奔朱玫（静难〔总部邠州〕司令官）。

三月四日，留在凤翔（陕西省宝鸡市凤翔区）的中央文武百官，在宰相萧遘领头下，上疏揭发田令孜跟他的党羽韦昭度的罪行，要求诛杀田令孜。最初，韦昭度结交宫廷御用和尚（供奉僧）释澈，得以进一步结交宦官，终于当上宰相（参考八八一年七月十四日）。释澈的师傅知玄，对释澈的行为，十分鄙视，韦昭度常跟同僚拜访知玄，都下跪叩头，知玄作揖谦让，请他们去找释澈喝茶。

山南西道战区（总部设兴元府〔陕西省汉中市〕）监军宦官、冯翊（同州州政府所在县，陕西省大荔县）人严遵美，到西县（陕西省勉县）迎接李儇。

三月十七日，李儇抵达兴元（陕西省汉中市）。

三月十九日，李儇命总监察官（御史大夫）孔纬，跟皇家文学研究院院长（翰林学士承旨）、国务院国防部长（兵部尚书）杜让能，都当国务院国防部副部长（兵部侍郎），同时兼二级实质宰相（同平章事）。

保銮特别营指挥官（都将）李铤等，在凤州（陕西省凤县）击败静难（总部邠州）追兵。

李儇下诏加授王重荣（护国〔总部河中府〕司令官）：粮秣供应总监（应接粮料使），调发本战区谷米十五万斛，供应中央。王重荣上疏说：中央不杀田令孜，他不接受诏书。

李儇命国务院左秘书长（尚书左丞）卢渥当国务院财政部长（户部

九世纪·八八五年十二月至八八六年三月
李俨第二次逃亡

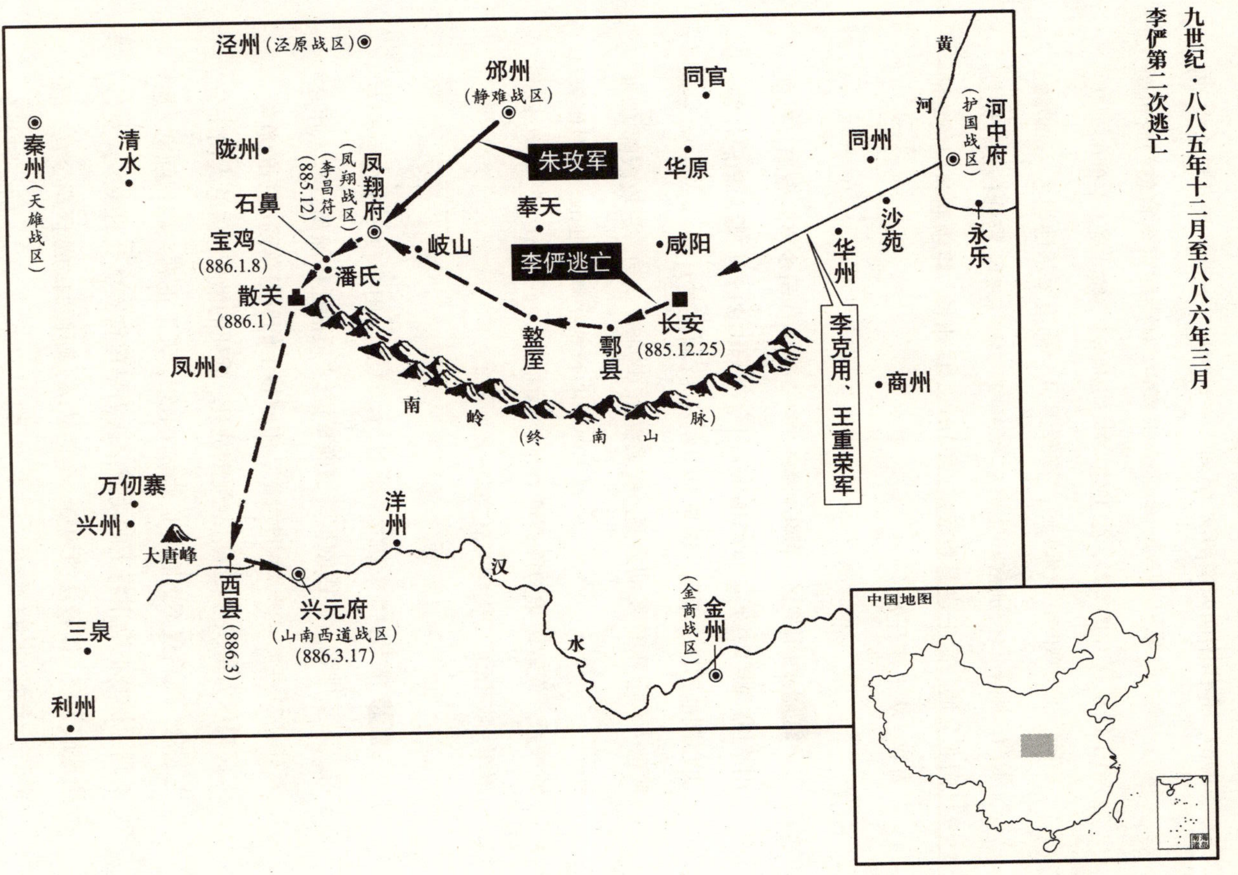

尚书），充任山南西道战区（总部设兴元府〔陕西省汉中市〕）候补司令官（留后）。命严遵美（山南西道〔总部兴元府〕监军宦官）当后宫宦官总管府机要室主任宦官（内枢密使），派王建（神策军基地司令〔神策军使〕）率他的部队，驻防三泉（四川省广元市东北），晋晖跟另一神策军基地司令（神策军使）张造，则率四特别营驻扎黑水（流经陕西省城固县境），整修栈道，恢复南北交通。命王建遥兼壁州（四川省通江县）州长。将领遥兼州长等地方官，从王建开始。

6 西川战区（总部设成都府〔四川省成都市〕）司令官陈敬瑄，对东川战区（总部设梓州〔四川省三台县〕）司令官（节度使）高仁厚，猜忌怀疑，决心把他铲除。正巧，遂州（四川省遂宁市）州长郑君雄（原东川将领，参考前年〔八八四〕六月）发动兵变，攻陷汉州（四川省广汉市），进攻成都（遂州属东川战区、汉州属西川战区）。陈敬瑄派他的将领李顺之迎战，郑君雄失败被杀。陈敬瑄乘势征调维（四川省理县）、茂（四川省茂县）二州的羌部落军，攻击高仁厚，把高仁厚斩首。

7 朱玫（静难〔总部邠州〕司令官）认为，田令孜一直在皇帝左右，无法排除，遂跟宰相萧遘商量说："领袖迁移流离，有六年之久（自八八〇年十二月逃黄巢开始计算），中原将士们冒着落箭飞石的危险，人民竭尽力量供应粮饷，战死的战死、饿死的饿死，占总人口十分之七八，最后仅不过收复京师（首都长安）。天下正高兴御驾回宫，想不到领袖却把勤王将士的功劳，认为是宦官应享受的荣耀，交付给他们大权，以致法律规章，全遭破坏，随便调动战区司令官，招来滔天大祸（指调王重荣等三人官职，参考去年〔八八五〕五月）。前些时我奉你的命令去迎接大驾，不但受不到信任，看起来反而好像是要胁领袖。我们尽忠报国的心已经枯竭，跟盗贼作战的力量已经使尽，怎么可以俯首帖耳，承受那些阉割过的家伙们摆弄！李姓皇族子孙还有很多，你是不是可以改变立场，维护帝国！”萧遘说：“领袖主政已有十余年（李儇于八七三年七月登极，迄今十四年），并没有重大过失，只不过田令孜在身边专权横行，遂不得不流离逃亡，领袖每次谈到，都悲痛落泪不已。最近这一次，领袖并没有逃走的意思，是田令孜率军包围行宫，胁迫立即上路，连等到天亮都不肯。罪恶都在田令孜，哪一个人不知道？你效忠皇家，只有一条路可走，那就是率军返回本战区（静难〔总部邠州〕），上疏迎接大驾。至于罢黜旧君，另行拥护新君，这是连伊尹、霍光都感到困难的大事，我不敢听你的命令！”朱玫出来，宣布说：“我拥护李姓皇族一位亲王登上宝座，领导国人重建帝国，胆敢反对的，斩首！”

夏季，四月三日，朱玫强迫留在凤翔（陕西省宝鸡市凤翔区）的文武百官，拥护嗣襄王李煴（音yūn〔晕〕）暂时主持帝国军事政治事务，代表皇帝任官封爵、指挥武装部队；同时派高阶层官员到巴蜀（四川省）迎接李儇；集合全体文武官员，在石鼻驿（陕西省宝鸡市东）对天盟誓。朱玫请萧遘撰写拥护李煴称帝的奏章，萧遘推辞说文思衰退，于是命国务院国防部副部长（兵部侍郎）兼管财政部税务司（判户部）的郑昌图执笔。

四月六日，李煴接受文武官员联名拥护他当皇帝的奏章，朱玫自己兼任左、右神策十军基地司令（兼左右神策十军使），率领文武官员护送李煴回京（首都长安）。李煴命郑昌图当二级实质宰相、全国财政总监、盐铁专卖暨运输总监兼管财政部税务司（同平章事、判度支、盐铁、户部），各单位都设副手。财政三司（国务院财政部〔户部〕、全国财政总监〔度支〕、盐铁专卖暨运输总监〔盐铁〕）事务，全部交给郑昌图一人负责。由京师（首都长安）逃到河中（山西省永济市）的中央文武官员崔安潜等，也向李熅呈递效忠信件，请求登极。

8 田令孜心里明白，天下已没有他容身之地，于是推荐宫廷机要室主任宦官（枢密使）杨复恭继任左神策军总指挥宦官（左神策中尉）、皇家观察兵马阵容特派监军宦官（观军容使）；而命自己当西川战区（总部成都府）总监军宦官（西川监军使），前往投靠陈敬瑄（西川〔总部成都府〕司令官）。

杨复恭排斥田令孜的党羽，派王建出任利州（四川省广元市）州长、晋晖出任集州（四川省南江县）州长、张造出任万州（重庆市万州区）州长、李师泰出任忠州（重庆市忠县）州长（王建等投靠田令孜事，参考前年〔八八四〕十一月）。

9 五月，朱玫（静难〔总部邠州〕司令官）命副立法长（中书侍郎）、二级实质宰相（同平章事）萧遘，当太子太保（太子三师之三）。擢升自己当最高监督长（侍中）兼全国盐铁专卖暨运输总监（诸道盐铁转运）等职。命宰相裴澈兼全国财政总监（判度支）、郑昌图兼管国务院财政部税务司（判户部）；命淮南（总部扬州）司令官（节度使）高骈兼最高立法长（兼中书令·使相），充任江淮（华东地区）盐铁专卖暨运输总监等职及各战区道特遣兵团总指战官（江淮盐铁转运等使及诸道行营兵马都统）；命淮南战区（总部设扬州〔江苏省扬州市〕）右翼大营总管理官（右都押牙）、和州（安徽省和县）州长吕用之，当岭南东道战区（总部设广州〔广东省广州市〕）司令官（节度使）。朱玫大肆发布人事命令，人人升官晋爵，用以博取各战区道的喜悦。又派国务院文官部副部长（吏部侍郎）夏侯潭，前去黄河以北慰劳沟通，国务院财政部副部长（户部侍郎）杨陟，前往江淮（华东地区）各战区道慰问沟通，接受新政府命令的有十分之六七。高骈更上疏劝进。

吕用之飞黄腾达，已今非昔比，有自己的官府，门前竖立大旗，跟战区司令官（节度使）完全相同。高骈所有心腹，以及将领中有才能的人，吕用之都强迫他们归顺自己，所有措施，不再禀告。高骈开始觉得不对劲，准备暗中剥夺吕用之的权力，可是根柢已深、羽毛已丰，无可奈何。吕用之发觉高骈采取行动，十分恐惧，询问他的同党：前财政总监署巡察官（度支巡官）郑杞、前庐州（安徽省合肥市）州长董瑾。郑杞说："高骈为时已晚，不必担心。"吕用之请教下一步应该怎么办，郑杞说："曹操有句话：'宁愿我负人，不让人负我！'（《自明本志令》语，参考二一〇年十二月。）"第二天，郑杞跟董瑾联合写一封信交给吕用之，事属高度机密，写的什么，没有人知道（但最后却由吕用之泄露毒计。参考明年〔八八七〕闰十一月）。

萧遘声称有病，前往永乐（山西省永济市东南）疗养（《新唐书·萧遘传》说：萧遘的老弟当永乐县长）。

最初，凤翔战区（总部设凤翔府〔陕西省宝鸡市凤翔区〕）司令官（节度使）李昌符，跟朱玫（静难〔总部邠州〕司令官）共同定策，拥护襄王李煴登极称帝，可是朱玫却自己封自己当宰相，独揽大权；李昌符大怒，拒绝新皇帝所任命的新官，反而上疏流亡兴元（陕西省汉中市）的旧皇帝李儇，李儇下诏加授李昌符中央官衔：摄理司徒（检校司徒，三公之二）。

朱玫（静难〔总部邠州〕司令官）派部将王行瑜，率静难及河西军队（此河西不知指什么地方，但无论是"河西走廊"或"陕西省北部"，皆非朱玫势力所及）五万人，追赶李儇；感义战区（总部设兴州〔陕西省略阳县〕）司令官（节度使）杨晟屡战屡败，放弃散关（陕西省宝鸡市西南）退走，王行瑜进驻凤州（陕西省凤县）。

当时，各战区道进贡物品及缴纳赋税，差不多都送长安（陕西省西安市），不送兴元（陕西省汉中市），随从李儇逃亡的官员及皇家卫士，都断粮缺食，李儇忧愁哭泣，不知道怎么办才好。宰相杜让能向李儇建议说："杨复光（参考八八三年七月）跟王重荣（护国〔总部河中府〕司令官）曾合作击破黄巢（参考八八三年四月），收复京师（首都长安），感情亲密。而杨复恭，是杨复光的老哥，如果能派高官前去晋见王重荣，向他分析大义所在，再传达杨复恭的心意，王重荣极有可能考虑回归中央。"李儇接受，派立法院高级顾问官（右谏议大夫）刘崇望，携带李儇的诏书，前往河中（山西省永济市），游说王重荣。王重荣立刻接受，派使节进贡绢（生丝原绸）十万匹，并请求讨伐朱玫，用以赎罪。

五月二十日，襄王李煴派使节前往晋阳（太原府所在县），赐给李克用（河东〔总部太原府〕司令官）诏书，说："皇上（李儇）走到半路，护驾六军哗然叛变，仓惶之间，皇上逝世，我被各战区拥护，今已接受推戴。"朱玫也给李克用写信说明，李克用了解所有计谋都出于朱玫，不禁大怒。大将盖寓（盖，姓）向李克用建议说："天子流亡，天下人把责任都推到我们身上，而今，如果不诛杀朱玫、罢黜李煴，就不可能洗刷自己，回归清白。"李克用同意，遂焚毁李煴的诏书、囚禁所派的使节，向邻近各战区道发布文告，说："朱玫竟敢欺骗天下，公开撒谎，硬说皇上（李儇）已死。本战区已动员华洋人马三万人，出发讨伐叛逆，当共同建立大功。"盖寓，是蔚州（河北省蔚县）人。

10 蔡州（河南省汝南县）皇帝秦宗权的大将秦贤，攻击宣武（总部汴州），宣武战区（总部设汴州〔河南省开封市〕）司令官（节度使）朱全忠（朱温）在尉氏（河南省尉氏县）以南，击败秦贤。

五月十五日，朱全忠（朱温）派指挥官（都将）郭言率步骑兵三万人，进攻秦宗权的首都蔡州（河南省汝南县）。

11 六月，李俨（时在兴元府）命扈跸特别营（神策军五十四都之一）指挥官（都将）杨守亮，当金商战区（总部设金州〔陕西省安康市〕）司令官（节度使）兼京畿军政总监（京畿制置使），率军二万人，从金州（陕西省安康市）出发，跟王重荣（护国〔总部河中府〕司令官）及李克用（河东〔总部太原府〕司令官）会师，共同讨伐朱玫（静难〔总部邠州〕司令官）。杨守亮，本姓訾（音zī〔资〕），名亮，是曹州（山东省菏泽市定陶区）人，跟老弟訾信，都是杨复光的义子，改名杨守亮、杨守信。

李克用派使节携带奏章前往兴元（陕西省汉中市），奏称："我正出动大军，西渡黄河，铲除叛逆，迎接大驾，盼望陛下命各战区道跟我同心合力。"先前，山南（秦岭以南）官民人等都认为李克用跟朱玫合作，人心恐慌，奏章送到后，李俨命文武官员传阅，并通知山南（秦岭以南）各战区道，人心才告安定。但李克用在奏章上仍指控朱全忠（朱温）的罪恶，李俨命杨复恭回信，强烈暗示说："等三辅（京畿地区，陕西省中部）的事告一段落，我自会另行处分。"

12 衡州（湖南省衡阳市）州长周岳，出军攻击潭州（湖南省长沙市）；钦化战区（总部设潭州）司令官（节度使）闵勖，召请蔡州（河南省汝南县）皇帝秦宗权的部将黄皓，进城协防，黄皓进城后，格杀闵勖（闵勖袭据潭州事，参考八八一年十二月，前后六年而灭）。

周岳攻陷潭州（湖南省长沙市），生擒黄皓，处死。

13 镇海战区（总部设润州〔江苏省镇江市〕）司令官（节度使）周宝，

派营门官（牙将）丁从实，袭击常州（江苏省常州市），驱逐张郁（张郁叛夺常州，参考本年〔八八六〕正月），张郁逃奔海陵（江苏省泰州市），依靠该镇卫戍司令（镇遏使）南昌（洪州州政府所在县，江西省南昌市）人高霸。高霸，是高骈的部将，镇守海陵（属淮南战区），当地有居民五万户，武装部队三万人。

14 秋季，七月，蔡州（河南省汝南县）皇帝秦宗权攻陷许州（忠武战区总部所在，河南省许昌市），诛杀战区司令官（节度使）鹿晏弘（鹿晏弘夺取许州，参考前年〔八八四〕十一月）。

15 静难战区（总部设邠州〔陕西省彬州市〕）大将王行瑜进攻兴州（陕西省略阳县），感义战区（总部设兴州）司令官（节度使）杨晟放弃城池，退保文州（甘肃省文县）。李俨派保銮特别营（神策五十四都之一）指挥官（都将）李键、扈跸特别营（五十四都之二）指挥官（都将）李茂贞、陈佩，进驻大唐峰（略阳县东南），抵抗王行瑜。李茂贞，是博野（河北省蠡县）人，本姓宋，名文通，因有功劳，皇帝特别赐他皇家御姓和一个新名（《旧五代史·李茂贞传》记载，李茂贞〔宋文通〕是博野兵团成员）。

16 唐政府改钦化战区（总部设潭州〔湖南省长沙市〕）为武安战区，命衡州（河南省衡阳市）州长周岳当司令官（节度使）。

17 八月，卢龙战区（总部设幽州〔北京市〕）司令官（节度使）李全忠逝世，唐政府命他的儿子李匡威当候补司令官（留后）。

18 光州（河南省潢川县）变民首领王潮（参考去年〔八八五〕八月）攻

陷泉州（福建省泉州市），斩州长廖彦若。

王潮听说过福建道（首府设福州〔福建省福州市〕）行政长官（观察使）陈岩的威名，不敢侵犯福州（福建省福州市）边界，而且派使节前去投降。陈岩上疏任命王潮当泉州（福建省泉州市）州长。

王潮沉着勇敢，又有智慧谋略，取得泉州后，集结安抚四方流亡的难民，公平征税，整顿军事设备，无论官吏及平民，都心悦诚服。

王潮把王绪软禁在特别宾馆，王绪羞惭难当，自杀（王绪以屠夫崛起，参考八八一年八月）。

19 九月，静难战区（总部邠州）大将张行实进攻大唐峰（陕西省略阳县东南），保銮特别营指挥官（保銮都将）李铤等把他击退。金吾（卫军第十一、十二军）将军满存，跟静难（总部邠州）特遣兵团会战，把静难特遣兵团击破，克复兴州（陕西省略阳县），进驻万仞寨（略阳县北）。

20 西昭义战区（总部设潞州〔山西省长治市〕）司令官（节度使）李克修进攻东昭义战区（总部设邢州〔河北省邢台市〕）司令官（节度使）孟方立。

九月十八日，在焦冈（河北省涉县境），西军生擒东军将领吕臻，一连攻陷故镇（河北省武安市西）、武安（河北省武安市）、临洺（河北省邯郸市永年区）、邯郸（河北省邯郸市）、沙河（河北省沙河市西沙河城镇），任命大将安金俊当邢州（河北省邢台市）州长。

21 长安（陕西省西安市）文武百官，在太子太师（太子三师之一）裴璩等率领下，向襄王李煴劝进。

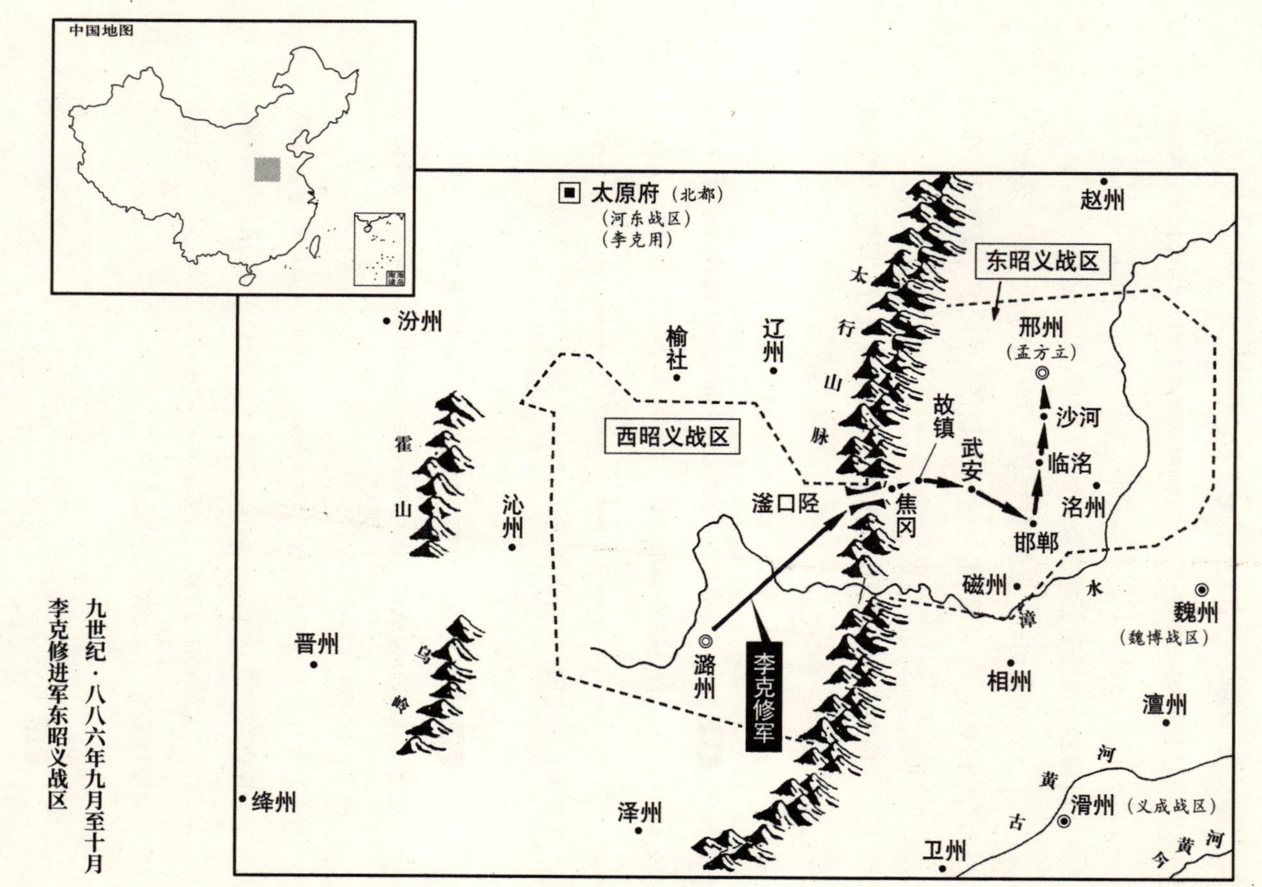

九世纪·八八六年九月至十月
李克修进军东昭义战区

冬季，十月，李熅登极，坐上皇帝宝座，改年号建贞，遥尊逃亡兴元（陕西省汉中市）的李儇绰号：太上元皇圣帝。

22 杭州（浙江省杭州市）州长董昌（夺取杭州事，参考八八一年九月）告诉钱镠（音𠮩〔流〕）说："你如果能拿下越州（义胜战区总部，浙江省绍兴市），我就把杭州（浙江省杭州市）让给你。"钱镠说："是的，不拿下越州（浙江省绍兴市），终有一天会成为灾难。"遂率军从诸暨（浙江省诸暨市）直向平水（绍兴市东南平水镇），凿山开道五百华里，抵达曹娥埭（浙江省绍兴市上虞区西南曹娥村）；义胜战区（总部越州）将领鲍君福率领部众投降。钱镠不断攻击，不断取胜，进驻丰山（曹娥埭西北）。

23 感化战区（总部设徐州〔江苏省徐州市〕）营门官（牙将）张雄、冯弘铎，得罪了战区司令官（节度使）时溥，集结部众三百人，南下渡江（不知道什么江），袭击苏州（江苏省苏州市），占领据守。张雄自称州长，武装部队逐渐扩张到五万人，一千余艘战舰，自称天成军。

24 河阳战区（总部设孟州〔河南省孟州市〕）司令官（节度使）诸葛爽逝世，大将刘经、张全义拥护诸葛爽的儿子诸葛仲方当候补司令官（留后）。张全义，是临濮（山东省鄄城县西南临濮镇）人。

25 李克修（西昭义〔总部潞州〕司令官）进攻邢州（东昭义战区总部所在，河北省邢台市），不能攻克，撤退。

26 十一月十一日，钱镠攻克越州（浙江省绍兴市）。义胜战区（总部越州）司令官（节度使）刘汉宏逃奔台州（浙江省临海市）。

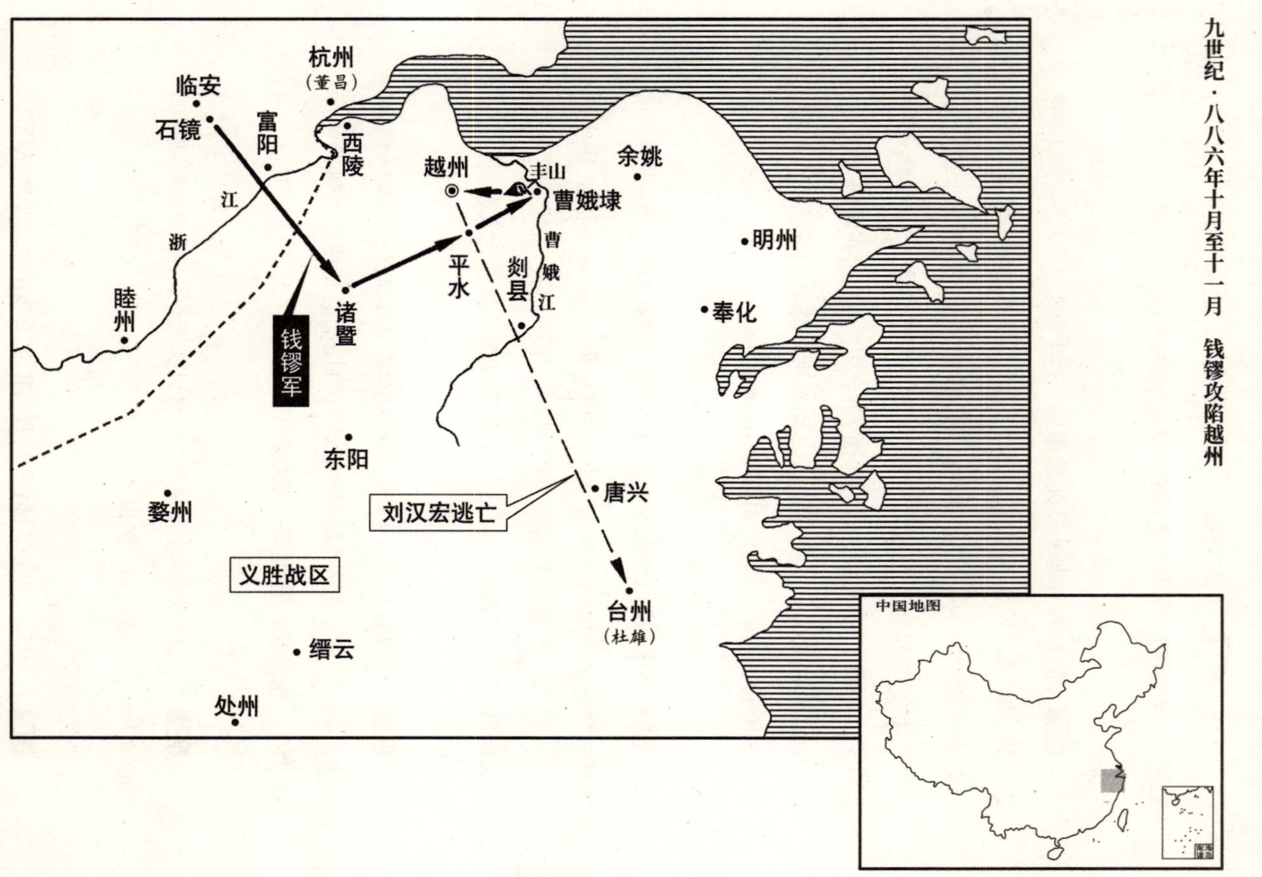

九世纪·八八六年十月至十一月　钱镠攻陷越州

27 义成战区（总部设滑州〔河南省滑县〕）司令官（节度使）安师儒，把大权交给两翼总纠察官（两厢都虞候）夏侯晏、杜标，二人骄傲蛮横，官兵人人忿怒。初级军官张骁逃出来，暗中集结二千人，进攻州城（河南省滑县）。安师儒无可奈何，只好砍下夏侯晏、杜标人头，请求退兵，兵变才告平息。天平战区（总部设郓州〔山东省东平县〕）司令官（节度使）朱瑄，计划夺取滑州（河北省滑县），派濮州（山东省鄄城县）州长朱裕率军引诱张骁，诛杀。

宣武战区（总部设汴州〔河南省开封市〕）司令官（节度使）朱全忠（朱温），早就派出他的将领朱珍、李唐宾，袭击滑州（河南省滑县），进入边境后，遇到大雪，朱珍等毫不畏缩，一夜之间，急行军抵达城下，动用所有云梯，同时攀上城墙，遂占领城池，俘虏安师儒，班师。朱全忠（朱温）派营门官（牙将）、江陵（湖北省江陵县）人胡真，当义成战区（总部滑州）候补司令官（留后）。

28 宦官田令孜请求前往成都（四川省成都市）寻求医生治病，李儇批准。

29 十二月戊寅日（十二月乙巳朔，没有戊寅），勤王军攻克凤州（陕西省凤县）。李儇命满存当凤州警备区司令（防御使）。

30 宫廷机要室主任宦官（枢密使）杨复恭向关中（陕西省中部）发布文告，宣称："砍下朱玫（静难〔总部邠州〕司令官）人头的，中央就任命他当静难战区（总部邠州）司令官（节度使）。"王行瑜屡战屡败，恐怕被朱玫处罚，遂跟部属们商议说："我们不能立功，回去非死不可，为什么大家不去诛杀朱玫，收复京师（首都长安），迎接皇上（李俨）大驾，换取静难（总部邠州）高官？”全军拥护。

十二月十日，王行瑜从凤州（陕西省凤县）率军自行返回京师（首都长安），朱玫正在处理公务，得到报告，勃然大怒，召见王行瑜，责备他说：“你没有接到命令，就擅自拔营，难道打算谋反？”王行瑜说：“我不打算谋反，只打算诛杀谋反的叛徒！”生擒朱玫，斩首，诛杀朱玫的党羽数百人。京师（首都长安）大乱，军队到处烧杀，大肆劫掠，官员平民的衣服都被剥光，隆冬严寒，冻死的裸体僵尸，遍地都是。宰相裴澈、郑昌图，率文武官员二百余人，护送刚登极不足三个月的新皇帝李煴，逃往河中（山西省永济市）。护国战区（总部河中府）司令官（节度使）王重荣，伪装欢迎，却生擒李煴，斩首；囚禁裴澈、郑昌图；二百余名官员被处死的将近一半。

31 台州（浙江省临海市）州长杜雄（参考八八一年九月），诱捕刘汉宏，押送给董昌（杭州州长），斩首（刘汉宏是军阀食物链中的草食动物，才能平庸，却雄心万丈，自八七九年十月兵变，虽官运亨通，却战无不败，前后八年而灭）。

董昌迁到越州（浙江省绍兴市），自称主管浙东道军政总部（知浙东军府事），命钱镠代理杭州（浙江省杭州市）州长。

32 王重荣（护国〔总部河中府〕司令官）把李煴的人头装到木匣里，送到皇帝所在地（李俨此时在兴元府〔陕西省汉中市〕），国务院司法部（刑部）建议：请李俨登兴元城南城楼接受献俘，文武百官集中祝贺。祭祀部礼仪官（太常博士）殷盈孙反对，说：“李煴受叛徒胁持，最多只能责备他不能死节。《礼经》上说：皇族的人犯下死罪，君王应改穿素色衣服，不听音乐（参考《礼记·文王世子》）。李煴已经伏诛，最恰当的措施是把他贬作平民，命当地官员把人头埋葬。至于献俘祝贺大礼，请等朱玫的人头送来时，一并举行。”李俨同意。殷盈孙，是殷侑的孙儿（殷侑曾任军械供应部长〔卫尉卿〕，参考八二八年七月）。

33 河阳战区（总部孟州）大将刘经，担心李罕之难以控制，于是亲自率军镇守东都洛阳（河南省洛阳市），乘机向李罕之驻防的渑池（河南省渑池县）发动突袭，被李罕之击败，刘经放弃洛阳逃走；李罕之追击，几乎把刘经的部队完全杀光。李罕之驻军巩县（河南省巩义市），准备渡黄河北上继续追击，刘经派将领张全义率军阻截。当时，战区司令官（节度使）诸葛仲方年纪仍小，军政大权握在刘经之手，将领们都不心服，张全义遂反过来跟李罕之结盟，联合攻击河阳（孟州州政府所在县，河南省孟州市），被刘经击败；李罕之、张全义退保怀州（河南省沁阳市）。

34 最初，感化战区（总部设徐州〔江苏省徐州市〕）决胜特别营司令（决胜指挥使）孙儒，跟龙骧特别营司令（龙骧指挥使）、朗山（河南省确山县）人刘建锋，驻扎蔡州（河南省汝南县）抵抗黄巢，扶沟（河南省扶沟县）人马殷在军中当兵，以勇敢及才能，受将领们的器重。后来，奉国战区（总部蔡州）司令官（节度使）秦宗权叛变（投降黄巢，参考八八三年五月），孙儒等转为秦宗权的部属。现今，秦宗权派孙儒率军攻陷郑州（河南省郑州市），州长李璠逃奔大梁（汴州州政府所在城，河南省开封市）。孙儒又攻陷河阳（河南省孟州市），候补司令官（留后）诸葛仲方也逃奔大梁。孙儒自称司令官（节度使）。此时，张全义据守怀州（河南省沁阳市），李罕之据守泽州（山西省晋城市），抵抗孙儒（怀泽二州皆属河阳战区）。

最初，长安（首都长安西半城）人张佶在宣歙道政府（设宣州〔安徽省宣城市〕）当幕僚官，瞧不起行政长官（观察使）秦彦的为人，弃官而去（秦彦夺取宣州，参考八八二年十二月）；经过蔡州（河南省汝南县）时，还是战区司令官（节度使）的秦宗权，留下他当作战参谋长（行军司马）。张佶对刘建锋说：“秦大帅刚愎凶悍，而又怀疑猜忌，随时都会灭亡，我们有没有办法逃脱出这场大祸？”刘建锋也感觉到面前危险，遂跟张佶友善。

35 寿州（安徽省寿县）州长张翱，派他的将领魏虔，率一万人攻击庐州（安徽省合肥市），庐州州长杨行愍派他的将领田頵、李神福、张训等率军阻截，在褚城（安徽省合肥市西北）把魏虔击败。

滁州（安徽省滁州市）州长许勍，袭击舒州（安徽省潜山市），州长陶雅逃奔庐州（陶雅出任州长，参考前年〔八八四〕三月）。

高骈（淮南〔总部扬州〕司令官）命杨行愍改名杨行密。

36 本年（八八六），天平战区（总部设郓州〔山东省东平县〕）营门官（牙将）朱瑾，用诈术驱逐泰宁战区（总部设兖州〔山东省济宁市兖州区〕）司令官（节度使）齐克让，自称候补司令官（留后）。

朱瑾计划袭击兖州（山东省济宁市兖州区），于是向齐克让求婚，自郓州（山东省东平县）出发，衣服、马车，全都珠光宝气，华丽耀眼，却暗中藏匿武器铠甲。迎亲的那天晚上，武装勇士发动奇袭，把齐克让逐走，而由朱瑾接替。中央遂命朱瑾当泰宁战区（总部兖州）司令官（节度使）。

37 安陆（湖北省安陆市）变民首领周通，进攻鄂州（湖北省武汉市），州长路审中逃走（路审中夺取鄂州，参考〔八八四〕三月），岳州（湖南省岳阳市）州长杜洪乘鄂州（湖北省武汉市）空虚，率军入城，自称武昌战区（原编制是鄂岳道，杜洪擅自升格为战区）候补司令官（留后）；中央就命他实任司令官（节度使）。

湘阴（湖南省湘阴县）变民首领邓进思乘虚攻陷岳州（湖南省岳阳市）。

38 蔡州（河南省汝南县）皇帝秦宗权的部将秦宗言，包围荆南（总部江陵府）两年（去年〔八八五〕九月起），荆南战区（总部设江陵府〔湖北省江陵县〕）司令官（节度使）张瓌登城固守，城里每斗米卖四十串钱，连铠甲和战鼓上的皮革都吃光，夜里敲打门板警戒，死的人满地都是，秦宗言竟不能攻克，解围而去。

八八七年

丁未

唐　光启　三年

（皇帝秦宗权三年）

1 春季，正月，唐政府（首都长安〔陕西省西安市〕）命静难战区（总部设邠州〔陕西省彬州市〕）指挥官（都将）王行瑜，当本战区司令官（节度使）。命扈跸特别营作战司令（扈跸都头）李茂贞（宋文通）兼武定战区（总部设洋州〔陕西省洋县〕）司令官（节度使）；另一作战司令（扈跸都头）杨守宗当金商战区（总部设金州〔陕西省安康市〕）司令官（节度使）；右卫（卫军第二军）大将军顾彦朗当东川战区（总部设梓州〔四川省三台县〕）司令官（节度使），原金商战区司令官杨守亮（訾亮）当山南西道战区（总部设兴元府〔陕西省汉中市〕）司令官（节度使）。顾彦朗，是丰县（江苏省丰县）人。

2 正月七日，唐政府命董昌当浙东道（首府设越州〔浙江省绍兴市〕）行政长官（观察使。撤销义胜战区编制，恢复浙东道），钱镠（音吣〔流〕）当杭州（浙江省杭州市）州长。

3 蔡州（河南省汝南县）皇帝秦宗权，认为自己的军队超过宣武战区（总部设汴州〔河南省开封市〕）司令官（节度使）朱全忠（朱温）的军队几乎十倍有余，却不断被朱全忠（朱温）击败，感到十分羞辱，于是打算集中全部兵力向汴州（河南省开封市）发动一次毁灭性总攻。朱全忠（朱温）也了解自己的士兵太少，急谋补救。

二月，朱全忠命各军总指挥官（诸军都指挥使）朱珍，当淄州（山东省淄博市）州长，在东方招兵买马，约定夏季开始时返回（淄州属平卢战区〔总部青州〕）。

4 二月二十四日，唐帝（二十一任僖宗）李俨（本年二十六岁）下诏剥夺三川总监军宦官（三川都监）田令孜所有官职及爵位，无限期流放端州（广东省肇庆市）。然而田令孜已逃到陈敬瑄（西川〔总部成都府〕司令官）那里，诏书无法执行。

5 代北战区（总部设代州〔山西省代县〕）司令官（节度使）李国昌（朱邪赤心）逝世。

6 三月九日，李俨下诏：李煴称帝时出任宰相的萧遘、郑昌图、裴澈，就在押解途中接到诏书的地方，集合军民参观下，斩首。于是，全死在岐山（陕西省岐山县，宝鸡市凤翔区东二十公里）。当时中央官员接受李熅官爵的很多，法庭一律判决死刑，宰相杜让能竭力争取，免除的有十分之七八。

7 三月十八日，李儇由兴元（陕西省汉中市）抵达凤翔（陕西省宝鸡市凤翔区），战区司令官（节度使）李昌符，恐怕李儇回京（首都长安）后，即令不追究他以前的冒犯罪行（指跟朱玫联军追逐李儇），但恩宠和赏赐，肯定会逐渐减少，于是声称宫殿还没有完全修复，坚持李儇应在凤翔多停留些时日。李儇同意。

8 太傅（三师之二）兼最高监督长（兼侍中）郑从谠免职，调任太子太保（太子三师之三）。

9 镇海战区（总部设润州〔江苏省镇江市〕）司令官（节度使）周宝，招募特种卫队一千人，号称"后楼兵"，薪饷和装备都比正规部队加倍优厚，正规军十分怨恨，而"后楼兵"也逐渐骄傲凶暴，难以控制。周宝沉湎在女人、美酒以及乐声、歌声、犬马之中，不过问政事。修筑润州（江苏省镇江市）外城（罗城）二十余华里；又兴建官邸东院，劳役繁重，人民不堪压迫。周宝跟幕僚们在后楼设宴饮酒，有人透露正规军所发的怨言。周宝说："胆敢作乱，立刻诛杀。"全国财政总监署调查督促官（度支催勘使）薛朗，把这话转告他最好的朋友、战区将领刘浩，警告他要约束他的士卒，刘浩悲愤说："只有叛变，才能免于一死！"当天夜晚，周宝酩酊大醉，刚上床睡觉，兵变爆发，刘浩率领他的同伴攻击官邸，纵火焚烧。周宝大吃一惊，从床上跳起来，光着双脚敲芙蓉门（官邸后门）呼唤"后楼兵"，想不到“后楼兵”也参加叛变，周宝无计可施，只好率领家人徒步走出青阳门，逃奔常州（江苏省常州市），投靠州长丁从实。刘浩大肆诛杀周宝的幕僚。

三月十九日，刘浩把薛朗迎接到总部，推举他当候补司令官（留后）。周宝先前兼任过物资调节副总监（兼租庸副使），所以城里货物财宝堆积如山。就在这一天，全部落入变兵之手。

淮南战区（总部设扬州〔江苏省扬州市〕）司令官（节度使）高骈听到周宝身败名裂消息，大喜若狂，立即集结文武官员，在公堂接受祝贺，并且送一袋粉末给周宝（二人由友变仇事，参考八八一年九月），周宝大怒，把它摔到地上，说：“你有一个吕用之，以后的日子就很难说！”扬州（江苏省扬州市）一连几年发生饥馑，城里每天都饿死几千人，经济衰退，市容寥落，天灾及怪事不断出现。高骈认为周宝的垮台，应可以化解上天的愤怒。

10 山南西道战区（总部设兴元府〔陕西省汉中市〕）司令官（节度使）杨守亮（訾亮），对利州（四川省广元市）州长王建的骁勇善战，猜忌不安，屡次召见王建，王建心怀恐惧，不肯前去。前任龙州（四川省平武县东南）粮仓官（司仓）周庠（音xiáng〔祥〕），游说王建说：“唐王朝势将覆灭，各战区道互相吞食，可是观察他们本身，都没有英雄才能和高瞻远瞩的策略，所以不能多难兴邦。你既有勇气，又有智谋，士卒对你又十分拥护，建立伟大的勋业，除了你还会有谁？然而葭萌（四川省广元市西南，此泛指利州州政府所在）一片平原，敌人可以从四面八方发动攻击，难以成为基地。阆州（四川省阆中市）位置偏远荒僻，但民间富庶，州长杨茂实，是陈敬瑄（西川〔总部成都府〕司令官）、田令孜的心腹，从来不向中央进贡，如果上疏皇帝，指责杨茂实的罪状，发兵讨伐，用不着战斗，就能把他擒获！”王建接受，招募山区里的部落豪杰、蛮夷青年，集结八千人，沿着嘉陵江南下，袭击阆州（四川省阆中市），赶走杨茂实，进城据守，自称警备区司令（防御使），招降纳叛，收容四方亡命之徒，军事力量日益强盛，杨守亮（訾亮）更无力约束。

王建的部将张虔裕建议说：“你利用中央权力衰弱的时候，擅自夺取州县，如果有一天中央恢复正常，恐怕你就要断子绝孙。最好派使节携带奏章，前去晋见皇帝，用大义作为号召，出兵遣将，就没有问题！”另一部将綦毋谏（綦毋，复姓），提醒王建应爱护平民，优待知识分子，静观天下变化。王建也都接受。周庠、张虔裕、綦毋谏都是许州（河南省许昌市）人。

最初，王建跟东川战区（总部设梓州〔四川省三台县〕）司令官（节度使）顾彦朗，都在神策军供职，共同讨伐变民。现在，王建夺取阆州（四川省阆中市），顾彦朗恐怕受到攻击，时常派人前去问好，致赠礼物，运送军粮，王建因此不侵犯东川。

11 最初，镇海战区（总部设润州〔江苏省镇江市〕）司令官（节度使）周宝（时逃亡常州），听说淮南战区（总部设扬州〔江苏省扬州市〕）六合（江苏省南京市六合区）卫戍司令（镇遏使）徐约的部队全属精锐，于是引诱他攻击苏州（江苏省苏州市）。

夏季，四月一日，徐约驱逐苏州（江苏省苏州市）州长张雄（感化〔总部徐州〕将领。参考去年〔八八六〕十月），张雄率领他的部众逃往东海。

12 淮南战区（总部设扬州〔江苏省扬州市〕）司令官（节度使）高骈，听到蔡州（河南省汝南县）皇帝秦宗权将要攻击淮南（总部扬州）的消息，派左翼总作战司令（左厢都知兵马使）毕师铎，率骑兵一百人，增援高邮（江苏省高邮市）。

当时，吕用之权力正达高峰，老将们多数被杀。毕师铎因是黄巢的降将，更一直惊恐不安（毕师铎降高骈，参考八七九年正月）。毕师铎有一位美丽的小老婆，吕用之要求见上一面，毕师铎拒绝。但吕用之并不罢手，趁毕师铎外出时，暗中仍是前往一见，毕师铎羞怒交集，把小老婆赶出家门。毕吕二人，遂结下怨恨。

毕师铎将率军进驻高邮（江苏省高邮市），吕用之待他更优厚亲切，毕师铎越发怀疑恐惧，认为大祸马上就要发生。毕师铎的儿子娶高邮（江苏省高邮市）卫戍司令（镇遏使）张神剑的女儿为妻，毕师铎跟张神剑秘密会商，张神剑认为吕用之不可能向他下手。张神剑，本名张雄（此张雄不是被赶走的苏州州长张雄），精于用剑，所以人们称他"神剑"。但战区总部官员纷纷耳语，认定毕师铎就要被处死。毕师铎的娘亲派人警告他说："假定有这种事，你自己努力逃命，不要被老母弱子牵累！"毕师铎迟疑不敢决定。

正巧，高骈的儿子四十三郎（从这个兄弟排行，看出高骈的小老婆之多和儿子之多），一向厌恶吕用之，打算使毕师铎率领各地将领上书老爹，揭穿吕用之的罪恶，使老爹了解真相。所以派出密使告诉毕师铎一个假消息："吕用之近来不断晋见大帅，将针对你采取行动，机密文件已送到张神剑（张雄）那里，你最好严密戒备。"毕师铎质问张神剑（张雄）说："昨晚总部有公文书，亲家翁怎么不告诉我？"张神剑（张雄）茫然说："没有公文书！"毕师铎心里惶恐，更感到危机四伏，回到自己营房，跟心腹将领商量，大家都鼓励毕师铎发难，把吕用之处死。毕师铎说："这些年来，吕用之所作所为，使得神怨鬼愁，怎么知道上天不是假借我的手把他诛杀？淮宁（淮口，泗水注入淮河处）基地司令（淮宁军使）郑汉章，是我的同乡（冤句，山东省东明县南马头镇），从前归降唐政府时，是我的副司令，一提起吕用之就咬牙切齿。听到我的计划，一定欢喜。”就在夜晚，带领一百名骑兵，秘密前去淮宁军基地（淮口）会晤郑汉章，郑汉章果然大为高兴，动员基地所有兵力，又驱使裹挟平民，共一千余人，随从毕师铎前去高邮（江苏省高邮市）。毕师铎再向张神剑（张雄）追问他收到的那封机密文件是什么，张神剑（张雄）吃惊说：“根本没有文件。”毕师铎声色俱厉，张神剑（张雄）大吼说：“你看事情怎么这般糊涂，吕用之的邪恶，天地不容，何况，最近他用大量金银珠宝，贿赂中央当权官员，发布他当岭南东道战区（总部设广州〔广东省广州市〕）司令官（节度使），可是他却不去到差（参考去年〔八八六〕五月），有人认为他的主要阴谋是夺取淮南（总部扬州），假使他如愿以偿，我们怎么能手握刀柄，却去事奉这种妖孽？我们应该生剥活剐这几个匪徒，向淮南（总部扬州）人民赎罪，说那么多话干什么！”郑汉章大喜，命左右取来美酒，三人割破手臂，血滴酒中，共同举杯，一饮而尽。

四月二日，大家推举毕师铎当反抗军特遣兵团司令（行营使），撰写文告，祭祀天地，把文告传递到淮南战区（总部扬州）辖境各个州县，宣称所以起兵讨伐吕用之、张守一、诸葛殷的原因。命郑汉章当特遣兵团副司令（行营副使）、张神剑（张雄）当总指挥官（都指挥使）。

但张神剑（张雄）考虑到毕师铎成败难料，为留一条后路，遂请求把自己部队留在高邮（江苏省高邮市），强调说：“这样做一则是做你们的声援，二则也方便供应你们粮饷。”毕师铎大不愉快，郑汉章说：“张大帅的策略也很好，只要自始至终一条心，事情成功之后，女人、璧玉、金银、绸缎，由我们共同享受，今天怎么可以互相不信任？”毕师铎才答应。

四月五日，毕师铎、郑汉章率军从高邮（江苏省高邮市）出发。

四月七日，战区总部巡逻队发现向前推进的反抗军，立即返回报告高骈（高邮与扬州，航空距离三十五公里，大道直如发，毕师铎不发动夜袭，却大摇大摆行军两天，实无能之辈），吕用之把报告留置，不肯转报高骈。

13 宣武（总部汴州）大将朱珍，前往淄州（山东省淄博市）招兵买马，只十天时间，投军的就有一万余人，于是向青州（山东省青州市）发动突袭，掠夺战马一千匹（青州是平卢战区总部所在，当时战区司令官〔平卢节度使〕是王敬武，对朱珍既无防范之力，也无还手之力）。

四月八日，朱珍回到大梁（汴州州政府所在城，河南省开封市）。朱全忠（朱温，宣武〔总部汴州〕司令官）高兴说："我的事业一定成功。"

当时，蔡州（河南省汝南县）皇帝秦宗权的大军，正攻击大梁（河南省开封市），将领张晊驻扎北郊，秦贤驻扎板桥（大梁西郊），每人都有部众数万人，分成三十六营寨，连绵二十余华里。朱全忠（朱温）告诉他的将领说："他们在那里养精蓄锐，等体力恢复，才发动攻击；一定认为我们的人马太少、军心畏惧，不得不采取守势，却不知道朱珍援军已到，我们应该大出他们意料，先行发动。"乃亲自率军进攻秦贤大营，士卒踊跃奋战，争先恐后。秦贤没有戒备，朱全忠（朱温）一连攻克四个营寨，杀一万余人，蔡州兵团大为惊骇，以为进攻的部队是天降神兵。

朱全忠（朱温）又派营门官（牙将）新野（河南省新野县）人郭言，到河阳战区（总部孟州）、陕虢战区（总部陕州）招兵买马，也招到一万余人回来。

14 毕师铎反抗军抵达广陵（江苏省扬州市）城下，引起城里一阵惊恐骚动。

四月九日，吕用之率他属下的精锐部队，用重赏鼓励，出城迎战。反抗军稍微后退，吕用之才勉强破坏护城河桥梁，堵塞各个城门，加强守卫。就在这一天，战区司令官（节度使）高骈登延和阁（高八丈，高骈所建。参考八八二年四月），听见呐喊喧哗的声音，左右侍从向他报告毕师铎兵变消息。高骈吃了一惊，紧急召见吕用之，查问情形，吕用之从容不迫的回答说："毕师铎手下军队想家思归，守门官阻止进城，刚才疏导沟通，已经解决，估计不久他们就会散去，如果仍继续闹事，只不过麻烦九天玄女手下一个勇士就够了，请不要担心。"高骈说："最近我发现你荒唐虚妄的事太多，好好处理，不要使我成为周宝第二！"说罢，神色悲惨沮丧，很久不再开口，吕用之惭愧难当，退出。毕师铎反抗军驻守山光寺（扬州市北），认为广陵（扬州市）城池坚固、士卒众多，不容易攻破，脸上露出懊悔的颜色。

四月十日，毕师铎派他的部将孙约，跟他的儿子，一起前去宣州（安徽省宣城市），请求宣歙道（首府宣州）行政长官（观察使）秦彦支援，承诺于攻克扬州（江苏省扬州市）时，迎接秦彦当淮南战区司令官（节度使）。就在这时候，毕师铎的门客毕慕颜，从城里逃出，告诉说："城里人心瓦解，吕用之忧愁困窘，如果坚守城下，不久他就自己崩溃。"毕师铎才高兴起来。就在这一天（四月十日），天还没有亮，高骈召见吕用之，询问他事情的来龙去脉，吕用之才告诉他实话，高骈说："我不打算派军出去作战，你可以挑选一位性情温和诚实，有公信力的将领，拿我的亲笔信前去解释，如果毕师铎不接受，再作决定。"吕用之退出官邸，想到所有将领都是仇人，如果派去见毕师铎，对自己一定不利。

四月十一日，吕用之派自己的亲信、副剿匪司令（讨击副使）许戡，携带高骈的亲笔信、吕用之的誓言以及酒菜，前去晋见毕师铎慰劳。毕师铎原来盼望高骈旧部老将们出面，就可以具体详尽的陈诉吕用之的奸邪内幕，宣泄心里积压已久的怨恨愤怒，想不到来的竟是许戡，诟骂说：“梁缵、韩问哪里去了，竟教你这种肮脏东西现眼（梁缵，参考八七九年正月；韩问，之前没有记载）！”许戡还没有来得及开口，已被拉出斩首。

四月十二日，毕师铎用弓箭把信件射到城里，吕用之不拆封，就把它烧掉。

四月十四日，吕用之在武装卫士一百人保护下，去官邸延和阁晋见高骈，高骈大惊失色，急逃到卧室躲藏，很久很久才不得不出来，问说：“司令官（节度使）住的地方，你无缘无故带兵进来，是不是打算叛变？”命左右侍从把他们赶出。吕用之大为恐惧，出了内城（子城）南门后，用马鞭指着官邸说：“我再也不会进这个门！”从此，高骈跟吕用之公开决裂。就在这天夜晚，高骈召唤他的侄儿、前左金吾卫（卫军第十一军）将军高杰，秘密讨论军事情况。

四月十五日，高骈任命高杰当总监狱长（都牢城使），深感悲怆，流泪勉励，把自己的亲信卫士五百人拨付给他。吕用之命各将领严密搜捕城中青年男子，不管是不是官员或知识分子，全用利刀架到脖子上，捆绑双手，像赶猪羊一样赶到城墙上，教他们分别站在那里，从早到晚，不准休息。又怕他们跟城外的反抗军私通消息，所以不断更换所站的地方，以致家人前来送饭时，竟不知道人在哪里。因此，城里的人也恨毕师铎进城太晚。

高骈派大将石锷，把毕师铎最小的儿子和他娘亲的信，以及高骈的信，前往扬子（扬州市南长江渡口）向毕师铎解释，毕师铎立刻命他的幼子回来，说：“大帅只要斩吕用之、张守一给我看，我绝不敢忘恩负义，愿意把妻子儿女当作人质。”高骈恐怕吕用之屠杀毕师铎全家，于是逮捕毕师铎的娘亲、妻子、儿女，安置总部。

四月十八日，秦彦（宣歙〔首府宣州〕行政长官）派他的部将秦稠，率军三千人抵达扬子（扬州市南长江渡口）协助毕师铎。

四月十九日，秦稠军进攻扬州南门，不能攻克。

四月二十日，秦稠军进攻扬州外城（罗城）东南角，好几次城池都要陷落。

四月二十一日，扬州外城（罗城）西南角守城官兵，焚毁防御工具，接应毕师铎，毕师铎在城墙凿出洞口，军队从洞口一拥而入。吕用之率他的亲信部队一千人，在三桥（今地不详）以北，竭力战斗，阻截反抗军；毕师铎眼看失败，就在这时候，高杰率监狱保安部队（牢城兵），自内城（子城）出击，打算生擒吕用之，交给毕师铎。吕用之知道大势已去，乃打开参佐门（紧急使用的逃难通道）向北逃走。高骈召唤梁缵，率昭义军（参考八八〇年五月）一百余人保护内城（子城）。

四月二十二日，毕师铎放纵他的士卒在城里大肆劫掠。高骈不得已，只好命撤除防备，在延和阁下跟毕师铎相见，互相行礼，好像主人接见宾客（本应行大帅接见部将礼），高骈命毕师铎当战区副司令官（节度副使）、作战参谋长（行军司马），仍代表皇帝发布人事命令，加授毕师铎中央官衔：国务院左最高执行长（左仆射·使相）；郑汉章等各将领，都依照等级升官。

左莫邪特别营（高骈设“左右莫邪都”，参考八八二年四月）总纠察官（都虞候）申及，本是感化战区（总部徐州）健将，到官邸晋见高骈，建议说：“毕师铎逆党，人数不多，迄今为止，甚至有些城门，还没有派兵把守，请大帅现在就率领老干部三十人，乘夜从教练场大门冲出去，等毕师铎发觉追赶，已来不及。然后征调各地卫戍部队，合力夺回州城，将是转祸为福的契机。如果延误一两天，大势已定，权力秩序建立，恐怕万事艰难，我也不可能再事奉左右！”一面陈述，一面流泪哭泣，高骈犹豫不决，最后仍不能接受（胡三省注：“芈围〔楚王国十任灵王〕有言：‘大福不会再来，徒招羞辱！’高骈知道走也是祸，留也是祸，所以不接受！”高骈哪有这种见解？俗话说：“光棍〔流氓〕老了，胆子小了。”高骈经过长期养尊处优，豪气已化为乌有，又仗恃自己是毕师铎恩主，自信至少仍可保住某种程度的荣华富贵，如此而已）。申及恐怕他的建议泄露，遂放弃官职，逃走躲藏。听说张雄（非张神剑）自东海返回，抵达东塘（江苏省扬州市东），申及遂往投奔。

四月二十三日，毕师铎果然派军驻防各城门，搜捕吕用之的亲信党羽，全部诛杀。毕师铎移住战区总部，秦稠派宣歙军（首府宣州）一千人，分别保护官邸及所有仓库。

四月二十四日，高骈用正式公文通知毕师铎，请准许自己解除所有官职，而命毕师铎主管战区总部军政大事（判府事）。

毕师铎派部将孙约到宣城（宣州州政府所在县，安徽省宣城市），催促秦彦（宣歙〔首府宣州〕行政长官）迅速渡长江北上。有人向毕师铎建议说：“你前些日子发动兵变，只因吕用之那些人邪恶横暴，高骈坐在那里，既聋又瞎，不能处理，所以顺应军心民意，为大家除去祸根。现在，吕用之已经失败，军政两大部门，秩序也恢复正常，你应该尊奉高骈，当他的辅佐，只要能掌握全部军权，对外用高骈的名义发号施令，谁敢不服？吕用之不过淮南战区（总部扬州）一个叛将，发出一纸文书，立刻可以生擒斩首。这样的话，你外有拥护老长官念旧尊贤的美名，内有夺权吞并壮大成长的实利。即令中央得到消息，也并不损害你臣属的操守。假使高骈够聪明的话，一定感到惭愧；如果仍不觉悟，他也不过砧板上的一块肉而已；为什么把这么难得的奇功大业，交给别人？不但受别人控制，末了恐怕难免不互相攻击，自相残杀。前天，秦稠先派军据守仓库，他对你的不信任，已十分明显。而且，秦彦来当战区司令官（节度使），庐州（州长杨行密〔杨行愍〕）、寿州（州长张翱），难道肯当他的部下？我已经看到攻伐战斗，没有终了的一天，岂只淮南（总部扬州）人民血肉满地，恐怕你的功名是成是败，也不敢肯定！现在还来得及，请你立即阻止秦彦，不要让他过江（长江），他如果头脑稍微清醒，也决不敢轻率前进，即令后来责备我们毁约，我们至少也是高家的忠臣！”毕师铎大不以为然。第二天（四月二十五日），把这件事告诉郑汉章，郑汉章兴奋的说：“他可是一个智囊！”分头派人到各处寻找，那个人畏惧大祸临头，竟不敢再出面。

生在群驴时代，对智士而言，怎不气沮！

四月二十五日，高骈全家从官邸搬出来，搬到城南别馆，毕师铎派武装部队一百人担任守卫，名义上是保护，其实是把高骈囚禁。当天（四月二十五日），秦稠军因所提出的要求没有得到圆满答复，纵火焚毁进奉楼两座房舍数十间，储藏的宝物财货，全部化成灰烬。

四月二十六日，毕师铎开始到战区总部办公，除了手握军权的官员外，其他官员全都恢复原职，把高骈全家再迁到城东别馆。自从城池陷落，反抗军日夜不停的大肆劫掠，直到今天，毕师铎才命先锋官（先锋使）唐宏当静街司令（静街使），禁止侵扰（抢劫共持续五日）。

高骈先前曾当过盐铁专卖暨运输总监（盐铁使。参考八七九年十月），长年累月的截留向中央进贡缴纳的货物财宝，全都留在扬州（江苏省扬州市），堆积如山。高骈举行南郊祭祀天神大典，及登楼宣布赦免时，六军卫士及仪仗队所穿的衣服，以及在大厅举行每年元旦团拜，官邸内部所用的一切器具、陈设，都雕刻镶嵌金银璧玉，或盘龙飞凤，总共有几十万件，被乱兵劫掠一空，散落到普通平民人家，摆在卧室。

四月二十七日，捕捉到诸葛殷（参考八八二年四月），乱棍打死，把尸首抛弃路边，被他的仇家挖出眼睛、割下舌头，大家向尸首投掷石头瓦片，霎时间堆成一个坟墓。吕用之失败时，他的同党郑杞，第一个向毕师铎投靠（郑杞建议谋杀高骈，参考去年〔八八六〕五月），毕师铎派郑杞当海陵（江苏省泰州市）盐铁专卖官（知海陵监事）。郑杞抵达海陵，暗中查访卫戍司令（镇遏使）高霸的隐私，报告毕师铎。高霸把这份报告查获，于是棍打郑杞的脊背，砍断他的手脚、挖出双目、割下舌头，然后才把他斩首。

15 蔡州（河南省汝南县）皇帝秦宗权的部将卢瑭，驻扎万胜（河南省中牟县西北），夹着汴水建立营寨，断绝宣武战区（总部设汴州〔河南省开封市〕）的水路粮运，宣武战区司令官（节度使）朱全忠（朱温），乘天降大雾，发动奇袭，把卢瑭军几乎杀光，残兵败将纷纷投奔驻扎赤冈（河南省开封市东北）的张晊。朱全忠（朱温）再向张晊发动奇袭，杀二万余人。蔡州军队大为恐惧，甚至半夜惊醒，自相惊扰。朱全忠（朱温）遂回大梁（汴州政府所在城），使官兵获得休息。

16 四月二十八日，高骈暗中馈赠守卫人员黄金，毕师铎得到报告，立刻行动。

四月二十九日，把高骈送回修道院（高骈所建迎接神仙的地方），搜捕高姓家族的子弟、外甥、侄儿十余人，一并软禁。

17 前苏州（江苏省苏州市）州长张雄，率领他的部众从东海逆长江而上，进驻东塘（江苏省扬州市），派部将赵晖占领上元（江苏省南京市）。

18 毕师铎进攻广陵（江苏省扬州市）时，吕用之伪造高骈的训令，任命庐州（安徽省合肥市）州长杨行密（杨行愍）当作战参谋长（行军司马），要他率军增援。庐江（安徽省庐江县）人袁袭，建议杨行密（杨行愍）说："高骈昏聩、吕用之奸邪、毕师铎叛逆，三个凶暴的恶棍集在一起，都向我们乞求救兵，这是上天把淮南（总部扬州）交到你手里，赶快前往！"杨行密（杨行愍）动员庐州（安徽省合肥市）全部兵力，又向和州（安徽省和县）州长孙端借调军队，合在一起数千人，直向扬州（江苏省扬州市）。

五月，杨行密（杨行愍）抵达天长（安徽省天长市）。郑汉章追随毕师铎起兵时，留下他的妻子镇守淮口（泗水注入淮河处，江苏省淮安市淮阴区西南），吕用之率军进攻，十几天不能攻克，郑汉章率军来救。吕用之听到杨行密（杨行愍）已到天长（安徽省天长市）消息，立刻前去天长会合。

19 五月三日，朱全忠（朱温）进攻张晊，大破张晊军。蔡州（河南省汝南县）皇帝秦宗权得到消息，从郑州（河南省郑州市）亲自率精锐部队，跟张晊会合。

20 高邮（江苏省高邮市）卫戍司令（镇遏使）张神剑（张雄）向毕师

铎索取财宝，毕师铎回答说，要等秦彦批准。张神剑（张雄）大怒，遂连同他的部众，归降杨行密（杨行愍）。还有海陵（江苏省泰州市）卫戍司令（镇遏使）高霸、曲溪（江苏省盱眙县西南）人刘金、盱眙（江苏省盱眙县）人贾令威，都连同他们的部众归附杨行密（杨行愍）。杨行密（杨行愍）大军已多达一万七千人，张神剑（张雄）运送高邮（江苏省高邮市）的存粮供应。

21 秦宗权自郑州（河南省郑州市）东进，朱全忠（朱温）恐惧，向朱瑾（泰宁〔总部兖州〕司令官）、朱瑄（天平〔总部郓州〕司令官）求救，二人分别率军增援，义成战区（总部设滑州〔河南省滑县〕）特遣兵团也适时抵达（朱全忠并义成〔总部滑州〕，参考去年〔八八六〕十一月）。

五月八日，朱全忠（朱温）集结四个战区的兵力，在边孝村（河南省开封市北），对秦宗权发动攻击，大破秦家班军队，杀二万余人。秦宗权于夜晚逃走，朱全忠（朱温）追击，直追到阳武桥（河南省原阳县南）才回。朱全忠（朱温）对朱瑄、朱瑾亲自率军来救的恩德，十分感激，当作自己同胞老哥一样事奉。秦家班据守东都（洛阳，河南省洛阳市）、河阳（孟州，河南省孟州市）、许州（河南省许昌市）、汝州（河南省汝州市）、怀州（河南省沁阳市）、郑州（河南省郑州市）、陕州（河南省三门峡市）、虢州（河南省灵宝市）的将领，听到秦宗权兵败消息，都放弃城池，四散逃命。秦宗权从郑州（河南省郑州市）、孙儒从河阳（河南省孟州市），分别南下，临出发时一律屠城，把居民全部格杀，再把所有官舍民屋全部焚烧才走。秦宗权的势力，自此稍稍衰退。

唐政府命扈驾特别营作战司令（扈驾都头）杨守宗代理许州（河南省许昌市）州长，朱全忠（朱温）命他的部将孙从益代理郑州（河南省郑州市）州长。

22 杭州（浙江省杭州市）州长钱镠，派东安特别营指挥官（东安都将）杜棱、浙江（钱塘江）特别营指挥官（浙江都将）阮结、静江特别营指挥官（静江都将）成及，各率本部军队，讨伐薛朗（薛朗逐周宝，参考本年〔八八七〕三月）。

23 五月二十一日，秦彦（宣歙〔首府宣州〕行政长官）率宣歙道特遣兵团三万余人，乘坐竹筏，顺长江而下，赵晖在上元（江苏省南京市）拦腰截击，格杀及落水淹死的将近一半。

五月二十三日，秦彦进入广陵（江苏省扬州市），自称暂代淮南战区（总部扬州）司令官（节度使），命毕师铎仍当作战参谋长（行军司马），擢升池州（安徽省池州市贵池区）州长赵锽当宣歙道（总部设宣州〔安徽省宣城市〕）行政长官（观察使）。

五月二十五日，杨行密（杨行愍）率各军抵达广陵（扬州市）城下，建立八个营寨包围，秦彦关闭城门固守。

24 六月六日，神策军天威特别营（五十四都之一）作战司令（都头）杨守立（胡弘立），跟凤翔战区（总部设凤翔府〔陕西省宝鸡市凤翔区〕）司令官（节度使）李昌符争道夺路，发生冲突，部属间互相斗殴。唐帝李儇派宦官前往和解，双方都不接受。当天夜晚，禁卫部队进入战争状态，严密戒备。

六月七日，李昌符挥军纵火焚烧李儇所住行宫。

六月八日，李昌符再攻击大安门，杨守立（胡弘立）跟李昌符巷战，李昌符失败，率部属撤退到陇州（陕西省陇县）固守。宰相杜让能听到消息，徒步冒险到行宫晋见皇帝；另一宰相韦昭度把家属送到军营当人质，誓言诛杀叛徒，所以官兵奋战，终于取胜。杨守立

(胡弘立)，是宫廷机要室主任宦官(枢密使)杨复恭的义子。

六月十日，李俨命神策军扈驾特别营(五十四都之一)指挥官(都将)、武定战区(总部设洋州〔陕西省洋县〕)司令官(节度使)李茂贞(宋文通)，当陇州(陕西省陇县)征剿司令(招讨使)，讨伐李昌符。

25 六月十二日，护国战区(总部设河中府〔山西省永济市〕)营门官(牙将)常行儒，格杀战区司令官(节度使)王重荣。

王重荣用法严酷，到了老年，反而更为残忍。常行儒曾经受过惩罚，深感羞辱，决心报复。于夜晚时分，攻击官邸，王重荣逃往别墅。

第二天(六月十三日)，天亮，常行儒搜捕到王重荣，斩首。李俨调任陕虢战区(总部设陕州〔河南省三门峡市〕)司令官(节度使)王重盈(王重荣的老弟)，当护国战区司令官(节度使)；而命王重盈的儿子王珙，暂代陕虢战区(总部陕州)候补司令官(留后)。

王重盈抵达河中(山西省永济市)，逮捕常行儒，斩首(《旧唐书·王重荣传》载：常行儒杀王重荣后，拥戴王重盈)。

26 六月十六日，秦彦派毕师铎、秦稠，率军八千人出城向西进攻杨行密(杨行愍)；秦稠阵亡，士卒被杀十分之七八。扬州(江苏省扬州市)城里缺粮，连砍柴的道路都被切断，宣歙(首府宣州)特遣兵团士卒开始吃人肉充饥。

27 六月二十日，亳州(安徽省亳州市)将领谢殷，驱逐州长宋衮。

28 蔡州(河南省汝南县)皇帝秦宗权的部将孙儒，撤出河阳(孟

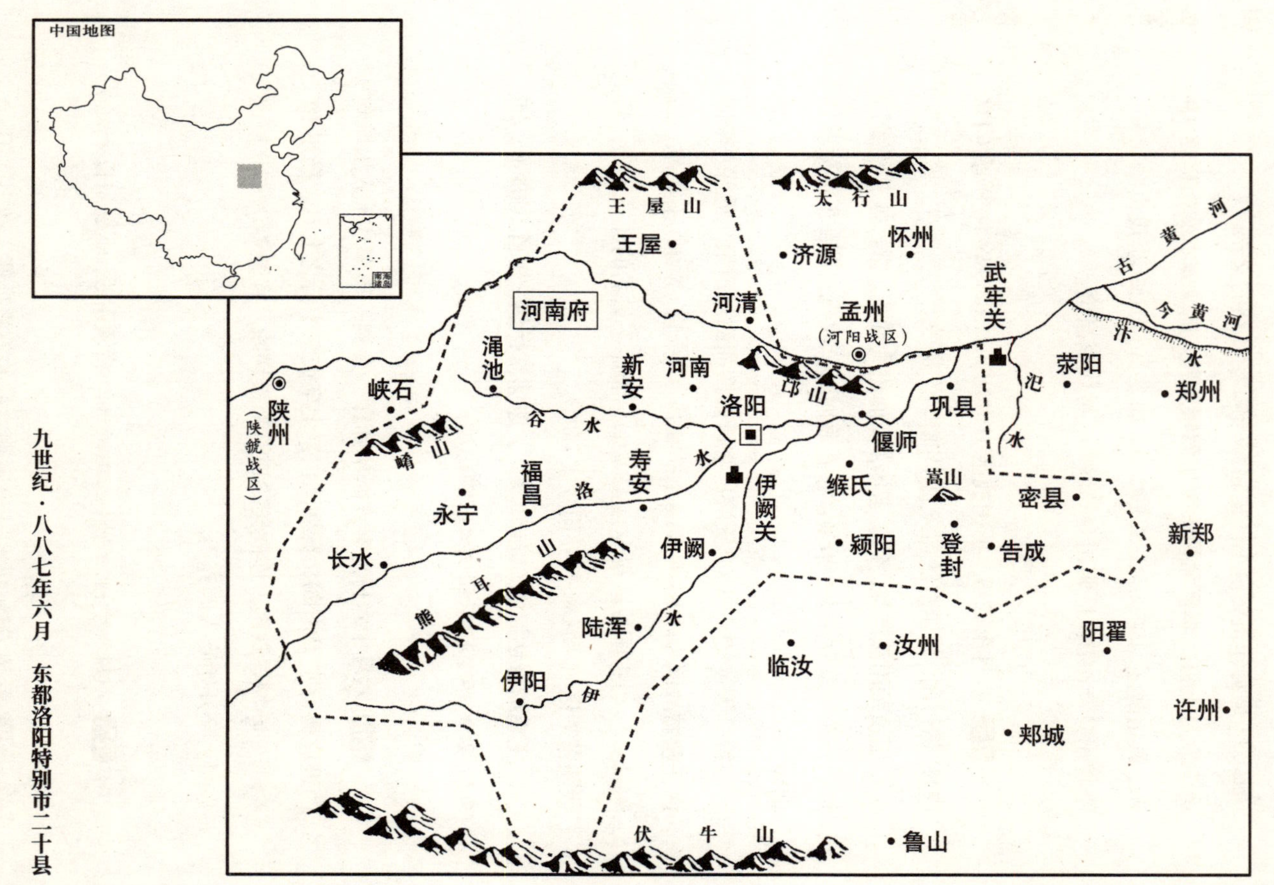

九世纪·八八七年六月　东都洛阳特别市二十县

州州政府所在县，河南省孟州市）南下后，唐政府退守泽州（山西省晋城市）的李罕之，邀请退守怀州（河南省沁阳市）的张全义（二人退守事，参考去年〔八八六〕十二月），前来泽州（山西省晋城市），一起号召残余部众归队。现今，李罕之进入河阳（河南省孟州市），张全义渡黄河进入东都洛阳（河南省洛阳市），同向河东战区（总部设太原府〔山西省太原市〕）司令官（节度使）李克用请求援助；李克用派他的部将安金俊当泽州（山西省晋城市）州长，率骑兵协防，并上疏任命李罕之当河阳战区（总部孟州）司令官（节度使），张全义当东都洛阳特别市长（河南尹）。

最初，东都洛阳经过黄巢之役的战乱（参考八八〇年十一月十三日），残留下来的市民，分别聚集三城自卫（洛阳三城：河南、洛阳、中津）。但是接着而来的秦宗权、孙儒，穷凶极恶，残杀破坏，最后，三城只留下残垣残壁。张全义刚到时，城池四周田地，不见庄稼禾苗，只见遍地白骨，荆棘野草，一片荒凉，居民还不到一百户，而张全义部属也不过一百余人，就连同残存的一百户人家，一同据守中州城（洛阳三城中间城），四郊没有一个人耕田。张全义就在部属中遴选有才干、可以做事的十八个人，每人发给一面旗帜和一张文告，称之为屯垦司令（屯将），前往洛阳特别市所辖的十八县，在废墟荒城中，竖起旗帜，张贴文告，号召流亡失散的人口归来，鼓励他们耕田植桑（洛阳特别市〔河南府〕辖二十县，除了河南县及洛阳县在洛阳城内〔犹如首都长安城内有长安、万年二县〕，其他十八县：偃师县〔河南省洛阳市偃师区〕、巩县〔河南省巩义市〕、缑氏县〔河南省洛阳市偃师区南缑氏镇〕、告成县〔河南省登封市东南〕、登封县〔河南省登封市〕、陆浑县〔河南省嵩县〕、伊阙县〔河南省伊川县〕、新安县〔河南省新安县〕、渑池县〔河南省渑池县〕、福昌县〔河南省洛宁县东北〕、长水县〔河南省洛宁县西南长水镇〕、永宁县〔河南省洛宁县北〕、寿安县〔河南省宜阳县〕、密县〔河南省新密市〕、河清县〔河南省济源市南〕、颍阳县〔河南省登封市西南颍阳镇〕、伊阳县〔河南省嵩县西南旧县镇〕、王屋县〔河南省济源市西〕)。刑罚简单，只有杀人犯才处死，其余的仅用棍打，没有严刑峻法，没有田租赋税，各地流民投奔而来的，就像上市场那么踊跃。又挑选年轻力壮的勇士，实施军事训练，防御强盗匪徒的劫掠。几年之间，城市街巷，渐渐恢复旧观，各县户口，也大都复员，所种的桑麻，长得葱绿茂盛，地面上再没有荒田，可以服兵役的青年，大县有七千人、小县也不少于二千人，于是上疏中央，分别设置县长及幕僚官，从事管理。张全义通情达理而观察敏锐，没有人能欺骗他，但待人宽厚，处事简单。每次外出时，看到庄稼茂盛，就会从马背下来，跟幕僚们一同欣赏，召唤地主，送给他美酒菜肴慰劳；有养蚕或春麦收割特别好的，张全义就会亲自到那一家，唤出男女老幼，赏赐给他们茶叶、彩色绸缎、衣服、器具。民间都传说："张大帅不喜欢歌舞女郎，见了她们都不笑；只有见了好麦穗、大蚕茧才笑！"有田地荒废的，张全义就把地主找来，在当地父老注视下责打；有人诉苦说没有人、有的诉苦说没有牛，张全义就召集他的邻居，斥责说："他确实没有人也没有牛，你们为什么不助他一臂之力！"大家都惭愧道歉，这才释放。因此，邻居乡里之间，互相帮助，终于家家户户，都有积蓄。遇到水旱天灾之年，五谷不收，也不会发生饥馑。在洛阳特别市所属二十县广大地区，财产富裕，人口众多。

全国都是地狱，只洛阳复成人间，我们向张全义先生顶礼！

29 杭州(浙江省杭州市)东安特别营指挥官(东安都将)杜棱等，

在阳羡（江苏省宜兴市南）击败镇海战区（总部设润州〔江苏省镇江市〕）候补司令官（留后）薛朗的部将李君暀（音wàng〔旺〕）。

30 秋季，七月五日（原文误置于八月，据《旧唐书》改），唐政府命李茂贞（宋文通）遥兼二级宰相（同平章事·使相），充任凤翔战区（总部设凤翔府〔陕西省宝鸡市凤翔区〕）司令官（节度使）。

31 七月十二日，淮南战区（总部设扬州〔江苏省扬州市〕）将领吴苗，率他的部众八千人，翻出城墙，归降杨行密（杨行愍）。

32 八月一日，凤翔战区（总部设凤翔府〔陕西省宝鸡市凤翔区〕）司令官（节度使）李茂贞（宋文通）奏报说：陇州（陕西省陇县）州长薛知筹献出城池，归降中央，斩李昌符，屠灭全族（八八一年李昌言夺取凤翔〔参考该年十月〕，兄传弟，前后七年而灭）。

33 朱全忠（朱温）率军经过亳州（安徽省亳州市），派部将霍存发动袭击，斩谢殷（谢殷逐州长，参考本年〔八八七〕六月二十日）。

34 命韦昭度暂任太保（守太保·三师之三），兼最高监督长（兼侍中）。

35 朱全忠（朱温）打算并吞泰宁（总部兖州）及天平（总部郓州）两战区，可是两战区司令官（节度使）朱瑾、朱瑄兄弟，对自己有恩（两次救朱全忠：一次八八四年六月，义结兄弟；一次本年〔八八七〕五月八日，朱全忠以兄长敬朱瑾、朱瑄），如果立即发动攻击，师出无名，必须找一个借口。于是捏造罪状，诬称朱瑄引诱宣武战区（总部设汴州〔河南省开封市〕）官兵叛逃，写信给朱瑄指控斥责。朱瑄复信，言辞也很强硬。朱全忠（朱温）派他的部将朱珍、葛从周，袭击曹州（山东省菏泽市定陶区）。

八月十一日，攻陷曹州，诛杀州长丘弘礼。又进攻濮州（山东省鄄城县），跟泰宁（总部兖州）、天平（总部郓州）兵团在刘桥（鄄城县南）会战，杀数万人，朱瑾、朱瑄仅逃出一命。自此，朱全忠跟泰宁（总部兖州）、天平（总部郓州）结仇。

36 淮南战区（总部设扬州〔江苏省扬州市〕）暂代司令官（权知节度使）秦彦，认为驻扎东塘（扬州市东）的张雄，兵力强大，希望能得到他的帮助，遂把唐政府国务院最高执行长（仆射）任命状交给张雄，国务院部长（尚书）任命状三份交给张雄的部将冯弘铎等（当是高骈当总指战官〔都统〕时中央所发空白任命状），广陵（扬州州政府所在县，江苏省扬州市）人民纷纷拿珠玉金银绸缎，向张雄占领区购买粮食。计：官员"通天犀"腰带（嵌犀牛角的腰带）一条，换稻米五升，锦丝棉被一条，换糠五升。可是，张雄部队官兵既然拥有财富，就不肯作战，而且不久，更反过来帮助杨行密（杨行愍）。

八月二十六日，秦彦出动城里所有部队一万二千人，命毕师铎、郑汉章率领，在城西列阵，绵延几华里，士气非常旺盛。杨行密（杨行愍）在营帐中安睡，说："盗贼接近时再报告我！"营门官（牙将）李宗礼说："我们人少，无法抵挡大军，应该坚守营寨，慢慢想办法撤退。"另一位将领李涛愤怒说："我们名正言顺讨伐叛逆，谈什么人多人少？到了现在这种情况，往哪里退？我愿率领我的部队当先锋，保证为大帅破贼！"李涛，是赵州（河北省赵县）人。杨行密（杨行愍）遂把所有辎重物资、金银绸缎、小麦稻米，集中一个营寨，派老弱残兵保护，而把精锐部队埋伏两旁，亲自率一千余人发动攻击。会战刚开始，杨行密（杨行愍）就假装失败，拨马而逃，淮南（总部扬州）军追击，冲进一座空寨，发现堆积如山的金银绸缎、小麦稻米，于是大肆劫掠，想不到伏兵突然从四面八方窜起，淮南军大乱，杨行密（杨行愍）挥军攻击，几乎把他们杀戮及俘虏净光，尸首纵横长达十华里，河沟水渠都被填满。毕师铎、郑汉章单人匹马逃走，仅免一死。从此，秦彦不敢再说出兵的话。

37 九月，唐政府命国务院财政部副部长（户部侍郎）、全国财政总监（判度支）张濬（音jùn〔俊〕）当国务院国防部副部长（兵部侍郎）、二级实质宰相（同平章事）。

38 高骈被软禁修道院，秦彦对他的日常生活供应，时有时无。高骈左右的人，没有食物可吃，有的甚至燃烧木刻的神像，烹煮皮带皮靴吞食，有的更互相谋杀，瓜分尸体吞食。秦彦跟毕师铎出兵作战，屡次都被击败，怀疑高骈祭出什么魔法，而城外的包围越来越急，害怕高骈同党有人在城里响应。有一位名叫王奉仙的邪教尼姑告诉秦彦说："扬州（江苏省扬州市）地面将发生极大的灾难，必须有一个大人物死亡，才能转忧为喜。"

九月四日，秦彦派部将刘匡时诛杀高骈以及高骈的儿子、老弟、外甥、侄儿，不分男女老幼，全部处死，推到一个大坑里埋葬（成都突击部队女子的凄厉诅咒已十二年，仍在耳际。参考八七五年六月）。

九月五日，杨行密（杨行愍）得到报告，率官兵改穿素色衣服，面向广陵（江苏省扬州市）大哭三天哀悼。

39 朱珍（宣武〔总部汴州〕将领）进攻濮州（山东省鄄城县），朱瑄（天平〔总部郓州〕司令官）命老弟朱罕率步骑兵一万人增援。

九月二十一日，朱全忠（朱温，宣武〔总部汴州〕司令官）在范县（河南省范县）迎战，生擒朱罕，斩首。

40 冬季，十月，秦彦派郑汉章率步骑兵五千人出城攻击张神剑（张雄）、高霸的营寨，二人大败，张神剑（张雄）逃回高邮（江苏省高邮市），高霸逃回海陵（江苏省泰州市）。

41 十月七日，朱珍攻陷濮州（山东省鄄城县），州长朱裕投奔战区总部所在地郓州（山东省东平县），朱珍再攻郓州。朱瑄（天平〔总部郓州〕司令官）命朱裕写信给朱珍诈降，承诺自己愿作内应，朱珍于夜晚派军赴约，朱瑄大开城门接纳宣武（总部汴州）士卒进城，然后关闭城门，全部屠杀，数千人死亡，宣武（总部汴州）军队才撤退。朱瑄乘胜克复曹州（山东省菏泽市定陶区），派部将郭词当州长。

42 十月四日，唐帝李俨封皇子李陞当益王。

43 杭州（浙江省杭州市）东安特别营指挥官（东安都将）杜棱等攻陷常州（江苏省常州市），州长丁从实投奔海陵（江苏省泰州市。丁从实逐张郁，参考去年〔八八六〕六月）。杭州州长钱镠（音𰻝〔流〕）迎接周宝到杭州（前镇海〔总部润州〕司令官周宝投奔丁从实，参考本年〔八八七〕三月），钱镠身佩箭袋，脚蹬皮靴，以部将迎接大帅盛大礼仪，到郊外亲自迎接。

44 杨行密（杨行愍）包围广陵（江苏省扬州市）长达半年之久，秦彦、毕师铎，大大小小数十次出击，多数失利，而城里缺粮，一斗米值钱五十串，草根树皮，全都吃尽，就用黏土做出饼来吃，饿死的有一大半。宣歙兵团（首府宣州）士卒绑架平民到大街上贩卖，屠杀切割，跟对待猪羊一样，这些被掠卖的人，直到临死都发不出一点声音，堆积的骸骨和流出的血液满布街市。

中国人，你的名字是苦难！

秦彦、毕师铎对于这个困境，无计可施，只有紧皱双眉而已。城外的包围更加紧急，秦彦、毕师铎忧愁愤怒，毫无办法，只有抱着膝盖面面相对，整天不说一句话。而城外的杨行密（杨行愍），也陷窘境，因长期攻不下城池，疲惫不堪，也打算撤退。然而就在这关键时刻，发生变化。

十月二十九日，夜晚，狂风暴雨，吕用之旧部张审威，率领他的部属三百人，于凌晨时分，埋伏西城壕沟，等到守卫士卒交班，警戒疏忽机会，暗中登上城墙，打开城门，迎接外面部众进城，守军没有任何抵抗，即行崩溃。先前，秦彦、毕师铎信奉依靠尼姑王奉仙，即令是会战的日期时刻，以及对官兵的赏罚轻重，都由她决定。到了这时候，二人再向王奉仙请示说："怎么才能渡过难关？"王奉仙说："走是好办法！"秦彦、毕师铎遂从开化门逃出，投奔东塘（扬州市东）。杨行密（杨行愍）率各军共计一万五千人进城。认为大将梁缵不能尽忠高家，反而甘心受秦毕二人利用，就在辕门之外斩首，另一大将韩问得到消息，投井而死。杨行密（杨行愍）命高骈的堂孙高愈摄理战区副司令官（摄副使），主持改葬高骈跟他的家族事宜。扬州（江苏省扬州市）剩下的居民才数百家，饥饿瘦枯，不成人形，杨行密（杨行愍）把城西围城军的军粮，运来赈济。

杨行密（杨行愍）自称淮南战区（总部扬州）候补司令官（留后）。

45 蔡州（河南省汝南县）皇帝秦宗权，派他的老弟秦宗衡当统帅，率特遣兵团一万人，渡过淮河，向杨行密（杨行愍）争夺扬州，命决胜特别营司令（决胜指挥使）孙儒当副统帅，作战参谋长（行军司马）张佶，龙骧特别营司令（龙骧指挥使）刘建锋，以及初级军官马殷、秦宗权的族弟秦彦晖，都随从出征。

十一月二日，抵达广陵（江苏省扬州市）城西，进驻杨行密原来使用的营寨，凡是来不及运到城里的辎重物资，全被蔡州（河南省汝南县）兵团得到。秦彦、毕师铎逃奔东塘（扬州市东），驻军首领张雄拒绝接纳；秦彦、毕师铎打算渡长江南下，前往秦彦的根据地宣州（安徽省宣城市），但就在这时候，秦宗衡邀请他们联合对付杨行密（杨行愍），二人遂回军跟秦宗衡会合。

不久，秦宗权命秦宗衡返首都蔡州（河南省汝南县）抵抗朱全忠（朱温，宣武〔总部汴州〕司令官）的攻击。孙儒看出秦宗权不可能成功，遂声称有病，不肯拔营。秦宗衡屡次催促，孙儒大怒，决定彻底解决。

十一月五日，孙儒跟秦宗衡在一起饮酒，就在座位上，孙儒挥刀砍死秦宗衡，把人头送给朱全忠（朱温）。秦宗衡的部将安仁义，投降杨行密（杨行愍）。安仁义本是沙陀部落（山西省北部）的将领，杨行密把所有的骑兵都交给他，官阶在田頵之上。孙儒派军剽掠邻近各州，不久，部众已扩张到数万人。因城外没有东西可吃，遂会合秦彦、毕师铎，袭击高邮（江苏省高邮市）。

46 最初，宣武战区（总部设汴州〔河南省开封市〕）总指挥官（都指挥使）朱珍，跟阵前督战官（排阵斩斫使）李唐宾，勇敢计谋以及权力官位，都不相上下。朱全忠（朱温）每次出战，总是携带他们二人，没有一次不传出捷报，然而二人谁都不佩服谁。就在这时候，朱珍命人到大梁（汴州州政府所在城，河南省开封市）迎接妻小，却事先没有向朱全忠报告，朱全忠暴跳如雷，派军队把朱珍的妻小押回大梁（开封市），诛杀放他们出城的守门官，派亲信蒋玄晖去召唤朱珍前来大梁（开封市），命李唐宾接替朱珍的位置，代统他的部众。驿马车站宾馆巡察官（馆驿巡官）冯翊（陕西省大荔县）人敬翔（敬，姓）劝阻说："朱珍不会轻易放弃兵权，他如果猜疑恐惧，可能发生变化。"朱全忠也马上后悔，派人追上蒋玄晖，停止行动。而朱珍果然怀疑自己的安全。

十一月七日，夜晚，朱珍摆设酒席，宴请各将领。李唐宾认为朱珍一定有什么企图，惊恐中，砍开城门，奔回大梁（河南省开封市）。朱珍发现自己可能被陷害，也放弃军队，单人匹马随后赶到。朱全忠爱惜两个人的才勇，都不怪罪，仍叫他们返回濮州（山东省鄄城县），而自己率主力回汴州。

朱全忠（朱温）机警诡谲，反应迅速，喜怒难以猜测，将领们及参谋官员们不知道他下一步要做什么，只有敬翔对他了解，往往想到朱全忠（朱温）想不到的地方，朱全忠（朱温）大为高兴，深恨认识敬翔太晚，军事民政各种要务，全都询问敬翔的意见。

47 十一月十二日，高邮（江苏省高邮市）卫戍司令（镇遏使）张神剑（张雄）率部属二百人，逃奔扬州（江苏省扬州市）。

十一月十七日，变军首领孙儒进入高邮（江苏省高邮市），屠城。

十一月十九日，高邮残余士卒七百人，突破孙儒包围，逃到扬州（江苏省扬州市）。杨行密（杨行愍）恐怕发生意外，遂把他们分配给各将领，而于晚上全部坑杀。第二天（十一月二十日），在张神剑（张雄）的住处，诛杀张神剑（张雄）。（胡三省注："张神剑反复于吕用之、毕师铎之间，而死于杨行密之手。仗恃自己狡狯，欣赏自己小动作的人，有时也山穷水尽。"）

杨行密（杨行愍）恐怕孙儒乘胜夺取海陵（江苏省泰州市）。

十一月壬寅日（本月庚午朔，没有壬寅），杨行密（杨行愍）命海陵卫戍司令（镇遏使）高霸率所有军队及全体居民，全部迁入扬州（江苏省扬州市），下令说："有违抗命令的，屠灭全族。"于是数万户人家抛弃家产，烧毁房舍，扶老携幼，迁到广陵（扬州州政府所在县）。

十一月二十九日，高霸跟老弟高晗（音wàng〔旺〕）、部将余绕山、前常州（江苏省常州市）州长丁从实，抵达广陵。杨行密亲自到郊外迎接，跟高霸、高晗结拜金兰，誓如兄弟。把海陵士卒安置在法云寺。

48 十一月三十日，蔡州（河南省汝南县）皇帝秦宗权，攻陷郑州（河南省郑州市）。

49 唐政府因淮南战区（总部设扬州〔江苏省扬州市〕）长期混乱，采取安定行动。

闰十一月，唐帝李俨命朱全忠（朱温，宣武〔总部汴州〕司令官）兼任淮南战区（总部扬州）司令官（节度使）及东南方面军征剿司令（东南面招讨使）。

50 西川战区（总部设成都府〔四川省成都市〕）司令官（节度使）陈敬瑄，对东川战区（总部设梓州〔四川省三台县〕）司令官（节度使）顾彦朗和占领阆州（四川省阆中市）的变军首领王建之间感情亲密，感到厌恶不安，恐怕二人联合起来对付自己，遂跟老弟田令孜商量如何因应，田令孜说："王建，是我的义子（参考八八四年十一月），杨守亮（訾亮，山南西道〔总部兴元府〕司令官）不能包容，他才去当强盗。我只要写封信去叫他来，他一定会来。"乃派使节携带田令孜的信件前去召唤，王建大喜过望，到梓州（四川省三台县）晋见顾彦朗说："十军阿爹叫我到他那里（田令孜曾任皇家神策十军观察兵马阵容特派监军宦官〔神策十军观军容使〕），我就前去侍候，可能顺便结识陈太师（陈敬瑄），求他给我一个大一点的州，如果能够得到，愿望已经满足。"于是把家属留在梓州（四川省三台县），而率手下精锐士兵二千人，携带侄儿王宗鐬（音huì〔会〕）、义子王宗瑶、王宗弼、王宗侃、王宗弁（biàn〔便〕），启程南下。王宗瑶，是幽州（北京市）人，本名姜郅。王宗弼，是许州（河南省许昌市）人，本名魏弘夫。王宗侃，是许州（河南省许昌市）人，本名田师侃。王宗弁，本名鹿弁。

王建抵达鹿头关（四川省德阳市北黄许镇），西川战区（总部成都府）参谋官（参谋）李乂（音yì〔义〕）警告陈敬瑄说："王建，好像一只猛虎，怎么能够容他进入家门？他岂肯当你的部下？"陈敬瑄大为后悔，立刻派人前去阻止，并且加强戒备。王建大怒，一连击破沿途关卡，继续前进，在绵竹（四川省绵竹市）击败汉州（四川省广汉市）州长张顼，攻陷汉州（广汉市），挺进到学射山（四川省成都市北）；又在蚕此（成都市北）击败西川战区（总部成都府）将领句惟立（句，姓），攻陷德阳（四川省德阳市）。陈敬瑄派使节斥责王建，王建说："十军阿爹（田令孜）叫我来，已到了门口，却被拒绝。东川战区（总部梓州）顾司令官（顾彦朗）又对我怀疑猜忌，教我进退两难，无路可走！"田令孜登上城楼解释，王建跟众将领在清远桥（成都市南门楼外护城河桥）上，剃光头发，列队叩拜，声明说：“我们既无家可归，特地向阿爹告辞，从此成为叛徒！”顾彦朗命老弟顾彦晖当汉州（四川省广汉市）州长，出军协助王建，向成都发动激烈攻击，三天不能攻克，退回汉州（广汉市）驻扎。

陈敬瑄向中央报告紧急情况，唐帝李儇派宦官携带诏书前去和解，又命李茂贞（宋文通，凤翔〔总部凤翔府〕司令官）写信调停，陈王二人都不接受。

51 淮南战区（总部设扬州〔江苏省扬州市〕）候补司令官（留后）杨行密（杨行愍），打算派高霸（海陵〔江苏省泰州市〕卫戍司令）进驻天长（安徽省天长市）抵抗孙儒，智囊袁袭说：“高霸，是高骈的老将，一向见风转舵，我们胜就向我们靠拢，我们不胜他就叛离。现在把他安置在天长（天长市），是断绝我们自己的退路，不如把他处死。”杨行密（杨行愍）接受。

闰十一月十日，杨行密（杨行愍）设下埋伏，生擒高霸跟丁从实、余绕山，全部诛杀。又派骑兵一千人，突击驻扎法云寺的海陵（江苏省泰州市）部队，枉死数千人。当天（闰十一月十日），天降大雪，法云寺外几个坊的土地，都被鲜血染红。只有高晤逃走。第二天（闰十一月十一日）也被捕获，诛杀。

吕用之在天长时（参考本年〔八八七〕五月），骗杨行密（杨行愍）说：“我有白银五万锭，埋在住宅地下，等攻克城池之日，呈献给你，作为你部下饮酒一醉的费用！”

闰十一月十一日，杨行密（杨行愍）检阅军队，回头对吕用之说：“你承诺给他们的五万锭白银在哪里？怎么敢对我撒谎！”命左右把他拉下去，戴上脚镣手铐等刑具，交给田頵审讯。吕用之供说:“我跟郑杞、董瑾计划,在中元节(七月十五日)夜晚,邀请高骈到我家,举行黄箓大斋(召请天神、地仙、人鬼三界,摆设香案祭祀,忏悔赎罪,功德之大,不可思议),乘高骈‘入静’(“入静”,道家术语,犹如佛教“入定”,静静的独居一室,左右不能有人,然后神清思澄,以接天神),把他勒死,然后称他‘升天’。再命莫邪特别营(莫邪都)率各军推举我当战区司令官(节度使)。”当天(闰十一月十一日),把吕用之腰斩,仇家拥到尸首上剥剐皮肉,霎时间只剩下一副骨骸,并诛杀他的家族及党羽。士卒挖掘吕用之的大厅,发现有桐木雕刻的人像,前胸书写高骈的姓名,佩戴枷锁,满身铁钉。

袁袭建议杨行密(杨行愍)说:“广陵(江苏省扬州市)饥馑穷苦,已到极点,孙儒又来,民生一定更为困难,不如躲避。”

闰十一月十五日,杨行密命和州(安徽省和县)将领延陵宗,率他的部众二千人,返回和州(州长孙端派助杨行密)。

闰十一月十六日,又命指挥官(指挥使)蔡俦率军一千人,把辎重军资数千车,运回庐州(安徽省合肥市)。

52 赵晖(张雄的部属,参考本年〔八八七〕四月)据守上元(江苏省南京市),正逢周宝(镇海〔总部润州〕司令官)失败不久,镇海战区溃散的士卒,很多投奔赵晖(周宝事,参考本年〔八八七〕三月),部众增加到数万人,赵晖开始骄傲膨胀,自认英雄盖世,修复南朝时代著名的台城居住(隋灭陈时,把台城全部摧毁,变作耕地〔参考五八九年二月〕,以后虽置蒋州、昇州,州政府分设石头城及上元县。台城堙废迄今二百九十八年),衣服及使用器具,奢侈豪华,远超过他的身份。张雄驻军东塘(江苏省扬州市东),赵晖对他也不再闻问。张雄逆长江而上,赵晖派舰只阻塞中游,张雄大怒。

闰十一月十九日,张雄攻击上元(江苏省南京市),攻克。赵晖逃奔当涂（安徽省当涂县），中途，被他的部将诛杀。所余的部众投降，张雄把他们全部坑杀。

53 朱全忠（朱温，宣武〔总部汴州〕司令官）派内营司令（内客将）张廷范，把中央发布朱全忠（朱温）兼任淮南战区（总部扬州）司令官（节度使）的公文，送给杨行密（杨行愍），并命杨行密（杨行愍）当淮南战区副司令官（节度副使），又命宣武战区（总部汴州）作战参谋长（行军司马）李璠，当淮南战区（总部扬州）候补司令官（留后）。派营门官（牙将）郭言，率军一千人护送。

感化战区（总部设徐州〔江苏省徐州市〕）司令官（节度使）时溥，认为对朱全忠（朱温）而言，自己是先进前辈，曾当过总指战官（都统），却不能兼淮南战区（总部扬州），朱全忠（朱温）反而得到，大为失望怨恨（时溥兼总指战官，参考八八三年九月）。朱全忠（朱温）写信向时溥借路，时溥拒绝。李璠走到泗州（江苏省盱眙县淮河北岸），时溥发动袭击，郭言竭力战斗，才算逃出一死，遂向北撤退。自此，宣武（总部汴州）跟感化（总部徐州）结下仇恨。

54 十二月二十五日，蔡州（河南省汝南县）皇帝秦宗权所属山南东道战区（总部设襄州〔湖北省襄阳市〕）候补司令官（留后）赵德諲，攻陷江陵（湖北省江陵县），诛杀荆南战区（总部设江陵府〔湖北省江陵县〕）司令官（节度使）张瓌（前年〔八八五〕正月，张瓌夺取荆南，前后三年而灭）。赵德諲留下部将王建肇守城，自己撤退，城里居民只有几百家。

55 饶州（江西省鄱阳县）州长陈儒（参考八八四年三月）攻陷衢州（浙江省衢州市）。

56 蔡州（河南省汝南县）皇帝秦宗权的部将冯敬章，攻陷蕲州（湖北省蕲春县）。

57 十二月二十七日，周宝（前镇海〔总部润州〕司令官），在杭州（浙江省杭州市）逝世（年七十四岁。《新唐书》《十国纪年》则记载周宝被钱镠诛杀）。

杭州州长钱镠命杜棱当常州（江苏省常州市）军政总监（制置使），命阮结等进攻润州（江苏省镇江市）。

十二月二十八日，攻克润州。镇海战区（总部润州）将领刘浩逃走，阮结生擒候补司令官（留后）薛朗回来（刘浩、薛朗逐周宝，参考本年〔八八七〕三月）。

八八八年 戊申

唐　光启　四年
　　文德　元年
（皇帝秦宗权四年）

1 春季，正月十六日，脱离蔡州（河南省汝南县）皇帝秦宗权的将领孙儒（时驻高邮〔江苏省高邮市〕），诛杀淮南战区（总部设扬州〔江苏省扬州市〕）降将秦彦（暂代司令官）、毕师铎（淮南作战参谋长）、郑汉章（淮宁军基地司令）。

秦彦等投奔秦宗衡时（参考去年〔八八七〕十一月），部众还有二千余人，后来渐渐被孙儒调走。初级将领唐宏（毕师铎的亲信，曾任静街司令〔静街使〕，参考去年〔八八七〕四月）看出他们身陷绝境，难逃杀身之祸，恐怕受到牵连，急谋脱身，于是诬告秦彦等暗中招引宣武战区（总部设汴州〔河南省开封市〕）来袭。孙儒诛杀秦彦等之后，命唐宏当骑兵司令（马军使）。

2 巫法师张守一（参考八八二年四月），跟吕用之一同逃出扬州（江苏省扬州市），投奔杨行密（杨行愍），又给各将领配制仙丹，打算跟过去一样，利用制药的机会，干涉军政总部的施政。杨行密（杨行愍）大怒，把他斩首。

3 蔡州（河南省汝南县）皇帝秦宗权的将领石璠，率军一万余人，攻击陈州（河南省周口市淮阳区）、亳州（安徽省亳州市）。唐王朝（首都长安〔陕西省西安市〕）宣武战区（总部设汴州〔河南省开封市〕）司令官（节度使）朱全忠（朱温）派部将朱珍、葛从周率骑兵数千人迎击，把石璠生擒。

正月二十五日，唐政府命朱全忠（朱温）当蔡州（河南省汝南县）地区各特遣兵团总指战官（蔡州四面行营都统），代替时溥（时溥于秦宗权称帝时被任总指战官，参考八八五年三月），各战区道都受朱全忠（朱温）调遣。

4 宣武战区（总部汴州）内营司令（内客将）张廷范抵达广陵（江苏省扬州市），杨行密（杨行愍）隆重招待；可是听到朱全忠（朱温）派李璠来当候补司令官（留后）的消息时，怒形于色，明显的是一种绝不接受的表情。张廷范秘密派人报告朱全忠（朱温）：应亲率大军前来广陵（扬州市）到差；朱全忠（朱温）接受。但大军抵达宋州（河南省商丘市）时，张廷范已从广陵（扬州市）逃回来，警告朱全忠（朱温）说："杨行密（杨行愍）不容易对付。"

正月二十六日，李璠也逃到宋州（河南省商丘市），报告感化战区

（总部设徐州〔江苏省徐州市〕）军队切断道路情形，朱全忠（朱温）才停止前进。

5 正月二十八日，杭州（浙江省杭州市）州长钱镠（音刘〔流〕）诛杀镇海战区（总部设润州〔江苏省镇江市〕）候补司令官（留后）薛朗，挖出他的心祭祀周宝（薛朗被擒，参考去年〔八八七〕十二月）。而命阮结当润州（江苏省镇江市）军政总监（制置使）。

6 二月，朱全忠（朱温）上疏唐王朝皇帝（二十一任僖宗）李儇（本年二十七岁），推荐杨行密（杨行愍）当淮南战区（总部扬州）候补司令官（留后）。

7 二月七日，李儇患病。

二月十四日，李儇从凤翔（陕西省宝鸡市凤翔区）出发。

二月二十一日，李儇抵达首都长安（陕西省西安市）。

二月二十二日，赦免天下，改年号文德（之前是光启四年，之后是文德元年）。任命韦昭度兼最高立法长（兼中书令）。

8 魏博战区（总部设魏州〔河北省大名县〕）司令官（节度使）乐彦祯（乐行达），骄傲凶恶，横行不法，征调所辖六个州的农民（六州：魏州〔河北省大名县〕、博州〔山东省聊城市〕、贝州〔河北省清河县〕、相州〔河南省安阳市〕、澶州〔河南省内黄县东南〕、卫州〔河南省卫辉市〕），兴筑魏州（河北省大名县）外城（罗城），成正方形，周界长达八十华里，农民痛苦不堪。他的儿子乐从训，尤其凶恶阴险，自从屠杀王铎满门（参考八八四年十二月），大家都对他十分厌恶。乐从训聚集地痞流氓五百余人，当自己的亲近侍卫，称为“子将”，引起战区正规部队猜疑，议论纷纷，军心不安。乐从训大为恐惧，改穿平民衣服逃亡，在邻近的几个县中停留，老爹乐彦祯（乐行达）遂命他当相州（河南省安阳市）州长。乐从训派人到魏州（河北省大名县）搬用铠甲武器和金银绸缎，道路上人马奔跑，来往不断，正规部队更加猜疑，兵变一触即发，情势紧张险恶。乐彦祯（乐行达）也感到大祸迫在眉睫，仓猝辞职，到龙兴寺当和尚。各将领推举指挥官（都将）赵文玣（音biàn〔便〕）代理候补司令官（知留后事）。

乐从训率军三万人进抵魏州（河北省大名县）城下，赵文玣不出来应战，各将领再把他诛杀，推举营门官（牙将）、贵乡（魏州州政府所在县，河北省大名县）人罗弘信代理候补司令官（知留后事）。先前，有人传言：曾经看见一个白胡子老头说："罗弘信当做地主！"赵文玣被杀后，各将领聚在一起呼叫："谁想干司令官（节度使）？"罗弘信应声而出，说："白胡子老头叫我出来！"大家围绕着他看了看，说："可以！"遂拥他坐上司令官（节度使）宝座。罗弘信率军出击，跟乐从训会战，击败乐从训。乐从训集合残余部众退守内黄（河南省内黄县），魏博兵团把内黄（河南省内黄县）围住。

之前，朱全忠（朱温，宣武〔总部汴州〕司令官）将要攻击蔡州（河南省汝南县）皇帝秦宗权，派内营管理官（押牙）雷邺携带白银一万两，到魏州（河北省大名县）买米。魏州驱逐乐彦祯（乐行达）后，把雷邺杀死在他下榻的宾馆。乐从训战败后，遂向朱全忠（朱温）求救。

9 最初，河阳战区（总部设孟州〔河南省孟州市〕）司令官（节度使）李罕之，跟东都洛阳特别市长（河南尹）张全义感情深厚，曾割破手臂，歃血盟誓，永为兄弟，双方十分欢愉（二人结盟，参考前年〔八八六〕十二月）。但李罕之是一个暴徒，勇而无谋，性情又凶恶贪婪，心里并看不起张全义，听说张全义在洛阳（河南省洛阳市）克勤克俭，全副力量从事耕田，哑然失笑说：“他不过是一个庄稼汉而已！”张全义听到，并不认为有什么冒犯。李罕之不断向张全义要求供应粮食、布匹，张全义全都给他。而李罕之却贪得无厌，得寸进尺，数目逐渐庞大，张全义无法使他满足，于是，稍不如意，李罕之就把洛阳特别市政府（河南府）的主管官员，戴上脚镣手铐，押到河阳（河南省孟州市）棍打，洛阳特别市政府（河南府）文武官员，都怒不可遏。张全义安抚说：“李大帅（李罕之）要的东西，为什么不给！”竭尽全力供应，好像对李罕之心怀畏惧，李罕之越发傲慢。李罕之的军队从不种田，粮食薪饷，全靠向民间剽掠，缺粮时，就吃人肉为生。现在，李罕之出动所有部众进攻绛州（山西省新绛县），州长王友遇投降。李罕之再进攻晋州（山西省临汾市），护国战区（总部设河中府〔山西省永济市〕）司令官（节度使）王重盈跟张全义秘密结盟，计划对付李罕之（晋绛二州皆属护国战区）。于是张全义暗中动员屯垦民兵，夜晚，乘虚突袭河阳（河南省孟州市）。而于黎明时，占领三城（河阳三城：河南〔南城〕、河阳〔北城〕、中潬〔中城〕），李罕之跳墙而出，徒步逃走。张全义把李罕之的家产全部俘虏，遂兼任河阳战区（总部孟州）司令官（节度使）。

李罕之逃到泽州（山西省晋城市），向河东战区（总部太原府）司令官（节度使）李克用求救。

10 三月一日，日全蚀。

11 三月二日，唐帝李俨旧病复发。

三月五日，李俨病重。皇弟吉王李保，年纪最大而且贤明，文武百官都盼望他能继位。但神策十军观察兵马阵容特派监军宦官

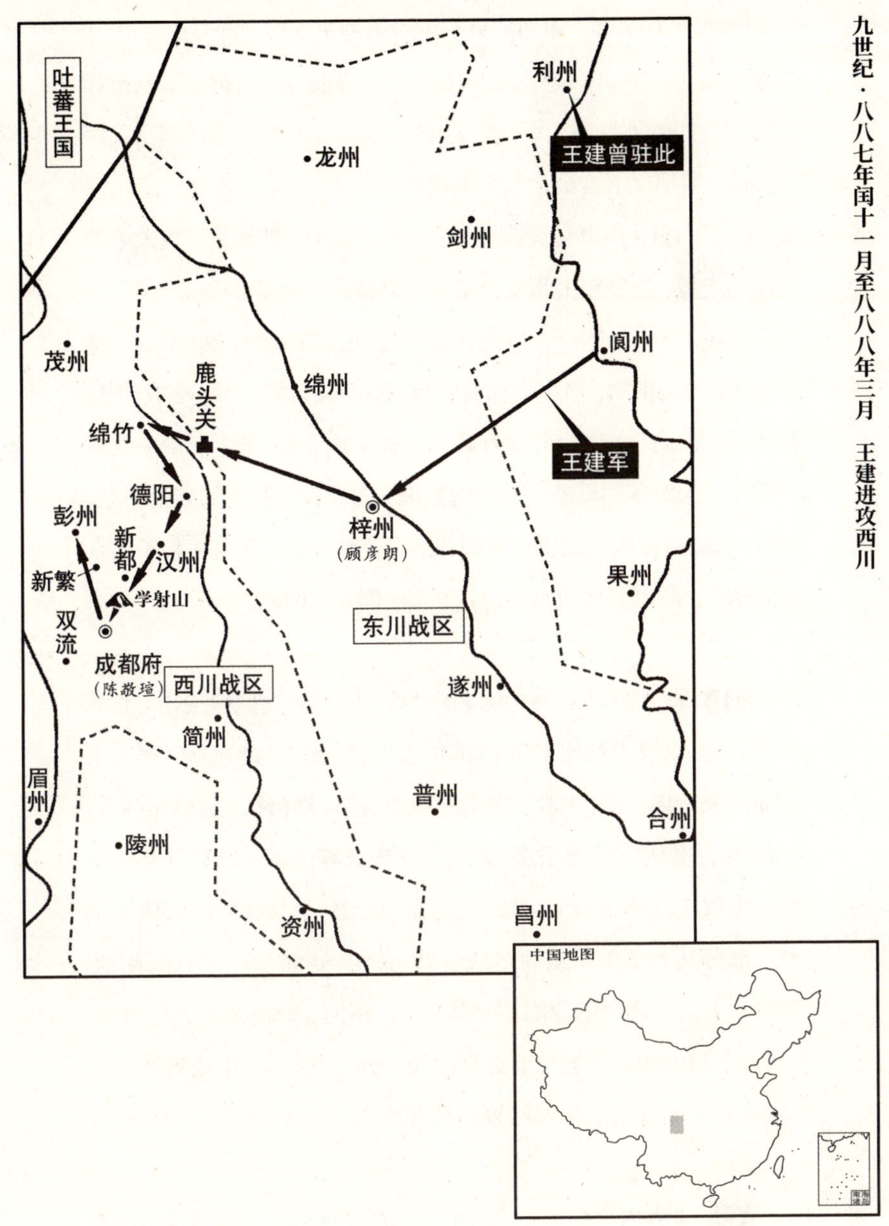

九世纪·八八七年闰十一月至八八八年三月　王建进攻西川

（十军观军容使）杨复恭，却拥护另一位皇弟寿王李杰。当天（三月五日），李俨下诏（杨复恭诏）命李杰当皇太弟、监督国事。右神策军总指挥宦官（右军中尉）刘季述派军前往六王宅（皇子皇孙群居处）迎接李杰入居少阳院，宰相以下官员全到少阳院晋见。

三月六日，李俨在灵符殿逝世（年二十七岁）。遗诏说：皇太弟李杰改名李敏，命宰相韦昭度当帝国最高摄政（摄冢宰）。

李敏（李杰。本年二十二岁）登上皇帝宝座（唐王朝二十二任帝昭宗），身体健康，容貌清秀，眉宇之间流露英气，而又喜爱文学。李敏（李杰）对老哥李俨当皇帝时，既没有威严，而政令又无法推行，中央权威一天比一天衰落的现象，有深刻警惕，立志恢复祖先的光荣勋业。李敏（李杰）对高级官员十分尊敬礼遇，梦想得到贤能人才和英雄豪杰的辅佐。所以登极的时候，全国人民都欢欣鼓舞。

12 朱全忠（朱温，宣武〔总部汴州〕司令官）把粮食运往宋州（河南省商丘市），打算攻击蔡州（河南省汝南县）皇帝秦宗权。就在这时候，乐从训向朱全忠（朱温）求救，朱全忠（朱温）遂转移目标，进驻滑州（河南省滑县），派内营总管理官（都押牙）李唐宾等，率步骑兵三万人继续前进攻击蔡州（河南省汝南县）；另命总指挥官（都指挥使）朱珍等派出一部分兵力增援乐从训，从白马（滑州州政府所在县，河南省滑县）渡黄河北上，一连攻陷黎阳（河南省浚县）、临河（河南省濮阳市西）、李固（应在河南省浚县附近）三城，前进到内黄（河南省内黄县），击败魏博兵团（总部魏州）一万余人，俘虏将领周儒等十人。

13 李克用（河东〔总部太原府〕司令官）派他的部将康君立当南方军团征剿司令（南面招讨使），督促李存孝（安敬思）、薛阿檀、史俨、安金俊、安休休五指挥官，率骑兵七千人，协助李罕之反攻河阳（河南省孟州市）。张全义登城固守，而城里粮食吃完，于是向朱全忠（朱温）求救，把妻子、儿女送到汴州（河南省开封市）充当人质。

14 阆州（四川省阆中市）州长王建分兵进攻彭州（四川省彭州市），西川战区（总部设成都府〔四川省成都市〕）司令官（节度使）陈敬瑄出军救援，王建才撤退，但对西川战区所属十二州大肆剽掠，十二州全部受到损害（西川十二州：彭州〔四川省彭州市〕、蜀州〔四川省崇州市〕、汉州〔四川省广汉市〕、嘉州〔四川省乐山市〕、眉州〔四川省眉山市〕、邛州〔四川省邛崃市〕、简州〔四川省简阳市〕、资州〔四川省资中县〕、雅州〔四川省雅安市〕、黎州〔四川省汉源县〕、茂州〔四川省茂县〕、维州〔四川省理县〕）。

15 夏季，四月三日，唐王朝新任皇帝李敏（李杰），追赠亡母王女士尊贵绰号：恭宪皇后。

16 四月十五日，原隶属蔡州（河南省汝南县）的变军首领孙儒，袭击扬州（江苏省扬州市），攻克。淮南战区（总部扬州）候补司令官（留后）杨行密（杨行愍）逃走，孙儒自称淮南战区（总部扬州）司令官（节度使）。

杨行密（杨行愍）打算投奔海陵（江苏省泰州市），智囊袁袭建议返回庐州（安徽省合肥市），再作进取打算，杨行密（杨行愍）接受。

17 朱全忠（朱温）派他的将领丁会、葛从周、牛存节，率军数万人，增援被困在河阳的战区（河南省孟州市）司令官（节度使）张全义。河东（总部太原府）将领李存孝（安敬思）命李罕之率步兵攻城，自己率骑兵挺进到温县（河南省温县）迎战，河东兵团（总部太原府）大败，安休休害怕军法制裁，逃奔蔡州（河南省汝南县）。宣武兵团（总部汴州）准备派别动部队阻塞太行山，切断河东（总部太原府）大军归路（太行八陉的轵陉〔河南省济源市西〕及太行陉〔河南省沁阳市北〕，都属河阳战区），康君立等恐惧，率军撤退。朱全忠（朱温）遂上疏任命丁会当河阳战区（总部孟州）候补司令官（留后），命张全义仍任洛阳特别市长（河南尹）。丁会，是寿春（安徽省寿县）人。牛存节，是博昌（山东省博兴县）人。张全义感激朱全忠（朱温）的救命之恩，从此全心全意归附。朱全忠（朱温）每次出战，张全义总是主动供应粮草和武器，从不短缺。

李罕之当泽州（山西省晋城市）州长，遥兼河阳战区（总部孟州）司令官（节度使）。李罕之教他的儿子李颀（音qí〔其〕）留在太原（山西省太原市）作李克用的部属，而自己返回泽州（山西省晋城市）。李罕之什么事都不做，只专门抢劫剽掠，东自怀（河南省沁阳市）、孟（河南省孟州市），西到晋（山西省临汾市）、绛（山西省新绛县），其间数百华里之遥，州没有州长、县没有县长，田地没有麦禾树苗、村落没有人迹炊烟，极目荒凉，将近十年之久。河中（山西省永济市）、绛州（山西省新绛县）之间，有一座摩云山，高插天际，人民聚集山顶自保，普通强盗劫匪，都不能接近。李罕之却把它攻陷，时人给他一个绰号：李摩云。

18 困守内黄（河南省内黄县）的乐从训，进军洹水（河北省魏县西南）；魏博战区（总部魏州）候补司令官（留后）罗弘信派部将程公信进攻，斩乐从训，于是连同已出家的老爹乐彦祯（乐行达）的人头，也被砍下，一并悬挂辕门示众（乐彦祯于八八三年二月叛韩简，夺取魏博，至今年〔八八八〕四月，前后六年而灭）。

四月二十六日，罗弘信派使节携带大量金银珠宝，前往宣武战区（总部汴州）劳军，请求恢复旧日友好，战区司令官（节度使）朱全

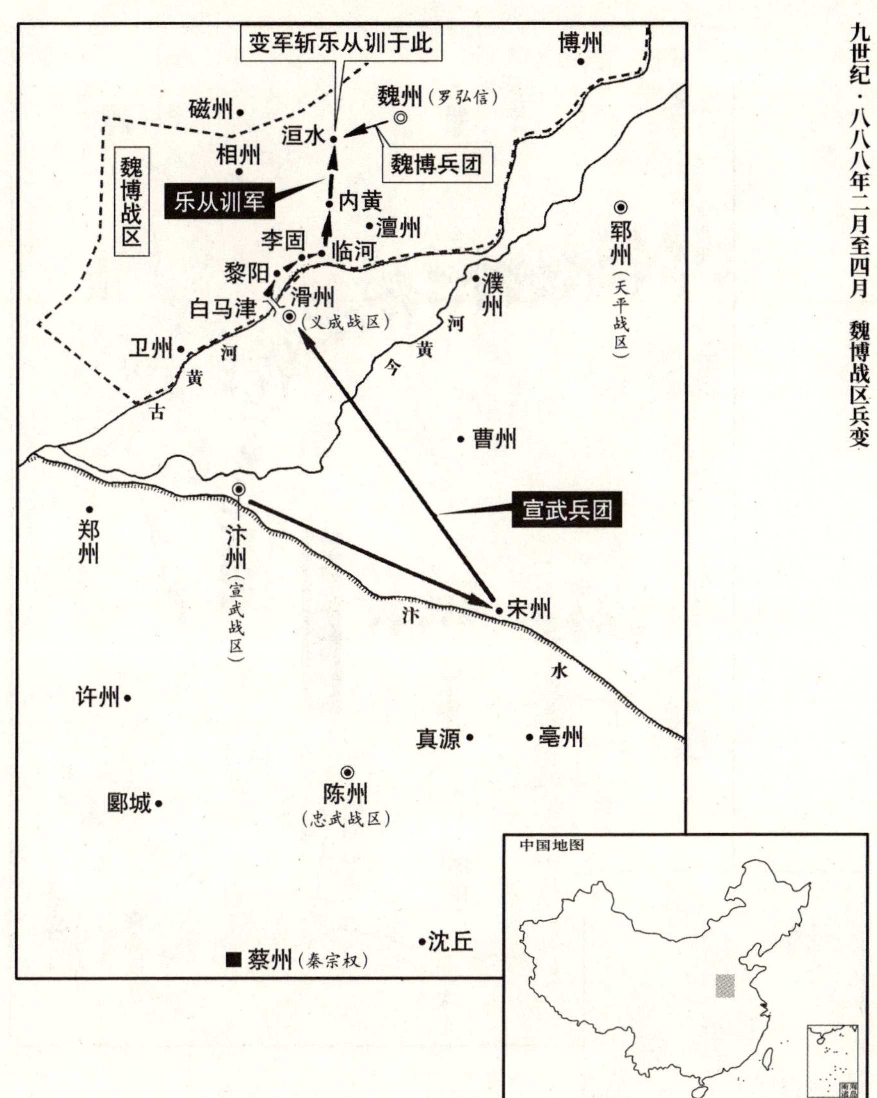

九世纪·八八八年二月至四月　魏博战区兵变

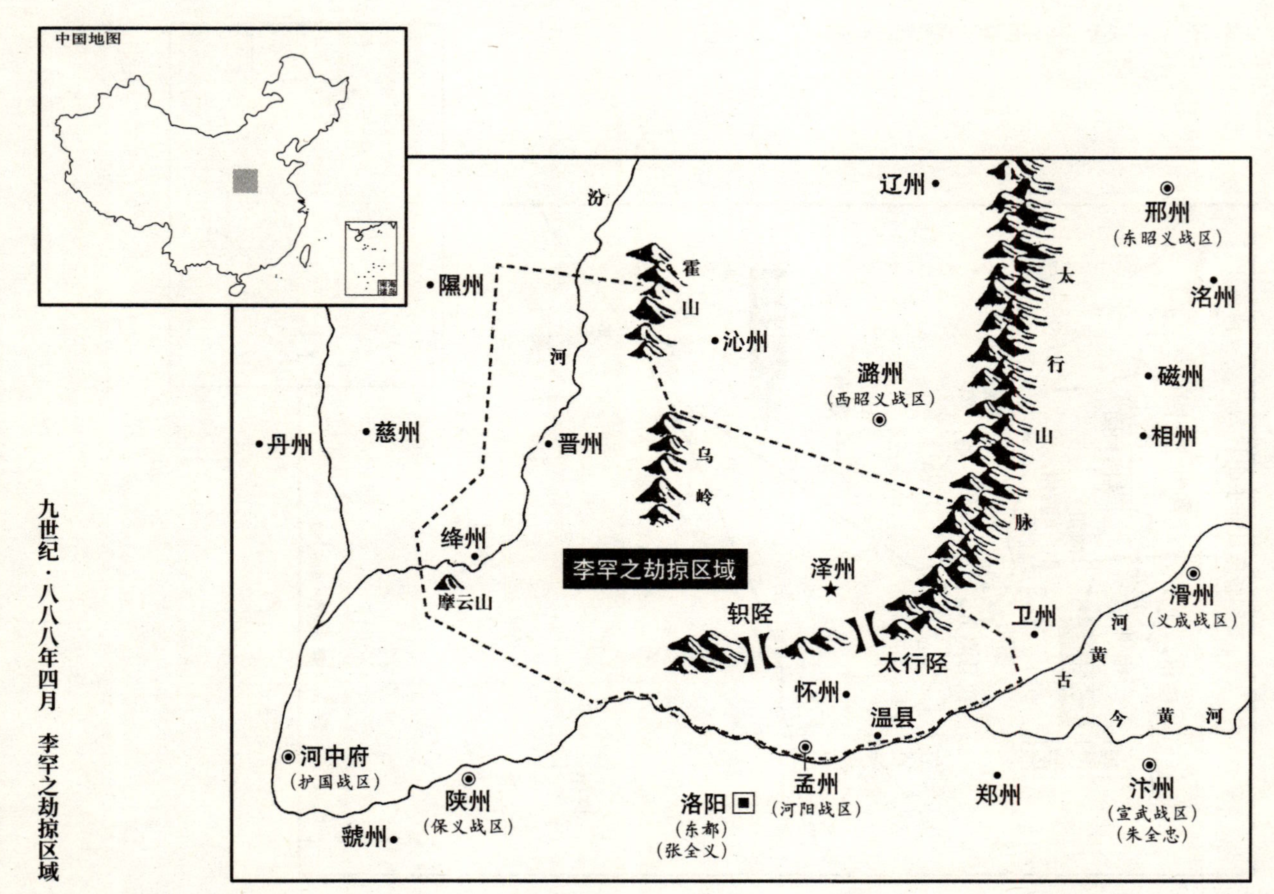

九世纪·八八八年四月　李罕之劫掠区域

忠（朱温）遂把军队撤回。

唐王朝皇帝李敏（李杰），下诏任命罗弘信暂代魏博战区（总部魏州）候补司令官（权知魏博留后）。

19 归州（湖北省秭归县）州长郭禹（成汭），进攻荆南（总部江陵府），逐走王建肇（赵德諲留王建肇守江陵，参考去年〔八八七〕十二月二十五日），王建肇逃往黔州（黔中道首府，重庆市彭水县）。李敏（李杰）下诏命郭禹（成汭）当荆南战区（总部设江陵府〔湖北省江陵县〕）候补司令官（留后）。荆南战区于屡次兵灾之后，全城只剩下十七户人家。郭禹（成汭）竭尽心力，发奋图强，重建秩序，招徕逃往各地的流民，安抚残破的劫后余生，鼓励人民经商务农，到唐王朝亡时（十世纪九〇七年，距本年十九年），增加到将近一万户。

当时各地军阀只知道兴兵作战，互相残杀，没有人想到照顾平民，只有华州（陕西省渭南市华州区）州长韩建（忠武八特别营司令之一，参考八八一年五月），收容流亡散失的农民，勉励他们耕田植桑，几年之间，民间开始富庶，军队粮饷也有着落，人们称颂为“北韩南郭”。

蔡州（河南省汝南县）皇帝秦宗权的部将常厚，据守夔州（重庆市奉节县），郭禹（成汭）跟部将、汝阳（蔡州州政府所在县，河南省汝南县）人许存，把它攻克。很久之后，唐王朝政府任命郭禹（成汭）当荆南战区（总部江陵府）司令官（节度使）、王建肇当武泰战区（总部设黔州〔重庆市彭水县〕）司令官（此时尚称“黔中道”，后年〔八九〇〕才改称“武泰战区”）。郭禹（成汭）上疏皇帝李敏（李杰）请恢复本来姓名成汭（杀人亡命事，参考八八五年正月四日）。

20 唐政府加授李克用（河东〔总部太原府〕司令官）中央官衔：兼

最高监督长（兼侍中·使相）。

21 五月三日，唐政府加授朱全忠（朱温，宣武〔总部汴州〕司令官）中央官衔：兼最高监督长（兼侍中·使相）。

22 蔡州（河南省汝南县）皇帝秦宗权所属山南东道战区（总部设襄州〔湖北省襄阳市〕）司令官（节度使）赵德諲，因荆南（总部江陵府）被成汭（郭禹）夺走，而且看出秦宗权必然失败。

五月六日，赵德諲向唐政府投降，并私下结交朱全忠（朱温）。朱全忠（朱温）遂上疏任命赵德諲当自己的副手。李敏（李杰）下诏：改山南东道战区为忠义战区，命赵德諲当战区司令官（节度使），充任蔡州（河南省汝南县）地区各特遣兵团副总指战官（蔡州四面行营副都统）。

23 朱全忠（朱温）得到洛阳、孟州（河南省孟州市）的支援，已没有后顾之忧，于是出动大军进攻蔡州（河南省汝南县）皇帝秦宗权，在蔡州（汝南县）之南，大破秦宗权军，攻克北关门，秦宗权固守中州城（蔡州中城），朱全忠把大军编组为二十八个营寨，环绕包围。

24 唐政府加授凤翔战区（总部设凤翔府〔陕西省宝鸡市凤翔区〕）司令官（节度使）李茂贞（宋文通）中央官衔：摄理最高监督长（检校侍中·使相）。

25 西川战区（总部成都府）司令官（节度使）陈敬瑄跟阆州（四川省阆中市）州长王建，互相攻击，向中央的进贡及应缴赋税，遂完全中断。

王建认为成都守军力量仍很强大，而民间穷苦，后退又没有地方可以剽掠，打算停止军事行动。智囊周庠、綦毋谏极力反对。周庠说："邛州（四川省邛崃市）城墙壕沟，都很坚固，粮食可以支持很多年，可以夺取作为基地。"王建说："我在军中的时间很久，发现当统帅的如果不仰赖天子的威望，军心就容易离散。我们应该上疏揭发陈敬瑄的罪状，请求中央另派高级官员来当战区司令官（节度使），由我担任助手，大功可能完成。"乃命周庠撰写奏章，表示愿讨伐陈敬瑄来赎自己的罪，并请求命自己当邛州（四川省邛崃市）州长。东川战区（总部设梓州〔四川省三台县〕）司令官（节度使）顾彦朗也上疏皇帝，请求赦免王建，而把陈敬瑄调差，用来安定两川（东川、西川）。

最初，当黄巢进入首都长安（陕西省西安市）时，前任皇帝（二十一任僖宗）李儇向南逃亡（参考八八〇年十二月），现任皇帝（二十二任昭宗）李敏（李杰）当时还是寿王，追随李儇前往巴蜀（四川省）途中，因为事情突发，一切仓猝，各亲王都在山谷中步行前进，李敏（李杰）体力不继（那时才十四岁），既困又乏，再走不动一步，躺在一块大石头上休息。宦官田令孜从后面赶到，催促上路。李敏（李杰）说："双脚疼痛，求你给我一匹马！"田令孜说："深山峻岭，哪里有马！"用马鞭打他，要他继续前进。李敏看了他一眼，虽不讲话，却记恨在心。等到登上帝位，李敏（李杰）另派人当西川（总部成都府）监军宦官，田令孜拒绝诏书。李敏（李杰）正愤怒军阀们的骄傲横暴，想要展示皇家威力，施以压制。就在这时，先后接到顾彦朗、王建的奏章，而田令孜仗恃的正是陈敬瑄，遂决定先拔除祸根。

六月，李敏（李杰）命韦昭度遥兼最高立法长（兼中书令·使相），充任西川战区（总部成都府）司令官（节度使），兼两川（东川、西川）安抚及军政总监等（兼两川招抚制置等使）；征召陈敬瑄回京（首都长安）当左龙武（禁军第三军）统军。

王建驻扎新都（四川省成都市新都区）。当时，绵竹（四川省绵竹市）民间首领何义阳、安仁（四川省大邑县东南安仁镇）民间首领费师懃（音qín〔勤〕）等，各在本地组织自卫部队，保护乡土，多的有一万人，少的也有一千人。王建派义子王宗瑶（姜郅）前去游说，都率领部众归附王建，供给王建军粮及物资辎重，王建的军威士气，重新振作。

26 唐政府在河南府（东都洛阳特别市，河南省洛阳市）设佑国战区，命张全义当司令官（节度使）。

27 秋季，七月，泽州（山西省晋城市）州长李罕之，引导河东兵团（总部太原府）攻击河阳（孟州，河南省孟州市）：河阳战区（总部孟州）候补司令官（留后）丁会，把他们击败。

28 唐政府在凤州（陕西省凤县）设置战区，割兴州（陕西省略阳县）、利州（四川省广元市）隶属。命凤州警备区司令（防御使）满存当战区司令官（节度使），遥兼二级宰相（同平章事·使相。前年〔八八六〕，曾在兴凤二州设感义战区，命杨晟当司令官，参考前年〔八八六〕正月十三日。然而还没有建立总部，杨晟就战败逃走，形同解散）。

29 擢升魏博战区（总部设魏州〔河北省大名县〕）暂代候补司令官（权知留后）罗弘信，实任战区司令官（节度使）。

30 八月三日，宣武（总部汴州）特遣兵团，攻陷蔡州（河南省汝南县）南城。

31 杨行密（杨行愍，淮南〔总部扬州〕候补司令官）畏惧原隶蔡州（河南省汝南县）的变军首领孙儒军力强大，步步相逼，打算率轻装备部队袭击洪州（江西省南昌市）。智囊袁袭说："钟传（江西〔首府洪州〕行政长官）割据洪州（南昌市）已经很久（钟传逐江西道行政长官〔江西观察使〕高茂卿，参考八八二年五月，迄今七年），军队战斗力很强，粮食又很充足，不容易对付。赵锽新近才当上宣歙道（首府设宣州〔安徽省宣城市〕）行政长官（观察使。参考去年〔八八七〕五月），趁着天下大乱，残害人民，军心不服。你最好采取低姿态，写封措辞谦卑的信，派人携带大量金银珠宝，贿赂和州（安徽省和县）州长孙端、上元（江苏省南京市）守军首领张雄，使他们从采石（安徽省马鞍山市西南）渡长江，侵入宣歙道辖区，赵锽一定迎战。你就从铜官（安徽省铜陵市西北）渡江，前往会师，一定可以把赵锽击破。"杨行密（杨行愍）接受，命部将蔡俦留守庐州（安徽省合肥市），而亲率各将领从糁潭（安徽省无为市西南。糁，音sǎn〔伞〕）渡长江南下。

孙端、张雄被赵锽击败，赵锽的部将苏塘、漆朗，率军二万人进驻曷山（安徽省宣城市西南）。智囊袁袭再建议杨行密（杨行愍）说："你率军直向曷山，坚守营门不出来挑战，他们想战而不能战，一定认为我们胆怯，抓住他们懈怠不备的机会，可以击破。"杨行密（杨行愍）听从。于是苏塘等大败，杨行密（杨行愍）遂包围宣州（安徽省宣城市）。赵锽的老哥、池州（安徽省池州市贵池区）州长赵乾之率军从池州前来救援，杨行密（杨行愍）派他的部将陶雅，在九华（安徽省青阳县南九华山）截击，大破赵乾之部众。赵乾之逃奔江西道（首府设洪州〔江西省南昌市〕）。杨行密（杨行愍）命陶雅当池州（安徽省池州市贵池区）军政总监（制置使）。

32 九月，朱全忠（朱温）因后勤补给困难，而且蔡州（河南省汝

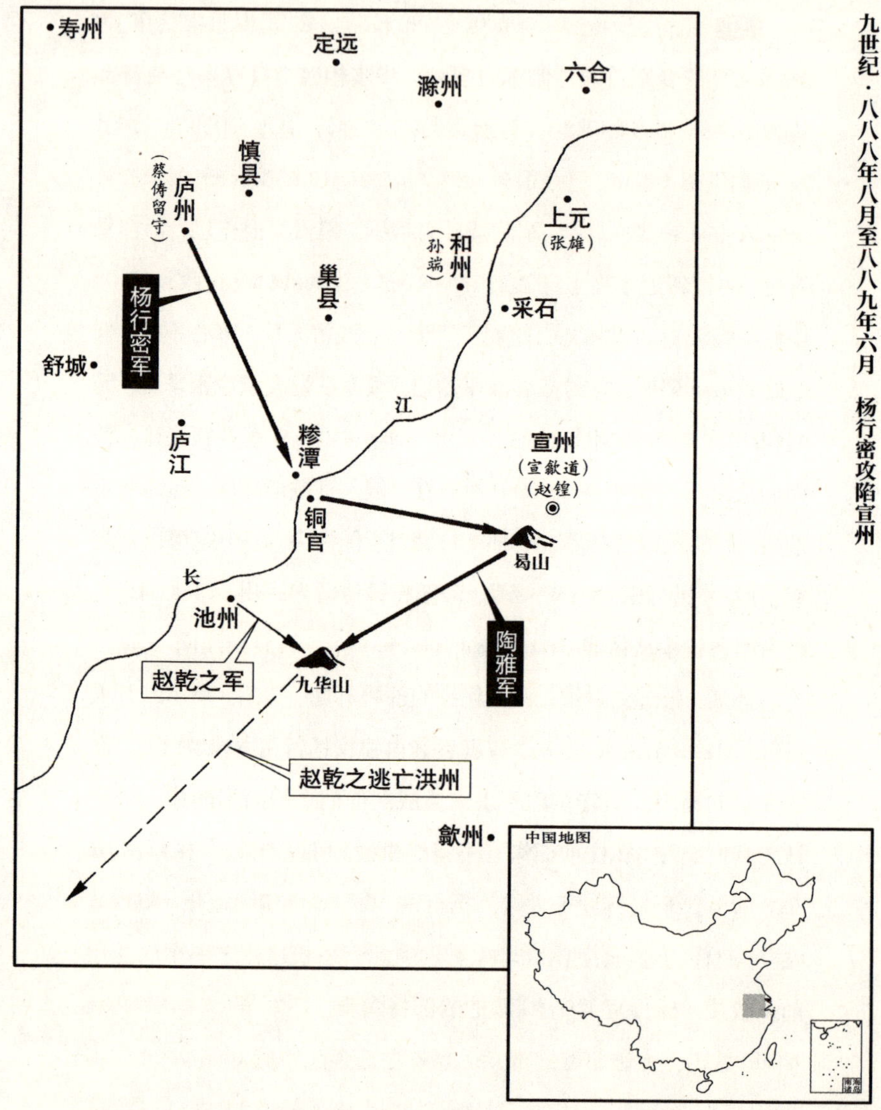

九世纪·八八八年八月至八八九年六月　杨行密攻陷宣州

南县）皇帝秦宗权已经残破到极点，可以不必再对他担心，遂率军撤退。

九月二日，朱全忠（朱温）命朱珍率军五千人护送楚州（江苏省淮安市）州长刘瓒，前往楚州到差（楚州属淮南战区〔总部扬州〕，朱全忠是要显示他的战区司令官权力，并借机扩张势力）。

33 杭州（浙江省杭州市）州长钱镠，派堂弟钱铽，率军攻击苏州（江苏省苏州市）州长徐约（徐约夺取苏州，参考去年〔八八七〕四月一日）。

34 冬季，十月，感化兵团（总部徐州）截击朱珍、刘瓒，不准通过。朱珍等攻击，攻陷沛（江苏省沛县）、滕（山东省滕州市）二县，格杀及俘虏感化（总部徐州）士卒，以万为单位计算。

35 东昭义战区（总部设邢州〔河北省邢台市〕）司令官（节度使）孟方立，派他的作战参谋长（行军司马）奚忠信，率军三万人袭击辽州（山西省左权县）。西昭义战区（总部设潞州〔山西省长治市〕）司令官（节度使）李克修截击，大破东昭义兵团（总部邢州），生擒奚忠信，押送晋阳（山西省太原市）。

36 十月二十七日，唐政府把前任帝（二十一任）李儇的尸体，安葬靖陵（陕西省乾县东北），绰号惠圣恭定孝皇帝，祭庙称僖宗。

37 西川战区（总部设成都府〔四川省成都市〕）司令官（节度使）陈敬瑄及老弟、已被免除所有官爵的宦官田令孜，听到新战区司令官（节度使）韦昭度就要抵达消息，立刻整顿兵马，加强训练，制造武器，加强城防，决心抗命。

38 十一月，时溥（感化〔总部徐州〕司令官）亲自率步骑兵混合兵团七万人，进驻吴康镇（江苏省丰县南），朱珍进攻，大破感化军。朱全忠（朱温，宣武〔总部汴州〕司令官）又派别动部队将领进攻宿州（安徽省宿州市），州长张友投降（宿州属感化战区）。

39 十一月三日，蔡州（河南省汝南县）皇帝秦宗权，派别动部队将领攻陷许州（河南省许昌市），生擒忠武战区（总部设许州〔河南省许昌市〕）候补司令官（留后）王蕴，夺回许州（秦宗权失许州等八州府，参考去年〔八八七〕五月八日）。

40 十二月，蔡州（河南省汝南县）皇帝秦宗权的部将申丛，发动兵变，生擒秦宗权，砍断他的双脚，囚禁，向朱全忠（朱温）投降。朱全忠上疏任命申丛当奉国战区（总部设蔡州）候补司令官（留后）。

41 最初，感义战区（总部设兴州〔陕西省略阳县〕）司令官（节度使）杨晟（感义战区事，参考前年〔八八六〕正月十三日），自兴（陕西省略阳县）、凤（陕西省凤县)，退守文(甘肃省文县)、龙(四川省平武县东南)、成(甘肃省成县)、茂(四川省茂县)四州。王建进攻西川(总部成都府)，田令孜认为杨晟是自己的老部属，于是另行成立威戎战区，命杨晟当战区司令官(节度使)，驻守彭州(四川省彭州市)。王建于稍后进攻彭州(四川省彭州市)，陈敬瑄命眉州(四川省眉山市)州长山行章(山，姓)，率军五万人进驻新繁(四川省成都市新都区西北新繁街道)救援。

42 十二月二十四日，中央政府命韦昭度当各特遣兵团征剿司令(行营招讨使)，命山南西道战区(总部设兴元府〔陕西省汉中市〕)司令官(节度使)杨守亮(訾亮)当副征剿司令，东川战区(总部设梓州〔四川省三台县〕)司令官(节度使)顾彦朗当作战参谋长(行军司马)；划出邛(四川省邛崃市)、蜀(四川省崇州市)、黎(四川省汉源县)、雅(四川省雅安市)四州，另设永平战区，命王建当司令官(节度使)，总部设邛州(四川省邛崃市)，充任各特遣兵团总指挥官(行营诸军都指挥使)。

十二月二十五日，李敏(李杰)下诏免除陈敬瑄所有的官职和封爵。

43 山南西道战区(总部兴元府)司令官(节度使)杨守亮(訾亮)，派军攻陷夔州(重庆市奉节县。夔州属荆南战区〔总部江陵府〕)。

军阀混战

导读

唐王朝十九任帝（宣宗）李忱先生逝世的那年（八五九），是一个分水岭，即令最严格的史学家，也不得不承认，迅速恶化的唐王朝，在回光返照（李忱在位的大中之治）之后，进入弥留。第二年（八六〇）开始，全国军阀就陷于混战，我们到现在才用这个悲惨的事实作为书名，并不表示之前没有，更不表示以后没有。从八六〇年唐王朝二十任帝李漼登极，直迄九七八年吴越王国灭亡，一百余年之间，这四个字以及以下数册的书名，诸如“大黑暗”“千里白骨”，随时都可以使用，这是百余年间最大的特色，中国人无所逃避。《资治通鉴》把它一一记载，只是希望有良知、有慈悲胸怀的知识分子，留下印象，看看能不能致力于建设一个跟它恰恰相反，有秩序、有温暖、光明四照的国家。

柏杨　一九九一·七·一五

九世纪

八〇年代

八八九年

唐王朝

◎ 江淮一带陷入混战。

八八九年 己酉

唐　　龙纪　　元年

1 春季，正月一日，唐王朝（首都长安〔陕西省西安市〕）皇帝（二十二任昭宗）李敏（李杰。本年二十三岁），下诏赦免天下，改年号龙纪。

2 李敏（李杰）命皇家文学研究院院长（翰林学士承旨）、国务院国防部副部长（兵部侍郎）刘崇望，兼二级实质宰相（同平章事）。

3 宣武战区（总部设汴州〔河南省开封市〕）将领庞师古，攻陷宿迁（江苏省宿迁市），进驻吕梁（江苏省徐州市东南）；感化战区（总部设徐州〔江苏省徐州市〕）司令官（节度使）时溥，出军迎击，大败，回保彭城（徐州州政府所在县）。

4 正月二十日，蔡州（河南省汝南县）将领郭璠，格杀申丛（奉国〔总部蔡州〕候补司令官），把被囚禁的皇帝秦宗权，押汴州（申丛生擒秦宗权事，参考去年〔八八八〕十二月），报告朱全忠（朱温，宣武〔总部汴州〕司令官）说："申丛阴谋重新拥护秦宗权！"（《通鉴考异》："申丛砍断秦宗权双脚加以囚禁，岂有再拥护他之理。只不过郭璠打算篡夺他的功劳，信口诬陷。"）朱全忠命郭璠当奉国战区（总部设蔡州）候补司令官（留后）。

5 正月十六日，永平战区（总部设邛州〔四川省邛崃市〕）司令官（节度使）王建，在新繁（四川省成都市新都区西北新繁街道）大破眉州（四川省眉山市）州长山行章（陈敬瑄命山行章救彭州，参考去年〔八八八〕十二月），格杀及俘虏将近一万人，山行章仅逃出一命。威戎战区（总部设彭州〔四川省彭州市〕）司令官（节度使）杨晟大为恐惧，把军队移到三交（四川省彭州市西）。山行章退守濛阳（四川省彭州市东濛阳街道），跟王建对峙。

6 二月，宣武战区（总部设汴州〔河南省开封市〕）司令官（节度使）朱全忠（朱温），把蔡州（河南省汝南县）皇帝秦宗权，押送京师（首都长安），在独柳（位于长安西市）之下斩首。

斩首时，由首都长安特别市长（京兆尹）孙揆监刑，秦宗权在槛车中伸出头来，对孙揆说："大人明察，我怎么会是叛徒？只不过对国家一片忠心，投效无路！"一旁围观行刑的群众都忍不住捧腹大笑。孙揆，是孙逖的族孙（孙逖，参考七三〇年六月二十三日）。

柏杨曰

秦宗权真是一个天才，认为他的谎言，无论跟事实相反到什么程度，只要他说得出口，就一定有人相信。观众捧腹大笑，实在出他意料，否则，他可能不致如此明目张胆的无耻。不过，虽然时到二十一世纪，秦宗权的阴魂，仍然不散，秦宗权二世、三世、八世、九世，仍然不断在舞台上伸出头来，演出精彩节目，使我们也捧腹大笑！

7 三月，中央加授朱全忠（朱温）：兼最高立法长（兼中书令·使相），晋封东平郡王。朱全忠（朱温）攻克蔡州（河南省汝南县）后，军事力量更为强大。

加授忠义战区（总部设襄州〔湖北省襄阳市〕）司令官（节度使）赵德諲：最高立法长（中书令·使相）。命奉国战区（总部设陈州〔河南省周口市淮阳区〕。此是侨设，参考八八五年八月）司令官（节度使）赵犨（音chōu〔抽〕）遥兼二级宰相（同平章事·使相），充任忠武战区（总部设许州〔河南省许昌市〕）司令官（节度使），总部也迁到陈州（河南省周口市淮阳区。原总部许州才刚被夺，参考去年〔八八八〕十一月）；不料赵犨病势沉重，就把军政大权全部交给老弟赵昶（音chǎng〔敞〕），上疏请求辞职退休。李敏（李杰）命赵昶代替老哥当忠武战区（总部设陈州〔河南省周口市淮阳区〕）司令官（节度使）。没有几天，赵犨逝世。

8 三月五日，杭州（浙江省杭州市）州长钱镠（音liú〔流〕）的堂弟钱銶（音qiú〔求〕），攻陷苏州（参考去年〔八八八〕九月），州长徐约逃到东海而死（徐约夺取苏州，参考前年〔八八七〕四月。前后三年而灭）。钱镠命海昌特别营指挥官（都将）沈粲，暂代苏州（江苏省苏州市）州长。

9 夏季，四月，改陕虢战区（总部设陕州〔河南省三门峡市〕）为保义战区。

10 五月十三日，润州（江苏省镇江市）军政总监（制置使）阮结逝世（参考去年〔八八八〕正月），钱镠命静江特别营指挥官（都将）成及继任。

11 河东战区（总部设太原府〔山西省太原市〕）司令官（节度使）李克用，大规模动员军队，派李罕之、李存孝（安敬思），对东昭义战区（总部设邢州〔河北省邢台市〕）司令官（节度使）孟方立（昭义战区分裂东西，参考八八四年八月）发动总攻。

六月，河东兵团（总部太原府）攻克磁（河北省磁县）、洺（河北省邯郸市永年区东南广府镇）二州。孟方立派大将马溉、袁奉韬率军数万人抵抗，在琉璃陂（河北省邢台市西南）会战，孟方立大败，马溉、袁奉韬也被生擒。李克用乘胜攻击邢州（河北省邢台市）。孟方立性情猜忌多疑，将领们心怀怨恨，事到紧急，都拒绝再为他效命。孟方立既惭愧又恐惧，服毒自杀。老弟、摄理洺州（河北省邯郸市永年区东南广府镇）州长孟迁，深得官兵拥护，大家遂公推他当候补司令官（留后），向朱全忠（朱温，宣武〔总部汴州〕司令官）求救。朱全忠向魏博战区（总部设魏州〔河北省大名县〕）司令官（节度使）罗弘信借路，罗弘信拒绝。朱全忠遂派大将王虔裕（黄巢降将，参考八八四年三月）率精锐武装部队数百人，从小道进入邢州（河北省邢台市）协同防守。

12 庐州（安徽省合肥市）州长杨行密（杨行愍）包围宣州（参考去

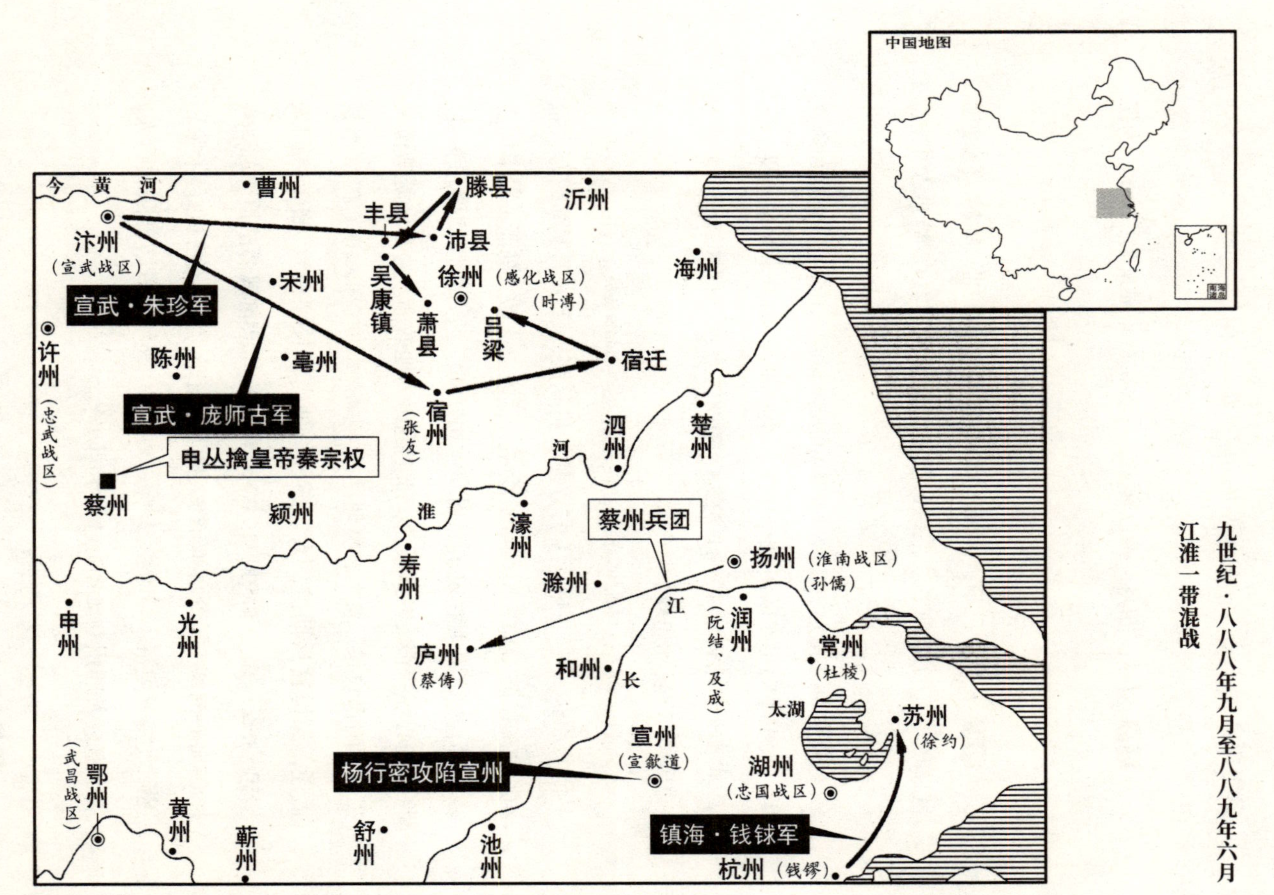

九世纪·八八八年九月至八八九年六月
江淮一带混战

年〔八八八〕八月，迄今十一个月），城里粮食吃完，军民互相格杀吞食。指挥官（指挥使）周进思发动兵变，驱逐宣歙道（首府设宣州〔安徽省宣城市〕。歙，音shè〔射〕）行政长官（观察使）赵锽。赵锽打算逃往广陵（江苏省扬州市。时孙儒在广陵），杨行密部将田頵（音jūn〔君〕）追赶，把他生擒。不久，城里守军也生擒周进思，投降。杨行密进入宣州（安徽省宣城市），将领们纷纷抢夺金银绸缎，只徐温控制米仓，烹煮稀粥，赈济饥民。徐温，是朐山（江苏省连云港市）人。赵锽部将、宿松（安徽省宿松县）人周本，勇冠三军，被俘后，杨行密（杨行愍）把他释放，命他当初级将领。赵锽既然失败，左右官员四散逃走，只有李德诚始终追随，不肯离去。杨行密（杨行愍）把同族杨姓女子嫁李德诚为妻。李德诚，是西华（河南省西华县）人。杨行密（杨行愍）上疏中央奏报现状，李敏（李杰）下诏命杨行密（杨行愍）当宣歙道（首府设宣州〔安徽宣城市〕）行政长官。

朱全忠（朱温）跟赵锽是旧交老友，派使节晋见杨行密（杨行愍），愿迎接赵锽前去汴州（河南省开封市）。杨行密（杨行愍）跟智囊袁袭商量，袁袭说："不如把赵锽斩首，只将人头交使节带回。"杨行密（杨行愍）接受。没有多久，袁袭逝世，杨行密哭泣说："难道上天不想使我完成大业？为什么砍掉我的四肢！不过，我喜欢宽大，而袁袭总是劝我诛杀，难道这就是他短命的原因！"

自称淮南战区（总部设扬州〔江苏省扬州市〕）司令官（节度使）的孙儒，派军攻击杨行密（杨行愍）根据地庐州（安徽省合肥市），州长蔡俦献出城池投降（杨行密留蔡俦守庐州，参考去年〔八八八〕八月）。

13 宣武战区（总部设汴州）总指挥官（都指挥使）朱珍，攻克萧县（安徽省萧县），大军进城。跟感化战区（总部设徐州〔江苏省徐州市〕）司令官（节度使）时溥对峙。朱全忠（朱温）打算亲自前往督战，朱珍命各路人马整修马厩，偏偏内营总管理官（都押牙）李唐宾的部将严郊，懒惰疏忽，工作不力，主管官员责备他，李唐宾庇护部将，火冒三丈，去见朱珍辩解，朱珍勃然大怒，认为李唐宾目无法纪，冒犯主帅，拔剑把李唐宾斩首（二人私怨已深，参考前年〔八八七〕十一月），然后派骑兵报告朱全忠（朱温），指控李唐宾叛变。淮南战区（遥领）左参谋长（左司马）敬翔，恐怕朱全忠（朱温）暴怒之下，仓猝间作出错误决定，故意把使节羁留不放，一直拘禁到夜晚，然后心平气和的再作报告。（朱全忠兼淮南司令官，命敬翔当淮南左参谋长。胡三省注："夜晚报告，朱全忠即令大怒，也不能立刻施暴。"）朱全忠（朱温）果然怒不可遏。敬翔替他策划：立刻下令逮捕李唐宾的妻子儿女，囚禁监狱，派使节飞骑前往萧县大营，安抚朱珍。朱全忠（朱温）采纳，军心才告安定。

秋季，七月，朱全忠（朱温）前往萧县，还没有到，朱珍先出来迎接。朱全忠（朱温）命武士当场把他逮捕，斥责他擅自杀戮大将，斩首。高级将领霍存等几十个人向朱全忠（朱温）叩头，乞求宽恕，朱全忠大怒，拿起床板向他们投掷，他们才退出。

七月十七日，朱全忠（朱温）抵达萧县（安徽省萧县），命庞师古接任朱珍的总指挥官（都指挥使）职务。

八月十七日，朱全忠（朱温）进攻时溥（感化〔总部徐州〕司令官）大营，不巧，天降大雨，遂率军撤退。

14 冬季，十月，平卢战区（总部设青州〔山东省青州市〕）司令官（节度使）王敬武逝世，他的儿子王师范，本年才十六岁，军队拥护他当候补司令官（留后），但棣州（山东省惠民县）州长张蟾反对。中央政府命太子少师（太子三少之一）崔安潜，兼最高监督长（兼侍中·使相），充任平卢战区司令官（节度使）。张蟾迎接崔安潜前来州城，共同策划讨伐王师范。

15 中央派御前监督官（给事中）杜孺休当苏州（江苏省苏州市）州长，钱镠（杭州州长）大不高兴，另命代理州长（知州事）沈粲当军政总监指挥官（制置指挥使。钱镠通过沈粲掌握军权，州长便被架空）。

16 杨行密（杨行愍）派步骑兵总纠察官（马步都虞候）田頵等进攻常州（钱镠部将杜棱守常州，参考前年〔八八七〕十二月）。

17 十一月，唐帝（二十二任昭宗）李敏（李杰）再改名李晔（音yè〔叶〕）。

18 李晔（李敏〔李杰〕）准备到圆形神坛祭祀天神。依照惯例，神策军总指挥宦官（中尉）、宫廷机要室主任宦官（枢密），都应穿开襟的上衣随从。前任帝（二十一任僖宗）李俨在位时（八七三年至八八八年），已改穿长袍、手拿笏板。现在，李晔（李敏）命主管单位另行制定官服。宰相孔纬以及负责谏诤的官员和负责礼仪的官员，都认为不可以。李晔亲笔写了一张字条答复说："你们的议论，十分正确，但事情有时要融会变通，不要因小缺点而妨碍大事。"从此，宦官都携带佩剑，参与盛典。

十一月二十一日，李晔（李敏）前往圆形祭坛祭祀天神，赦免天下。

李晔（李敏）当亲王的时候，就讨厌宦官，登极称帝后，皇家观察神策十军兵马阵容特派监军宦官（十军观军容使）杨复恭，仗恃他拥立李晔（李敏）坐上宝座的功劳，所作所为，很多违法乱纪。李晔（李敏）心里十分不舒服，所以，很多国家大事，都跟宰相商量。宰相孔纬、张濬建议李晔（李敏）效法祖父、十九任帝（宣宗）李忱先例，对宦官的权力加以约束压制（参考八五四年十月）。杨复恭常坐"肩舆"（两人抬的小轿），直到太极殿才下轿步行。有一天，李晔（李敏）跟宰相们谈到各地混乱情况，孔纬说：“陛下左右侍从里，就有一个人将要叛变，何况四面八方！”李晔（李敏）吓了一跳，问他怎么回事，孔纬指着杨复恭说：“杨复恭不过是陛下的家奴，却乘坐小轿，直到金銮宝殿。又养了那么多勇士当义子，派他们掌握皇家禁军，或派他们当战区司令官，不是谋反是什么！”（《新唐书·杨复恭传》：“杨复恭义子杨守立〔胡弘立〕当天威特别营司令〔天威军使〕，杨守信〔訾信〕当玉山特别营司令〔玉山军使〕，杨守贞当龙剑战区〔总部不详〕司令官〔节度使〕，杨守忠当武定战区〔总部洋州〕司令官〔节度使〕，杨守厚当绵州〔四川省绵阳市〕州长，其他义子则分别充当州长，号称‘外宅郎君’；又在宦官中收义子六百人，派到各战区道当监军宦官。”构成一个庞大的官场罗网，无人敢碰。）杨复恭说：“我的义子都是勇士，为的是要他们效忠皇上，保卫国家，怎么能说是叛徒！”李晔（李敏）说：“如果保护国家，为什么不让他们姓李，却让他们姓杨？”杨复恭霎时目瞪口呆，答不出话。

杨复恭义子之一、天威特别营司令（天威军使）杨守立，本名胡弘立，勇敢压过六军，人们对他都很畏惧。李晔（李敏）计划讨伐杨复恭，恐怕杨守立（胡弘立）作乱阻挠，于是对杨复恭说：“我想用你家姓胡的那个义子在我左右。”杨复恭遂把杨守立（胡弘立）引见给李晔（李敏），李晔（李敏）赐给他皇家姓氏，改名李顺节，命他负责管理禁军六军营门钥匙。不到一年，擢升到天武特别营作战司令（天武都头，神策军五十四都之一），遥兼镇海战区（总部设润州〔江苏省镇江市〕）司令官（节度使）。不久，又加授二级实质宰相（同平章事）。登殿谢恩当天，李顺节（杨守立〔胡弘立〕）的幕僚，要求集合文武百官一起参见，孔纬批示说：“不用集合。”李顺节（杨守立〔胡弘立〕）兴高采烈的依时到达宰相联合办公厅（中书），发现冷冷清清，一脸不高兴。后来，有一天，李顺节（杨守立〔胡弘立〕）向孔纬提到这件事，孔纬说：“宰相是文武百官的首长，所以率领文武百官一同晋见。你的主要官位是作战司令（都头），却在宰相联合办公厅（政事堂）率领文武百官列班晋见，你觉得是不是心安？”李顺节不敢再争执。

朱全忠（朱温）请求遥兼全国盐铁专卖暨运输总监（领盐铁），只孔纬坚决反对，告诉宣武战区（总部设汴州〔河南省开封市〕）奏事官说：“朱大帅如果非要这个官位不可，只有动用大军。”朱全忠（朱温）才停止。

19 宣歙道将领田颙进攻常州（江苏省常州市），挖掘地道，进入城里。午夜，宣歙兵团的军旗，跟全副武装的士卒，突然从常州军政总监（制置使）杜棱的卧房地下钻出来，把杜棱生擒。宣歙道遂派军三万人驻防常州（江苏省常州市）。

朱全忠（朱温，宣武〔总部汴州〕司令官）派总指挥官（都指挥使）庞师古率军自颍上（安徽省颍上县）直向淮南（总部扬州），攻击孙儒（淮南〔总部扬州〕司令官）。

20 十二月七日，永平战区（总部设邛州〔四川邛崃市〕）司令官（节度使）王建（此时王建还没有进入邛州），在广都（四川省成都市双流区东南华阳街道）击败眉州（四川省眉山市）州长山行章（参考去年〔八八八〕十二月）及西川战区（总部设成都府〔四川省成都市〕）骑兵将领宋行能。宋行能逃回成都（四川省成都市），山行章退回眉州（四川省眉山市）。

十二月十五日，山行章投降王建。

21 十二月二十一日，孙儒（淮南〔总部扬州〕司令官）率大军自广陵（江苏省扬州市）渡长江南下。

十二月二十五日，孙儒击走田颙，占领常州（江苏省常州市），命部将刘建锋镇守，自己返回广陵（江苏省扬州市）。刘建锋又击走成及（钱镠的部将），占领润州（江苏省镇江市）。

22 前山南东道（总部设襄州〔湖北省襄阳市〕）司令官刘巨容在襄阳（襄州州政府所在县）时，有位名叫申屠生的法术师教给他烧炼黄金的方法。宦官田令孜的老弟，有一次经过襄阳，刘巨容把烧炼出来的黄金，拿给他看。后来，刘巨容流寓成都（赵德諲攻陷襄阳，刘巨容逃往成都，参考八八四年十一月），田令孜向他索取炼金秘方，刘巨容拒绝，田令孜怀恨在心。本年（八八九），田令孜斩刘巨容，屠灭他的全族。

被人勒索，最大的灾难，是对方不断的做超过自己承受能力的勒索。当你确实被榨干，而对方却认为你还有油水时，情形最惨。因为你已没有能力使对方满足，而对方则认为你竟然仍想藏匿，必须再加点压力才能使你醒悟。尤其初起时，被勒索的人确实有过这种护财的本能反应，遂使勒索者认为：必须一次又一次的施暴。

刘巨容先生之陷于绝境，不是他拒绝交出炼金秘方，而是他根本就没有这个从不存在的秘方。当田令孜肯定有这个秘方，而他却解释说，他不过在那里骗骗驴蛋罢了，田令孜岂能轻易相信？刘巨容显然已交出所有的炼金秘方，却没有一个秘方可以炼出黄金——直到二十一世纪，世人才发现三千年之久的道家炼金术，不过一场骗局。但当时人们却十分深信，而且又有亲眼看见的黄金作为证据。田令孜先生又怎么不怀疑刘巨容藏匿真方不献？

象因象牙杀身，而一头没有牙的象，硬被猎人认为有牙，问题同样严重。

九世纪

九〇年代

八九〇—八九五年

唐王朝

◉ 唐政府命张濬讨伐李克用，大败。

◉ 王建陷成都，斩陈敬瑄、田令孜。

◉ 宦官杨复恭及义子群背叛中央，战败被杀。

◉ 感化（徐州）司令官时溥战败自焚。

◉ 义胜（越州）司令官董昌称帝，斩首。

◉ 凤翔等三战区派军入京，杀宰相李谿等，李克用勤王。

◉ 犹太人开始把阉割过的奴隶运到西班牙出售。

◉ 保加利亚国王改称“沙皇”。

◉ 日本第十九次遣唐使营原道真，因中国大乱，未能成行。

八九〇年 庚戌

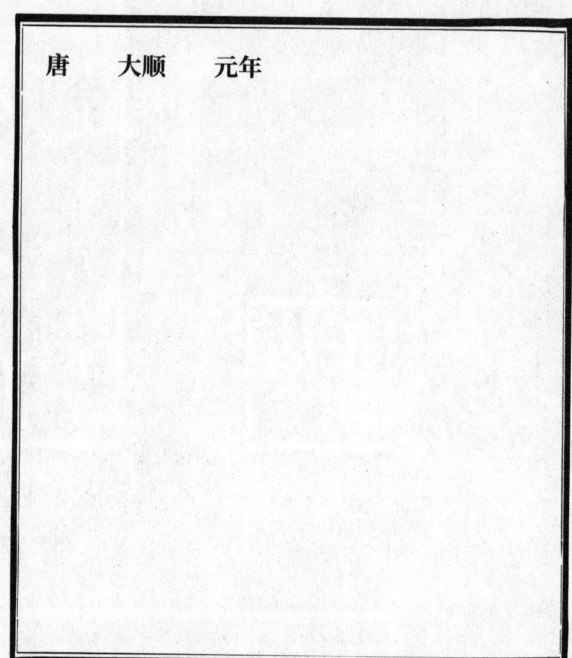

唐 大顺 元年

1 春季，正月一日，唐王朝（首都长安〔陕西省西安市〕）文武百官呈献皇帝（二十二任昭宗）李晔（李敏〔李杰〕。本年二十四岁）尊贵绰号：圣文睿德光武弘孝皇帝，改年号大顺。

2 河东战区（总部设太原府〔山西省太原市〕）司令官（节度使）李克用猛烈攻击邢州（河北省邢台市），东昭义战区（总部设邢州）司令官（节度使）孟迁力量枯竭，粮食也吃完，不能支持，于是逮捕前来协防的宣武（总部汴州）将领王虔裕，制伏他所率的军队（王虔裕协防事，参考去年〔八八九〕六月），献出城池，投降李克用。（孟方立据昭义战区山东〔太行山以东〕三州，参考八八二年十二月。传弟孟迁，前后九年而败。）

李克用命安金俊当邢洺民兵司令（邢洺团练使）。

3 正月十五日，永平战区（总部设邛州〔四川省邛崃市〕）司令官（节度使）王建，攻击他还没有夺取到手的邛州（四川省邛崃市），西川战区（总部设成都府〔四川省成都市〕）司令官（节度使）陈敬瑄派大将彭城（江苏省徐州市）人杨儒，率军三千人，增援州长毛湘，进入州城协防。毛湘出击，屡战屡败。杨儒登上城楼观战，看见王建的军队部伍整齐，士气旺盛，叹息说："唐王朝气数已尽，王建带兵作乱，严格而不残暴，应该能保护天下苍生！"遂率领他的部队出来投降。王建把他收作义子，改姓名为王宗儒。

正月十八日，王建命永平（总部邛州）执行官（判官）张琳，当邛南（邛州以南）招安司令（招安使），而自己率军返回成都（继续围城）。张琳，是许州（河南省许昌市）人。

陈敬瑄派军分别在犀浦（四川省成都市郫都区东南犀浦街道。犀，音xī〔西〕）、郫县（四川省成都市郫都区。郫，音pí〔皮〕）、导江（四川省都江堰市东）等县建立营寨，每家征调一名男子，白天挖掘重重壕沟，砍伐竹竿树木，搬运石头砖块；夜晚则登上城墙，敲打木梆报时，巡逻戒备，不能有片刻休息。

征剿司令（招讨使）韦昭度（参考前年〔八八八〕十二月）驻军唐桥（四川省成都市东南），王建驻军成都东闾门外；王建对待韦昭度谨慎小心，必恭必敬。

正月二十四日，简州（四川省简阳市）兵变，州政府将领杜有迁生擒州长员虔嵩，投降王建。王建命杜有迁代理州长（知州事）。

4 宣武战区（总部设汴州〔河南省开封市〕）总指挥官（都指挥使）庞师古等率领号称十万人的大军，渡淮河南下，声言救援杨行密（杨行愍，宣歙〔首府宣州〕行政长官），攻陷天长（安徽省天长市）。

正月二十五日，宣武兵团又攻陷高邮（江苏省高邮市）。

5 二月三日，西川战区（总部成都府）资州（四川省资中县）兵变，州政府将领侯元绰生擒州长杨戡，投降王建；王建命侯元绰代理州长（知州事）。

6 二月九日，中央政府加授宣武（总部汴州）司令官（节度使）朱全忠（朱温）中央官衔：暂任最高立法长（守中书令·使相）。

7 庞师古率军深入淮南（总部扬州）。

二月十三日，庞师古跟孙儒（淮南〔总部扬州〕司令官）在陵亭（江苏省兴化市南）会战，庞师古大败而还。

8 杨行密（杨行愍，宣歙〔首府宣州〕行政长官）派他的将领马敬言，率士卒五千人，乘虚攻陷润州（江苏省镇江市）。又派李友率军二万人进驻青城（江苏省常州市西北青城村），准备进攻常州（江苏省常州市）。安仁义、刘威、田頵，又在武进（常州州政府所在县）击败孙儒部将刘建锋。马敬言、安仁义、刘威一起进驻润州（江苏省镇江市）。李友，是合肥（庐州州政府所在县）人。刘威，是慎县（安徽省肥东县）人。

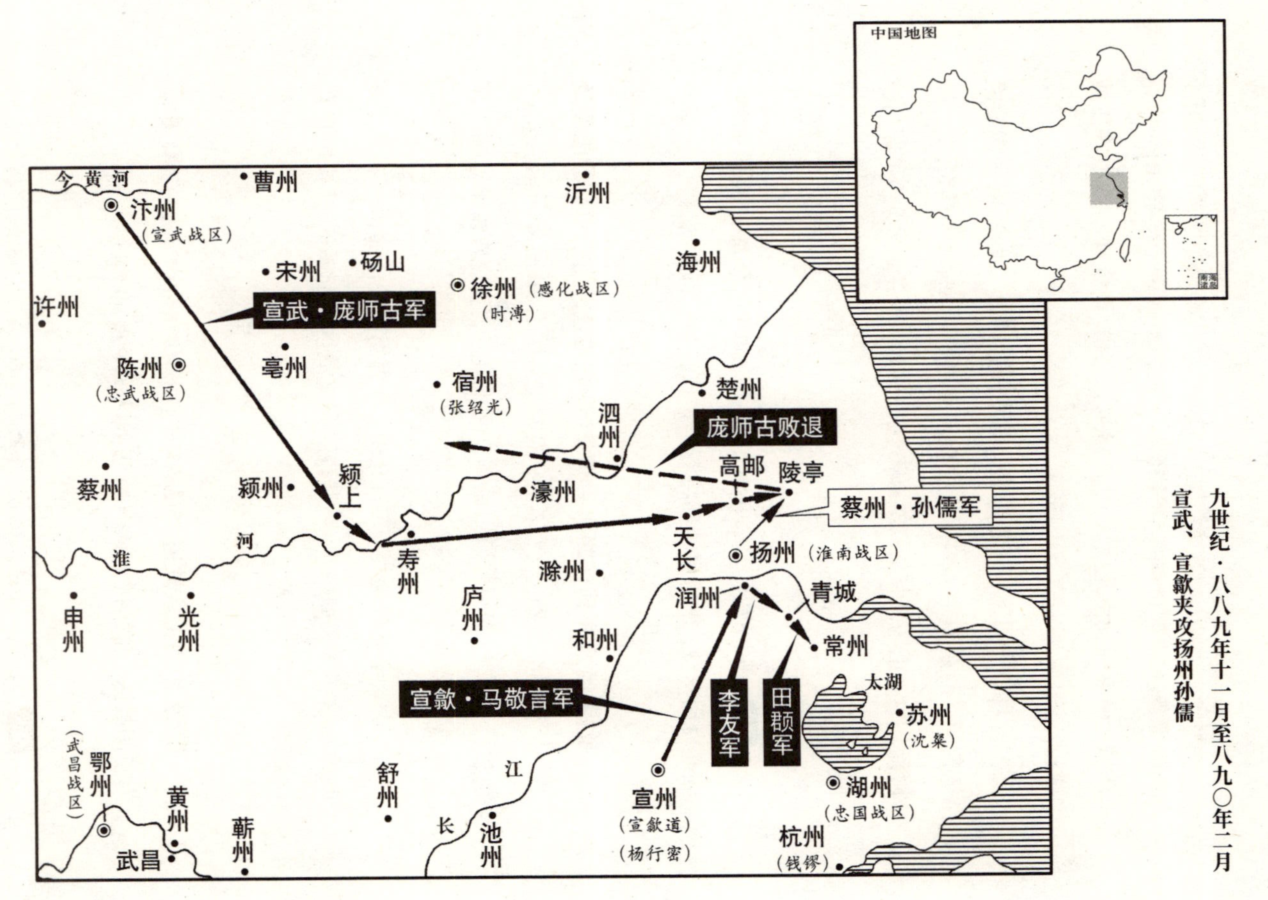

九世纪·八八九年十一月至八九〇年二月
宣武、宣歙夹攻扬州孙儒

9 李克用（河东〔总部太原府〕司令官）率军进攻大同（云州，山西省大同市）警备区司令（防御使）赫连铎（二人早已结怨，参考八八〇年七月），攻克东城。赫连铎向卢龙战区（总部设幽州〔北京市〕）司令官（节度使）李匡威求救，李匡威率军三万人增援。

二月二十日，李克用部将、邢洺民兵司令（团练使）安金俊被流箭射死，河东（总部太原府）万胜特别营司令（万胜军使）申信兵变，投降赫连铎。正巧，卢龙（总部幽州）援军又到，李克用发现不能再战，撤退。

10 感化战区（总部设徐州〔江苏省徐州市〕）司令官（节度使）时溥，向李克用求救，李克用派部将石君和率骑兵五百人增援。

11 李克用前往潞州（山西省长治市）巡查，由于供应的酒菜及其他招待不够周到，大怒若狂，对昭义战区（总部设潞州〔山西省长治市〕）司令官（节度使）李克修破口诟骂，又用鞭打；李克修羞惭悲愤，遂生重病。

三月，李克修逝世（年三十一岁）。李克用上疏任命另一老弟、决胜特别营司令（决胜军使）李克恭当昭义战区（总部潞州）候补司令官（留后）。

12 中央把宣歙道（首府设宣州〔安徽省宣城市〕。歙，音shè〔射〕）升格为宁国战区，命杨行密（杨行愍）当战区司令官（节度使）。

13 夏季，四月，宿州（安徽省宿州市）兵变，州政府将领张筠逐走州长张绍光，归降感化战区（总部设徐州）。朱全忠（朱温）率大军讨伐，时溥出军剽掠砀山（安徽省砀山县），朱全忠（朱温）派内营总指挥官（牙内都指挥使）朱友裕攻击，杀三千余人，生擒河东（总部太原府）将领石君和。朱友裕，是朱全忠（朱温）的儿子。

14 四月十日，陈敬瑄（西川〔总部成都府〕司令官）派蜀州（四川省崇州市）州长任从海，率士卒二万人增援邛州（四川省邛崃市），战败，打算献出蜀州，投降王建，陈敬瑄得到消息，诛杀任从海，命徐公鉥（音shù〔恕〕）接任蜀州州长。

四月十一日，嘉州（四川省乐山市）州长朱实，献出州城，投降王建。

四月二十一日，僰道（戎州州政府所在县，四川省宜宾市。僰，音bó〔柏〕）民间豪杰文武坚，生擒戎州（四川省宜宾市）州长谢承恩，投降王建。

15 赫连铎（大同〔总部云州〕警备区司令）、李匡威（卢龙〔总部幽州〕司令官），联名上疏中央，请求讨伐李克用。朱全忠（朱温）也上疏说："李克用最后终会成为国家的祸患，现在应乘他战败的时候，我愿率领汴州（宣武战区）、滑州（义成战区）、孟州（河阳战区）三军，会同黄河以北三战区（卢龙〔总部幽州〕、成德〔总部镇州〕、魏博〔总部魏州〕），共同讨伐，消灭叛逆，敬请中央任命高阶层官员，担任统帅。"

最初，宰相张濬（音jùn〔俊〕）因宦官杨复恭的推荐，才进入政府（参考八八〇年十二月），后来，杨复恭失势，张濬立刻攀附田令孜（参考八八一年正月），而对杨复恭疏远。等到杨复恭东山再起（出任左神策军总指挥宦官〔左军中尉〕，参考八八六年四月），对张濬这个势利眼，深为痛恨。李晔（李敏）知道二人之间结怨，就特别依靠张濬，张濬也把复兴帝国、建立大功，作为自己的责任，常常把自己比作谢安（参考三八五年八月）、裴度（参考八三九年三月）。李克用当初讨伐黄巢时，驻军河中（山西省永济市。参考八八二年十二月），张濬当总指战部执行官（都统判官），李克用就看不起他。最近，听说张濬当上宰相，私下对送达诏书的使节说："张濬话说得太多，却没有能力实践，是一个惹是生非的专家，领袖相信他的虚名而用他，将来，如果有人扰乱天下，一定是他。"张濬听到，怀恨在心。

李晔（李敏）曾经心平气和的跟张濬讨论自古迄今历代的治乱事迹。张濬说："以陛下的英明睿智，却受中外顽强势力的控制（中指宦官，外指军阀），日夜都使我痛心疾首。"李晔（李敏）问他目前最先应做些什么事。张濬回答说："第一是培养一支精锐强大的中央部队，使全国畏服。"李晔（李敏）于是在京师（首都长安）大规模招兵买马，多达十万人。

等到朱全忠（朱温）等上疏请求讨伐李克用，李晔（李敏）命中央三院（三省）以及总监察署（御史台）四品以上官员开会讨论，结果反对的有十分之六七，宰相杜让能、刘崇望也认为不可以，但张濬打算借用军阀的力量排斥杨复恭，所以强调说："迫使先帝（二十一任李俨）再一次逃亡山南（秦岭以南），都是沙陀部落干的好事（参考八八六年十二月二十五日），我常忧虑李克用一旦跟河朔（河北平原）军阀勾结，政府势将无法制止。而今，黄河南北两大重镇（黄河南朱全忠、黄河北李匡威）共同请求征讨，应是千年难逢的良机，只盼望陛下交付给我军权，少则十天，多则一个月，就可把他削平。丧失今天的机会不去领取，后悔时已来不及。"孔纬说："张濬说得对！"杨复恭说："先帝（李俨）逃亡奔波，固由于军阀跋扈，也由于中央官员处理不当，而今，皇家祖庙粗略安定，不应再开战端。"李晔（李敏）说："李克用有复兴帝国的大功（击破黄巢，收复京师。参考八八三年二月），而今乘他处境危急，向他攻击，天下人对我们怎么评论？”孔纬说：“陛下的考虑，是一时的仁慈，张濬的建议，是万世的利益。昨天计算，一旦军事行动开始，粮饷运送、犒劳赏赐的费用，一二年内，都不会缺乏，问题只在陛下的决断。”李晔（李敏）由于两位宰相议论一样，只好勉强同意，说：“这件事交给你们二位，不要使我忧愁挂心。”

五月，李晔（李敏）下诏剥夺李克用的官职爵位，开除皇家户籍（李克用本姓朱邪，经皇帝赐姓李，编入皇家户籍，参考八六九年十月）。命张濬当河东地区（山西省）各路兵马征剿总司令暨军政总监及宣慰特使（河东行营都招讨制置宣慰使），首都长安特别市长（京兆尹）孙揆当征剿副总司令；命镇国战区（总部设华州〔陕西省渭南市华州区〕）司令官（节度使）韩建当总纠察官（都虞候）兼后勤补给司令（兼供军粮料使），命朱全忠（朱温，宣武〔总部汴州〕司令官）当南方军团征剿司令（南面招讨使），王镕（成德〔总部镇州〕司令官）当东方军团征剿司令（东面招讨使），李匡威（卢龙〔总部幽州〕司令官）当北方军团征剿司令（北面招讨使），赫连铎（大同〔云州〕警备区司令官）当征剿副司令。

张濬上疏请御前监督官（给事中）牛徽当征剿总部执行官（行营判官），牛徽说：“帝国在受到严重伤害之后，却打算逞凶斗狠，颟顸的向强大盗匪挑战，使地方首长离心离德，我已经看到张濬狼狈不堪的结局！”遂声称年老有病，坚决辞职。牛徽，是牛僧孺的孙儿（牛僧孺，参考八二一年三月）。

16 昭义战区（总部设潞州〔山西省长治市〕）司令官（节度使）李克恭，骄傲而任性，为所欲为，对军事完全陌生。潞州（山西省长治市）人民一向喜欢李克修的简易节俭，又哀怜他无罪而死，因此军心离散。当初，潞州（山西省长治市）背叛孟君立时，营门官（牙将）安居受等向河东（总部太原府）请求派军接收（参考八八三年九月）。可是等到孟迁献出邢（河北省邢台市）、洺（河北省邯郸市永年区东南广府镇）、磁（河北省磁县）三州归降（事实上，孟迁只献出邢州，参考本年〔八九〇〕正月），李克用对孟迁十分喜爱信任，命孟迁当大营总纠察官（军城都虞候），随从官员都高升要职。安居受等人满腔怨恨，而且又心怀恐惧（恐惧孟迁报复）。

昭义（总部潞州）有一支精锐部队，号称"后院将"。李克用夺取山东（太行山以东）三州（邢洺磁）后，雄心万丈，准备进一步夺取河朔（河北平原），命李克恭遴选"后院将"中特别骁勇的战士五百人，送往晋阳（山西省太原市）；兵凶战危，远离家园，他们可能永不复返，潞州（山西省长治市）乡亲和家人，都感到痛惜悲怆。李克恭派营门官（牙将）李元审及低级军官（小校）冯霸，率军护送前往晋阳（山西太原市），走到铜鞮（山西省沁县西南故县镇），冯霸劫持部众叛变，沿着山麓南下，一路招兵买马，抵达沁水（沁河，注入黄河）时，部众已多达三千人。李元审出军截击，被冯霸击败，自己也身负创伤，折回潞州（山西省长治市）。

五月十五日，李克恭前往李元审住的地方探望伤势，安居受率领他的党羽把他们包围，纵火攻击，李克恭、李元审全被诛杀。大家推举安居受当候补司令官（留后），立刻归降朱全忠（朱温）。安居受派人前往召唤冯霸，冯霸不理，安居受大为震恐，出城逃走，被田野里的游民农夫格杀。冯霸这才率军回到潞州（山西省长治市），自称候补司令官（留后）。

当时，中央政府正讨伐李克用，得到李克恭被杀的消息，文武官员都进宫向皇帝祝贺。朱全忠（朱温）派河阳战区（总部设孟州〔河南省孟州市〕）候补司令官（留后）朱崇节，率军进入潞州（山西省长治市），暂代候补司令官（权知留后）。李克用派大将康君立、李存孝（安敬思）率军把潞州（山西省长治市）包围。

五月二十七日，中央征剿总司令（都招讨使）张濬率各路兵马五十二个特别营（都）及邠（陕西省彬州市）、宁（甘肃省宁县）、鄜（陕西省富县）、夏（陕西省靖边县北白城则村）等州各蛮夷部落军，合计五万人，从京师（首都长安）出发，皇帝李晔（李敏）亲登安喜楼（皇城安上门城楼）饯行。张濬请李晔屏退左右侍从，秘密报告说："等我先铲除外患，再给陛下铲除内忧！"宫廷机要室主任宦官（枢密使）杨复恭在暗中窃听，全部听到。左、右神策军总指挥宦官（两军中尉）在长乐坂（长安城东）给张濬饯行。杨复恭向张濬敬酒，张濬推辞说已经醉了，杨复恭讽刺的说："宰相大人手拿尚方宝剑，大张挞伐，何必扭扭捏捏？"张濬说："等我消灭叛徒，班师回朝，你才知道我为什么扭扭捏捏！"杨复恭越发紧张。

五月二十八日，李晔（李敏）下诏免除泽州（山西省晋城市）州长李罕之的官职及爵位（李罕之归附李克用，参考前年〔八八八〕四月）。

六月，命孙揆当昭义战区（总部设潞州）司令官（节度使），仍充任征剿副总司令（招讨副使）。

17 六月三日，西川战区（总部设成都府〔四川省成都市〕）所属茂州（四川省茂县）州长李继昌，增援重围中的成都。

六月五日，王建（永华〔总部邛州〕司令官）迎击，斩李继昌。

六月七日，资（四川省资中县）、简（四川省简阳市）军政最高总监暨援救司令（资简都制置应援使）谢从本，格杀雅州（四川省雅安市）州长张承简，献出城池，投降王建。

18 孙儒（淮南〔总部扬州〕司令官）向朱全忠（朱温）请求和解，朱全忠上疏任命孙儒当淮南战区（总部设扬州〔江苏省扬州市〕）司令官（节度使）。可是不久，朱全忠诛杀孙儒的使节，再成仇敌。

柏杨曰

东汉王朝末年，英雄辈出，那才是真正的英雄，除了袁术几个脓包外，几乎全属菁英，斗智斗力，无论成败，每人都有可爱之处。而唐王朝末年和小分裂时代，却完全不同，除了少数一二人，如杨行密、徐温等，稍稍一星点有头脑外，所有的其他人物，包括朱全忠、孙儒两位在内，简直一窝土狼，看他们反复无常、寡廉鲜耻、翻滚吞食的丑恶形状，教人连发出斥责，都羞于下笔，只能质问上帝：为什么如此不仁，把中国人糟蹋成虫豸！

19 八八五年（五年前），义昌战区（总部设沧州〔河北省沧州市东南〕）兵变，德州（山东省德州市陵城区）州长卢彦威，驱逐司令官（节度使）杨全玫，自称候补司令官（节度使），请求中央承认，中央不许（参考该年〔八八五〕七月），拖延迄今。

本年（八九〇），王镕（成德〔总部镇州〕司令官）、罗弘信（魏博〔总部魏州〕司令官）利用张濬大举征讨机会，出面再向中央请求，中央遂任命卢彦威当义昌战区（总部沧州）司令官（节度使）。

20 张濬在晋州（山西省临汾市）跟宣武（总部汴州）、镇国（总部华州）、静难（总部邠州）、凤翔（总部凤翔府）、保大（总部鄜州）、定难（总部夏州）等战区特遣兵团会师。

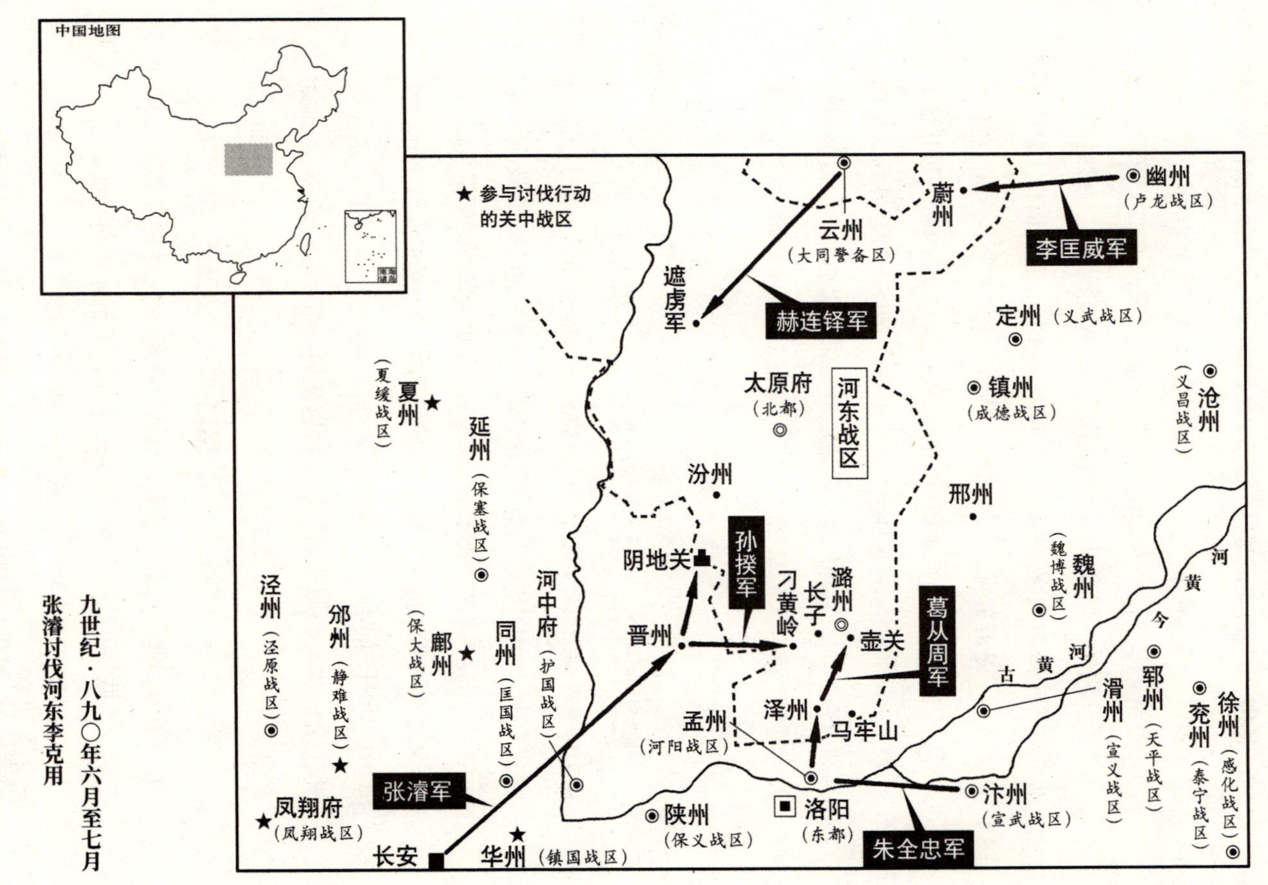

九世纪·八九〇年六月至七月
张濬讨伐河东李克用

21 中央改义成战区（总部设滑州〔河南省滑县〕）为宣义战区（《新唐书·方镇表》：朱全忠〔朱温〕因老爹名朱诚，为了避讳，请求中央更改）。

六月十七日，中央任命朱全忠（朱温）当宣武（总部汴州）及宣义（总部滑州）两战区司令官（节度使）。朱全忠（朱温）因正在对付时溥（感化〔总部徐州〕司令官）、孙儒（淮南〔总部扬州〕司令官），遣兵调将，深感辖区太大，于是辞掉宣义（总部滑州），建议任命胡真当战区司令官（节度使），中央批准，但军事赋税，仍受朱全忠（朱温）控制，就跟部属一样（胡真任义成〔总部滑州〕候补司令官，参考八八六年十一月）。等到胡真调京师（首都长安）当禁军统军，最后仍是由朱全忠遥兼任两战区司令官（节度使），同时免除淮南（节度使）司令官（朱全忠遥兼淮南，参考八八七年闰十一月）。

22 秋季，七月，中央讨伐李克用大军前进到阴地关（山西省灵石县西南南关镇），朱全忠（朱温）派骁将葛从周率骑兵一千人，从壶关（山西省壶关县）于夜晚急行军抵达潞州（山西省长治市），攻破河东（总部太原府）围城军阵地，强行进入城池，协助冯霸防守。朱全忠（朱温）又派别动部队将领李说、李重胤、邓季筠，率军攻击泽州（山西省晋城市）州长李罕之；又派张全义（佑国〔总部河南府〕司令官）、朱友裕进驻泽州（山西省晋城市）北方，增援葛从周。邓季筠，是下邑（河南省夏邑县）人。

朱全忠（朱温）奏报说：“我已派军加强守卫潞州（山西省长治市），请孙揆早日到差。”张濬也唯恐潞州（山西省长治市）落到朱全忠之手，于是分出武装部队三千人，护送孙揆前往潞州（山西省长治市）。

八月十二日，孙揆从晋州（山西省临汾市）出发。河东（总部太原）将领李存孝（安敬思）得到情报，在长子（山西省长子县）以西山谷里，埋伏骑兵三百人。而孙揆却命前导仪队高举“征剿副总司令”的大旗和皇帝赐给他的符节，身穿长袍大袖官服，坐在高大伞盖的豪华车子上，威风凛凛，浩浩荡荡，前呼后拥，向潞州（山西省长治市）进发。李存孝（安敬思）发动突击，把他生擒活捉，连同送达符节的宦官韩归范以及卫士五百余人，全部俘虏；其他官兵狂奔逃命。李存孝（安敬思）追赶，追到刁黄岭（山西省长子县西南），全部屠杀。李存孝（安敬思）给孙揆、韩归范戴上脚镣手铐等械具，用素色绳索拴住脖子，牵到潞州（山西省长治市）城下，让城上守军观看，说：“中央命孙揆当司令官（节度使），派韩归范送来符节。葛从周应该尽快返回大梁（河南省开封市），由孙揆上任办公。”把孙揆捆绑起来，呈献给李克用，李克用把他囚禁，接着命人引诱他，打算让他当河东（总部太原府）副司令官（副使）。孙揆说：“我是天子的高级干部，打了败仗，自然处死，理所当然，怎么可以侍候一个地方官！”李克用大怒，下令锯死孙揆。可是肌肉有弹性，铁锯无法锯入。孙揆诟骂说：“死狗奴才，锯人应该用夹板，你们怎么会知道！”行刑队遂用两张木板把孙揆夹住，一直锯到死，孙揆诟骂不停。

柏杨曰

王铎、孙揆二人死亡之惨，不忍卒睹。但回顾二人致死的原因，使我们发现：当社会已经发生巨变时，总会有些既得利益分子，硬是察觉不到巨变的脉搏，于是呈现出一般人所称的颟顸顽固和不识时务。结果不仅给自己带来伤害，也给对手以及整个社会，带来伤害。不能面对现实，一直认为今天仍是昨天，是痛苦之源。

23 八月十三日，淮南战区（总部设扬州〔江苏省扬州市〕）司令官（节度使）孙儒，进攻润州（江苏省镇江市）。

24 苏州（江苏省苏州市）州长杜孺休到差（中央任命，参考去年〔八八九〕十月），杭州（浙江省杭州市）州长钱镠密令军政总监（制置使）沈粲谋杀杜孺休。不久，杨行密（杨行愍）的部将李友攻陷苏州（江苏省苏州市），沈粲逃回杭州（浙江省杭州市）。钱镠打算归罪沈粲，把他处死，被沈粲发觉，逃奔孙儒。

25 王建（永平〔总部邛州〕司令官）自成都（四川省成都市）城下退守汉州（四川省广汉市）。

26 陈敬瑄（西川〔总部成都府〕司令官）搜刮富有人家的财产，供应军队粮饷，特别设立“征收监督院”（征督院），对有钱人苦刑拷打，要他们自己申报财产数目，凡是隐瞒财产的，都被认为藏匿赃物，或被认为是强夺别人财产的侵占犯；一律紧急征收，人民无法生活。

27 泽州（山西省晋城市）州长李罕之向李克用紧急求救，李克用派李存孝（安敬思）率骑兵五千人增援。

28 九月十九日，朱全忠（朱温）进驻河阳（河南省孟州市）。宣武兵团（总部汴州）最初包围泽州（山西省晋城市）时，向州长李罕之喊话说：“你总是仗恃河东（总部太原府），轻易冒犯我们，而今，张宰相（张濬）包围太原（山西省太原市），葛大将（葛从周）已进入潞州（山西省长治市），十天半月之间，沙陀连藏身洞穴都找不到，你往哪里逃命？”李存孝（安敬思）抵达后，遴选精锐骑兵五百人，围绕着宣武（总部汴州）营寨大声喊叫道："我，就是来找洞穴的沙陀！打算吃掉你们，用来喂饱我们战士的肚皮，务必先教肥一点的出来交手！"宣武（总部汴州）大将邓季筠，也是一员猛将，率军迎战，被李存孝（安敬思）生擒，宣武兵团（总部汴州）心胆俱裂，当天夜晚，李谠、李重胤集结部众逃走；李存孝（安敬思）、李罕之尾随追击，追到马牢山（山西省晋城市东南），大破宣武兵团（总部汴州），格杀及俘虏以万为单位计算，继续追到怀州（河南省沁阳市）才回。李存孝（安敬思）再率军攻潞州（山西省长治市），宣武（总部汴州）派驻潞州（山西省长治市）协防的将领葛从周、朱崇节，放弃城池，撤退而去。

九月二十五日，朱全忠（朱温）升堂，斥责各个败军之将，斩李谠、李重胤，班师。

李克用命康君立当昭义战区（总部设潞州〔山西省长治市〕）候补司令官（留后），李存孝（安敬思）当汾州（山西省汾阳市）州长。李存孝（安敬思）自认为生擒孙揆是一项大功，应该镇守昭义（总部潞州），可是却被康君立得到，愤愤不平，一连几天都吃不下饭，动不动就杀人，开始有背叛义父李克用的念头。

李匡威（卢龙〔总部幽州〕司令官）进攻蔚州（河北省蔚县），俘虏州长邢善益。赫连铎（大同〔总部云州〕警备区司令官）引导吐蕃部落及黠戛斯汗国（瀚海沙漠群。黠戛，音xiá jiá〔匣荚〕）兵团，共数万人，进攻遮虏军（山西省岢岚县东南），格杀基地司令（军使）刘胡子。李克用派他的义子李存信（张污落）反攻，不能取胜；更命李嗣源（邈佶烈）当李存信（张污落）的副司令，率军增援，才把赫连铎击破。李克用接着把主力投入战场，李匡威、赫连铎遂全部溃败，撤退。河东兵团（总部太原府）生擒李匡威的儿子、武州（河北省张家口市宣化区）州长李仁宗，跟赫连铎的女

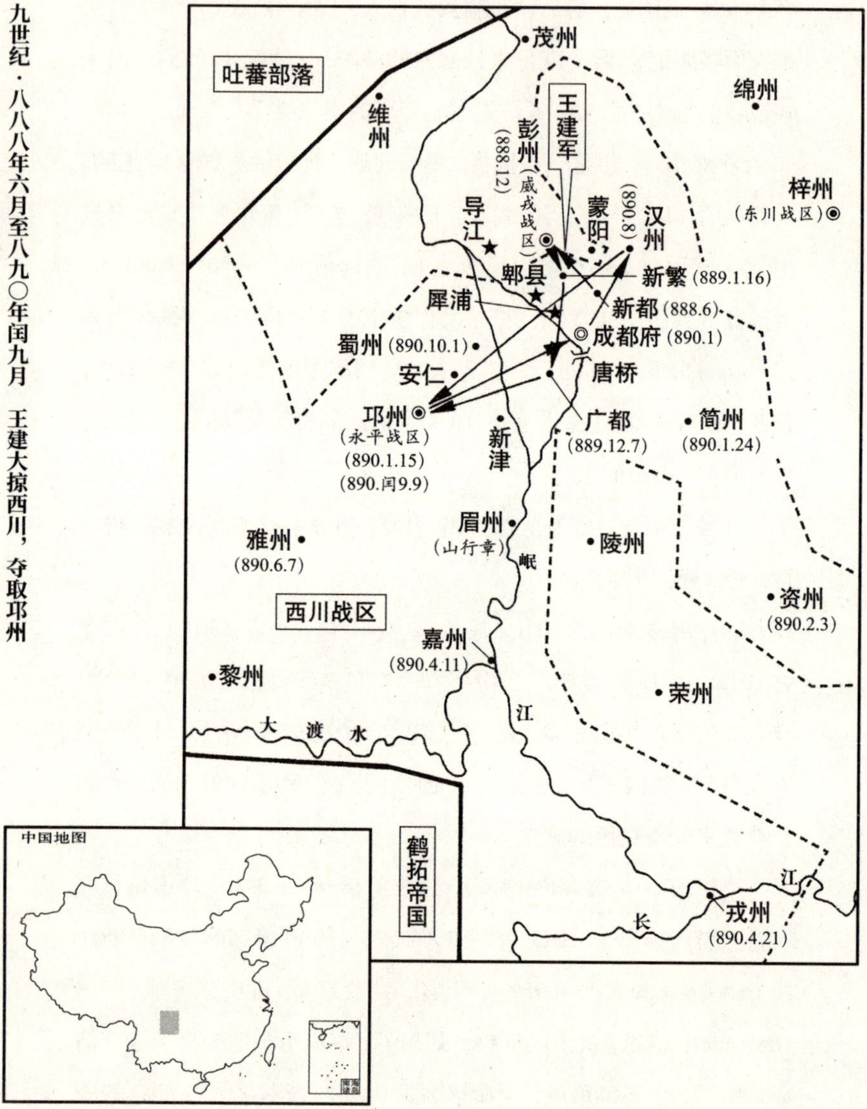

九世纪·八八八年六月至八九〇年闰九月　王建大掠西川，夺取邛州

吐蕃部落
茂州
维州
绵州
王建军
彭州(威戎战区)
(888.12)
蒙阳
汉州
(890.8)
梓州
(东川战区)
导江
郫县
新繁(889.1.16)
犀浦
新都(888.6)
蜀州(890.10.1)
成都府(890.1)
安仁
唐桥
邛州
(永平战区)
(890.1.15)
(890.闰9.9)
新津
广都
(889.12.7)
简州
(890.1.24)
雅州
(890.6.7)
眉州
(山行章)
岷
陵州
资州
(890.2.3)
西川战区
嘉州
(890.4.11)
黎州
荣州
江
大渡水
鹤拓帝国
戎州
(890.4.21)
长
江
中国地图
南海诸岛

婿，格杀及俘虏的人数，以万为单位计算。

李嗣源（邈佶烈）性情谨慎敦厚，清廉节俭；各将领聚在一起的时候，每人都在夸奖自己的勇敢及谋略，只李嗣源（邈佶烈）默不作声，慢慢说：“各位喜欢用嘴攻击盗贼，我喜欢用手攻击盗贼！”大家惭愧，自我炫耀的话，才算停止。

29 杨行密（杨行愍，宁国〔总部宣州〕司令官）派他的部将张行周当常州（江苏省常州市）军政总监（制置使）。

闰九月，孙儒（淮南〔总部扬州〕司令官）派部将刘建锋，攻陷常州（江苏省常州市），格杀张行周，遂包围苏州（杨行密部将李友守苏州）。

30 邛州（四川省邛崃市）州长毛湘，本是宦官田令孜的亲信，王建（永平〔总部邛州〕司令官）对邛州的攻击十分猛烈，城里粮食吃完，仍等不到救兵。

闰九月九日，毛湘对总作战司令（都知兵马使）任可知说：“我不忍心辜负田令孜，所以誓死抵抗，其他人有什么罪，承受围城之苦！你可以拿着我的人头，投降王建！”乃洗了一个澡，等待诛杀，任可知遂斩毛湘和毛湘的两个儿子，向王建投降。官民都忍不住哭泣。

闰九月二十一日，王建以永平战区（总部设邛州〔四川省邛崃市〕）司令官（节度使）身份，高举中央发给的符节，进入邛州（四川省邛崃市），命军事执行官（节度判官）张琳代理候补司令官（知留后），负责整修城墙壕沟，安抚夷、獠等蛮夷部落，重建战乱后的蜀（四川省崇州市）、雅（四川省雅安市）二州（二州都属永平战区）。

冬季，十月一日，王建率军返抵成都（四川省成都市）城下。蜀州

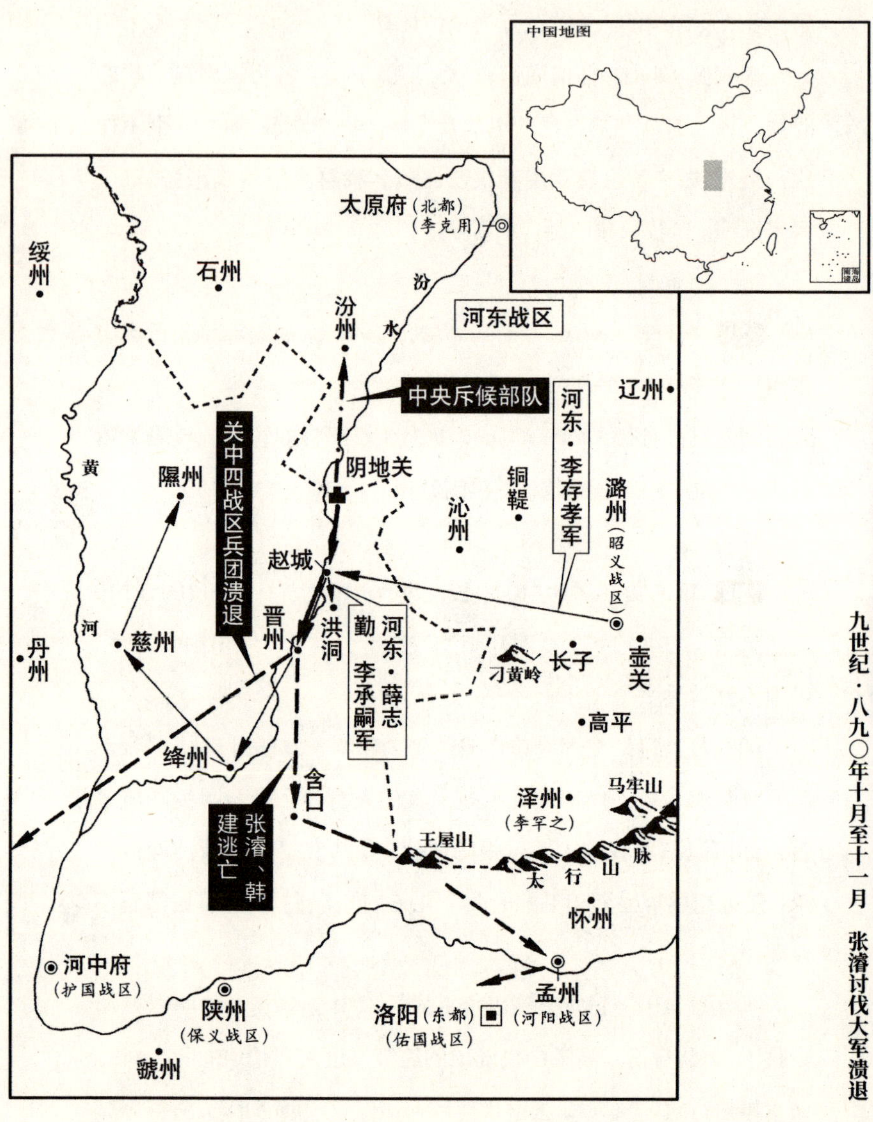

九世纪·八九〇年十月至十一月　张濬讨伐大军溃退

（四川省崇州市）兵变，州政府将领李行周驱逐州长徐公钛（音shù〔恕〕），向王建献出城池投降。

31 十月三日，朱全忠（朱温）从河阳（河南省孟州市）前往滑州（河南省滑县）到差视事（朱全忠兼宣义战区〔总部滑州〕司令官，参考本年〔八九〇〕六月）。派使节向魏博战区（总部设魏州〔河北省大名县〕）司令官（节度使）罗弘信借路，并要求供应粮食马匹，用以进攻河东（总部太原府），罗弘信拒绝。朱全忠又向成德战区（总部镇州）作同样要求，成德（总部镇州）也拒绝。

朱全忠遂自黎阳（河南省浚县）渡黄河北上，进攻魏博（总部魏州）。

32 中央加授静难战区（总部设邠州〔陕西省彬州市〕）司令官（节度使）王行瑜中央官衔：最高监督长（侍中·使相），命佑国战区（总部设河南府〔河南省洛阳市〕）司令官（节度使）张全义，遥兼二级宰相（同平章事·使相）。

33 中央讨伐李克用大军，出阴地关（山西省灵石县西南南关镇）北进，斥候部队接近汾州（山西省汾阳市）。李克用派薛志勤、李承嗣率士卒三千人在洪洞（山西省洪洞县）构筑阵地，李存孝（安敬思）率士卒五千人驻扎赵城（山西省洪洞县北赵城镇）。镇国战区（总部设华州〔陕西省渭南市华州区〕）司令官（节度使）韩建，率敢死队三百人，向李存孝（安敬思）大营发动夜袭，李存孝（安敬思）得到情报，设下埋伏等候，韩建出师不利，静难（总部邠州）、凤翔（总部凤翔府）两战区特遣兵团还没有作战，就闻风逃走，霎时间中央讨伐大军崩溃，河东兵团（总部太原府）乘胜追击，直追到晋州（山西省临汾市）城下西门。张濬亲自出战，又被击败，中央讨伐大军阵亡将近三千人。静难（总部邠州）、凤翔（总部凤翔府）、保大（总部鄜州）、定难（总部夏州）四战区特遣兵团先渡黄河，各自向西逃回本战区，只剩下张濬以及禁军和宣武（总部汴州）特遣兵团，共约一万人，会同韩建，紧闭城门坚守，但从此再不敢出战。李存孝（安敬思）遂率军进攻绛州（山西省新绛县）。

十一月，绛州州长张行恭放弃城池逃走。李存孝（安敬思）再进攻晋州（山西省临汾市），一连三天不停地攻城，李存孝（安敬思）跟他的将领商议说："无论如何，张濬总算一个宰相，俘虏他对我们没有一点用处，他手下又都是皇家禁军，也不可以杀光。"于是撤退五十华里安营。张濬、韩建发现大势已去，遂从含口（山西省绛县西南冷口乡）逃走。李存孝（安敬思）夺取晋（山西省临汾市）、绛（山西省新绛县）二州，进入慈（山西省吉县）、隰（山西省隰县）二州边境，大肆剽掠（晋州、绛州、慈州、隰州皆属护国战区〔总部河中府〕）。

先前，李克用把俘虏的宦官韩归范释放回京（首都长安），携带一份奏章，严厉控诉说："我们父子、祖孙三代（祖父朱邪执宜、父李国昌〔朱邪赤心〕以及李克用自己），蒙受四任皇帝恩宠（十八任李漼、十九任李忱、二十任李漼、二十一任李儇），曾经击破庞勋（参考八六九年），翦除黄巢（参考八八四年），罢黜襄王李煴（参考八八六年），保存义武战区（总部设定州〔河北省定州市〕。参考八八五年三月）。陛下今天头戴通天之冠（"通天冠"，皇帝专用冠帽），身佩白玉之玺，未必不靠着我们沙陀的血汗功劳。如果认为进攻云州（山西省大同市）是我的罪，则拓跋思恭（李思恭）之夺取鄜（陕西省富县）、延（陕西省延安市）二州（《资治通鉴》没有记载此事，只在后来记载拓跋思恭老弟拓跋思谏，任保大〔总部鄜州〕司令官，参考八九五年八月），朱全忠（朱温）之进犯徐（江苏省徐州市）、郓（山东省东平县）二州（朱全忠击徐州时溥，参考前年〔八八八〕十一月。击郓州朱瑄，参考八八七年八月），陛下为什么不去讨伐？奖赏他们而只想诛杀我，我怎么能闭口不言！当中央危急的时候，称赞我是韩信、彭越、伊尹、姜子牙；等到局势稍微安定，则诟骂我是戎、羯、胡、夷。今天手握大军权柄的将领，难道不怕陛下将来有一天突然诟骂？何况，如果我真的身有大罪，中央讨伐，自有国法，何必利用我最衰弱的时候？而今，张濬既已出征，自难空手而回。我已集结蕃汉战士五十万人，打算一直挺进到蒲（陕西省大荔县东蒲津关）、潼（陕西省潼关县）二关，跟张濬一决胜负。如果失败，甘愿接受免官削爵处罚。如果获胜，当率领轻装备骑兵，迅速敲叩宫门，叩头在金銮宝殿之下，向陛下陈诉奸邪谋害忠良的内情，把当初历代皇帝赞扬我的诏书，送回皇家祖庙，然后亲自前往法庭报到，恭候诛杀。”奏章到时，张濬已经战败，中央震惊恐惧。

张濬跟韩建翻过王屋（太行山一峰，山西省垣曲县东），逃到河阳（河南省孟州市），拆卸民间房屋，用木板拼凑绑成木筏，渡黄河狼狈南下。中央讨伐大军几乎全部覆没。

这场讨伐战役，中央倚靠的是朱全忠（朱温）及河北（黄河以北）三镇（卢龙〔总部幽州〕、成德〔总部镇州〕、魏博〔总部魏州〕）。可是张濬已到晋州（山西省临汾市），朱全忠却正跟感化（总部徐州）、天平（总部郓州）在作拉锯战，虽然遣兵调将进攻泽州（山西省晋城市），但他并没有亲征。征剿总部要求成德（总部镇江）、魏博（总部魏州）出兵并供应粮草，但两战区却把河东（总部太原府）当作屏障，都不肯派军。结果只有镇国（总部华州）、静难（总部邠州）、凤翔（总部凤翔府）、保大（总部鄜州）、定难（总部夏州）前来会师。想不到战场上还没有接触，征剿副司令（副使）孙揆就被生擒，而卢龙（总部幽州）及大同（总部云州）二军，又全失败。宦官杨复恭更在中央暗中破坏，张濬大军遂不得不霎时崩溃。

34 十二月，孙儒（淮南〔总部扬州〕司令官）攻陷苏州（江苏省苏州市），格杀州长李友（杨行密部将，参考本年〔八九〇〕八月）。安仁义等听到消息，纵火焚烧润州（江苏省镇江市）官府民宅，于夜晚逃走。孙儒派沈粲留守苏州，又派部将归传道留守润州。

35 十二月二十日，宣武（总部汴州）大将丁会、葛从周，向魏博战区（总部魏州）展开攻击，渡过黄河，夺取黎阳（河南省浚县）、临河（河南省浚县东北）；庞师古、霍存则攻陷淇门（河南省淇县东南淇门渡）、卫县（河南省淇县东）。朱全忠（朱温）亲率大军继进。

36 本年（八九〇），中央在上元县（江苏省南京市）设置昇州，命张雄当州长（张雄据上元，参考八八七年十一月）。

八九一年 辛亥

唐　大顺　二年

1 春季，正月，罗弘信（魏博〔总部魏州〕司令官）驻军内黄（河南省内黄县）。

正月五日，朱全忠（朱温，宣武〔总部汴州〕司令官）向罗弘信发动攻击，五战五捷，挺进到永定桥（河南省内黄县南），格杀一万余人。罗弘信大为恐惧，派使节携带大量金银珠宝晋见朱全忠（朱温），请求和解。朱全忠（朱温）下令停止烧杀剽掠，归还魏博（总部魏州）俘虏，撤退到黄河沿岸。魏博从此臣服朱全忠（朱温）。

2 正月九日，唐王朝（首都长安〔陕西省西安市〕）皇帝（二十二任昭宗）李晔（李敏。本年二十五岁）下诏，贬太保（三师之三）、副监督长（门下侍郎）、二级实质宰相（同平章事）孔纬，当荆南战区（总部设江陵府〔湖北省江陵县〕）司令官（节度使）；贬副立法长（中书侍郎）、二级实质宰相（同平章事）张濬，当鄂岳道（首府设鄂州〔湖北省武汉市〕）行政长官（观察使）。擢升皇家文学研究院院长（翰林学士承旨）、国务院国防部副部长（兵部侍郎）崔昭纬，当二级实质宰相（同平章事），擢升副总监察官（御史中丞）徐彦若，当国务院财政部副部长（户部侍郎）、二级实质宰相（同平章事）。崔昭纬，是崔慎由的侄儿（崔慎由当过宰相，参考八五六年十二月）。徐彦若，是徐商的儿子（徐商当过山南东道战区司令官，参考八五八年十月）。

宫廷机要室主任宦官（枢密使）杨复恭，派人到长乐坡（即长乐坂，长安城东）剽掠孔纬，砍断他的大旗及符节，把他的财产辎重抢劫净光，孔纬仅只逃出一命。李克用再派使节呈递奏章，说："张濬用陛下万世的基业，来作他一时功名的赌注，知道我跟朱全忠（朱温）之间深结仇怨，遂在私下勾结。我现在身上没有官职爵位，而是一名罪犯，不敢回到陛下赐给我的基地重镇，暂且在河中（山西省永济市）寄住，应该去向何方，恭候指令。"李晔下诏再贬孔纬当均州（湖北省丹江口市西北）州长、张濬当连州（广东省连州市）州长。发布诏书，恢复李克用所有官爵（河东〔总部太原府〕司令官），命他回军晋阳（山西省太原市）。

3 淮南战区（总部设扬州〔江苏省扬州市〕）司令官（节度使）孙儒，集合淮南基本部队、蔡州（河南省汝南县）兵团所有兵力，渡长江南下。

正月二十二日，孙儒自润州（江苏省镇江市）向南推进。宁国兵团（总部宣州）将领田頵、安仁义抵挡不住，节节败退；战区司令官（节度

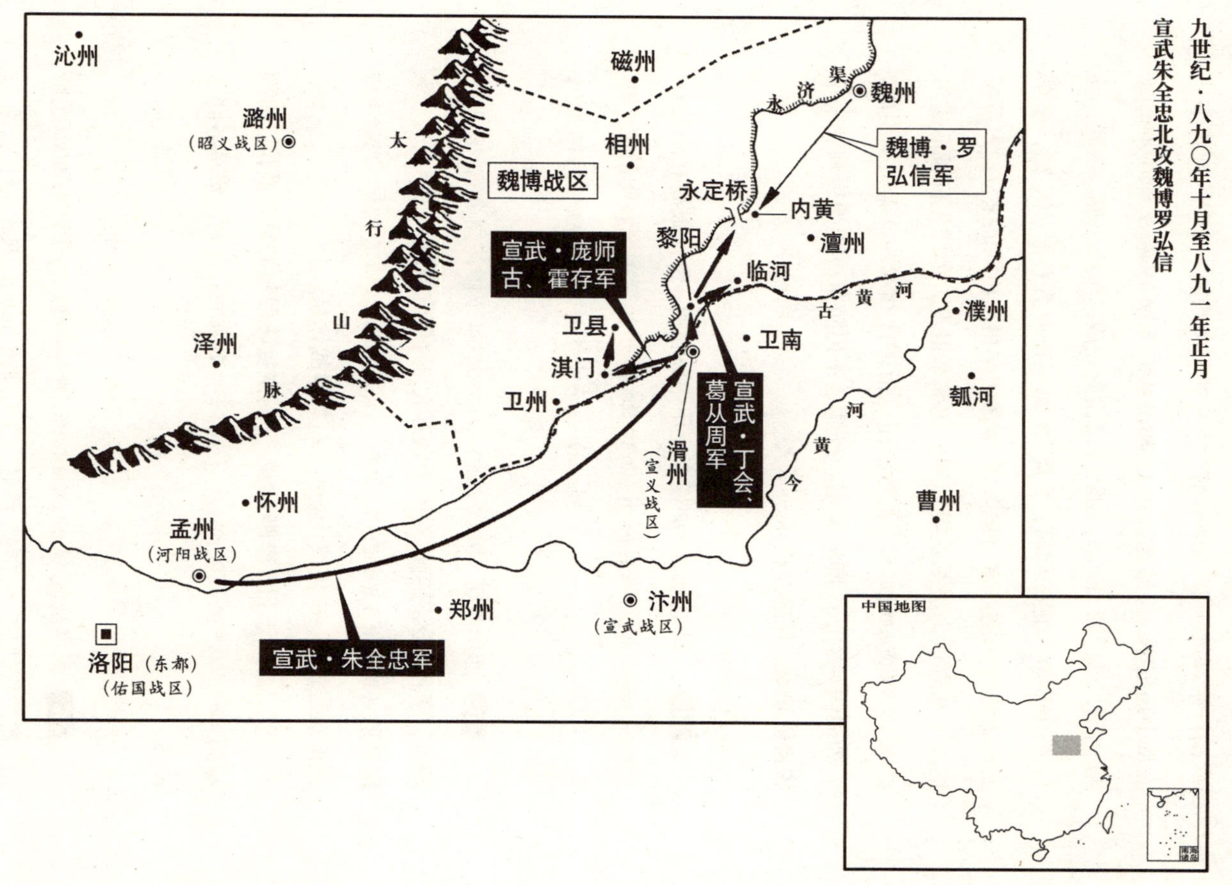

九世纪・八九〇年十月至八九一年正月
宣武朱全忠北攻魏博罗弘信

使）杨行密（杨行愍）属下所有城池，全都望风溃散。孙儒的部将李从立从小路进军，突然在宣州（安徽省宣城市）东溪（宛溪，宣城市东水阳江支流）出现，杨行密（杨行愍）的防守还没有完成，军心恐慌。夜晚，杨行密（杨行愍）命他的部将、合肥（安徽省合肥市）人台濛（台，姓），率军五百人进驻东溪（宛溪）西岸，台濛命士卒再三再四的来往，大声传话，李从立认为援军就要赶到，遂率军退走。孙儒先锋部队进抵溧水（江苏省南京市溧水区），杨行密派总指挥官（都指挥使）李神福阻截。李神福假装胆怯，向后撤退。孙儒遂不再防备，李神福乘夜率精锐部队奇袭，俘虏及格杀一千人。

4 二月，唐政府加授李克用中央官衔：暂任最高立法长（守中书令·使相），同时恢复泽州（山西省晋城市）州长李罕之官职爵位（削位事，参考去年〔八九〇〕五月）。再贬张濬当绣州（广西桂平市南）户籍官（司户）。

5 西川战区（总部设成都府〔四川省成都市〕）候补司令官（留后）韦昭度，率各战区道特遣兵团十余万人，讨伐陈敬瑄，三年之久，不能取胜（韦昭度、王建奉诏讨伐，参考八八八年十二月二十四日，迄今二年三个月），粮饷渐难供应，中央议论纷纷，打算停战休息。

三月二十五日，李晔（李敏）下诏恢复陈敬瑄的官职爵位。命顾彦朗（东川〔总部梓州〕司令官）、王建（永平〔总部邛州〕司令官）率军各回本战区。

6 平卢战区（总部设青州〔山东省青州市〕）候补司令官（留后）王师范，派总指挥官（都指挥使）卢弘，攻击棣州（山东省惠民县）州长张蟾（王师范继承老爹官位及张蟾归附中央，参考前年〔八八九〕十月）。想不到卢弘叛变，回军攻击王师范，王师范镇静的派人携带贵重的金银珠宝，晋见卢弘，说：“我年幼无知（王师范本年十八岁），不能担当大责重任，愿意辞去职位，只要允许我活命，就是你的仁慈！”卢弘认为王师范不过一个不懂事的大孩子，相信他的诚意，不特别戒备。王师范秘密对低级军官（小校）、安丘（山东省安丘市）人刘鄩说：“你能诛杀卢弘，我擢升你当大将。”卢弘进城，王师范设下埋伏，大摆筵席宴请卢弘，就在座位上，刘鄩击斩卢弘和卢弘的同党几个人。王师范向将士们安抚解释，大量赏赐，并立下重誓，遂亲自率军进攻棣州（山东省惠民县），生擒张蟾，斩首；崔安潜逃回京师（崔安潜事，参考前年〔八八九〕十月）。王师范命刘鄩当步骑兵副总指挥官（马步副都指挥使）。李晔（李敏）下诏命王师范当平卢战区（总部青州）司令官（节度使）。

王师范谨慎敦厚，喜爱读书。每次，益都（青州州政府所在县，山东省青州市）县长到差，王师范一定全副仪仗，前去县政府晋见。县长不敢接受，王师范就命礼宾官（客将）上前把县长扶到公堂座位上，自称“小民王师范”，在公堂前下跪叩头。幕僚及参谋官都劝他不必这样，他说：“我尊敬乡里贤达，在于教导子孙不可以忘本。”

7 被贬窜的张濬走到蓝田（陕西省蓝田县），乘机逃亡，投奔华州（陕西省渭南市华州区），依靠韩建（镇国〔总部华州〕司令官），跟同被贬窜的孔纬，向朱全忠（朱温，宣武〔总部汴州〕司令官）秘密求救。朱全忠上疏替孔纬、张濬呼冤。中央无可奈何，只好撤销贬窜令，恢复二人自由。孔纬已经走到商州（陕西省商洛市），才释放回来，也投奔韩建，寄住华州（陕西省渭南市华州区）。

8 邢洺战区（总部设邢州〔河北省邢台市〕）司令官（节度使）安知建

（东昭义战区被李克用武力消灭，命安金俊当民兵司令〔团练使〕，参考去年〔八九〇〕正月。何时升格为战区，《资治通鉴》没有记载），跟朱全忠（朱温，宣武〔总部汴州〕司令官）暗中来往。李克用上疏任命李存孝（安敬思）接替安知建的官职，安知建大为恐惧，逃往青州（平卢战区总部，山东省青州市）。中央征召安知建当神武军（禁军第五、六军）统军。安知建率部属三千人西上，打算前往京师（首都长安）到差。中途经过郓州（山东省东平县），天平战区（总部郓州）司令官（节度使）朱瑄，跟李克用感情正好，遂在黄河渡口埋伏军队，击斩安知建，把人头送到晋阳（山西省太原市）示众。

9 夏季，四月，三台星附近发现彗星，向东飞驰，进入太微星座，尾光长达十丈有余。四月五日，李晔（李敏）下诏赦免天下。

10 成都（西川战区总部，四川省成都市）被围已久，城里粮食将要吃完，大街小巷，都是被抛弃的小孩和婴儿。有些暗中到中央讨伐军营地贩卖稻米进城的平民，被巡逻士卒捉住，报告征剿司令（招讨使）韦昭度，韦昭度说："满城饥饿，怎么能忍心不救！"不再追究，命把他们释放。也有人被城里守军逮捕，报告战区司令官（节度使）陈敬瑄，陈敬瑄说："我自恨没有办法救他们一命，他们能自救，不要禁止！"因此从事卖米的小贩，一天比一天增加。然而数量不过几升几斗，运进城后，把直径一寸五分的竹竿，横截成筒，深约五分，用来量米零卖，每筒一百余钱。饿死的人杂乱堆积，无论军民，强壮的或衰弱的，互相格杀。官员们对凶手一律斩首，但不能禁止，于是使用更残忍的酷刑，有的从腰部砍断，有的斜劈——从左肩到右腿，每天被处死的一个接连一个，却不能阻止互相格杀吞食。而人们看惯残酷血腥的行为，也不再害怕。官民一天比一天绝望，差不多都在讨论不如投降，陈敬瑄便把这些人连同他们的家族亲友，全部逮捕诛杀，凄惨恶毒，各种苦刑，没有一件不用。内外总指挥官（内外都指挥使）、眉州（四川省眉山市）州长、成都人徐耕，性情仁慈厚恕，救活数千人。田令孜警告他说：“你手握生死大权，竟不肯诛杀一个人，难道你有贰心？”徐耕恐惧，夜晚，提出俘虏来的中央军士卒，绑到街市斩首。

中国人，你的名字是苦难！

王建（永平〔总部邛州〕司令官）看到皇帝的停战诏书，说：“大功就要告成，为什么抛弃？”跟智囊周庠商量，周庠建议王建请韦昭度返回中央，自己留下来独力夺取成都（四川省成都市），占为己有。王建采纳，于是上疏说：“陈敬瑄、田令孜罪恶深重，不应赦免，我希望拼命完成任务。”韦昭度无法决定，但大军也因之一时不能东还。王建游说韦昭度说：“而今，关东（潼关以东）各战区（道）互相吞食，那才是中央的心腹大患，你应该早回中央，跟天子讨论如何因应。陈敬瑄不过一小块皮肤病，花些时间，就可以制伏，把他交给我，我负责处理。”韦昭度仍然犹豫。

四月二十一日，王建暗中指使东川战区（总部设梓州〔四川省三台县〕）将领唐友通等，在办公厅门外，生擒韦昭度的亲信官员骆保，声称他盗卖军粮，把他剁成碎块，吞吃下肚。韦昭度大为恐惧，马上声明自己患病，把印信符节交给王建，用公文命令王建代理三候补主管（知三使留后）——西川战区（总部成都府）司令官（节度使）、西川招安特使（招抚使）、西川军政总监（制置使），以及所兼各战区特遣兵团征剿司令（兼行营招讨使），即日东还。王建亲自送到新都（四川省成都市新都区），跪在马前，举杯敬酒，哭泣流泪，依依而别。韦昭度刚出剑门（四川省剑阁县北剑门关镇），王建立刻派军封锁关门，不准东方军队进入。韦昭度抵达京师（首都长安），被任命当东都洛阳（河南省洛阳市）留守长官。

王建对成都发动猛烈攻击，环绕城池的壕沟及烽火台长达五十华里。有一位专门杀狗卖狗肉的小贩王鷁，愿意充当间谍，假装犯罪逃亡，混到成都城里散布谣言，使陈敬瑄上下猜忌，军心瓦解。王建遂命他进城。王鷁进城后晋见陈敬瑄、田令孜，报告说："王建的军队筋疲力尽，粮食也快吃完，就要逃亡！"出来后在街上卖茶，暗中向官员、小民称赞王建如何英明勇敢、军队如何强大。于是陈敬瑄等的防备懈怠，而人心却惊惶不安。王建又派他的部将、京兆（首都长安）人郑渥向陈敬瑄诈降，作实地调查评估，陈敬瑄命郑渥仍担任军官，并登城巡逻，郑渥遂再使用诈术逃回。王建对城里各种情况，完全了解，命郑渥当亲军总指挥官（亲从都指挥使），改姓名为王宗渥。

11 中央命武安战区（总部设潭州〔湖南省长沙市〕）司令官（节度使）周岳，当岭南西道战区（总部设邕州〔广西南宁市〕）司令官（节度使）。

12 李克用（河东〔总部太原府〕司令官）大规模攻击赫连铎（大同〔云州〕警备区司令），在北河（今地不详）地区，击败赫连铎，遂进围云州（山西省大同市）。

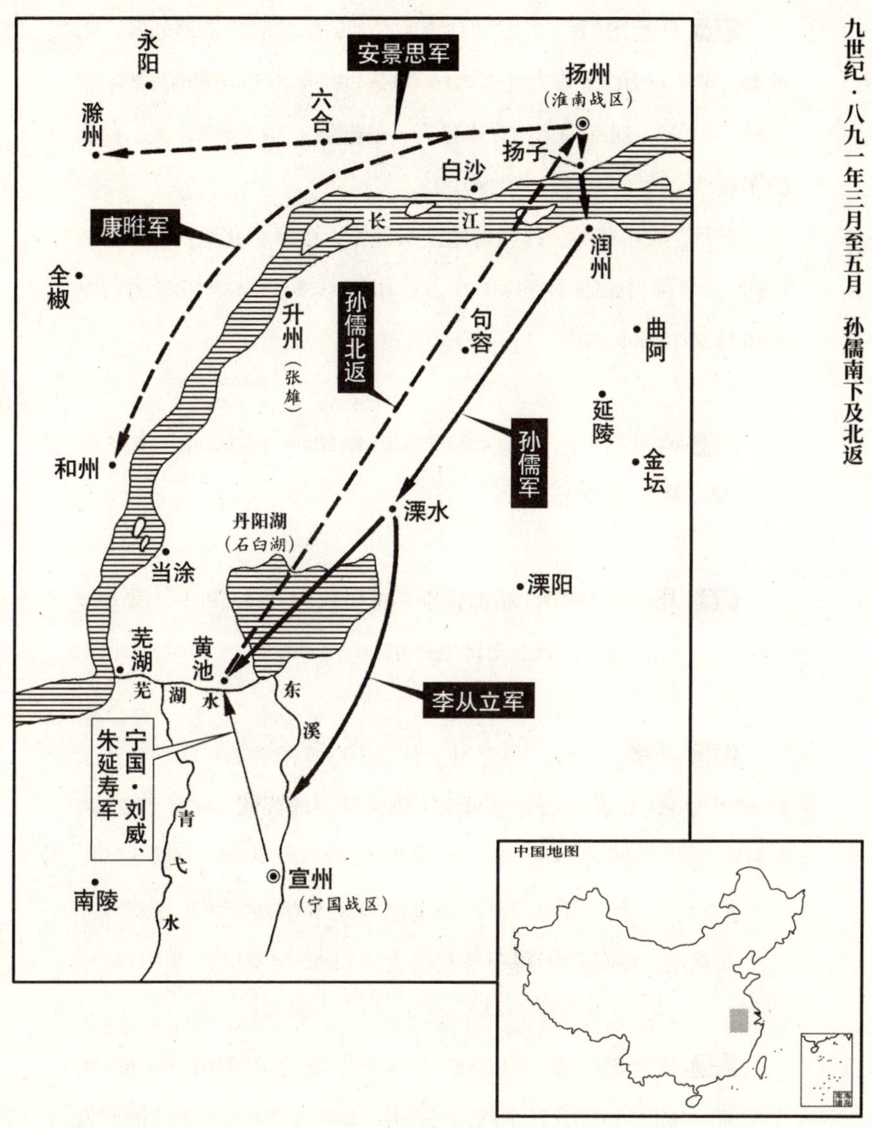

九世纪·八九一年三月至五月　孙儒南下及北返

13 杨行密（杨行愍，宁国〔总部宣州〕司令官）派他的将领刘威、朱延寿，率军三万人，在黄池（安徽省当涂县东南黄池镇）攻击孙儒（淮南〔总部扬州〕司令官），刘威等大败。朱延寿，是舒城（安徽省舒城县）人。孙儒驻军黄池（安徽省当涂县东南黄池镇）。

五月，大水成灾，孙儒营地全被淹没，遂率军北返扬州（江苏省扬州市），派部将康暀（音wàng〔旺〕）占据和州（安徽省和县）、安景思占据滁州（安徽省滁州市）。

14 六月二十八日（原文误置于五月，据《新唐书·昭宗纪》改），李晔（李敏）封皇子李祐当德王。

15 杨行密（杨行愍）派部将李神福进攻和（安徽省和县）、滁（安徽省滁州市）二州，康暀投降，安景思逃走。

16 秋季，七月，李克用（河东〔总部太原府〕司令官）猛烈攻击云州（山西省大同市），赫连铎粮食吃完，逃奔吐谷浑部落（赫连铎本来就是吐谷浑部落一酋长，因击败李克用，得任大同〔云州〕警备区司令〔防御使〕，参考八八〇年七月，前后十二年而败）。不久，赫连铎又逃奔幽州（卢龙战区总部，北京市）。

李克用上疏任命大将石善友当大同（云州）警备区司令（防御使）。

17 朱全忠（朱温，宣武〔总部汴州〕司令官）派使节跟杨行密（杨行愍，宁国〔总部宣州〕司令官）签订密约，对孙儒（淮南〔总部扬州〕司令官）同时发动攻击。孙儒仗恃兵力强大，准备先消灭杨行密（杨行愍），再消灭朱全忠（朱温）。于是向全国发布文告，宣布杨行密（杨行愍）、朱全忠（朱温）的罪状，声称：“等我踏平宣州（杨行密基地）、汴州（朱全忠基地），自当率军前往京师（首都长安），肃清皇帝身旁的奸邪恶徒！”下令纵火烧毁扬州（江苏省扬州市）官舍民宅，裹挟所有青年壮汉以及妇女，南渡长江，屠杀老年人和幼儿孩童，吞吃他们的尸体（之前杨行密把扬州郊区所有居民迁入州城，参考八八七年十一月二十一日；如今城空）。

杨行密（杨行愍）的部将张训、李德诚，暗中进入扬州，扑灭残余火烬，救出还没有烧完的麦米，仍有数十万斛，用来救济饥饿的人民。泗州（江苏省盱眙县淮河北岸）州长张谏，请求借贷数万斛粮食供给他手下饥饿的军队，张训用杨行密（杨行愍）的名义照这个数目馈赠。张谏对杨行密感激不尽（泗州属感化战区〔总部徐州〕）。

18 邢洺战区（总部设邢州〔河北省邢台市〕）司令官（节度使）李存孝（安敬思），建议李克用进攻镇州（成德战区总部，河北省正定县），李克用同意。

八月，李克用南下巡视昭义战区（总部设潞州〔山西省长治市〕），顺便大掠怀（河南省沁阳市）、孟（河阳战区总部，河南省孟州市）二州边境。

19 朱全忠（朱温）派部将丁会攻击宿州（安徽省宿州市。属感化战区〔总部徐州〕），攻克外城（去年〔八九〇〕四月，宿州将领张筠回归时溥）。

20 八月十八日，孙儒从苏州（江苏省苏州市）出发，进驻广德（安徽省广德市），杨行密（杨行愍）率军阻截。孙儒把杨行密（杨行愍）大营团团围住，杨行密（杨行愍）的部将、上蔡（河南省上蔡县）人李简，率一百余人冲锋陷阵，砍破营寨，才把杨行密（杨行愍）从危急中救出。

21 王建（永平〔总部邛州〕司令官）攻击陈敬瑄（西川〔总部成都府〕首

领）更为猛烈，陈敬瑄派军出战，每次都被击败。西川战区（总部成都府）所属州县，全被王建一个接一个夺取。威戎战区（总部设彭州〔四川省彭州市〕）司令官（节度使）杨晟（这是田令孜私设的战区）经常运送军粮到成都（四川省成都市），王建派军进驻新都（四川省成都市新都区），交通线被切断，彭州（四川省彭州市）援助遂告断绝。陈敬瑄亲自出来慰劳将士，大家呆呆的看着他，没有反应。陈敬瑄、田令孜知道，他们已到末日。

八月二十四日，田令孜登上城楼，质问王建说："想当年我待你不薄，为什么围困我到这种程度？"王建说："父子恩情怎么敢忘记（田令孜收王建当义子，参考八八四年十一月），但中央要我讨伐不接受调差的人，不得不这样，如果陈太师（陈敬瑄中央官衔）改变主意，我还有什么要求？"当天夜晚，田令孜携带西川战区司令官（节度使）印信符节，亲自到王建大营交付，将士们都喊万岁。王建泪流满面，向田令孜道歉，请求恢复当年的父子之情。

先前，王建诱导他的将士，常说："成都城里是花花世界，金银珠宝和漂亮的女子多得很，只要把城攻下，随你们的意去抢；战区司令官（节度使）的座位，咱们轮流坐！"

八月二十五日，陈敬瑄打开成都城门，迎接王建进城。王建任命他的部将张勍当步骑兵砍杀司令（马步斩斫使），派他先一步进城。然后，王建召集全体将领，警告说："我跟你们三年以来，身经一百余战，才总算夺到这座城池，你们不要担心没有富贵，千万不要焚烧剽掠，我已下令张勍全权保护人民的生命财产。如果有人犯法，运气好的，他抓住你向我报告，我还有机会赦免你，他如果先砍下人头，再向我报告，我也无法相救！"不多久，有些士卒仍去抢劫，张勍逮捕一百余人，都先捶击他们的前胸，然后诛杀，尸首堆满街头，从此，军令森严，没有人敢再犯。当时人们给张勍一个绰号：张打胸。

八月二十六日，王建进城，自称西川战区候补司令官（留后）。一个名叫韩武的低级军官，好几次在军政总部的大庭，跳上马背，主管官员阻止他，韩武发怒说："大帅承诺过，跟我一人一天轮流当司令官（节度使）！仅只上马，小事一桩！"王建秘密派人把韩武刺死。

最初，陈敬瑄拒绝中央命令时（参考八八八年十月），田令孜打算暗中夺取老哥的大权，就告诉陈敬瑄说："三哥（陈敬瑄在兄弟中排行第三）地位尊贵，而军事工作沉重繁琐，十分辛苦，不如全交给我，我每天把所做的事，一次呈报给你过目，你高高在上，专心去享清福就够了。"陈敬瑄本来就没有智慧才能，一个糊涂虫而已，听了之后，大为高兴，满口答应，从此之后，军政大事，都不由自己作主，直到覆亡。王建上疏任命陈敬瑄的儿子陈陶当雅州（四川省雅安市）州长，命陈敬瑄随着儿子前往（陈敬瑄靠赌博赢得西川，参考八八〇年三月，荣华富贵十二年而败）。明年（八九二），陈陶免职，王建把陈敬瑄安置在新津（四川省成都市新津区），用该县的田赋赡养他一家。

八月癸丑日（八月戊寅朔，没有癸丑），王建把武装部队分别派往各州，就地征粮补给。把文武坚改名王宗阮，谢从本改名王宗本，收作义子。陈敬瑄部属中有器度、干才的人，王建对他们都很礼敬，仍任命他们当官。

22 皇家禁军六军、卫军十二军观察兵马阵容特派监军宦官（六军十二卫观军容使）、左神策军总指挥宦官（左神策军中尉）杨复恭，掌握皇家全部禁卫部队，在政府中横行霸道，义子们也都分别担任战区司令官（节度使）、州长；又收养宦官义子六百人，全派到各地充当监军宦官。另两位义子：龙剑战区（总部设龙州〔四川省平武县东南〕）司令官（节度使）杨守贞和武定战区（总部设洋州〔陕西省洋县〕）司令官（节度使）杨守忠，从不把辖区各州的田赋捐税呈缴中央，反而上疏对中央嘲笑。

李晔（李敏）的舅父王瓌请求出任战区司令官（节度使），李晔（李敏）征求杨复恭的意见。杨复恭反对，王瓌大怒，破口大骂。王瓌出入皇宫，行事专断，杨复恭十分憎恨，于是，主动上疏推荐王瓌当黔南战区（即黔中战区，总部设黔州〔重庆市彭水县〕）司令官（节度使）。王瓌走到吉柏津（四川省广元市西南昭化镇），杨复恭命山南西道战区（总部设兴元府〔陕西省汉中市〕）司令官（节度使）杨守亮（訾亮），凿沉渡船，王瓌连同家属幕僚，全部坠水淹死。杨守亮奏报说：船只损坏，没有一个人生还。李晔（李敏）知道是杨复恭下的毒手，对他痛恨入骨。

李顺节（杨守立〔胡弘立〕）既受皇帝宠爱，官位尊贵，声势日高，跟杨复恭争权夺利，遂把杨复恭的阴谋私事，全部报告李晔（李敏），李晔（李敏）下诏命杨复恭出任凤翔战区（总部设凤翔府）监军宦官。杨复恭既羞惭又忿忿不平，不肯前去到差，声称有病，请求退休。

九月八日，李晔（李敏）命杨复恭以禁卫军上将军（从三品）官衔退休，赏赐给他茶几、手杖。钦差官员送达诏书后返宫，杨复恭暗中派心腹杀手张绾，在中途把他刺死。

23 加授护国战区（总部设河中府〔山西省永济市〕）司令官（节度使）王重盈中央官衔：兼最高立法长（兼中书令·使相）。

24 东川战区（总部设梓州〔四川省三台县〕）司令官（节度使）顾彦朗

逝世，军队将领推举他的老弟顾彦晖代理候补司令官（知留后）。

25 冬季，十月五日，宿州（安徽省宿州市）州长张筠，向围城军宣武（总部汴州）将领丁会投降。

26 十月六日，中央命永平战区（总部设邛州〔四川省邛崃市〕）司令官（节度使）王建，当西川战区司令官。

十月七日，中央撤销永平战区（所辖四州归还西川战区）。王建夺取西川，对人谦卑恭敬，节俭朴素，留心政治事务，采纳直率的批评，慷慨施舍，喜爱跟知识分子交往，部属们都能发挥才干，完成任务。然而疑心太重，杀人很多。将领中当初有过汗马功劳的，多数都被找一个借口，受到处决。

27 退休宦官杨复恭家宅距玉山营（杨复恭家住首都长安昭化里）不远，义子杨守信（訾信）当玉山特别营司令（玉山军使），经常前去晋见。于是有人指控杨复恭及杨守信（訾信）阴谋叛变。

十月八日，李晔（李敏）亲自登上安喜楼（安上门城楼），集结禁卫军严密戒备，下令天威特别营指挥官（天威都将）李顺节（杨守立〔胡弘立〕）、神策军基地司令（神策军使）李守节，率军攻击杨复恭的家宅。张绾率护院武士迎战。杨守信（訾信）又率军适时赶到协防，李顺节（杨守立〔胡弘立〕）等不能攻克。

十月九日，皇城驻守含光门（皇城南面最西门）的禁卫军，摩拳擦掌，只等含光门一开，就冲出剽掠两大商业区——东市、西市。就在这时候，宰相刘崇望走到那里，停下马蹄，警告他们说：“皇上亲自在街东督战，你们都是保护皇上的禁卫部队，应该到安喜楼

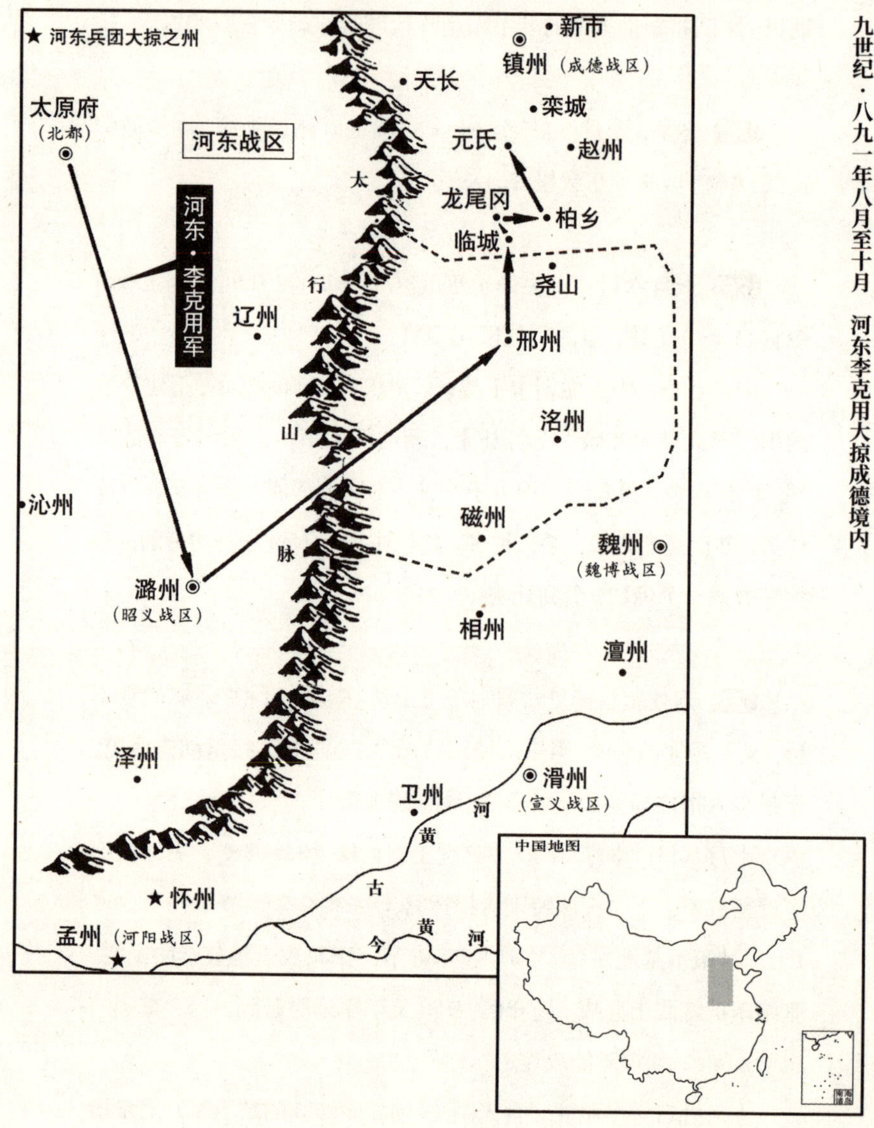

九世纪·八九一年八月至十月 河东李克用大掠成德境内

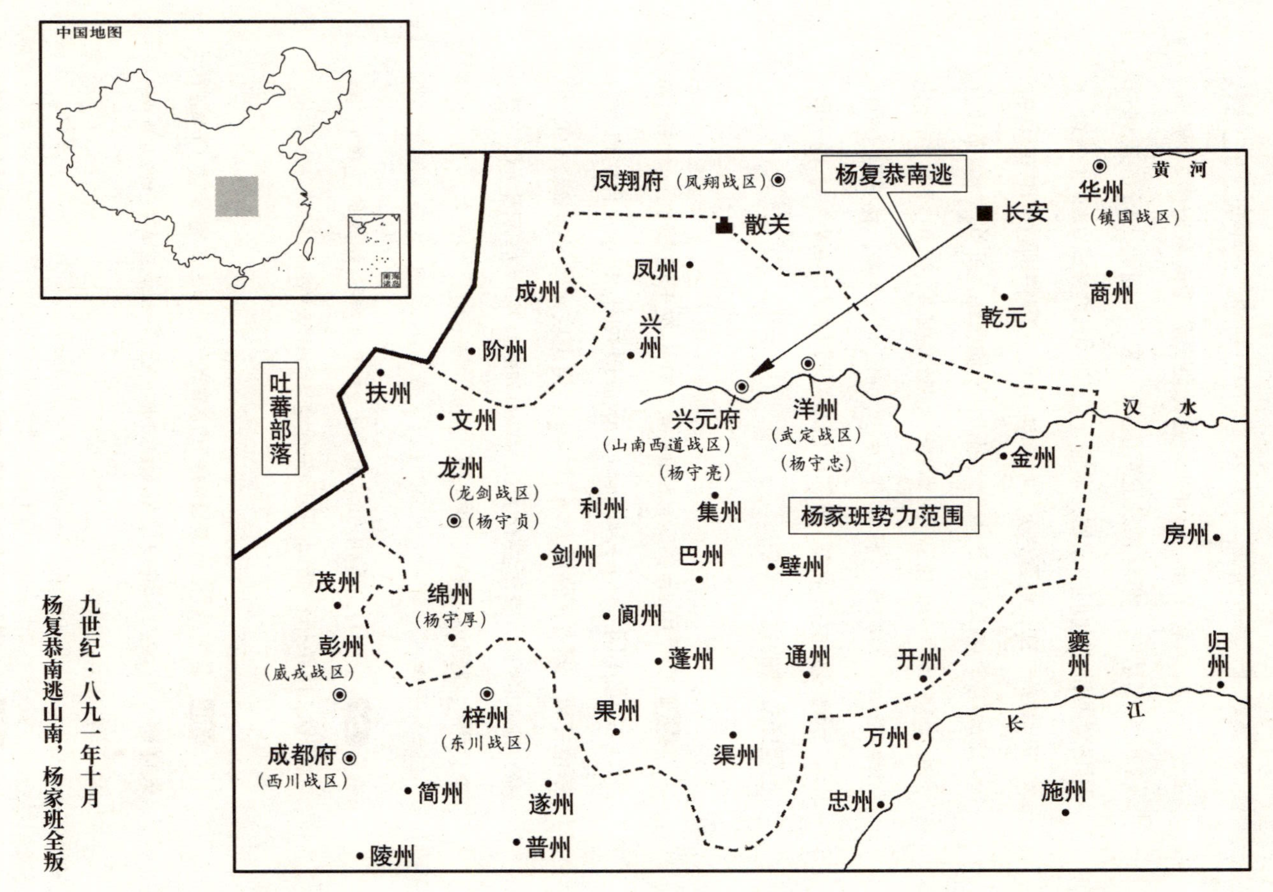

九世纪·八九一年十月
杨复恭南逃山南，杨家班全叛

前格杀叛徒，建立功业，千万不要贪图抢劫的一点小利，自己去找恶名！”大家欢呼说：“是的！”遂跟随刘崇望向东增援。杨守信（訾信）所率基地士卒看见禁卫军前来，遂一哄而散。杨守信（訾信）跟杨复恭携带他们的家属，从通化门（出皇城延喜门，直走就出通化门〔长安东面北数第一门〕），逃奔兴元（陕西省汉中市）。永安特别营（神策五十四都之一）作战司令（都头）权安（权，姓）追击，生擒张绾，斩首。杨复恭抵达兴元（陕西省汉中市），杨守亮（訾亮，山南西道〔总部兴元府〕司令官）、杨守忠（武定〔总部洋州〕司令官）、杨守贞（龙剑〔总部龙州〕司令官）、杨守厚（绵州州长），一同起兵反抗中央，声称讨伐李顺节（杨守立〔胡弘立〕）。杨守厚，也是杨复恭的义子。

28 李克用（河东〔总部太原府〕司令官）进攻王镕（成德〔总部镇州〕司令官），在龙尾冈（河北省临城县西北）大破成德兵团，格杀及俘虏以万为单位计算，遂占领临城（河北省临城县），再进攻元氏（河北省元氏县）、柏乡（河北省柏乡县）。李匡威（卢龙〔总部幽州〕司令官）率卢龙兵团援救王镕，李克用大肆剽掠，班师，驻扎邢州（河北省邢台市）。

29 十一月，曹州（山东省菏泽市定陶区）兵变，州政府指挥官（都将）郭铢，格杀州长郭词，投降朱全忠（曹州属天平战区〔总部郓州〕）。

30 泰宁战区（总部设兖州〔山东省济宁市兖州区〕）司令官（节度使）朱瑾率一万余人，进攻单州（此时仍称单父县，今山东省单县。单父属宣武战区〔总部汴州〕）。

31 十一月十九日，时溥（感化〔总部徐州〕司令官）的部将刘知俊率士卒二千人，投降朱全忠（朱温）。刘知俊，是沛县（江苏省沛县）人，徐州（江苏省徐州市）的勇将。时溥的军事力量从此一蹶不振。朱全忠（朱温）任命刘知俊当左右开路指挥官（左右开道指挥使）。

32 十一月二十五日，寿州（安徽省寿县）将领刘弘鄂，对孙儒（淮南〔总部扬州〕司令官）的残忍凶暴，不能忍受（寿州属淮南战区），遂献出城池，投降朱全忠（朱温）。

33 十二月九日，宣武战区（总部设汴州）将领丁会、张归霸，跟朱瑾（泰宁〔总部兖州〕司令官）在金乡（山东省金乡县）会战，大破泰宁兵团（总部兖州），几乎全部格杀俘虏，朱瑾单人匹马逃出一命。

34 神策军天威特别营指挥官（天威都将）李顺节（杨守立〔胡弘立〕）仗恃皇帝对他的恩宠，骄傲蛮横，不可一世，出入皇宫，都随身带着武装卫士。左右神策军总指挥宦官（两军中尉）刘景宣、西门君遂，对他都十分厌恶，警告李晔（李敏）说：李顺节（杨守立〔胡弘立〕）可能惹出麻烦。

十二月十二日，刘景宣、西门君遂用皇帝诏书，命李顺节（杨守立〔胡弘立〕）进宫，李顺节（杨守立〔胡弘立〕）抵达银台门（大明宫有左银台门、右银台门），二人把李顺节（杨守立〔胡弘立〕）的卫队招待到禁卫军营舍休息，内宫贴身宦官（供奉官）似先知（似，姓），从背后砍下李顺节（杨守立〔胡弘立〕）的人头，随从及卫队霎时间呼叫呐喊，冲出宫门。天威、捧日、登封等三特别营（神策军五十四都的三都）纷纷叛变，大肆剽掠永宁坊，从早上奸淫烧杀到黄昏，社会才恢复秩序，文武百官上疏祝贺。

35 孙儒（淮南〔总部扬州〕司令官）纵火焚烧苏（江苏省苏州市）、常（江苏省常州市）二州，率军进逼宣州（安徽省宣城市）。钱镠（杭州州长）再派兵进入苏州。孙儒不断击败杨行密（杨行愍，宁国〔总部宣州〕司令官）；旌旗招展，辎重前后相接，往往长达一百余华里。杨行密（杨行愍）向钱镠求救，钱镠供应他武器及粮食。

36 中央政府命顾彦晖实任东川战区（总部设梓州〔四川省三台县〕）司令官（节度使），派宦官宋道弼送给他旌旗符节。杨守亮（訾亮，山西西道〔总部兴元府〕司令官）命杨守厚（绵州州长）逮捕宋道弼，囚禁牢房，把旌旗符节抢下来，然后进攻梓州（四川省三台县）。

十二月二十七日，顾彦晖向王建（西川〔总部成都府〕司令官）求救。

十二月二十八日，王建派部将华洪、李简、王宗侃（田师侃）、王宗弼（魏弘夫）增援。王建秘密训令各将领说："你们击破盗匪（指杨守厚）后，顾彦晖一定慰劳犒赏，你们就在大营设宴回请，乘机把他生擒，以后就不用再一次出征。"王宗侃（田师侃）击破杨守厚七个营寨。杨守厚逃回绵州（四川省绵阳市），顾彦晖果然大宴西川（总部成都府）将领，西川（总部成都府）将领在大营回请，就在紧要关头，王宗弼（魏弘夫）把王建的阴谋泄露给顾彦晖，顾彦晖声称有病在身，不能赴宴。

最初，李茂贞（宋文通，凤翔〔总部凤翔府〕司令官）的义子李继臻据守金州（陕西省安康市），均州（湖北省丹江口市西北）州长冯行袭攻克金州。唐帝李晔（李敏）下诏命冯行袭当昭信警备区司令（防御使），总部设金州（陕西省安康市）。杨守亮（訾亮，山西西道〔总部兴元府〕司令官）打算从金州（陕西省安康市）穿过商州（陕西省商洛市），袭击京师（首都长安），冯行袭迎头痛击，大破杨守亮（訾亮）军。

37 本年（八九一），改泾原战区（总部设泾州〔甘肃省泾川县〕）为彰义战区，增加管辖渭（甘肃省平凉市）、武（甘肃省平凉市东）二州（二州原属天雄战区〔总部秦州〕）。

38 福建道（首府设福州〔福建省福州市〕）行政长官（观察使）陈岩，病势沉重，派使节携带他的印信符节，召唤泉州（福建省泉州市）州长王潮（王潮据泉州，参考八八六年八月），打算把军政大权交到他手，王潮还没有抵达，陈岩已经逝世。陈岩妻子的老弟、指挥官（都将）范晖，策动将士拥护自己当候补行政长官（留后），动员军队，拒绝王潮。

八九二年 壬子

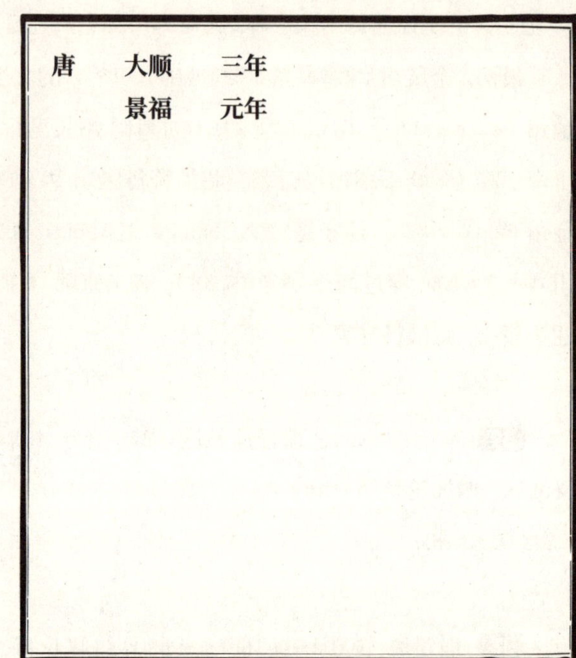
唐 大顺 三年
景福 元年

1 春季，正月二十一日，唐王朝（首都长安〔陕西省西安市〕）皇帝（二十二任昭宗）李晔（李敏。本年二十六岁），下诏赦免天下，改年号景福（之前是大顺三年，之后是景福元年）。

2 凤翔战区（总部设凤翔府〔陕西省宝鸡市凤翔区〕）司令官李茂贞

（宋文通）、静难战区（总部设邠州〔陕西省彬州市〕）司令官王行瑜、镇国战区（总部设华州〔陕西省渭南市华州区〕）司令官韩建、匡国战区（总部设同州〔陕西省大荔县〕）司令官王行约、天雄战区（总部设秦州〔甘肃省秦安县西北〕）司令官李茂庄，上疏指控山南西道战区（总部设兴元府〔陕西省汉中市〕）司令官（节度使）杨守亮（訾亮）藏匿叛乱犯杨复恭（参考去年〔八九一〕十月），要求出军讨伐，并请任命李茂贞（宋文通）当山南西道地区征剿司令（山南西道招讨使）。

中央讨论的结果，认为李茂贞（宋文通）如果得到山南（秦岭以南），就更难控制。李晔（李敏）遂下诏命他们和解，但没有人接受。

3 王镕（成德〔总部镇州〕司令官）、李匡威（卢龙〔总部幽州〕司令官），集结十余万人，进攻尧山（河北省隆尧县西），李克用（河东〔总部太原府〕司令官）派他的部将李嗣勋迎击，大破镇幽联军，格杀及俘虏三万人。

4 杨行密（杨行愍，宁国〔总部宣州〕司令官）询问将领们的意见说："孙儒（淮南〔总部扬州〕司令官）军队的数量，超过我们十倍（孙儒逼宣州，参考去年〔八九一〕十二月），我们应战，总是失败，我考虑退保铜官（安徽省铜陵市西北），各位意下如何？"刘威、李神福说："孙儒倾巢而出，所盼望的是速战速决。我们应该据守各地险要，增强城池的防御工程，拆除原野所有的村庄，使他们没有地方可抢到粮食，自然饥饿困苦，筋疲力尽。我们再不时的出动突击部队，剽掠他们的粮饷补给，夺取他们所抢劫的财物和俘虏，使他们前进无法攻击，后退没有粮食，我们就可以坐在这里，一一擒拿。"戴友规说："孙儒跟我们对峙好几年（自八八七年十一月，秦宗权派孙儒与杨行密争扬州，前后六年），不分胜负。而今，孙儒把他所有战士，全部投入战场，正是要作殊死决斗，我们如果望风而逃，正中他的奸计。淮南（总部扬州）民众随你渡长江南下，以及从孙儒军中投奔过来的战士，数量非常之多，你应先把他们送回淮南（总部扬州），或种田、或经商，恢复正常生产。孙儒部队官兵得到淮南安居乐业消息，一定都想返回故乡。军心一旦动摇，怎么能不失败！”杨行密（杨行愍）大为高兴，完全接受。戴友规，是庐州（安徽省合肥市）人。

5 威戎战区（总部设彭州〔四川省彭州市〕）司令官（节度使）杨晟（田令孜党，参考八八八年十二月），跟杨守亮（訾亮，山南西道〔总部兴元府〕司令官）等，约定夹攻王建（西川〔总部成都府〕司令官）。

二月二日，杨晟出军剽掠新繁（四川省成都市新都区西北新繁街道）、汉州（四川省广汉市）边境，并派他的将领吕荛率士卒二千人，会同绵州（四川省绵阳市）州长杨守厚（杨复恭的义子），进攻梓州（东川战区总部所在，四川省三台县）。王建（西川〔总部成都府〕司令官）命特遣兵团总指挥官（行营都指挥使）李简迎击，斩吕荛。

6 二月三日，朱全忠（朱温，宣武〔总部汴州〕司令官）出军攻击朱瑄（天平〔总部郓州〕司令官），派他的儿子朱友裕率军先行出发，进驻斗门（河南省濮阳市东南）。

7 李茂贞（宋文通，凤翔〔总部凤翔府〕司令官）、王行瑜（静难〔总部邠州〕司令官）不理会中央反应，径行出兵进攻兴元（陕西省汉中市）。李茂贞（宋文通）不断上疏要求中央任命他当征剿司令（招讨使），又写信给宰相杜让能，跟神策军总指挥宦官（神策中尉）西门君遂，嘲弄讥讽，用各式各样的措辞，表示对中央的轻视。李晔（李敏）不能忍受，登延英殿，召集宰相、谏官，听取他们的意见。但是，这时候宦官中已有人暗中跟两战区来往，宰相们你看我，我看你，不敢发言，李晔（李敏）大不高兴。御前监督官（给事中）牛徽说："政府多灾多难，李茂贞（宋文通）确实有保护皇家的功劳（指二十一任帝李儇第二次逃亡秦岭以南，参考八八六年七月），杨家班聚众起兵作乱，李茂贞（宋文通）急于出军讨伐，志向心意，都很单纯，只不过疾恶如仇而已。唯一的错误是没有等到皇上颁布命令，就开始行动。听说大军已进入山南（秦岭以南），杀伤很多。陛下如果不任命他当征剿司令（招讨使），使他受国法约束，恐怕山南（秦岭以南）住民要全死在他手！"李晔（李敏）说："你说得对。"遂命李茂贞（宋文通）当山南西道地区征剿司令（山南西道招讨使）。

8 二月九日，朱全忠（朱温）率宣武兵团（总部汴州）主力抵达卫南（河南省滑县东），朱瑄（天平〔总部郓州〕司令官）率步骑兵一万人，袭击斗门（河南省濮阳市东南），朱友裕放弃营寨，逃走，朱瑄入营据守。朱全忠（朱温）还不知道。

二月十日，朱全忠（朱温）率军直向斗门（河南省濮阳市东南），先行抵达的部队全被天平兵团（总部郓州）格杀。朱全忠（朱温）急撤退到瓠河镇（山东省鄄城县东南。瓠，音hù〔户〕）。

二月十二日，朱瑄向朱全忠（朱温）发动攻击，大破宣武兵团（总部汴州），朱全忠逃走。幸亏部将张归厚在后卫苦战，朱全忠（朱温）才得免一死，但副司令官（节度副使）李璠等，却全被格杀。

9 朱全忠（朱温）上疏弹劾河阳战区（总部设孟州〔河南省孟州市〕）

司令官（节度使）赵克裕（指控他诽谤）。中央立即贬谪赵克裕，命佑国战区（总部设河南府〔河南省洛阳市〕）司令官（节度使）张全义，兼河阳战区（总部孟州）司令官。

10 淮南战区（总部设扬州〔江苏省扬州市〕）司令官（节度使）孙儒，包围宣州（安徽省宣城市）。

当初，孙儒的部将刘建锋驻守常州（江苏省常州市，参考八八九年十二月二十五日），率军前往甘露镇（江苏省镇江市北长江南岸甘露寺所在），跟孙儒主力会师，进攻杨行密（杨行愍，宁国〔总部宣州〕司令官），而留部将陈可言率部属一千人，据守常州（江苏省常州市，参考八八九年十二月二十五日）。杨行密（杨行愍）部将张训，突然率军抵达城下，陈可言仓猝出战，张训亲手把他格杀，遂占领常州（江苏省常州市）。

杨行密（杨行愍）又派其他将领攻克润州（江苏省镇江市）。

11 朱全忠（朱温）一连几年攻击时溥（感化〔总部徐州〕司令官），徐（江苏省徐州市）、泗（江苏省盱眙县淮河北岸）、濠（安徽省凤阳县东北临淮关镇）三州，农民无法耕种，天平（总部郓州）、泰宁（总部兖州）、河东（总部太原府）三战区先后派军来援，都不能取得决定性胜利。现在又发生水灾，人民死亡十分之六七（自八八七年闰十一月，时溥袭泗州，前后混战六年）。时溥艰难困苦，已到极点，向朱全忠（朱温）请求和解，朱全忠（朱温）说："可以，但你必须离开徐州（江苏省徐州市）。"时溥同意。朱全忠（朱温）上疏中央，建议调时溥到别的战区，而另行任命高级官员镇守徐州。

李晔（李敏）下诏命副监督长（门下侍郎）、二级实质宰相（同平章事）刘崇望，遥兼二级宰相（同平章事·使相），充任感化战区（总部设徐州〔江苏省徐州市〕）司令官（节度使）；命时溥回京（首都长安）当太子太师（太子三师之一）。但时溥恐怕朱全忠把他骗出徐州（江苏省徐州市）杀害，于是改变主意，继续据守城池，不接受诏书。刘崇望走到华阴（陕西省华阴市），折返中央。

12 忠义战区（总部设襄州〔湖北省襄阳市〕，前山南东道战区）司令官（节度使）赵德諲逝世，儿子赵匡凝接任代替。

13 福建道（首府设福州〔福建省福州市〕）候补行政长官（留后）范晖（范晖夺取福州，参考去年〔八九一〕十二月），骄傲奢侈，失去军心，泉州（福建省泉州市）州长王潮命堂弟王彦复当总指战官（都统）、老弟王审知当总监军官（都监），率军进攻福州（福建省福州市）。民间自动运送粮食供应，平湖洞（福建省仙游县）跟沿海蛮夷部落，也都提供船只，帮助王潮运送军队和辎重。

14 二月二十六日，西川战区（总部设成都府〔四川省成都市〕）司令官（节度使）王建，派他的族侄嘉州（四川省乐山市）州长王宗裕、雅州（四川省雅安市）州长王宗侃（田师侃）、威信特别营司令（威信都指挥使）华洪、茂州（四川省茂县）州长王宗瑶（姜郅），率军五万人，进攻彭州（四川省彭州市），威戎战区（总部彭州）司令官（节度使）杨晟迎战，失败，退回城池，王宗裕等遂把彭州包围。杨守亮（訾亮，山南西道〔总部兴元府〕司令官）派部将符昭增援杨晟，直接攻击成都，抵达三学山（四川省金堂县东北五公里三学山）扎营，王建召命华洪回师，华洪急行军赶到，主力还没有集合，华洪立即率数百人，于夜晚逼近距符昭大营数华里地方，下令增加敲打更鼓的人数。符昭认为西川（总部成都府）大军云集，连夜率军逃走。

15 三月，中央命国务院财政部长（户部尚书）郑延昌，当副立法长（中书侍郎）、二级实质宰相（同平章事）。郑延昌，是郑从说的堂兄弟（郑从说阻挠李克用南下勤王，参考八八一年五月）。

16 左神策军勇胜等三特别营总司令（勇胜三都都指挥使）杨子实、杨子迁、杨子钊，都是杨守亮（訾亮，山南西道〔总部兴元府〕司令官）的义子，奉命自渠州（四川省渠县）率军增援杨晟（威戎〔总部彭州〕司令官）。三个人知道杨守亮（訾亮）一定失败，决定采取行动。

三月八日，三人率领他们的部众二万人，投降王建（西川〔总部成都府〕司令官）。

17 李克用（河东〔总部太原府〕司令官）、王处存（义武〔总部定州〕司令官），联合进攻王镕（成德〔总部镇州〕司令官）。

三月九日，李王联军攻克天长镇（河北省井陉县西天长镇）。

三月十四日，王镕在新市（河北省正定县东北新城铺镇）会战李王联军，大破李王联军，格杀及俘虏三万余人。

三月十七日，李克用退驻栾城（河北省石家庄市栾城区）。

唐帝李晔（李敏）下诏，命河东（总部太原府）、成德（总部镇州）、义武（总部定州）、卢龙（总部幽州）四战区和解。

18 杨晟（威戎〔总部彭州〕司令官）写信给杨守贞（龙剑〔总部龙州〕司令官）、杨守忠（武定〔总部洋州〕司令官）、杨守厚（绵州州长），要他们进攻东川（总部梓州），希望解除彭州（四川省彭州市）的包围，杨守贞等接受。

当时，神策军督战官（神策督将）窦行实驻防梓州（四川省三台县），杨守厚暗中引诱他充当内应。杨守厚前进到涪城（四川省三台县西北），不料窦行实的阴谋败露，东川战区（总部设梓州〔四川省三台县〕）司令官（节度使）顾彦晖斩窦行实。杨守厚得到消息，立刻撤退。杨守贞、杨守忠率军随后抵达，没有地方可以投奔，遂在绵（四川省绵阳市）、剑（四川省剑阁县）二州之间来往徘徊，王建（西川〔总部成都府〕司令官）派他的将领吉谏，袭击杨守厚，把杨守厚军击破。

三月十九日，西川（总部成都）将领李简，在钟阳（四川省绵阳市西南）截击杨守忠，格杀及俘虏三千余人。

夏季，四月，李简又在铜锌（绵阳市东）击破杨守厚，格杀及俘虏三千余人，接受降卒一万五千人。杨守忠、杨守厚逃走。

19 四月十二日，中央在杭州（浙江省杭州市）设武胜警备区，命钱镠（音庐〔流〕）当警备区司令（防御使）。

20 天威特别营司令（天威军使）贾德晟，对于李顺节（杨守立〔胡弘立〕）之死（参考去年〔八九一〕十二月十二日），十分怨恨愤怒，左神策军总指挥宦官（左神策中尉）西门君遂大起反感，上疏弹劾，李晔（李敏）遂斩贾德晟。贾德晟部属骑兵一千余人，逃奔凤翔（陕西省宝鸡市凤翔区），凤翔战区（总部凤翔府）司令官（节度使）李茂贞（宋文通）因此更为强大。

21 李匡威（卢龙〔总部幽州〕司令官）出军进攻云（山西省大同市）、代（山西省代县）二州。

四月二十九日，李克用（河东〔总部太原府〕司令官）开始率军返回本战区（自镇州〔河北省正定县〕回太原府〔山西省太原市〕）。

22 时溥（感化〔总部徐州〕司令官）率军南下，抵达楚州（江苏省淮安市）。杨行密（杨行愍，宁国〔总部宣州〕司令官）部将张训、李德诚在寿河（江苏省淮安市东南）把时溥击败，遂占领楚州（江苏省淮安市），生擒州长刘瓚（朱全忠命刘瓚当楚州州长，参考八八八年九月）。

23 五月，李晔（李敏）加授静难战区（总部设邠州〔陕西省彬州市〕司令官）司令官（节度使）王行瑜中央官衔：兼最高立法长（兼中书令·使相）。

24 杨行密（杨行愍，宁国〔总部宣州〕司令官）屡次击败孙儒（淮南〔总部扬州〕司令官）的部队，大破孙儒的广德（安徽省广德市）大本营。张训进驻安吉（浙江省安吉县北安城村），切断孙儒的补给线。孙儒大军的粮食吃完，瘟疫流行。孙儒派他的将领刘建锋、马殷，分别出兵到外县剽掠。

六月，杨行密（杨行愍）得到情报说，孙儒正患疟疾。

六月六日，杨行密（杨行愍）发动歼灭性攻击，正巧天降大雨，一片昏暗，孙儒大败。杨行密（杨行愍）的大将安仁义（原秦宗衡将，参考八八七年十一月），一连攻破孙儒五十余营寨。另一大将田頵（音jūn〔君〕）在战场上生擒孙儒，就地斩首，把人头传送京师（首都长安），孙儒的部众大部分投降杨行密（孙儒于八八七年与杨行密开启战端，迄今失败，前后六年）。刘建锋、马殷收拾残兵败将七千人，南下洪州（江西省南昌市），推举刘建锋当统帅，马殷当先锋指挥官（先锋指挥使），作战参谋长（行军司马）张佶当智囊。沿途招兵买马，在抵达江西（江西省）时，部众增加到十余万。

六月二十五日，杨行密（杨行愍，宁国〔总部宣州〕司令官）班师，返回扬州（江苏省扬州市）。

秋季，七月十四日，杨行密抵达广陵（扬州州政府所在城），上疏任命田頵镇守宣州（安徽省宣城市），安仁义镇守润州（江苏省镇江市）。

先前，扬州（江苏省扬州市）富庶，居全国首位，时人称道说："扬州（江苏省扬州市）第一，益州（四川省成都市）第二。"然而，经过秦彦、毕师铎、孙儒、杨行密（杨行愍）拉锯战后，江淮地区（华东地区）东西横亘一千余华里，地面的庄稼、房屋，一扫而空。

25 王建（西川〔总部成都府〕司令官）包围彭州（四川省彭州市），很久不能攻下，人民都逃到高山深谷躲藏。各营寨每天出去掳掠妇女财宝，称之为"淘虏"。总指挥官（都将）先挑选漂亮的和贵重的自己享受，剩下的则分给其他将领士卒，成为日常工作。

有一位士官王先成，是新津（四川省成都市新津区）人，本是一个知识分子，天下大乱后，只好当兵，他观察所有将领，只有北营大将王宗侃（田师侃）最有智慧；于是前往晋见，警告说："彭州（四川省彭州市），本是西川战区（总部成都府）的属城，陈敬瑄、田令孜割出四个州的土地交给杨晟（设立威戎战区。参考八八八年十二月），擅自任命行政长官（观察使），跟他们共同抗拒中央命令。而今，陈敬瑄、田令孜的变乱，已经平息，只剩下杨晟仍然割据。州民都知道西川（总部成都府）是他们的首府，而王大帅（王建）是他们的领袖，所以大军初来的时候，人民不进城固守，而进山暂时躲避，为的是等待领袖招安。可是，大军到此已好几个月（自本年〔八九二〕二月二十六日，迄今六个月），不但没有听到招安消息，士卒们反而对他们掳掠抢劫，跟盗匪一样，夺取他们的家产，牵走他们的家畜，捕捉他们的老弱妇女充当奴隶婢仆。父子兄弟、夫妻姐妹，流离失所，悲愁怨恨，逃亡山里的暴露在酷暑暴雨之下，又受到虎狼虫蛇伤害，孤苦危险，饥饿干渴，没有地方投奔哭诉。他们最初认为杨晟不是他们的主人，拒绝服从，如果王大帅（王建）再不怜悯安抚，他们会回转过来思念杨晟！”王宗侃（田师侃）深感悲怆，不知不觉把自己的座位，一再移动到王先成面前，继续询问。王先成说：“还有比这更严重的，而今各营寨每天早上都要出动六七百人，到山里‘淘虏’，黄昏时候才转回程，已没有时间想到安全戒备。幸好城里没有人才，万一有智囊给他们策划，乘虚发动攻击，先在城门里埋伏精兵一千，登城眺望，等到‘淘虏’部队远入深山，然后出动弓箭、石炮部队各一百人，攻击营寨的一面；再出动担任苦工的士卒五百人，背着木柴和泥土沙石，投入壕沟，填出道路；然后再出动精锐部队奋勇攻击，纵火烧营。同时在营寨的另三方面，出兵展示威力，各营寨为了防备受到突袭，一定会全力备战自保，没有能力援救别人，城中如果派更多的部队出击，请问：我们怎么能不失败？”王宗侃（田师侃）大吃一惊，说：“有这个可能，应该怎么办？”

王先成要求条条列出，以便向王建（西川〔总部成都府〕司令官）报告，王宗侃（田师侃）就命王先成起草。大意说：他的建议如果被采纳，必须四面军营，共同执行（当时西川（总部成都府）围城军，在彭州〔四川省彭州市〕四面扎营，王宗裕、王宗侃、华洪、王宗瑶，各当一面）。王宗侃（田师侃）只负责北方，请总部通令全军一致实施。办法共有七项：“第一，招安逃往山里的难民。第二，围城军将士跟将士子弟，不准有一个人出去‘淘虏’。并在距离营寨七华里地方，设立标志，七华里以内，才准砍柴牧羊，胆敢越出标志的，斩首。第三，设立‘招安营’，可容纳数千人，专用收容招安的人民，由王宗侃（田师侃）遴选部属中谨慎干练的将领，当‘招安官’(招安将)，率三十个战士，手拿武器，日夜不停的巡逻纠查。第四，招安工作必须由一个人全权处理，一旦文告发布，如果各营都派人进山招安，人民一见，惊疑交加，好像老鼠看到狸猫，谁肯前来？所以打算招安，应有方法，希望指定王宗侃(田师侃)负责。第五，严厉训令四方面围城营寨指挥官，搜索前些日子掳掠的彭州(四川省彭州市)男女老幼，集合广场，有父子、兄弟、夫妇相认的，就准他们团聚，然后用公文记载释放的人数，一并送到‘招安营’，胆敢藏匿一个人的，斩首。同时训令留守总部各军，也要严加搜查，发现有从战地送回来的男女，应酌量发给他们粮食，全部送到‘招安营’。第六，在‘招安营’中设置九陇临时县政府(九陇，是彭州州政府所在县。因彭州还没有攻克，原县政府不能行使职权)，派前南郑(兴元府所在县，陕西省汉中市)县长王丕，摄理县长，设官分职，安抚人民，遴选年轻力壮的子弟，交给他们公文，命他们自己前往山区召唤亲戚朋友，亲戚朋友一旦发现王大帅(王建)严厉禁止纵火掳掠，而前些时被掳掠的人，又都平安无事，一定欢呼跳跃，互相率领下山，好像子女投奔娘亲，用不了几天，全部都会出来。第七，彭州(四川省彭州市)土壤适合种麻，人民还没有入山逃难时，很多人藏起来在水里长期浸泡过的麻，最好命县长鼓励他们早回乡里，拿出贩卖，用来购买粮食，定会渐渐恢复旧日营生。”王建看到，大为高兴，下令接受所有建议，一一实施。

第二天，总部训令下达彭州围城军各营，严厉清晰，没有一个人敢犯。三天过后，逃往山里的人争先恐后的出来投奔“招安营”，多得好像前往市场一样，营区太小不能容纳，于是扩充建筑，渐渐的形成街道，也有人开始拿出麻来贩卖。人民发现村庄平安，再没有掳掠劫夺、杀人纵火的灾难，渐渐有人向县长告辞，回去从事原先的行业。一个月后，所有的“招安营”一空。

26 七月二十七日，李茂贞（宋文通，凤翔〔总部凤翔府〕司令官）攻克凤州（陕西省凤县），感义战区（总部设凤州〔陕西省凤县〕）司令官（节度使）满存，逃往兴元（陕西省汉中市）。李茂贞（宋文通）又一连攻克兴（陕西省略阳县）、洋（陕西省洋县）二州，上疏任命李（宋）家子弟充任州长。

27 八月，中央命杨行密（杨行愍，宁国〔总部宣州〕司令官）当淮南战区（总部设扬州〔江苏省扬州市〕）司令官（节度使），遥兼二级宰相（同平章事·使相）。命田頵代理宁国战区（总部设宣州〔安徽省宣城市〕）候补司令官（知留后）；安仁义当润州（江苏省镇江市）州长。

投降杨行密（杨行愍）的孙儒士卒，很多是蔡州（河南省汝南县）人，杨行密（杨行愍）在其中遴选尤其骁勇、雄壮的战士五千人，赏赐和薪俸，都特别优厚，身穿黑军服、黑铠甲，号称“黑云特别营”（“黑云都”），每次作战，命他们首先出击，登城陷阵，四邻战区道都感到畏惧。

杨行密（杨行愍）因财政困难，经费不够，打算用茶叶、食盐交换民间布匹绸缎。机要秘书（掌书记）、舒城（安徽省舒城县）人高勖说：“在战火烧剩下的余烬里，十座房舍中，九座空无一物，我们再压榨图利，将使人民更为困苦，势将再度叛离。不如用我们所有的东西，跟邻近各战区道交换我们所没有的东西，就足以供应军需。遴选贤能的县长，劝导人民耕田种桑，几年时间，仓库自然充裕。”杨行密（杨行愍）接受。田頵听到消息，说：“贤能人才的见识，能看

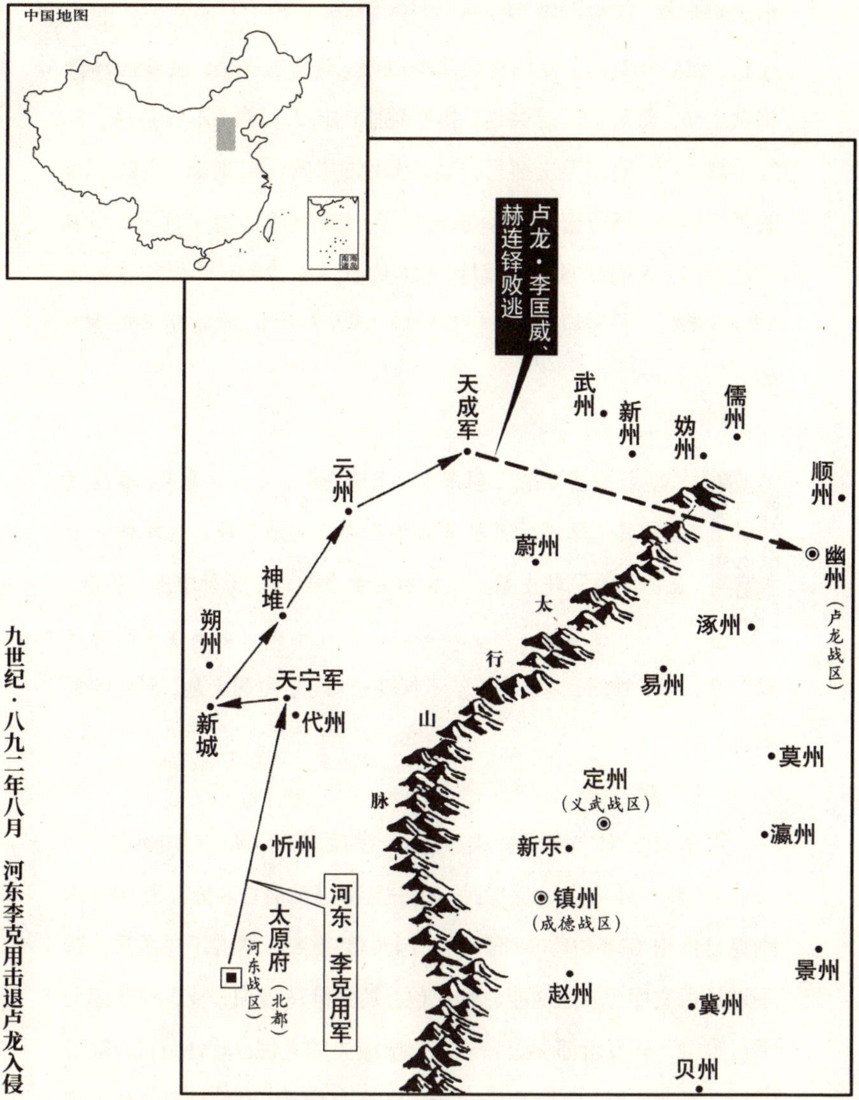

九世纪·八九二年八月　河东李克用击退卢龙入侵

中国地图

卢龙·李匡威、赫连铎败逃

天成军

武州

新州

妫州

儒州

顺州

云州

蔚州

幽州（卢龙战区）

神堆

太行山脉

涿州

朔州

天宁军

易州

新城

代州

莫州

定州（义武战区）

忻州

新乐

瀛州

河东·李克用军

太原府（北都）（河东战区）

镇州（成德战区）

景州

赵州

冀州

贝州

出远程利益！”杨行密（杨行愍）对于骑马射箭和十八般武艺，都不见长，但心胸宽厚，处理事情简单扼要，有智慧谋略，会安抚驾驭将领士卒，跟他们同甘共苦；推心置腹的待人接物，不存猜忌。曾经早晨外出，随从卫士把马鞍套住马尾的皮带（鞦）剪断，盗取上面的黄金装饰，杨行密（杨行愍）虽然看见，却不查问。过了几天，照常早晨外出，人们钦佩他的度量。（这段记载看不懂，发现断带失金而不言语，固可称为度量宽大。但跟过了几天仍然早出有什么关联？又怎么会因照常外出而被称度量宽大？）

杨行密在唐王朝末年，无论胸襟、品德、见识，都高过当时其他军阀。可是只六年工夫，大地衰败，荒草依然千里，他的马鞍皮带上，竟然有黄金装饰。杨行密出身穷苦，又以节俭闻名于世，却霎时间如此阔绰，则其他军阀的贪残凶暴，可以推测，举目所及，不仅群驴而已，中国大地，到处蛇蝎翻滚！

淮南战区（总部扬州）受战争灾祸，前后六年（始自毕师铎起兵，参考八八七年四月），无论官员及平民，几乎全都逃难流亡。杨行密（杨行愍）刚克复扬州（江苏省扬州市）时，给将士们的赏赐，绸缎不过数尺，钱不过几百文而已。但他能克勤克俭，勉强维持各项开支，除非因公举行宴会，从没有演奏过音乐。招抚流失的人民，减轻劳役，降低赋税。不到几年，政府及民间开始富裕，人烟也渐渐稠密，几乎恢复当年旧观。

28 李克用（河东〔总部太原府〕司令官）往北方巡察，到达天宁军

（山西省代县北），接到李匡威（卢龙〔总部幽州〕司令官）、赫连铎（云州失守，逃奔吐谷浑及幽州，参考去年〔八九一〕七月）率军八万人，反攻云州（山西省大同市）消息，派他的将领李君庆从晋阳（太原府所在县）出发增援。李克用暗中进入新城（山西省山阴县东北），在稍北的神堆（山阴县北）设下埋伏，生擒吐谷浑部落巡逻骑兵三百人，李匡威等大为惊骇。

八月二十五日，李君庆率大军抵达，李克用进入云州（山西省大同市）。

八月二十六日，李克用出城攻击李匡威等，大破李赫连联军。

八月二十八日，李匡威等焚烧营寨，逃走。李克用追击，直追到天成军（山西省天镇县），格杀及俘虏之多，无法计数。

29 八月三十日，李茂贞（宋文通，凤翔〔总部凤翔府〕司令官）攻克兴元（陕西省汉中市）。杨复恭（宦官）跟他的义子杨守亮（訾亮，山南西道〔总部兴元府〕司令官）、杨守信（訾信，玉山特别营司令）、杨守贞（龙剑〔总部龙州〕司令官）、杨守忠（武定〔总部洋州〕司令官）以及大将满存（感义〔总部凤州〕司令官），一同逃奔阆州（四川省阆中市）。

李茂贞（宋文通）上疏任命自己的儿子李继密暂代兴元（陕西省汉中市）特别市市长（权知兴元府事）。

30 九月，中央命荆南战区（总部设江陵府〔湖北省江陵县〕）司令官（节度使）成汭（郭禹），遥兼二级宰相（同平章事·使相）。

31 时溥（感化〔总部徐州〕司令官）强迫监军宦官上疏皇帝，声称军中将士挽留时溥不放（时溥调中央，参考本年〔八九二〕二月）。

冬季，十月，中央再命时溥当最高监督长（侍中·使相）、感化（总部设徐州〔江苏省徐州市〕）司令官（节度使）。朱全忠（朱温，宣武〔总部汴州〕司令官）上疏请求撤销这项新命，唐帝李晔（李敏）下诏命两方和解。 454

32 最初，邢洺磁三州（总部设邢州〔河北省邢台市〕）候补司令官（节度使）李存孝（安敬思）跟李存信（张污落），都是李克用（河东〔总部太原府〕司令官）的义子，互相仇视，感情恶劣。但李存信（张污落）却最受李克用的宠爱。李存孝（安敬思）在邢州一心想建立大功，胜过李存信（张污落），于是提出夺取成德战区（总部设镇州〔河北省正定县〕）计划，李克用已经接受（参考去年〔八九一〕七月），可是李存信（张污落）却从中破坏，不能及时实施。后来，王镕（成德〔总部镇江〕司令官）包围尧山（河北省隆尧县西），李存孝（安敬思）前往援救，不能取胜。李克用命李存信（张污落）当步洋步骑兵混合兵团总指挥官（蕃汉马步都指挥使），会同李存孝（安敬思）一同进击，二人互相猜忌，谁也不肯先行前进，李克用只好派李嗣勋等增援，才击破王镕的攻势（参考本年〔八九二〕正月）。李存信（张污落）回来，诬陷李存孝（安敬思）根本无意攻击王镕，怀疑跟王镕之间，有秘密勾结。李存孝（安敬思）听到耳朵里，自以为对李克用建立过不少大功，可是所受的信任，却远不如李存信（张污落），累积太多的愤怒，遂成怨恨，而又恐惧李克用一旦听信谗言，大祸难测，于是真的跟王镕（成德〔总部镇江〕司令官）、朱全忠（朱温，宣武〔总部汴州〕司令官）缔结密约。最后，李存孝（安敬思）直接上疏皇帝，呈献所辖的三州（邢洺磁），回归中央，请求赐发旌旗符节，并准自己会合各战区道特遣兵团，讨伐李克用。

唐帝李晔（李敏）下诏任命李存孝（安敬思）当邢洺磁战区（总部设邢州〔河北省邢台市〕。三州正式脱离昭义战区〔总部潞州〕）司令官（节度使），但不准采取军事行动。

33 十一月，时溥（感化〔总部徐州〕司令官）所属濠州（安徽省凤阳县东北临淮关镇）州长张璲、泗州（江苏省盱眙县淮河北岸）州长张谏，献出城池，投降朱全忠（朱温，宣武〔总部汴州〕司令官）。

34 十一月五日（原文“乙未”，据《新唐书·昭宗纪》改），朱全忠（朱温，宣武〔总部汴州〕司令官）派他的儿子朱友裕，率军十万人攻击濮州（山东省鄄城县。属天平战区〔总部郓州〕），攻克，生擒州长邵伦。朱全忠命朱友裕转攻时溥（感化〔总部徐州〕司令官）。

35 孙儒残存的部将王坛，攻陷婺州（浙江省金华市），州长蒋瓌逃奔越州（浙江省绍兴市。蒋瓌夺取婺州，参考八八四年三月，前后九年）。

36 庐州（安徽省合肥市）州长蔡俦，挖掘杨行密（杨行愍，淮南〔总部扬州〕司令官）祖父的坟墓（杨行密派蔡俦返庐州，参考八八七年十一月。后来，蔡俦投降孙儒，参考八八九年六月。孙儒败死，参考本年〔八九二〕六月，蔡俦起兵拒杨行密），联合舒州（安徽省潜山市）州长倪章，派使节携带州政府印信，送给朱全忠（朱温，宣武〔总部汴州〕司令官）求救。朱全忠厌恶蔡俦反复无常，只收下州政府印信，却不发救兵，而且通知杨行密（杨行愍），杨行密（杨行愍）十分感谢，派特遣兵团总指挥官（行营都指挥使）李神福，率军讨伐蔡俦。

37 《宣明历》逐渐出现差误（《宣明历》的使用，参考八二二年十二月，迄今已行七十一年），太子宫副总管（太子少詹事）边冈，制定新历完成。

十二月，边冈把此项新历呈报唐帝李晔（李敏），命名《景福崇玄历》。

38 十二月十二日，王建（西川〔总部成都府〕司令官）派他的将领华洪，攻击逃到阆州（四川省阆中市）的杨守亮（訾亮，山南西道〔总部兴元府〕司令官）等，击破守军。

王建派战区大营管理官（节度押牙）延陵（江苏省丹阳市西南延陵镇）人郑项出使朱全忠（朱温，宣武〔总部汴州〕司令官），朱全忠（朱温）询问剑阁（四川省剑阁县北剑门关镇）形势，郑项极力形容它的险要。朱全忠（朱温）不能相信，郑项说："假使我不说实话，恐怕误了大帅的军事判断。"朱全忠忍不住大笑。

39 本年（八九二），明州（浙江省宁波市）州长钟文季逝世，部将黄晟自称州长。

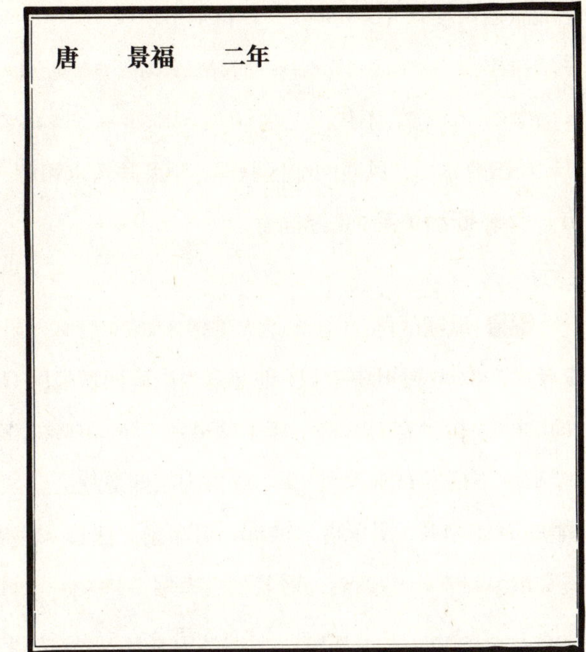

1 春季，正月，时溥（感化〔总部徐州〕司令官）派军攻击宿州（安徽省宿州市），州长郭言战死（朱全忠夺取宿州，参考前年〔八九一〕十月）。

2 东川战区（总部设梓州〔四川省三台县〕）候补司令官（留后）顾彦晖，既跟王建（西川〔总部成都府〕司令官）化友成仇（王建企图用诈术夺取梓州，参考前年〔八九一〕十二月），李茂贞（宋文通，凤翔〔总部凤翔府〕司令官）打算拉拢他过来成为自己的一帮，于是上疏皇帝请求发给顾彦晖旌旗符节（事实上，之前已颁发过旌旗符节，只是被杨家班抢走，参考前年〔八九一〕十一月）。中央遂下诏擢升顾彦晖实任战区司令官（节度使）。李茂贞（宋文通）又上疏派遣代理兴元（陕西省汉中市）特别市市长（知兴元府事）李继密，率军增援梓州（梓州〔四川省三台县〕并没有受到攻击，李茂贞〔宋文通〕却硬派救兵，毫不掩饰自己的野心）。不久，王建（西川〔总部成都府〕司令官）在利州（四川省广元市）击败东川、凤翔两战区联军。顾彦晖请求和解，承诺跟李茂贞（宋文通）断绝关系；王建同意。

3 凤翔战区（总部设凤翔府〔陕西省宝鸡市凤翔区〕）司令官（节度使）李茂贞（宋文通）奏报中央说：他愿意当山南西道战区（总部设兴元府〔陕西省汉中市〕）司令官（节度使）。唐王朝皇帝（二十二任昭宗）李晔（李敏。本年二十七岁）下诏发布李茂贞（宋文通）当山南西道战区暨武定战区（总部设洋州〔陕西省洋县〕）司令官（节度使）。另命副立法长（中书侍郎）、二级实质宰相（同平章事）徐彦若，遥兼二级宰相（同平章事·使相），充任凤翔战区（总部设凤翔府〔陕西省宝鸡市凤翔区〕）司令官（节度使），再割果（四川省南充市）、阆（四川省阆中市）二州给武定战区（总部设洋州〔陕西省洋县〕）。

李茂贞（宋文通）原想身兼凤翔及山南西道二战区，现在大失所望，遂拒绝接受。

4 二月五日，中央命西川战区（总部设成都府〔四川省成都市〕）司令官（节度使）王建，遥兼二级宰相（同平章事·使相）。

5 李克用（河东〔总部太原府〕司令官）率军包围邢州（河北省邢台市），王镕（成德〔总部镇州〕司令官）派营门官（牙将）王藏海携带信件晋见李克用，建议李克用跟李存孝（安敬思，邢洺〔总部邢州〕司令官）和解。李克用大怒，斩王藏海，移军进攻王镕，在平山（河北省平山县）击败成德（总部镇州）守军。

二月十二日，李克用进攻天长镇（河北省井陉县西天长镇），十数天不能攻克。王镕派三万人大军增援，李克用迎击，在叱日岭（井陉县西北库隆峰）下发生遭遇战，大破成德兵团（总部镇江），杀戮一万余人，残兵败将逃走。河东（总部太原府）军队没有粮食，只好把尸体晒成肉干吞吃。

6 时溥（感化〔总部徐州〕司令官）向朱瑾（泰宁〔总部兖州〕司令官）求援（朱友裕围徐州，参考去年〔八九二〕十一月），朱全忠（朱温·宣武〔总部汴州〕司令官）派部将霍存率骑兵三千人进驻曹州（山东省菏泽市定陶区）戒备。朱瑾亲率大军二万人南下解救徐州（江苏省徐州市），霍存率他的部队跟围城的朱友裕会师，在石佛山（江苏省徐州市西）下大破兖徐联军。朱瑾逃回兖州（山东省济宁市兖州区）。

二月二十二日，徐州军出城突击，斩霍存。

7 李克用（河东〔总部太原府〕司令官）攻陷井陉（河北省井陉县西北南陉乡），李存孝（安敬思，邢洺〔总部邢台〕司令官）率军增援王镕，遂进入镇州（河北省正定县），跟王镕面商大计。王镕又向朱全忠（朱温，宣武〔总部汴州〕司令官）乞求救兵，但朱全忠（朱温）跟时溥（感化〔总部徐州〕司令官）缠战，正呈胶着状态，派不出军队，只写信给李克用，声称：“邺城近郊（泛指魏博战区）驻有十万精锐部队，因自我克制，未曾投入战场。”李克用复信说：“邺城近郊（泛指魏博战区）如果真的有十万武装部队，就请他们出动。你要一决胜负，不妨在常山尽头（指成德战区），各展身手。”

二月二十五日，李匡威（卢龙〔总部幽州〕司令官）率军南下援救王镕，在元氏（河北省元氏县）击败河东兵团（总部太原府），李克用撤退到

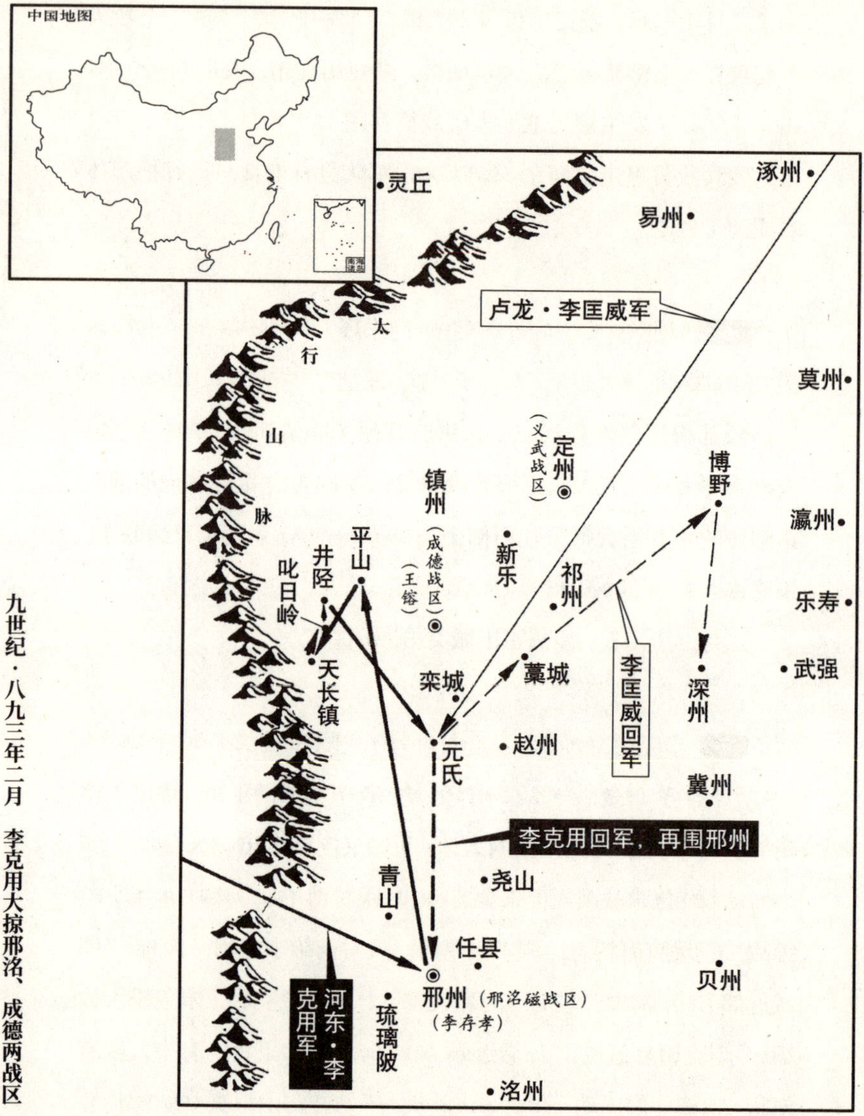
中国地图
南海诸岛
灵丘
涿州
易州
太
行
山
脉
卢龙·李匡威军
莫州
定州
（义武战区）
镇州
（成德战区）
（王镕）
博野
瀛州
平山
井陉
吡日岭
新乐
祁州
乐寿
李匡威回军
天长镇
藁城
栾城
武强
深州
元氏
赵州
冀州
李克用回军，再围邢州
青山
尧山
任县
河东·李克用军
邢州（邢洺磁战区）
（李存孝）
贝州
琉璃陂
洺州

九世纪·八九三年二月　李克用大掠邢洺、成德两战区邢州（河北省邢台市）。王镕在藁城（河北省石家庄市藁城区）犒劳卢龙（总部幽州）官兵，运送金银绸缎二十万（二十万什么，说不清楚），作为酬庸。

8 朱友裕（朱全忠的儿子）围攻彭城（徐州州政府所在县），为时已久（自去年〔八九二〕十一月迄今），时溥（感化〔总部徐州〕司令官）不断派军出来挑战，朱友裕紧闭营门，不作回应。朱瑾（泰宁〔总部兖州〕司令官）乘夜逃走，朱友裕又不追击。总纠察官（都虞候）朱友恭报告朱全忠，诬陷朱友裕意图不轨，朱全忠（朱温）暴跳如雷，用驿马下达军令给总指挥官（都指挥使）庞师古，命庞师古接替朱友裕担任统帅，并对朱友裕调查审问。不知道什么原因，这项军令误送到朱友裕之手，朱友裕大为恐惧，率骑兵二千人，逃到深山，暗中溜进砀山（安徽省砀山县，朱全忠故乡）伯父朱全昱家躲藏。朱全忠（朱温）的妻子张夫人得到消息，命朱友裕单人匹马回汴州（河南省开封市）晋见朱全忠（朱温），跪在庭前，痛哭流涕，朱全忠（朱温）命左右揪住他的头发，按住他的脖子，将要斩首。张夫人跑下台阶抱住朱友裕，哭泣说："你抛弃军队，自己捆绑回来请求处罚，再明显不过，你没有其他心意。"朱全忠（朱温）立刻醒悟，不再追问，派朱友裕暂代许州（河南省许昌市）州长。朱友恭，是寿春（安徽省寿县）人，原名李彦威，小时候当朱全忠（朱温）的家僮，朱全忠（朱温）把他收作义子。张夫人是砀山（安徽省砀山县）人（朱全忠同乡），有极高的智慧谋略，朱全忠（朱温）对她十分敬畏，即令是军政大事，也经常跟她商量。有时候大军已经出动，走到中途，张夫人认为必须停止，派一个使节追上去传话，朱全忠会立刻回师。

庞师古（宣武〔总部汴州〕大将）围攻佛山寨（石佛山营寨，江苏省徐州市西），攻陷。从此，徐州（江苏省徐州市）军队再不敢出击。

9 李匡威（卢龙〔总部幽州〕司令官）出军救援王镕（成德〔总部镇州〕司令官）时，从幽州（北京市）出发前夕，家人都到官邸聚会送别，老弟李匡筹的妻子，美艳动人，李匡威乘着几分酒意，逼她上床奸淫。

三月（原文误置于二月，据《新唐书·昭宗纪》改），李匡威从镇州（成德战区总部所在，河北省正定县）班师，走到博野（河北省蠡县），李匡筹发动兵变，占领总部，自称候补司令官（留后），下令出征将士回营报到。李匡威率领的特遣兵团霎时崩溃，纷纷逃归。李匡威跟他的一些亲信，留在深州（河北省深州市。属成德战区），进没有地方可进，退没有地方可退，四顾茫然，遂派执行官（判官）李抱真前往京师（首都长安），请求回归中央。京师（首都长安）一连遭受很多战乱，已成惊弓之鸟，忽然听说李匡威要来，人心恐慌，互相警告说："金头王要来夺取政权！"（为什么叫"金头王"，史书没有交代，但从民间的恐怖之情，这绰号跟杀人抢钱有关。）有的恐惧过度，就逃进高山深谷。

王镕（成德〔总部镇州〕司令官）感谢李匡威为了援救自己的缘故，失去地盘，于是把他迎回镇州（河北省正定县），兴建住宅，当作父亲一样尊敬。

10 中央命渝州（重庆市）州长柳玭（音pín〔贫〕）当泸州（四川省泸州市）州长。

柳家自柳公绰以来（柳公绰于十四任帝李纯时当首都长安特别市长〔京兆尹〕，参考八一六年十一月），世世代代，遵守孝顺父母、敬爱弟兄的礼教法则，深受儒家学派知识分子的推崇。柳玭当总监察官（御史大夫），皇帝打算命他出任宰相，但宦官对他十分讨厌，所以长期贬谪外地。柳玭曾经告诫他的子弟说："高贵的世家门第，只可以谨慎恐惧，不可以炫耀仗恃。任何一件事情，稍微有点差错，罪过都比其他人重，死后也没有脸在地下面对祖先，应该谨慎恐惧的原因在此。门第高贵的子弟，容易骄傲；声势太盛的家族，会被人嫉妒；即令有真才实学，人家也未必相信，而一点小小瑕疵，众人就会立刻指责，不可以炫耀仗恃的原因在此。所以富贵家庭的子弟，应该勤俭努力，加倍学习，操行品德，也应该自己勉励。如果这样，也不过跟平常人一样而已。”

11 王建（西川〔总部成都府〕司令官）不断要求中央诛杀陈敬瑄、田令孜（陈敬瑄被安置新津，田令孜跟王建父子如初，参考前年〔八九一〕八月），中央不准；王建索性自己动手。

夏季，四月七日，王建命人诬告陈敬瑄阴谋叛乱，就在陈敬瑄所住的新津（四川省成都市新津区），把陈敬瑄斩首。王建再命人诬告田令孜暗中跟李茂贞（宋文通，凤翔〔总部凤翔府〕司令官）勾结，曾经秘密通讯，于是逮捕田令孜下狱，就在狱中处死（田令孜用无数的小聪明，历经十八年努力，终于铸下对国家以及对自己的滔天大祸）。王建命军事执行官（节度判官）冯涓撰写奏章，说：“打开栅栏，放出猛虎，孔丘不责备别人（《论语·季氏》：孔丘责备冉有、仲由说：“虎兕出于柙，龟玉毁于椟中，是谁之过欤？”）；蟒蛇挡住道路，把它格杀，孙叔敖不是为了自己（参考七一五年五月注）。如果我不在地方上专断诛杀，恐怕一不小心，暗箭先发！”冯涓，是冯宿的孙儿（冯宿，参考八二二年二月）。

12 宣武兵团（总部汴州）攻击徐州（感化战区，江苏省徐州市），几个月不能攻克（去年〔八九二〕十一月朱友裕攻徐州，前后半年），翻译官（通事官）张涛写信给朱全忠（朱温）说：“只因出兵的日子不吉利，所以不能成功。”朱全忠（朱温）同意。智囊敬翔说：“进攻徐州已好几个月，耗费很多财力物力，徐州上下，已陷绝境，早晚就会攻下。假使将士们听到这种日子不吉的话，恐怕再没有心战斗。”朱全忠（朱温）遂把来信烧毁。

四月十五日，朱全忠（朱温）亲率大军抵达徐州（江苏省徐州市）。

四月二十日，庞师古（宣武〔总部汴州〕将领）攻陷彭城（徐州州政府所在县，江苏省徐州市）。时溥（感化〔总部徐州〕司令官）全家登燕子楼（张愔镇守徐州时〔八〇〇年至八〇六年〕小老婆关盼盼色艺超人，张愔死后，旧宅有一小楼，名燕子楼，关盼盼怀念旧情，不肯再嫁，住在楼上十五年而卒），纵火焚烧，全家自杀。（时溥驱逐支详、割据徐州，参考八八一年八月，前后十三年而灭。）

四月二十一日，朱全忠（朱温）进入彭城（江苏省徐州市），命宋州（河南省商丘市）州长张廷范，代理感化战区（总部设徐州〔江苏省徐州市〕）候补司令官（留后），上疏皇帝请任命文官继任战区司令官（节度使）。

13 李匡威在镇州（河北省正定县）被尊为上宾，应邀参与镇州的各项设计工程及督促工匠，完成镇州（河北省正定县）城墙及护城河沟，制造铠甲武器，训练士卒，把王镕当作自己的儿子。李匡威因王镕年纪还轻，而自己又喜爱真定（镇州州政府所在县）的风土人情，遂阴谋夺取。李抱真从京师（首都长安）回来，为他策划布置，暗中施舍恩惠给将士，博取他们的好感。可是，王家班统治镇州（河北省正定县）已有很长时间（王庭凑夺取镇州，参考八二一年八月。割据迄今已七十三年），镇州人民对王家十分爱戴，都不愿顺从李匡威。李匡威父母逝世纪念日，王镕前往李匡威住宅祭悼，李匡威外穿丧服，内穿铠甲，伏兵突然出现，打算劫持王镕。王镕反应迅速，立刻奔向李匡威，抱住他说：“我被河东（总部太原府）兵马围困，几乎灭亡，全依靠您，才有今天。您老人家想得到四州土地（成德战区辖四州：镇州〔河北省正定县〕、冀州〔河北省衡水市冀州区〕、深州〔河北省深州市〕、赵州〔河北省赵县〕），而这正是我的心愿。我想由我陪你一同前往军政总部，把官位让给你，将士们就没有理由拒绝。”李匡威认为有理，就跟王镕比肩骑马，在戒备森严的变军保护下回去。正巧大风突起，电闪雷鸣，屋瓦震动，李匡威从东偏门进入内城（牙城），镇州（成德战区）侍卫亲军立即关闭城门（切断李匡威后续部队）。有一位杀猪的墨君和，从墙的缺口一跳而出，挥拳猛击李匡威的武装卫士，把马背上的王镕背到背上，攀登屋顶。镇州（成德战区）军队一看王镕脱险，遂攻击李匡威，连同他所有的家属和同党，全部诛杀。王镕本年十七岁（王镕继承父位时，《资治通鉴》称十岁，参考八八三年正月，则本年应为二十岁。如本年十七岁，则继承父位时应为七岁），身体瘦小，墨君和挟持抢救时，用力过猛，以致一连几天都头痛脖子痛。

李匡筹（卢龙〔总部幽州〕候补司令官）上疏中央，指控王镕杀了他的老哥，请准他出军复冤报仇。唐帝李晔（李敏）下诏不准。

14 卢龙（总部幽州）将领刘仁恭，率军驻防蔚州（河北省蔚县），轮调的时期已过，却没有轮调，士卒渴望回乡。正巧，李匡筹（卢龙〔总部幽州〕候补司令官）夺权成功，驻军遂拥护刘仁恭当首领，回军攻击幽州（北京市），走到居庸关（北京市昌平区西北），被效忠总部的军队击败。刘仁恭逃往河东（总部太原府），李克用（河东〔总部太原府〕司令官）待他十分优厚。

15 李神福（淮南〔总部扬州〕将领）包围庐州（安徽省合肥市）。

四月二十六日，杨行密（杨行愍）亲自率军抵达庐州（安徽省合肥市），跟田頵（宁国〔总部宣州〕候补司令官）率领的宣州（安徽省宣城市）兵团会师。

当初，蔡州（河南省汝南县）人张颢（音hào〔浩〕），因骁勇善战，深受蔡州皇帝秦宗权的器重，后来追随孙儒，孙儒败后，投降杨行密（杨行愍），杨行密（杨行愍）对他也十分厚待，派他率军驻扎庐州（安徽省合肥市）。蔡俦叛离时，张颢投降蔡俦效命。现在，杨行密（杨行愍）猛烈攻击，张颢翻出城墙，再投降杨行密（杨行愍）。杨行密（杨行愍）命他隶属银枪特别营司令（银枪都使）袁稹。袁稹认为张颢反复无常，报告杨行密（杨行愍），要求杨行密（杨行愍）把他诛杀，杨行密（杨行愍）恐怕袁稹不能包容，于是把张颢安置在自己侍卫亲军中。袁稹，是陈州（河南省周口市淮阳区）人。 466

16 王彦复、王审知（泉州将领）攻击福州（福建省福州市），为时已久，不能攻克（泉州州长王潮派王彦复等攻福州，参考去年〔八九二〕二月），范晖（福建〔首府福州〕候补行政长官）向义胜战区（总部设越州〔浙江省绍兴市〕）司令官（节度使）董昌求救。董昌跟陈岩（范晖的姐夫，前任行政长官〔观察使〕）有姻亲关系，于是征调温（浙江省温州市）、台（浙江省临海市）、婺（浙江省金华市）三州民兵五千人，南下增援。王彦复、王审知认为福州（福建省福州市）城墙坚固，而援军就要到达，士卒死伤惨重；遂报告王潮，建议解围撤退，等以后有机会时再发动攻击，王潮拒绝。王彦复、王审知又请王潮亲临督战，王潮答复说："士卒死尽，增补士卒；将领死尽，增补将领；士卒跟将领全部死尽，我自当前去。"王彦复、王审知恐惧，身先士卒，亲冒流箭飞石，猛烈攻城。

五月，福州（福建省福州市）城里粮食吃完，范晖知道无法继守，夜晚，把印信交给监军宦官，放弃城池，逃亡。义胜（总部越州）援军中途得到消息，也返回本战区。

五月二日，王彦复等进入福州（福建省福州市）城里。

五月三日，范晖逃到沿海特别营，被将士诛杀（范晖夺取福州，参考前年〔八九一〕十二月，前后三年而灭）。王潮进入福州（福建省福州市），自称候补行政长官（留后）。换上素色衣服，安葬前任行政长官（观察使）陈岩，把女儿嫁给陈岩的儿子陈延晦，对陈家的馈赠十分优厚。汀州（福建省长汀县）、建州（福建省建瓯市）接着也向王潮投降。山区海滨二十余个变民集团，不是投降，就是被王潮剿灭。

17 闰五月，唐帝李晔（李敏）下诏，擢升武胜（杭州，浙江省杭州市）警备区司令（防御使）钱镠（音刘〔流〕）当苏杭道（首府同设杭州，以武胜警备区升格）行政长官（观察使）。任命扈跸特别营作战司令（扈跸都头）曹诚当武泰战区（总部设黔州〔重庆市彭水县〕）司令官（节度使），耀德特别营作战司令（耀德都头）李铤当镇海战区（总部设润州〔江苏省镇江市〕）司令官（节度使），宣威特别营作战司令（宣威都头）孙惟晟当荆南战区（总部设江陵府〔湖北省江陵县〕）司令官（节度使）。

六月，李晔（李敏）再任命捧日特别营作战司令（捧日都头）陈珮当岭南东道战区（总部设广州〔广东省广州市〕）司令官（节度使）。以上四人，均遥兼二级宰相（同平章事）。当时，李茂贞（宋文通，凤翔〔总部凤翔府〕司令官）傲慢跋扈，李晔（李敏）认为武官难以控制，打算一律用亲王接替，所以特别擢升曹诚等四人，解除兵权，命他们分别前去到差（四人并未到差，或许是四战区现任司令官〔节度使〕不肯让位，也或许是四人不肯放弃军队）。

18 李匡筹（卢龙〔总部幽州〕司令官）出军攻击王镕（成德〔总部镇州〕司令官）所属的乐寿（河北省献县）、武强（河北省武强县），用以报复诛杀李匡威之仇。

19 秋季，七月，王镕（成德〔总部镇州〕司令官）派军救援邢州（李克用围李存孝所在地邢州，参考本年〔八九三〕二月），李克用（河东〔总部太原府〕司令官）在平山（河北省平山县）把他击败。

七月六日，李克用乘胜追击，直抵镇州（河北省正定县）城下，王镕畏惧，请求和解，愿赠送价值二十万串钱的军粮，协助李克用攻击邢州（河北省邢台市），李克用同意，于是在栾城（河北省石家庄市栾城区）整顿部队，会合王镕的特遣兵团三万人，进驻任县（河北省邢台市任泽区）。李存信（张污落）进驻琉璃陂（河北省邢台市西南）。

20 七月二十一日，杨行密（杨行愍）攻克庐州（安徽省合肥市），斩蔡俦（蔡俦守庐州，参考八八八年八月）。左右官员请求也挖掘蔡俦父母的坟墓，杨行密（杨行愍）说："蔡俦因为做这件事，被天下人谴责，我为什么学他？"（蔡俦挖掘杨行密祖坟，参考去年〔八九二〕十一月。）

21 中央命天雄战区（总部设秦州〔甘肃省秦安县西北〕）司令官（节度使）李茂庄，遥兼二级宰相（同平章事·使相）。

22 钱镠（苏杭〔首府杭州〕行政长官）征调民夫二十万及十三特别营（十三都）士卒，共同修筑杭州（浙江省杭州市）外城（罗城），周围七十华里（杭州最初设八特别营〔八都〕，参考八七八年十二月；钱镠扩张到十三特别营〔十三都〕）。

23 昇州（江苏省南京市）州长张雄逝世（张雄夺取上元〔昇州州政府所在县〕，参考八八七年十一月，割据七年而死），冯弘铎接任州长（冯弘铎与张雄一同叛离时溥，参考八八六年十月）。

24 李茂贞（宋文通，凤翔〔总部凤翔府〕司令官）仗恃自己的强大，态度骄傲蛮横，对皇帝及中央政府所上奏章，以及写给宰相杜让能的信件，用字措辞，都十分嚣张。李晔（李敏）大为愤怒，打算明令讨伐。就在这时候，李茂贞（宋文通）又上疏说："陛下贵为皇帝，却不能保护舅父一命（王瓌之死，参考前年〔八九一〕八月），权盖天下，连杨复恭家的一个小子都不能诛杀。"又说："中央政府只看谁强谁弱，不管谁是谁非！"又说："对方的声势衰败，中央的所谓国法就出笼；对方的军力强盛，中央就对他有无限的恩宠。评估物体的轻重，给予不同的待遇；衡量人物的身价，来做判断的标准。"警告说："军心容易改变，战马难以控制，我唯一忧虑的是：帝国臣民，会因此受到灾祸，不知道圣驾逃向何方！"李晔（李敏）越发怒不可遏（李茂贞虽是群驴之一，但他说的全是实情），决定讨伐李茂贞（宋文通），命杜让能全权负责处理。杜让能劝阻说："陛下刚登上宝座，国运并不平坦，李茂贞（宋文通）就在京师（首都长安）门口（凤翔与长安航空距离一百四十公里），我愚昧的认为，不应该跟他结怨，万一不能取胜，后悔已来不及。"李晔（李敏）说："皇家地位日益卑微，命令出不了长安（陕西省西安市）城门，这正是有志气的男儿，悲痛忿发的时候。《书经》上有句话：'患病吃药，如果不吃到头昏眼花，病就不能痊愈。'（《书经·说命》："药弗瞑眩，厥疾弗瘳。"）我不甘心当一个没有实权的领袖，无所事事的过一天算一天，坐在那里看着王朝衰败。你只管给我准备粮食，至于军事行动，我会交给几位亲王，无论成败，都跟你无关！"杜让能说："陛下一定要出兵的话，则应该交给中外全体高级官员，共同合力，完成陛下大志，不应该单独交给我一个人。"李晔（李敏）说："你是首席宰相，跟我祸福与共，不应该逃避。"杜让能流下眼泪，说："我怎么敢逃避？何况陛下今天所做的，正是宪宗（十四任帝李纯）想做的。只因为时机不允许，形势也不可能。恐怕到那一天，我即令像晁错一样，受到诛杀，也不能消除七国灾祸（七个封国联合叛离西汉王朝中央及晁错之死，参考前一五四年正月）。既然如此，我不敢不接受命令，生不能完成，死后也当继续。”李晔（李敏）命杜让能就在宰相联合办公厅（中书）住下，指挥策划，一个多月没有回家。另一宰相崔昭纬暗中跟凤翔（总部凤翔府）、静难（总部邠州）勾结，充当两战区的间谍，杜让能早上说一句话，两战区晚上已经听到。李茂贞（宋文通）遂命他的党徒在京师（首都长安）集结群众将近一千人，走上街头，举行大规模示威，拦住皇家观察兵马阵容特派监军宦官（观军容使）西门君遂的马头，指控说：“岐州（凤翔府原称岐州）统帅（李茂贞〔宋文通〕）没有罪，不应该讨伐，使人民遭受灾害。”西门君遂说：“这是宰相的事，不在我的职权之内。”群众又遮住崔昭纬、郑延昌的座轿呼吁，两位宰相说：“这一件事，领袖专门交给杜太尉（杜让能），我们从没有参与，所以不知道。”群众遂向他们投掷瓦片砖块，两位宰相跳下座轿，逃到附近民宅躲避，总算保住性命，但宰相联合办公厅的印信，跟晋见皇帝时穿的官服，却全被抢走。李晔（李敏）下令逮捕群众领导人，一律诛杀，而出兵讨伐的意志，更为坚决（野心分子主动发动群众示威，以达到自私目的，李茂贞〔宋文通〕恐怕是中国历史上第一人）。京师（首都长安）居民人心大乱，有的向高山深谷躲避。政府严厉禁止逃亡，却无法禁止。

八月，李晔（李敏）命嗣覃王李嗣周当京西（首都长安以西）军团征剿司令（京西招讨使），命神策大将军李鐬（音huì〔惠〕）当征剿副司令。

25 八月二十一日，杨行密（杨行愍，淮南〔总部扬州〕司令官）派大将田頵（宁国〔总部宣州〕候补司令官）率宣州（安徽省宣城市）特遣兵团二万人，进攻歙州（安徽省歙县。歙，音shè〔射〕），歙州州长裴枢守城，围攻很久不能攻克。当时，凡武官当州长的，都贪赃枉法，凶恶横暴，只池州（安徽省池州市贵池区）民兵司令（团练使）陶雅，宽大厚道，善待他的州民，歙州（安徽省歙县）居民请求说："如果陶雅能当我们州长，我们愿意投降。"杨行密（杨行愍）立即任命陶雅当歙州州长，歙州大开城门欢迎。陶雅非常谦恭的晋见裴枢，送裴枢返回中央。裴枢，是裴遵庆的曾孙（裴遵庆当过十任帝肃宗李亨的宰相，参考七六一年四月五日）。

26 朱全忠（朱温，宣武〔总部汴州〕司令官）命庞师古乘攻陷徐州（江苏省徐州市）的余威，北上进攻兖州（泰宁战区总部所在，山东省济宁市兖州区），跟朱瑾会战，不断击败朱瑾军。

27 九月二日，中央任命钱镠（苏杭道〔首府杭州〕行政长官）当镇海战区（总部设润州〔江苏省镇江市〕，而现在润州在淮南〔总部扬州〕大将安仁义之手）司令官（节度使）。

28 李存孝（安敬思，邢洺〔总部邢州〕司令官）于夜晚攻击李存信（张污落）大营，俘虏奉诚军基地司令（奉诚军使）孙考老。李克用（河东〔总部太原府〕司令官）亲自率军进攻李存孝（安敬思）根据地邢州，环绕城池，挖掘深沟，李存孝（安敬思）不时出军突击，以致壕沟无法挖成。河东（总部太原府）特遣兵团营门官（牙将）袁奉韬秘密派人报告李存孝（安敬思）说："大王（指李克用。李克用封陇西郡王）等到壕沟挖成，就回晋阳（太原府所在县），你所畏惧的只不过大王一人，其他将领，都不是你的敌手。大王如果先回，才几尺宽的壕沟，怎么能阻止你锐利的刀口。"李存孝（安敬思）同意，遂按兵不动。十天后，壕沟挖成，连飞禽走兽都无法穿过，李存孝（安敬思）从此被困，束手无策。

被河东（总部太原府）俘虏的宣武（总部汴州）大将邓季筠（参考八九〇年九月十九日）跟随李克用攻击邢州（河北省邢台市），骑马逃回。朱全忠（朱温，宣武〔总部汴州〕司令官）大喜，命他率领亲近侍卫。

29 九月十日，中央讨伐凤翔（总部凤翔府）行动开始。覃王李嗣周率军三万人，护送新任凤翔战区司令官（节度使）徐彦若，前去到差，进驻兴平（陕西省兴平市）。李茂贞（宋文通，凤翔〔总部凤翔府〕司令官）、王行瑜（静难，〔总部邠州〕司令官）联合反抗，共出动军队将近六万人，在盩厔（陕西省周至县）布防阻止。中央军都是新招募的街头年轻人，而凤翔（总部凤翔府）、静难（总部邠州）两战区的部队，却是身经百战仍保住性命的边防军战士。

九月十七日，李茂贞（宋文通）等进逼兴平（陕西省兴平市），还没有攻击，中央军就一哄而散，望风而逃。李茂贞（宋文通）等乘胜进攻三桥（陕西省西安市西北三桥街道），京师（首都长安）震动，居民四散逃生，群众再聚集在皇城门前，请求诛杀发动战争的主谋人物。崔昭纬（宰相）痛恨杜让能（太尉〔三公之一〕、副监督长〔门下侍郎〕、二级实质宰相〔同平章事〕），秘密写信给李茂贞（宋文通）说："出军讨伐不是领袖的主意，都是杜让能的主意。"

九月十九日，李茂贞（宋文通）进驻临皋驿（陕西省西安市西），上疏列举杜让能罪行，要求处死。杜让能报告李晔（李敏）说："我早就预言会有今天，请用我的生命解除皇上所受的威胁。"李晔（李敏）哭泣泪下，不能自制，说："跟你永别！"当天（九月十九日），李晔（李敏）下诏贬杜让能当梧州（广西梧州市）州长，诏书斥责杜让能说："放弃宰相应该遵守的正常手段，而挑起中央跟地方之间严重的误会。

当我考虑和质疑他的时候，他的决心反而更为坚定。”把皇家观察兵马阵容特派监军宦官（观军容使）西门君遂流放儋州（海南省儋州市），寝宫机要室主任宦官（内枢密使）李周潼流放崖州（海南省海口市琼山区），段诩流放驩州（越南荣市）。

九月二十日，李晔（李敏）登上安福门，斩西门君遂、李周潼、段诩，再贬杜让能当雷州（广东省雷州市）户籍官（司户）。派使节告诉李茂贞（宋文通）说：“迷惑我使我出兵的是这三个人，不关杜让能的事。”命宦官总管（内侍）骆全瓘、刘景宣分别当左、右神策军总指挥宦官（左右军中尉）。

九月二十七日，李晔（李敏）命东都洛阳留守长官韦昭度，当司徒（三公之二）、副监督长（门下侍郎）、二级实质宰相（同平章事）；命副总监察官（御史中丞）崔胤（音yìn〔印〕）当国务院财政部副部长（户部侍郎）、二级实质宰相（同平章事）。崔胤，是崔慎由的儿子（崔慎由曾当宰相，参考八五六年十二月），崔胤外表上看起来宽宏大量，实际上心思灵巧险诈，跟崔昭纬交情深厚，所以才能擢升到宰相。他的叔父崔安潜（去年〔八九二〕逝世）对亲信预言说：“我的老爹和我的老哥，辛辛苦苦，建立门户，最后却败坏在缁郎之手。”缁郎，是崔胤的乳名。

李茂贞（宋文通）大军仍处于战争状态，准备随时发动攻击，对外宣称：必须诛杀杜让能，他才返回本战区；崔昭纬再从中陷害，遂无法挽救。

冬季，十月，李晔（李敏）下令杜让能跟他的老弟、国务院财政部副部长（户部侍郎）杜弘徽，一起自杀（杜让能年五十三岁）。另发布文告说：“杜让能任用邪恶，打击忠良，爱恨没有标准，只在自己一念之间，卖官卖爵，贪赃枉法，聚敛之多，高达万串。”从此，中央一举一动、一呼一吸，都听命凤翔（总部凤翔府）、静难（总部邠州）二战区，南司（政府官员）、北司（宫廷宦官）反过来依附二战区，转而挟持皇帝，要求赏赐或特别任命。有崔铤、王超之类，分别在二战区当执行官（判官）。皇帝所作批示，官员或宦官稍不满意，只要告诉崔铤、王超，二人再告诉李茂贞（宋文通）、王行瑜，李茂贞（宋文通）、王行瑜就上疏抨击，皇帝或有犹豫，第二次奏章就讥讽诟骂。

李晔（李敏）下诏命李茂贞（宋文通）恢复凤翔战区（总部设凤翔府〔陕西省宝鸡市凤翔区〕）司令官（节度使），并兼山南西道战区（总部设兴元府〔陕西省汉中市〕）司令官（节度使），暂任最高立法长（守中书令·使相）。于是李茂贞（宋文通）拥有凤翔、山南西道（总部兴元府）、武定（总部洋州）、天雄（总部秦州）四战区十五州土地。

中央命职务落空了的徐彦若当总监察官（御史大夫）。

30 十月四日，中央命泉州（福建省泉州市）州长王潮当福建道（首府设福州〔福建省福州市〕）行政长官（观察使）。

31 舒州（安徽省潜山市）州长倪章（跟蔡俦结盟，参考去年〔八九二〕十一月。杨行密斩蔡俦，参考本年〔八九三〕七月），放弃城池逃走，杨行密（杨行愍，淮南〔总部扬州〕司令官）命李神福当舒州（安徽省潜山市）州长。

32 静难战区（总部设邠州，〔陕西省彬州市〕）司令官（节度使）、暂任最高监督长（守侍中·使相）、兼最高立法长（兼中书令·使相）王行瑜，要求当国务院总理（尚书令）。韦昭度秘密奏报说：“从前，太宗皇帝（二任帝李世民）就是从国务院总理（尚书令）高位，登上宝座，从那个时候（六二六年）起，就不再任命任何人充当这个官职。只有郭子仪因功劳太大，才被任命（参考七六四年十二月），但他避嫌辞让，始终不敢到差。对王行瑜，怎么可以轻易考虑（事实上，除郭子仪外，当时仍是雍王的李适也曾任国务院总理）！”

十一月，李晔（李敏）命王行瑜当太师（三师之一），赐号“尚父”，并颁发铁券（铁券是一种皇帝对臣属保证免死免罚的誓言）。

33 十二月，朱全忠（宣武〔总部汴州〕司令官）请求中央把全国盐铁专卖暨运输总监署（盐铁），迁到汴州（河南省开封市）办公，以便适应军队需要。宰相崔昭纬认为朱全忠新近才击破感化（总部徐州）、天平（总部郓州），实力增加两倍，如果更主持盐铁专卖，对他就再无法控制。于是由李晔（李敏）下诏婉转拒绝。

34 宣武（总部汴州）大将葛从周，进攻齐州（山东省济南市）州长朱威；朱瑄（天平〔总部郓州〕司令官）、朱瑾（泰宁〔总部兖州〕司令官）率军增援（齐州属天平战区）。

35 最初，武安战区（总部设潭州〔湖南省长沙市〕）司令官（节度使）周岳，诛杀闵勖，夺取潭州（周岳并没有诛杀闵勖，事实上还为闵勖报仇，参考八八六年六月）。邵州（湖南省邵阳市）州长邓处讷得到消息，悲哀痛哭，各将领进营追悼祭吊时，邓处讷说：“我跟各位都受闵大帅的恩德，现在，周岳把他无缘无故杀掉，我打算跟各位竭尽一州的力量，为闵大帅报仇，可不可以？”大家都说：“好极。”于是训练士卒，增强战备，前后八年之久，最后跟朗州（湖南省常德市）州长雷满结盟（雷满跟周岳有宿仇，参考八八一年十二月），共同攻击潭州（湖南省长沙市），攻克，斩周岳（周岳割据潭州前后八年，于今败灭）。邓处讷自称战区候补司令官（留后）。

八九四年 甲寅

唐　乾宁　元年

1 春季，正月一日，唐王朝（首都长安〔陕西省西安市〕）皇帝（二十二任昭宗）李晔（李敏。本年二十八岁），下诏赦免天下，改年号乾宁。

2 李茂贞（宋文通，凤翔〔总部凤翔府〕司令官）在严密保护下抵达京师（首都长安）朝见皇帝，大肆展示他的军力和他所受到的严密保护，停留好几天，才返回凤翔（陕西省宝鸡市凤翔区）。

3 中央任命李匡筹（参考去年〔八九三〕三月）实任卢龙战区（总部设幽州〔北京市〕）司令官（节度使）。

4 二月，朱全忠（朱温，宣武〔总部汴州〕司令官）亲率大军进攻驻扎鱼山（山东省东阿县西南鱼山镇）的朱瑄（天平〔总部郓州〕司令官）。朱瑄跟老弟朱瑾（泰宁〔总部兖州〕司令官）联军迎战，大败，阵亡一万余人。

5 中央擢升立法院最高顾问官（右散骑常侍）郑綮（音qǐ〔启〕）当国务院教育部副部长（礼部侍郎）、二级实质宰相（同平章事）。郑綮性情幽默，对时事不满，常用“歇后诗”讥嘲讽刺（一首诗在最后一句故意缺少一字或数字，使诉求意愿强烈突出，称歇后诗；如是不完整的一句话，则称歇后语）。但李晔（李敏）认为它隐藏更深的政治见解和社会智慧，特别在官员名簿上，指定他当宰相。听到消息的人，都大吃一惊。宰相联合办公厅官员报告郑綮，郑綮笑道：“各位一定是弄错了，天下再没有人才，也轮不到我郑綮。”官员说：“这是皇上亲自作主。”郑綮说：“真的话，难道不怕人笑话！”不久，祝贺的客人纷纷来到，郑綮搔着头皮，自言自语说：“歇后郑五（郑綮在兄弟中排行第五）当宰相，国家大事可知。”屡次辞让，皇帝都不批准，只好到差。

6 中央擢升邵州（湖南省邵阳市）州长邓处讷，当武安战区（总部设潭州〔湖南省长沙市〕）司令官（邓处讷夺取潭州，参考去年〔八九三〕十二月）。

7 彰义战区（总部设泾州〔甘肃省泾川县〕）司令官（节度使）张钧逝

世，逝世前上疏任命他的老哥张镭当候补司令官（留后）。

8 三月，黄州（湖北省黄冈市黄州区）州长吴讨，献出城池（黄州属武昌战区〔总部鄂州〕），投降杨行密（杨行愍，淮南〔总部扬州〕司令官）。

9 邢州（河北省邢台市）被围日久（自去年〔八九三〕二月迄今），城里粮食吃完。

三月二十一日，李存孝（安敬思，邢洺〔总部邢州〕司令官）登上城墙，告诉李克用（河东〔总部太原府〕司令官）说："孩儿因大王的恩典，身享荣华富贵，如果不是被谗言陷害，怎么能舍弃父子之情，去追随仇敌？希望能再见到父王一面，死也没有遗恨。"李克用派刘夫人进城察看，刘夫人带着李存孝（安敬思）出来晋见，李存孝（安敬思）叩头在地，请求定罪，说："孩儿只不过建立一点小小的功劳，是李存信（张污落）步步欺压孩儿，落到今天这种地步！"李克用斥责他说："你写信给朱全忠（朱温）、王镕，对我百般诟骂，难道也是李存信（张污落）逼你干的？"把李存孝（安敬思）囚禁，押回晋阳（山西省太原市），在军营门外，用车裂酷刑处死。李存孝（安敬思）骁勇非常，李克用手下的将领，没有人能比，常率骑兵当先锋，任何地方都难找到对手，他身穿沉重的铠甲，腰间悬挂弓箭，胯上钩着铁矛，独自挥动一种奇特的武器——铁挝（长铁链一端系着巨锤，俗称"流星锤"。挝，音zhuā〔抓〕），冲锋陷阵，千军万马都向两旁倒退躲避，每次都携带两匹后备马，坐骑稍微疲倦，就在阵地换另一匹，出入敌阵，来往如飞。李克用爱惜他的才干，认为临刑时各将领一定有人为他求情，然后顺水推舟，把他释放。然而，万料不到，各将领嫉妒他的勇猛，竟没有一个人肯说一句话。李存孝（安敬思）死后，李克用感伤万端，十几天不处理公务，对各将领的闭口无言，深为痛恨，但对于李存信（张污落）却没有一句话谴责。另一大将薛阿檀，他的骁勇跟李存孝（安敬思）相等，各将领对他也同样嫉妒，经常受到欺压，暗中跟李存孝（安敬思）来往。李存孝（安敬思）被杀，薛阿檀恐怕事情泄露，遂自尽。从此之后，李克用的实力逐渐衰退，只剩下朱全忠（朱温）一军强大。

李克用上疏任命马师素当邢洺战区（总部设邢州〔河北省邢台市〕）司令官（节度使）。

10 朱全忠（朱温，宣武〔总部汴州〕司令官）派他的将领张从晦，前去慰问安抚寿州（安徽省寿县）。张从晦态度傲慢，侮辱州长江彦温，那一天，张从晦邀请各将领夜宴，江彦温怀疑要对自己下手。第二天，江彦温把昨晚参加宴会的将领全部诛杀，写一封信给朱全忠（朱温）致歉，然后自尽，军中推举他的儿子江从勖当代理州长。朱全忠（朱温）接受江彦温的控诉，腰斩张从晦。

11 五月，中央命镇海战区（总部设杭州〔浙江省杭州市〕）司令官（节度使）钱镠（音刘〔流〕）遥兼二级宰相（同平章事·使相）。

12 刘建锋、马殷（孙儒的残部，参考前年〔八九二〕六月）率军抵达醴陵（湖南省醴陵市），邓处讷（武安〔总部潭州〕司令官）派邵州（湖南省邵阳市）指挥官（指挥使）蒋勋、邓继崇，率步骑兵三千人，驻防龙回关（湖南省长沙市东）。马殷先抵达关下，派使节晋见蒋勋，蒋勋等用酒肉犒劳。使节游说蒋勋说："刘建锋的智慧和勇敢，超过常人，巫法师说他将在翼星、轸星之间（代表湖南省地区）兴起，建立大业。现在率领十万大军，全是精锐，没有人可以抵挡，你却想用几千人的乡下民兵抵抗，也难为你。不如先归顺刘建锋，博取富贵，衣锦还乡，岂不很好？”蒋勋等接受，告诉部众说：“东方来的军队准许我们回乡！”士卒们都大声欢呼，抛弃军旗铠甲，向南逃走。刘建锋命前锋部队穿上蒋勋士卒的铠甲，举起他们的军旗，直向潭州。潭州守军认为是邵州人马回来，没有戒备。刘建锋军队遂直接闯入战区总部，邓处讷正在大宴宾客，就在宴席上，刘建锋生擒邓处讷，斩首（邓处讷斩周岳夺取潭州，参考去年〔八九三〕十二月，割据六个月而灭）。

五月七日，刘建锋进入潭州（湖南省长沙市），自称候补司令官（留后）。

13 王建（西川〔总部成都府〕司令官）围攻彭州（四川省彭州市）已经很久（参考前年〔八九二〕二月二十六日，迄今两年四个月），城里粮食已尽，人与人互相格杀吞食（人间惨事），彭州内外总指挥官（内外都指挥使）赵章出城投降。智囊王先成（参考前年〔八九二〕七月）建议修筑“龙尾道”（即攻城斜坡，由地面堆土，渐进渐升，直跟城齐），逐渐高到城垛那里。

五月十五日，西川（总部成都府）特遣兵团登城，杨晟（威戎〔总部彭州〕司令官）仍率部众竭力抵抗，大刀总纠察官（刀子都虞候）王茂权斩杨晟。生擒彭州步骑兵司令（马步使）安师建。王建打算用他当自己部属，安师建流泪拒绝说：“我曾经立誓跟杨晟同生共死，不忍心偷活人世，请把我早早杀掉，就是最大恩德。”再三劝他，他都不接受，于是斩首，给他隆重的葬礼。

王建改赵章姓名叫王宗勉，王茂权叫王宗训，王钊叫王宗谨，李绾叫王宗绾。

14 五月三十日，副立法长（中书侍郎）、二级实质宰相（同平章事）郑延昌免职，调任国务院右最高执行长（右仆射）。

15 朱瑄（天平〔总部郓州〕司令官）、朱瑾（泰宁〔总部兖州〕司令官）向河东（总部大原府）求救；李克用（河东〔总部太原府〕司令官）派骑兵将领安福顺跟老弟安福庆、安福迁，率精锐骑兵五百人，向魏博（总部魏州）借路，渡黄河南下增援。

16 武昌战区（总部设鄂州〔湖北省鄂州市〕）司令官（节度使）杜洪，进攻黄州（湖北省黄冈市黄州区。州长吴讨叛附杨行密，参考本年〔八九四〕三月），杨行密（杨行愍，淮南〔总部扬州〕司令官）派特遣兵团总指挥官（行营都指挥使）朱延寿等增援。

17 六月三日，中央命宋州（河南省商丘市）州长张廷范当武宁战区（原感化战区，总部设徐州〔江苏省徐州市〕）司令官（节度使）。这是出于朱全忠（朱温）的保荐。

18 蕲州（湖北省蕲春县，属武昌战区）州长冯敬章，出军截击淮南（总部扬州）特遣兵团，朱延寿遂攻蕲州（湖北省蕲春县），不能攻克。

19 六月二十七日，唐帝李晔（李敏）命皇家文学研究院院长（翰林学士承旨）、国务院教育部长（礼部尚书）李谿（音xī〔吸〕），当二级实质宰相（同平章事）。宦官正在宣读诏书，国务院工程部河川司司长（水部郎中）、诏书撰写官（知制诰）刘崇鲁，忽然从行列中冲出来，抢下诏书，放声大哭。李晔（李敏）召见他，询问原因，刘崇鲁回答说："李谿是一个奸邪之辈，投靠杨复恭、西门君遂，所以才能进入皇家文学研究院（翰林院），他没有担任宰相的能力，恐怕危害帝国。”李晔（李敏）只好把李谿贬作太子少傅（太子三少之二）。李谿，是李鄘的孙儿（李鄘曾任宰相，参考八一七年十月）。李晔（李敏）向李谿学习作文，崔昭纬恐怕李谿一旦当了宰相，将分割自己的权力，所以教唆刘崇鲁用这种激烈方法，出面阻止。李谿一连呈递十次奏章，为自己辩护，并严厉反击，说：“刘崇鲁的老爹刘符，因贪赃枉法，在案发前畏罪自杀。老弟刘崇望跟宦官杨复恭的交情，十分深厚。刘崇鲁更在大庭广众之下，向田令孜下跪叩头，又替朱玫撰写劝襄王李煴登极称帝的奏章（李煴称帝，参考八八六年十月）。却竟然反过来指控我结交宦官，这跟手中抱着赃物，口中却喊捉贼有什么差异！依照惯例，粗糙的丝巾、素色的布匹，都不准进入皇宫，我如果真的没有才能，刘崇鲁应该上疏弹劾，怎么可以在金銮殿上恸哭流涕，造成一种不祥的气氛，丧失做一个臣属的礼节，请求依法治罪。”李晔（李敏）下诏停止刘崇鲁的职务。但李谿仍不断上疏，要求诛杀或贬窜，奏章多达数千言，诟骂诋毁，无所不至。

20 李克用（河东〔总部太原府〕司令官）大破吐谷浑部落，诛杀赫连铎，生擒白义诚（赫连铎等跟李克用对抗，参考八七八年十月，前后十七年而灭）。

21 秋季，七月，李茂贞（宋文通，凤翔〔总部凤翔府〕司令官）派军进攻阆州（四川省阆中市），攻克。杨复恭、杨守亮（訾亮）、杨守信（訾信）率杨家班部众，突围逃脱（杨家班自兴元逃阆中，参考前年〔八九二〕八月三十日，苟延残喘，前后三年）。

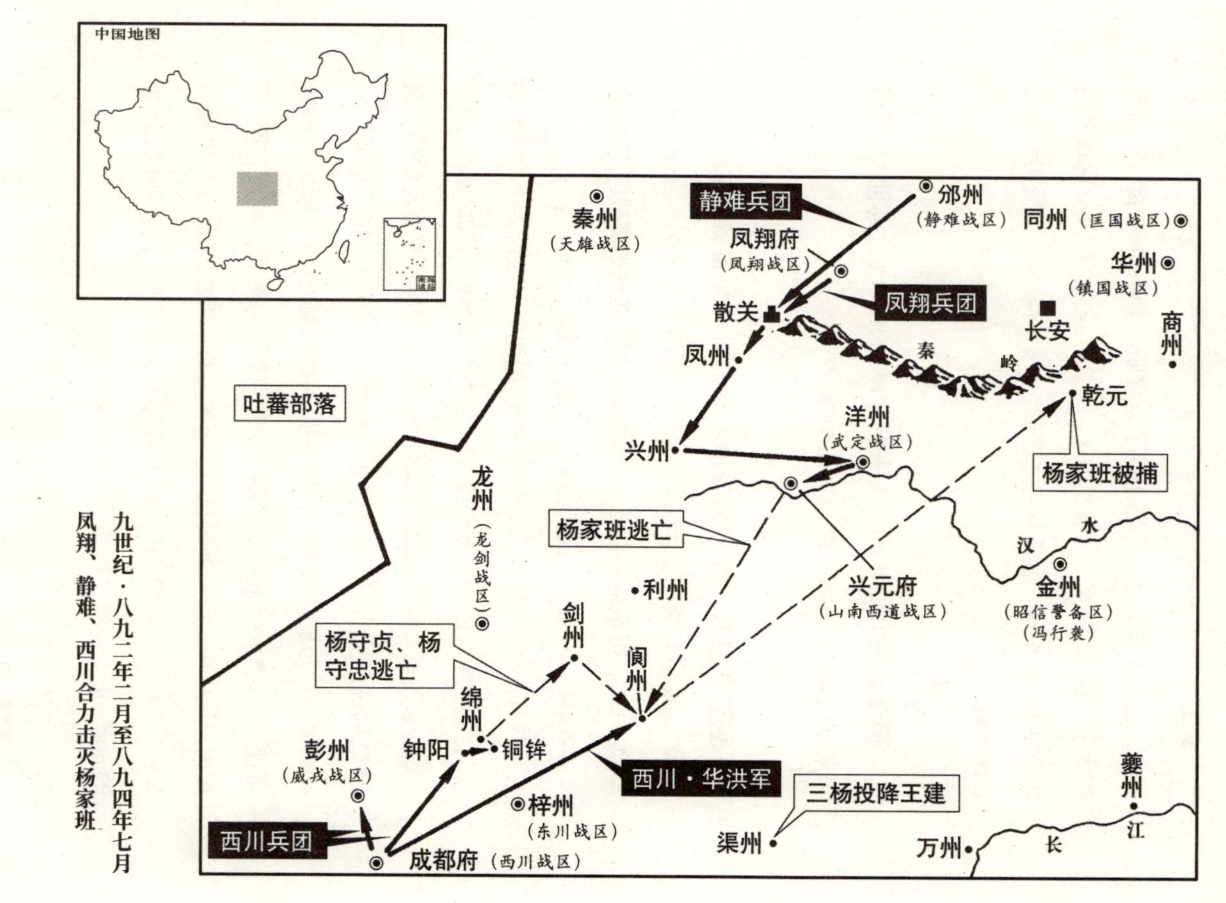

九世纪·八九二年二月至八九四年七月
凤翔、静难、西川合力击灭杨家班

22 国务院教育部副部长（礼部侍郎）、二级实质宰相（同平章事）郑綮，自知不符人望，不断上疏请求辞职。李晔（李敏）批准，命他以太子少保（太子三少之三）名义退休。命总监察官（御史大夫）徐彦若当副立法长（中书侍郎）兼国务院文官部长（兼吏部尚书）、二级实质宰相（同平章事）。

23 绵州（四川省绵阳市）州长杨守厚（杨复恭的义子）逝世。部将常再荣献出城池，投降王建（西川〔总部成都府〕司令官）。

24 杨复恭、杨守亮（訾亮）、杨守信（訾信）准备偷越商山（陕西省商洛市东），投奔李克用（河东〔总部太原府〕司令官，杨李二人是旧交，参考八八四年七月），可是走到乾元（陕西省柞水县）时，遇到镇国战区（总部设华州〔陕西省渭南市华州区〕）的巡逻部队，全被生擒。

八月，韩建（镇国〔总部华州〕司令官）把他们押送到京师（首都长安）宫门，在独柳（长安西市）之下斩首（杨复恭兴起，参考八八六年四月，前后九年而灭）。李茂贞（宋文通，凤翔〔总部凤翔府〕司令官）呈献杨复恭写给杨守亮（訾亮）的信，告诉他退休的原因（参考八九一年九月八日），说："承天门（太极宫南城正门）乃是隋王朝的旧有基业（暗喻唐王朝政权继承自杨姓的隋王朝），贤侄（杨守亮是杨复光的义子，所以如此称呼）只管储存粮食，训练士卒，不要再呈缴中央。我在荆棘丛生、万般艰难中拥护寿王（李晔〔李敏〕原封寿王，参考八八八年三月五日），想不到他刚坐上宝座，就罢黜制定国策的元老，天下竟有这种忘恩负义的皇帝门生！"

25 昭义战区（总部设潞州〔山西省长治市〕）司令官（节度使）康君立前往晋阳（山西省太原市）晋见李克用（河东〔总部太原府〕司令官）。

八月三十日，李克用宴请各级将领，喝酒、赌博，等到大家都有点半醉，李克用提起李存孝（安敬思），忍不住悲从中来，痛哭流涕。康君立跟李存信（张污落）情好义笃，说了一句李克用听了不顺耳的话，李克用立刻翻脸，拔出佩剑照康君立砍去，喝令囚入军法监狱（马步司）。

九月一日，李克用下令释放康君立，可是康君立已经死亡（康君立与李克用关系不同一般，参考八七八年正月）。李克用上疏任命云州（山西省大同市）州长薛志诚当昭义战区（总部潞州〔山西省长治市〕）候补司令官（留后）。

26 冬季，十月八日，唐帝李晔（李敏）封皇子李祤当棣王，李禊当虔王，李禋当沂王，李祎当遂王。

27 投奔李克用的卢龙（总部幽州）将领刘仁恭（参考去年〔八九三〕四月），不断通过盖寓（河东〔总部大原府〕智囊）向李克用建议，希望借兵一万人，夺取幽州（北京市）。可是当时李克用正全力攻击邢州（河北省邢台市），只能派出几千人，打算护送刘仁恭重返幽州（北京市），无法取胜。于是，李匡筹（卢龙〔总部幽州〕司令官）越发骄傲，屡次侵入河东（总部太原府）掳掠，李克用大怒。

十一月，李克用向李匡筹发动大规模攻击，攻陷武州（河北省张家口市宣化区），包围新州（河北省涿鹿县）。

28 中央擢升彰义战区（原泾原战区，总部设泾州〔甘肃省泾川县〕）候补司令官（留后）张镭，实任司令官（节度使）。

29 朱全忠（朱温，宣武〔总部汴州〕司令官）派使节前往泗州（江苏省盱眙县淮河北岸)，使节态度傲慢，凌辱州长张谏(张谏投降朱全忠，参考前年〔八九二〕十一月)。张谏遂献出城池，投降杨行密(杨行愍，淮南〔总部扬州〕司令官)。

杨行密(杨行愍)派大营管理官(押牙)唐令回，携带茶叶一万余斤，前往汴州(河南省开封市)、宋州(河南省商丘市)出售。朱全忠(朱温)下令逮捕唐令回，没收全部茶叶。

扬州(杨行密)、汴州(朱全忠)从此摩擦结怨。

30 十二月，李匡筹(卢龙〔总部幽州〕司令官)派大将率步骑兵数万人，增援新州(河北省涿鹿县)，李克用挑选精锐战士在段庄(涿鹿县东南)迎击，大破卢龙兵团(总部幽州)，格杀一万余人，生擒将领三百人，用绳索绑成一串，牵到城下展示给守城军观看。当天晚上，新州(河北省涿鹿县)投降。

十二月二十三日，李克用进攻妫州(河北省怀来县)。

十二月二十四日，李匡筹再派军从居庸关(北京市昌平区西北)出击，李克用命精锐骑兵迎战，使卢龙(总部幽州)军队筋疲力尽，然后派步兵将领李存审从小路抄到背后，前后夹击，卢龙兵团(总部幽州)大败，阵亡及被俘的数以万计。

十二月二十六日，李匡筹以及他的家族，逃奔沧州(河北省沧州市东南)，义昌战区(总部设沧州〔河北省沧州市东南〕)司令官(节度使)卢彦威，贪图李匡筹的财富和美貌小老婆群，于是派军前往景城(河北省沧州市西)李匡筹住宅，发动攻击，诛杀李匡筹，其他人全部俘虏(李全忠夺取幽州，参考八八五年五月。传三任，前后十年而灭)。李存审，本姓符，是宛丘(陈州州政府所在县，河南省周口市淮阳区)人，李克用收作义子(李存审最初追随李罕之，李罕之被诸葛爽击败，部众星散，才投奔李克用)。

十二月二十八日，李克用直向幽州（北京市），守城大将投降。李匡筹一向昏聩懦弱，夺取军政大权时，老哥李匡威在外得到消息，对各将领说："老哥失掉，老弟得到，仍没有离开家门，有什么怨恨！只是李匡筹没有才干、无力保守，能维持两年，就算幸运。"

李匡威对他老弟的判断，使人钦佩，但他判断自己时却错得离谱，一是他判断他奸淫弟媳，老弟不会为了一个女人叛变；一是他判断王镕不过一个小娃，夺取军权易如反掌。

判断别人，即令正确得分毫不差，也不能证明自己聪明，蠢才评论起别人时，有时候也会头头是道。

31 李晔（李敏）命匡国战区（总部设同州〔陕西省大荔县〕）司令官（节度使）王行约，摄理最高监督长（检校侍中·使相）。

32 吴讨（黄州州长）畏惧杜洪（武昌〔总部鄂州〕司令官）的讨伐，把印信呈缴给杨行密（杨行愍，淮南〔总部扬州〕司令官），请派人接替。杨行密（杨行愍）派先锋指挥官（先锋指挥使）瞿章，暂代黄州（湖北省黄冈市黄州区）州长。

33 本年，黄连洞蛮（福建省宁化县蛮夷）二万人包围汀州（福建省长汀县）。福建道（首府设福州〔福建省福州市〕）行政长官（观察使）王潮派部将李承勋率一万人进攻，黄连洞蛮解除包围退走；李承勋追击，追到浆水口（宁化县南），大破黄连洞蛮军，闽中地区（福建省）粗略安定。

王潮派幕僚和佐理，巡视州县，鼓励人民耕田养蚕，确定租税数目，跟相邻的战区道和睦相处，保护边境不受侵犯，使人民获得休息，闽中（福建省）的人心满意足。

34 封州（广东省封开县）州长刘谦逝世（刘谦出身卑微，参考八八三年六月），儿子刘隐在贺江（于广东省封开县，注入郁江〔西江〕）守丧，当地原住民一百余人，打算发动反抗，刘隐于一夜之间，把他们全部诛杀。

岭南东道战区（总部设广州〔广东省广州市〕）司令官（节度使）刘崇龟，征召刘隐当右翼大营总管理官（右都押牙），兼贺水镇（今地不详）防守司令（镇使），不久，上疏任命刘隐当封州（广东省封开县）州长。

35 义胜战区（总部设越州〔浙江省绍兴市〕）司令官（节度使）董昌，对辖下人民，苛刻暴虐，在正常赋税之外，更加好几倍强行征收，用来呈献中央，并作为总部内外馈赠赏赐之用，每十天便有一队向皇帝进贡的船队出发，包括黄金一万两、白银五千锭、越州绫缎一万五千匹，其他东西的价格跟这个相等，派士卒五百人，直接护送到首都长安（陕西省西安市），严格规定到达日期，有时候中途遇到大雨大雪，或暴风暴水，延误行程，则全部诛杀。所进的贡品，全国第一，中央认为他最忠心。褒扬的命令前后相继，董昌的官位也迅速达到顶峰——司徒(三公之二)、遥兼二级宰相(同平章事·使相),封陇西郡王。

董昌在越州(浙江省绍兴市)给自己建立生祠(人死后才建祠堂,作为祭祀之地。生时便建祠堂,称生祠,有时为感恩而建,有时为谄媚而建,董昌自建,则是为了过瘾),形状规格,跟姒文命庙(绍兴市东禹庙)完全一样,下令民间祭神赛会,不准去姒文命庙,只准去董昌生祠。董昌要求皇帝封他越王,中央还没有允许,董昌就大不高兴说:"中央欺负我,我一连多少年向中央进贡,财宝多到无法计算,中央却吝啬一个越王!"摇尾分子谄媚之余,煽动说:"大王与其当越王,还不如索性当越帝!"于是民心骚动,谣传时局将要发生变化,大批群众前后相继的拥到总部,挤得大门水泄不通,喧哗吵闹,慷慨激昂,坚决请求董昌接受民意,登极称帝。董昌大为欢喜,派人安慰说:"时机还没有成熟,等时机成熟,我自会这样做。"他的助理吴瑶,以及总纠察官(都虞候)李畅之等,都鼓励董昌遵从民意。而官民人等摇尾系统,更不断呈献所收集的歌谣、祥瑞、神秘预言等,多到无法记载。最初,每有人呈献,赏赐数百串,后来呈献的人越来越多,只好稍微减少到五百钱或三百钱。董昌说:"神秘预言书上说:'兔子上金床。'正是指我,我生的那一年是兔年,明年又是兔年,明年二月兔日兔时(卯日卯时),正是我称帝之时。"

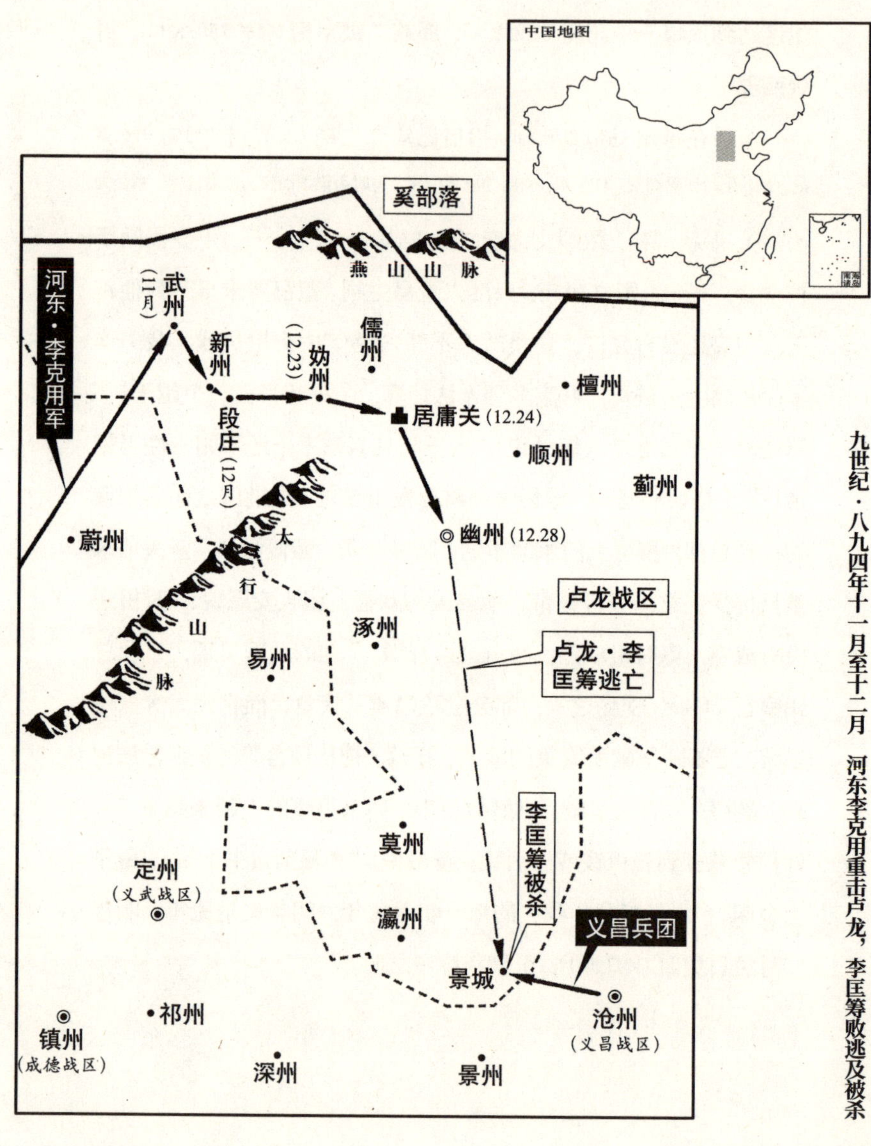

九世纪·八九四年十一月至十二月　河东李克用重击卢龙，李匡筹败逃及被杀

八九五年 乙卯

唐　乾宁　二年

（大越罗平国皇帝董昌顺天元年）

1 春季，正月三日，幽州（卢龙战区总部所在，北京市）军民数万人，高举统帅旌旗，竞相撑着统帅伞盖，音乐齐奏，欢笑高歌，用盛大仪式欢迎李克用（河东〔总部太原府〕司令官）入城，住进官邸。李克用命李存审（符存审）、刘仁恭，率军巡查安抚所属各州（卢龙辖十二州：幽州〔北京市〕、涿州〔河北省涿州市〕、瀛州〔河北省河间市〕、莫州〔河北省任丘市北鄚州镇〕、妫州〔河北省怀来县〕、檀州〔北京市密云区〕、蓟州〔天津市蓟州区〕、顺州〔北京市顺义区〕、营州〔辽宁省朝阳市〕、平州〔河北省卢龙县〕、新州〔河北省涿鹿县〕、武州〔河北省张家口市宣化区〕）。

2 正月五日，朱全忠（朱温，宣武〔总部汴州〕司令官）派部将朱友恭（李彦威）包围兖州（山东省济宁市兖州区），朱瑄（天平〔总部郓州〕司令官）从郓州（山东省东平县）出军运粮救援，朱友恭（李彦威）设下埋伏，在高梧（山东省郓城县北）击败天平（总部郓州）援军，把所押运的粮饷，全部抢走，并生擒河东（总部太原府）将领安福顺、安福庆（参考去年〔八九四〕五月）等。

3 正月十一日，唐王朝（首都长安〔陕西省西安市〕）皇帝（二十任昭宗）李晔（李敏。本年二十九岁）命御前监督官（给事中）陆希声，当国务院财政部副部长（户部侍郎）、二级实质宰相（同平章事）。陆希声，是陆元方的五世孙（陆元方曾任南周王朝副监督长〔鸾台侍郎〕，参考六九三年九月）。

4 正月十四日，护国战区（总部设河中府〔山西省永济市〕）司令官（节度使）王重盈逝世，军事将领请求中央任命王重荣的儿子、作战参谋长（行军司马）王珂，代理候补司令官（知留后事。王重盈，参考八八七年六月）。王珂，事实上是王重盈老哥王重简的儿子，王重荣在世时，收养作自己的儿子。

5 杨行密（杨行愍，淮南〔总部扬州〕司令官）上疏指控朱全忠（朱温，宣武〔总部汴州〕司令官）种种罪行，请中央命义武（总部定州）、泰宁（总部兖州）、天平（总部郓州）、河东（总部太原府）等战区派军讨伐。

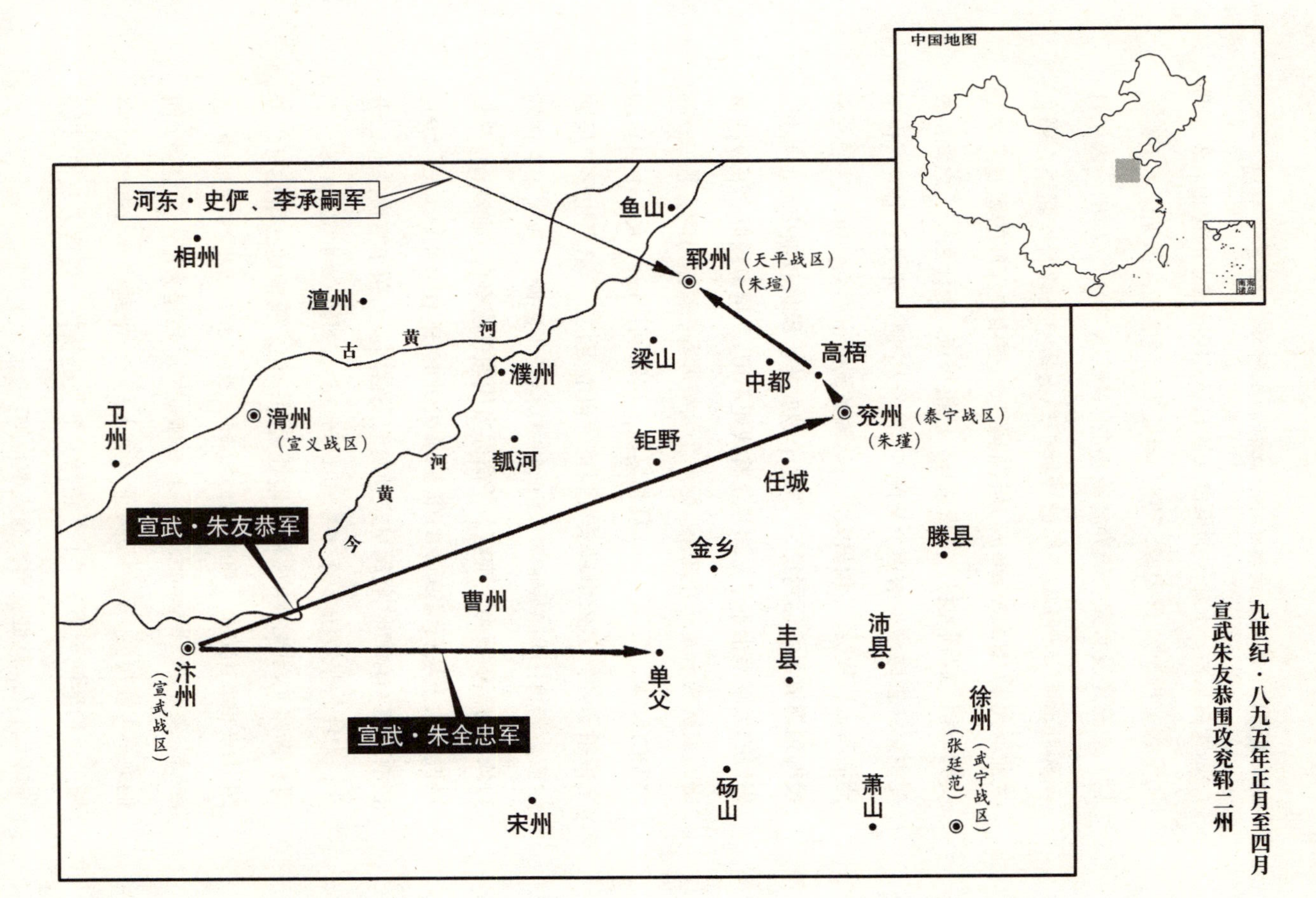

九世纪·八九五年正月至四月
宣武朱友恭围攻兖郓二州

6 义胜（总部设越州〔浙江省绍兴市〕）司令官（节度使）董昌，一心一意要当皇帝，于是特别集合文武官员，作形式上的讨论。战区副司令官（节度副使）黄碣说：“唐王朝虽然已经衰败，但无论上天跟人世，对它还没有完全厌弃。姜小白（春秋时代齐国十六任国君）、姬重耳（春秋时代晋国二十四任国君）都借着拥护周王朝中央政府，而建立霸主大业。大王（董昌封陇西郡王）从民间崛起，受中央深厚的恩宠，官位文到宰相，武到大将，富贵荣华，已抵极点，为什么一天之间，改变主意，去做这种屠灭全族的勾当！我宁愿一死去当忠臣，也不能活着去当叛徒。”董昌大怒，认为黄碣妖言惑众，斩首，把人头投掷到粪坑里，诟骂说：“你这个贼奴才，辜负我提拔你的心意，好好的太平宰相不干，却非急着找死不可。”越说越恨，下令把黄碣的家属八十人一并诛杀，掘一个大坑埋葬。董昌再问会稽（越州州政府所在东半城，浙江省绍兴市）县长吴镣，吴镣回答说：“大王不当真国王传给子孙，怎么想起来当假皇帝自取灭亡？”董昌也屠杀吴镣全族。告诉山阴（越州州政府所在西半城）县长张逊说：“我深知道你的行政能力，等我坐上宝座，任命你当代理总监察官（知御史台）。”张逊说：“大王从石镜镇（浙江省杭州市临安区东南）开始（参考八七八年十二月），在浙东道（首府越州）竖起皇家颁发的高官旌旗，荣华富贵，近二十年，为什么非效法李锜（参考八〇七年十一月）、刘辟（参考八〇六年九月）不可！浙东（义胜战区原称浙东道）地处大海一角，管辖地区虽然有六个州（台州〔浙江省临海市〕、明州〔浙江省宁波市〕、温州〔浙江省温州市〕、处州〔浙江省丽水市〕、婺州〔浙江省金华市〕、衢州〔浙江省衢州市〕），可是大王一旦登极，他们绝不可能接受，只剩下大王一个人，守一个越州（浙江省绍兴市）空城，恐怕徒使天下失笑！”董昌又把张逊斩首，告诉亲友说：“除掉这三个人，其他就再没有人敢反对。”

柏杨曰

二十世纪六〇年代，我触怒当时的蒋家父子政权，被囚禁军法监狱，用“唯一死刑”条款起诉，命在旦夕。有一天，一位同房难友忽然警告我说：“你经常自言自语。”根据牢狱经验，一个囚犯如果经常自言自语，接着便是精神错乱，最后一定陷于疯狂。我向他求援说：“拜托，每当我自言自语时，请用手肘撞我。”不久，他忽然撞我一下，我惊讶说：“怎么打人？”他说：“你刚才自言自语！”我了解我确已濒临崩溃边缘。开始时他每天几乎要撞我十几次，以后则只撞两三次，最后终于停止。如果我当初把警告和推撞当作侮辱冒犯，可能早就死在疯人院中！这一点毫不夸张，因为囚犯一旦发疯，下场都是如此。而政治犯疯后，比普通人更惨，因这特务最初总是咬定你竟想用孙膑那一套耍他！

民主政治的可贵，就在于使当权分子不断受到口头警告和手肘推撞，以便保持正常清醒，不至于像董昌一样，忽然间膨胀莫测，忘了自己是谁！批评者的言论固然令耳朵不舒服，但它却可以救命，问题在于，世界上很多人都太聪明，爱自己的耳朵远胜于爱自己的命。

二月三日，董昌身穿衮龙袍，头戴平天冠，登上越州（浙江省绍兴市）内城（子城）门楼，坐上皇帝宝座，并且把所有祥瑞的物品陈列在大庭里，让官民人等参观。

先前，本世纪（九）七〇年代初期，吴越（太湖流域及钱塘江流域）一带谣言纷纷，说：山里有只大鸟，四只眼睛三条腿，叫声听起来好像“罗平天册”（有一件趣事，故乡河南省辉县市，产一种小鸟，鸣声清脆高昂，十分悦耳，侧耳细听，分明在叫“鳖羔背锄”，少年们常用来嘲笑乡下农夫。“罗平天册”，应该确有这种鸣声），凡看到那个大鸟的人，一定遭殃，民间恐慌，很多人悬挂它的画像，焚香祭祀。董昌登极称帝后宣称："它就是我的鸑鷟！"（鸑鷟，音yuè zhuó〔月琢〕。《说文》说：鸑鷟是神鸟，凤凰的一种。《国语·周语》说：周王朝兴起时，鸑鷟在岐山上鸣叫。）乃自称大越罗平国，改年号顺天。城楼称天册楼，文武百官不称他"陛下"，而称他"圣人"。董昌命前杭州（浙江省杭州市）州长李邈、前婺州（浙江省金华市）州长蒋瓌、两浙（江苏省南部及浙江省）盐铁专卖暨运输副总监（两浙盐铁副使）杜郢、国务院工程部屯垦司前司长（前屯田郎中）李瑜，分别担任宰相。又命劝进最力的吴瑶等当皇家文学研究官（翰林学士），李畅之等当大将军。

董昌用信件通知钱镠（镇海〔总部杭州〕司令官），告诉他自己已当罗平国皇帝，命钱镠当两浙（江苏省南部及浙江省）总指挥官（两浙都指挥使）。钱镠写信给董昌说："阁下与其关门当天子，使你的家属九族和六州人民，都陷于水深火热；为什么不开门当战区司令官（节度使），一辈子享受不尽富贵荣华！今天后悔，还来得及。"董昌不理。钱镠乃率士卒三万人，直抵越州（浙江省绍兴市）迎恩门（越州城西门），面见董昌，叩头说："大王身兼宰相和大将，为什么放弃安乐，追求危险？我率军到这里，等候大王改过。即令大王不爱惜自己，可是家乡居民有什么罪，却随着大王全族屠灭！"董昌大为恐惧，馈赠钱镠劳军巨款二百万钱，逮捕摇尾系统首领吴瑶，以及男巫法师、女巫法师等几个人，押送给钱镠，声称愿接受中央处分。钱镠才率军班师，把情形奏报中央。

7 王重盈（护国〔总部河中府〕已故司令官）的儿子、保义战区（总部设陕州〔河南省三门峡市〕）司令官（节度使）王珙（参考八八七年六月），绛州（山西省新绛县）州长王瑶，出动武装部队，攻击王珂（护国〔总部河中府〕代理候补司令官）。上疏唐帝李晔（李敏），指摘王珂不是王家的儿子，更写信给朱全忠（朱温，宣武〔总部汴州〕司令官），说："王珂本是我们家的奴仆，不应该继承王家事业。"王珂上疏分辩，并且向李克用（河东〔总部太原府〕司令官）请求支援。李晔（李敏）派宦官前往调解。

8 李晔（李敏）非常敬重李谿的文学造诣，任命他当宰相受挫后，仍不放弃（刘崇鲁破坏李谿事，参考去年〔八九四〕六月）。

二月七日，再任命李谿当国务院财政部副部长（户部侍郎）、二级实质宰相（同平章事）。

9 二月二十一日，朱全忠（朱温，宣武〔总部汴州〕司令官）驻军单父（山东省单县），声援朱友恭（朱友恭正攻兖州〔泰宁战区总部所在，山东省济宁市兖州区〕）。

10 李克用（河东〔总部太原府〕司令官）上疏任命刘仁恭当卢龙战区（总部设幽州〔北京市〕）候补司令官（留后），留一部分河东（总部太原府）军队驻扎幽州（北京市）。

二月二十四日，李克用从幽州（北京市）返回晋阳（山西省太原市）。

妫州（河北省怀来县）人高思继兄弟，武艺高强，才能干练深受卢龙战区（总部幽州）军民敬佩，李克用用二人作部将，分别掌握战区军权，他们部下的士卒，都是燕山（北京市北）英雄豪杰，刘仁恭对他们畏惧不安。相当久时间之后，河东（总部太原府）驻防幽州（北京市）的特遣兵团，在民间凶暴横行，高思继兄弟一律依法行事，杀戮很多，李克用大怒，责备刘仁恭，刘仁恭把责任全都推到高思继兄弟头上，说是他们干的，李克用遂把他们诛杀。刘仁恭打算收买人心，把高家兄弟的几个儿子，用作自己的部将，相待优厚。

11 宰相崔昭纬跟李茂贞（宋文通，凤翔〔总部凤翔府〕司令官）、王行瑜（静难〔总部邠州〕司令官），结交亲密。只要得到皇帝一点过错，或中央一点机密，崔昭纬立刻就报告二人。静难战区（总部设邠州〔陕西省彬州市〕）副司令官（副使）崔鋋，是崔昭纬的同族，李谿终于被任命当宰相，崔昭纬命崔鋋转告王行瑜说："若干时候以前，任命你当国务院总理（尚书令）的诏书，已经发布，就是被韦昭度破坏（参考八九四年六月），而今韦昭度推荐李谿当宰相，互相勾结，迷惑皇上神圣的听闻，恐怕有可能再发生杜让能事件（杜让能讨伐王行瑜，参考前年〔八九三〕七月）。"王行瑜遂跟李茂贞（宋文通）联名上疏，抨击李谿是一个奸邪之徒，同时也抨击韦昭度当宰相没有成绩，应该罢黜，改调一个闲差。李晔（李敏）回答说："军队的事情，我跟战区统帅商量，至于任命谁当宰相，应由我自己决定。"但王行瑜等仍不断上疏争论，李晔不敢坚持。

三月，调李谿当太子少师（太子三少之一）。

12 王珙（保义〔总部陕州〕司令官）、王瑶（绛州州长）上疏请求中央另派人接任护国战区（总部设河中府〔山西省永济市〕）司令官（用以排斥王珂），中央遂命副立法长（中书侍郎）、二级实质宰相（同平章事）崔胤（音yìn〔印〕）遥兼二级宰相（同平章事·使相），充任护国战区（总部河中府）司令官（节度使）；擢升国务院财政部副部长（户部侍郎）、主管税务司（判户部）王抟，当副立法长（中书侍郎）、二级实质宰相（同平章事）。

王珂（护国〔总部河中府〕代理候补司令官）是李克用（河东〔总部太原府〕司

令官）的女婿。李克用上疏强调王重荣对帝国有功（指破黄巢、擒李煴），请发给王重荣的儿子王珂统帅符节。王珙得到消息，送厚礼给王行瑜（静难〔总部邠州〕司令官）、李茂贞（宋文通，凤翔〔总部凤翔府〕司令官）、韩建（镇国〔总部华州〕司令官），由三战区统帅上疏强调王珂不是王家的儿子，要求中央命王珙当护国（总部河中府）司令官（节度使），而命王珂接替王珙的保义（总部陕州）司令官（节度使）。李晔（李敏）回答说，先已批准李克用的奏章，所以拒绝他们的请求（护国〔总部河中府〕管辖五州，保义〔总部陕州〕只管辖两州）。

13 中央加授王镕（成德〔总部镇州〕司令官）：兼最高监督长（兼侍中·使相）。

14 杨行密（杨行愍，淮南〔总部扬州〕司令官）乘船逆淮河而上，前往泗州（江苏省盱眙县淮河北岸），警备区司令（防御使）台濛盛大招待，十分豪华。杨行密（杨行愍）很不高兴。离开之后，台濛在宾馆卧室里捡到杨行密（杨行愍）穿的缝着补丁的旧衣服，急派使节送上。杨行密（杨行愍）笑道："我年轻时贫穷低贱，不敢忘本。"台濛大为惭愧。

杨行密（杨行愍）攻击濠州（安徽省凤阳县东北临淮关镇），攻克，生擒州长张璲（张璲归降朱全忠，参考八九二年十一月）。

淮南兵团（总部扬州）士卒，剽掠徐州（江苏省徐州市）时，掳获一个姓李的儿童，本年（八九五）八岁。杨行密（杨行愍）养作自己的儿子，但杨行密（杨行愍）的亲生长子杨渥（音wò〔握〕）却讨厌他。杨行密（杨行愍）告诉他的部将徐温说："这孩子品行敦厚，见识超过别人，我恐怕杨渥不能包容，不如送给你当儿子。"徐温命他名徐知诰（李知诰）。徐知诰（李知诰）事奉徐温，勤快孝顺，远胜过其他亲生的儿子。有一次，徐知诰（李知诰）惹徐温生气，徐温把他打了一顿棍子，逐出大营。可是徐温晚上下班回家，徐知诰（李知诰）已在家门迎接叩头。徐温问说：“你怎么还在这里？”徐知诰（李知诰）哭泣说：“当儿子的，除了投奔父母外，还能去哪里？父亲发脾气，去找母亲，是人之常情。”徐温因此对他越发宠爱，命他当家管事。徐知诰（李知诰）公平正直，家里的人对他没有任何批评抱怨。徐知诰（李知诰）长大后，喜爱读书，精于射箭，见识丰富，气度非凡。杨行密（杨行愍）常对徐温说：“徐知诰（李知诰）一代俊杰，将领们的儿子，都不能相比！”

三月三十日，杨行密（杨行愍）包围寿州（安徽省寿县）。

15 京师（首都长安）附近，遍地都是强盗，有些强盗甚至还翻墙进入皇宫，有些强盗甚至还挖掘皇帝的坟墓寻求财宝，李晔（李敏）打算指派皇家亲王率领军警巡查，同时也打算命他们前往全国各重要战区道慰问解释。

然而，政府官员（南司）和宫廷宦官（北司）当权分子，都恐怕对自己不利，纷纷上疏劝阻，李晔（李敏）不得已，只好接受。

夏季，四月，李晔（李敏）下诏一切停止。

16 中央认为董昌连年以来，不断对中央进贡及呈缴赋税，有很大功劳（参考去年〔八九四〕十二月），忽然间登极称帝，并不出于他本意，而是忽然发了神经病。因此李晔（李敏）下诏赦免董昌所有罪行，仅只撤除官职，准他退休返乡。

17 国务院财政部副部长（户部侍郎）、二级实质宰相（同平章事）

陆希声免职，调任太子少师（太子三少之一）。

18 杨行密（杨行愍，淮南〔总部扬州〕司令官）包围寿州（安徽省寿县），不能取胜，打算撤退。

四月三日，杨行密（杨行愍）的部将朱延寿请作最后一次试探，于是一鼓作气，竟把寿州（安徽省寿县）攻克，生擒州长江从勖（老爹江彦温杀朱全忠使节，参考去年〔八九四〕四月）。杨行密（杨行愍）遂命朱延寿暂代寿州（安徽省寿县）民兵司令（团练使）。

不久，宣武兵团（总部汴州）数万人反攻寿州（安徽省寿县），城里守军很少，官民都怀恐惧。朱延寿把骑兵二十五人组成一个突击小组，高举一面军旗。命黑云特别营司令（黑云队长）李厚，率十个突击小组（骑兵二百五十人）向宣武（总部汴州）围城军进攻，仍毫无进展；朱延寿火冒三丈，下令斩李厚，李厚分辩说人数太少，请求增加兵力，立誓说："如再失败，甘愿处死。"大营总管理官（都押牙）汝阳（河南省汝南县）人柴再用也替他请求，于是再增加五个突击小组（骑兵一百二十五人）。李厚拼死奋战，柴再用又在旁协助，朱延寿更出动全部人马杀入敌阵，宣武兵团（总部汴州）逃走。李厚，是蔡州（河南省汝南县）人（孙儒旧将）。

杨行密（杨行愍）又派军袭击涟水（江苏省涟水县），攻克。

19 钱镠（镇海〔总部杭州〕司令官）上疏指控罗平国（首都越州）皇帝董昌：僭越本分，背叛国家，不可赦免，请求准许自己率本战区部队讨伐（钱镠前之舍弃现行犯董昌，主要的是表示他还念旧情，并且相信可以借中央之手，铲除障碍，想不到中央姑息赦免，钱镠大失所望，但他绝不会让到口的牛排飞走，只好翻脸，好不容易建立的温柔敦厚形象，也顾不得维持）。

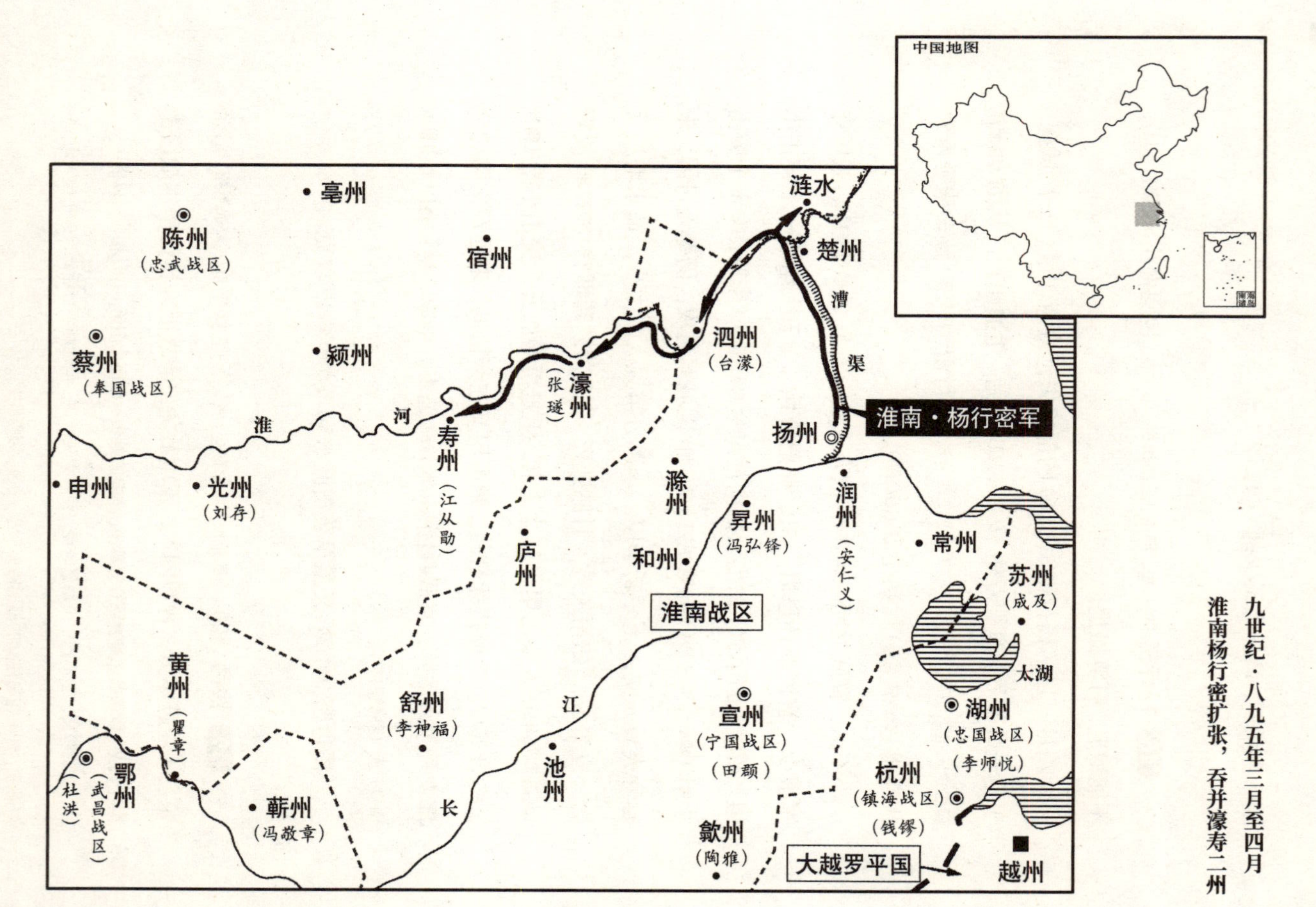

九世纪·八九五年三月至四月
淮南杨行密扩张，吞并濠寿二州

20 太傅（三师之二）、副监督长（门下侍郎）、二级实质宰相（同平章事）韦昭度免职，以太保（三师之三）名义退休。

21 四月十一日，中央任命刘建锋当武安战区（总部设潭州〔湖南省长沙市〕）司令官（节度使）。刘建锋任命马殷当内外步骑兵总指挥官（内外马步军都指挥使）。

22 杨行密（杨行愍，淮南〔总部扬州〕司令官）派使节晋见钱镠（镇海〔总部杭州〕司令官），强调董昌已经改过，应该给他一个自新的机会。同时也派使节晋见董昌，催促他立刻恢复对中央的进贡。

23 河东（总部太原府）派将领史俨、李承嗣，率一万余骑兵，强行增援朱瑄（天平〔总部郓州〕司令官），进入郓州（山东省东平县）。

围城军朱友恭（宣武〔总部汴州〕大将）退回汴州（河南省开封市）。

24 五月，李晔（李敏）下诏免除董昌所有官职爵位，命钱镠讨伐。

25 最初，王行瑜（静难〔总部邠州〕司令官）要求当国务院总理（尚书令），受到拒绝（参考前年〔八九三〕十月），因此对中央十分怨恨。左右神策军在京畿地区，有八个军事基地（参考八二〇年十月），其中郃阳镇（陕西省合阳县）基地，跟华州（陕西省渭南市华州区）接近，韩建（镇国〔总部华州〕司令官）要求规划管辖；良原镇（甘肃省灵台县西梁原乡）基地，接近邠州（陕西省彬州市），王行瑜（静难〔总部邠州〕司令官）要求规划管辖。神策军宦官强烈反对，说：“这些是天子禁军，怎么可以拿去！”王珂（李克用支持）、王珙（朱全忠支持）争夺护国战区（总部设河中府〔山西省永济市〕），王行瑜、韩建及李茂贞（宋文通，凤翔〔总部凤翔府〕司令官）都替王珙请求，也被拒绝，三位战区统帅认为脸上无光，是一种羞辱。王珙又派使节告诉他们说："王珂不肯交代职务，又跟河东（总部太原府）结亲，对各位一定不利，请早日下手。"王行瑜命他的老弟、匡国战区（总部设同州〔陕西省大荔县〕）司令官（节度使）王行约，进攻河中（山西省永济市）王珂，王珂向李克用（河东〔总部太原府〕司令官）求救。王行瑜乃跟李茂贞（宋文通）、韩建，各率精锐部队数千人，直向首都长安（陕西省西安市），宣称入朝晋见天子。

五月八日，三人抵达京师（首都长安），大军压境，全城陷于颤栗，居民纷纷逃亡躲藏。李晔（李敏）登上安福门，等待变化，三人在盛大的军事戒备中出现，但仍维持臣属的礼仪，在门下三跪九叩。李晔（李敏）手扶栏杆，亲自质问道："你们并没有呈递奏章，请求召见，就率军闯进京师（首都长安），目的是什么？如果不能当我的臣属，我今天就退位，让给贤才。"王行瑜、李茂贞（宋文通）汗流浃背，说不出话。只韩建简单陈述进京（首都长安）的理由。李晔（李敏）设宴招待三位战区统帅，三人奏报说："南司政府官吏、北司宫廷宦官，都有自己的私党，败坏政府制度。韦昭度讨伐西川（司令官陈敬瑄），策略错误（参考八九一年四月）；李谿当宰相，违反民意，请求处死。"李晔（李敏）不准。然而，当天，王行瑜等就在驿马车总站（都亭驿在朱雀门外西街，含光门北第二坊），诛杀韦昭度、李谿，又诛杀宫廷机要室主任宦官（枢密使）康尚弼以及其他宦官数人。又奏报李晔（李敏）说："王珂和王珙，应有嫡子、庶子之分，请命王珙主持护国（总部河中府），调王行约主持保义（总部陕州），调王珂主持匡国（总部同州）。"李晔（李敏）心惊胆颤，全部接受。最初，三战区统帅打算罢黜李晔

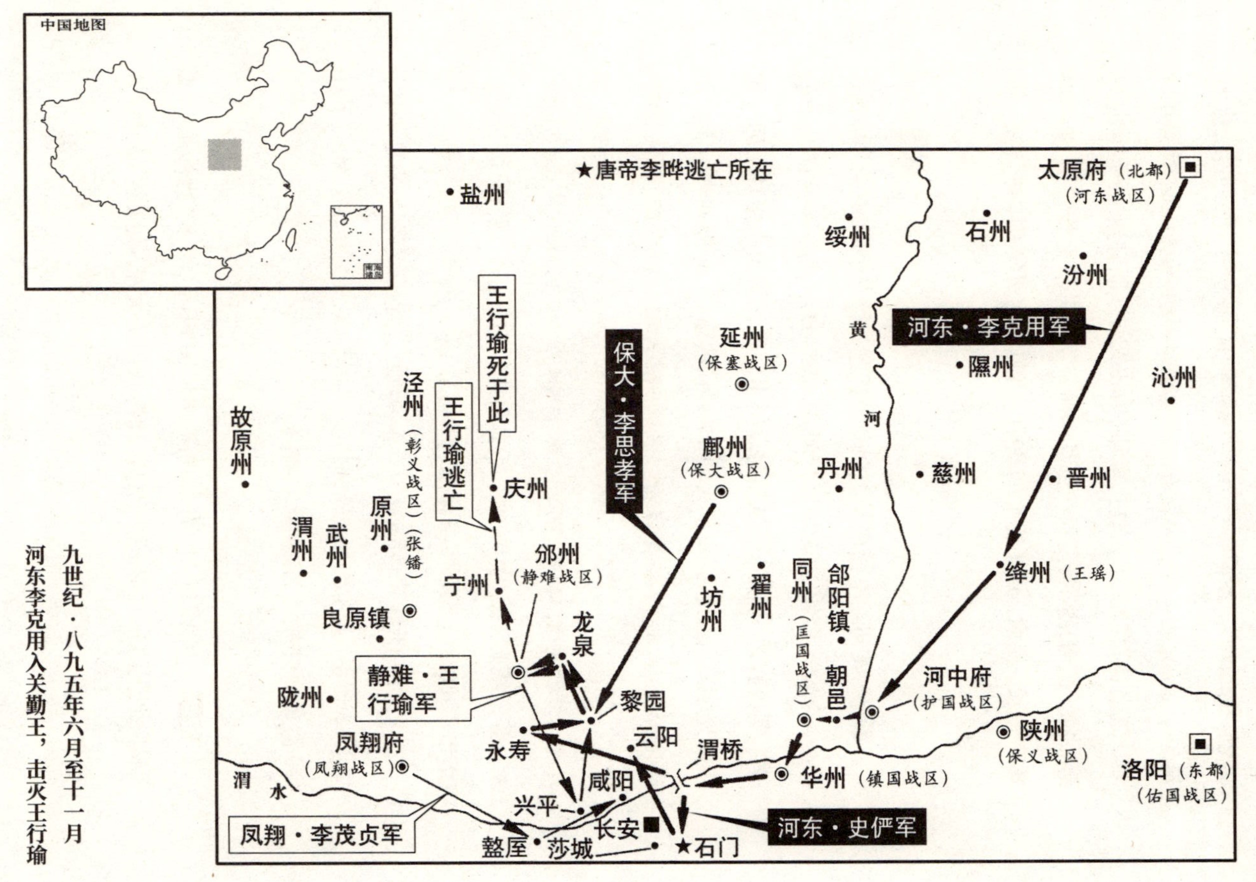

九世纪·八九五年六月至十一月

河东李克用入关勤王，击灭王行瑜

(李敏)，拥护吉王李保登极(李保是李晔的老哥，参考八八八年三月五日)。可是，听说李克用大军已从河东(总部太原府)出动，王行瑜、李茂贞(宋文通)遂各留军队二千人驻扎京师(首都长安)，连同韩建，一同向皇帝辞行师。接着把国务院财政部长(户部尚书)杨堪，贬作雅州(四川省雅安市)州长。杨堪，是杨虞卿的儿子、韦昭度的舅父(杨虞卿，参考八三五年五月)。

26 最初，宰相崔胤被任命当护国战区(总部设河中府〔山西省永济市〕司令官)司令官(节度使)时，河东(总部太原府)进京奏事官(进奏官)薛志勤扬言说："崔先生虽然德高望重，但如果用来接替王珂，却不如光德刘先生，受我家大帅(李克用)敬重。"光德刘先生者，指祭祀部长(太常)刘崇望(光德，长安城坊名，光德坊，朱雀街西，首都长安特别市政府〔京兆府〕所在。自九世纪唐王朝末年，官场一些摇尾分子，常用地名称呼某一大官，作为该大官的代名词，是一种别出心裁的谄媚术，直到二十世纪九〇年代才从人间消失)。等三统帅进京(首都长安)，听到薛志勤有过这种话，于是贬刘崇望当昭州(广西平乐县)军务秘书长(司马)。

李克用(河东〔总部太原府〕司令官)听到三战区大军冒犯宫廷消息，当天就派出十三个差官，征调北部(山西省北部)武装部队，约定下月(六)渡黄河进关(陕西省大荔县东蒲津关)。

27 六月四日，中央命钱镠(镇海〔总部杭州〕司令官)当浙东(浙江省东部)征剿司令(招讨使)。于是钱镠再次出动大军，进攻董昌(罗平国皇帝)。

28 六月五日，中央擢升前均州(湖北省丹江口市西北)州长孔纬、绣州（广西桂平市南）户籍官（司户）张濬，同时出任太子宾客（正三品。二人被贬逃亡事，参考八九一年正月及二月）。

六月六日，再命孔纬当国务院文官部长（吏部尚书），恢复他过去被剥夺的官阶及爵位。

六月七日，命孔纬当司空（三公之三），兼副监督长（兼门下侍郎）、二级实质宰相（同平章事）。命张濬当国务院国防部长（兵部尚书）、各战区道物资调节总监（诸道租庸使）。当时，孔纬住华州（陕西省渭南市华州区）、张濬住长水（河南省洛宁县西南长水镇）。李晔（李敏）由于崔昭纬等对外交往各战区，对内结党营私，互相陷害排斥，渴望得到骨体坚贞的人才作为辅佐，这才对已罢黜的孔纬、张濬，突然提升。孔纬身患重病，被人搀扶着上轿，勉强抵达京师（首都长安），晋见李晔（李敏），流泪哭泣，坚决辞职，李晔不准。

29 李克用（河东〔总部太原府〕司令官）大规模出动蕃汉混合兵团，南下勤王。上疏指控王行瑜（静难〔总部邠州〕司令官）、李茂贞（宋文通，凤翔〔总部凤翔府〕司令官）、韩建（镇国〔总部华州〕司令官）等武装冒犯宫门，杀害帝国高官，请准许率军讨伐。又把文告传递给三战区，王行瑜等大为恐惧。李克用抵达绛州（山西省新绛县），州长王瑶（王珙党）关闭城门抵抗，李克用进攻，十天后，攻克，生擒王瑶，绑到营门斩首，诛杀城里抗命官员将领一千余人。

秋季，七月一日，李克用抵达河中（山西省永济市），王珂（护国〔总部河中府〕代理候补司令官）亲自出城，站在路旁迎接。

匡国战区（总部设同州〔陕西省大荔县〕）司令官（节度使）王行约，在朝邑（陕西省大荔县东朝邑镇）被河东兵团（总部太原府）击败。

七月三日，王行约放弃同州（陕西省大荔县）逃走。

七月四日，王行约逃到京师（首都长安）。王行约的老弟王行实，当时担任左神策军指挥官（左军指挥使），率领他的部众，会合王行约的残兵败将，大肆劫掠西市（长安西半城）。王行实奏报说："同（陕西省大荔县）、华（陕西省渭南市华州区）二州已经失守，沙陀军（河东兵团）就要来到，请皇上圣驾，移往邠州（静难总部，陕西省彬州市）。"

七月五日，宫廷机要室主任宦官（枢密使）骆全瓘请李晔（李敏）迁往凤翔（陕西省宝鸡市凤翔区）。李晔（李敏）说："我刚接到李克用的奏章，他的军队还远远的驻扎河中（山西省永济市）。即令沙陀军到这里，我自有办法对付，你们只要管住部下的军队，教他们不要闹事就够了。"

右神策军指挥官（右军指挥使）李继鹏，是李茂贞（宋文通）的义子，本名叫阎珪，跟骆全瓘阴谋劫持李晔（李敏）前往凤翔（陕西省宝鸡市凤翔区），神策军总指挥宦官（中尉）刘景宣，跟王行实得到消息，则阴谋把李晔（李敏）劫持前往邠州。宰相孔纬当面指摘刘景宣，认为皇帝不可以轻易离开皇宫。直到傍晚，李继鹏（阎珪）不断要求李晔（李敏）出发。王行约遂率左神策军攻击李继鹏（阎珪）的右神策军，鼓声杀声呐喊声，震动天地。李晔（李敏）听到，遂登上承天楼，打算劝解他们停止战斗；捧日特别营作战司令（捧日都头）李筠率领本营战士，在承天楼前布防警戒。李继鹏（阎珪）率凤翔驻屯军攻击李筠，流箭擦着皇帝的衣服而过，射中楼头方椽，李晔（李敏）左右发现情况危急，急扶李晔（李敏）下楼。李继鹏（阎珪）大怒，纵火焚烧宫门，火焰浓烟上冲霄汉（李继鹏急于绑架李晔，才攻击李筠及火烧宫门）。当时，盐州（陕西省定边县）六特别营驻扎京师（首都长安），左、右神策军对他们一向心怀忌惮，李晔（李敏）急下令调他们入宫防卫，六特别营到后，左、右神策军退走，分别返回邠州（静难战区）及凤翔（凤翔战区）。

而首都长安（陕西省西安市）大乱，居民互相剽掠，李晔（李敏）跟各亲王和亲近官员，一起到李筠大营，护跸特别营作战司令（护跸都头）李居实，率部众陆续赶到。

谣言说：王行瑜、李茂贞（宋文通）打算亲自前来迎接皇帝；李晔（李敏）深恐受他们挟持。

七月六日，李晔（李敏）在李筠、李居实两特别营保护下，从启夏门（长安南城东头第一门）出城，逃向南山（秦岭），当天晚上住宿莎城镇（陕西省蓝田县西南），官民追随的有数十万人，好不容易走到谷口（秦岭山道南口），中暑热死的有三分之一（竟热死至少十万人，可悲），而在夜晚，没有死的人又受到强盗抢劫，哭号声震动山谷。当时，文武百官很多来不及赶上，只有国务院财政部长（户部尚书）、全国财政总监（判度支）、盐铁专卖暨运输总监（盐铁转运使）薛王李知柔，最先到达（李知柔是李业〔李隆业〕的曾孙。李业，参考七三四年六月），李晔（李敏）命他暂代主持宰相联合办公厅（权知中书事），兼行宫官民安顿管理官（置顿使）。

七月七日，李克用进入同州（陕西省大荔县）。崔昭纬、徐彦若、王抟抵达莎城镇（陕西省蓝田县西南）。

七月九日，李晔（李敏）进驻石门镇（陕西省蓝田县西南），命薛王李知柔跟宫廷机要室代理主任宦官（知枢密院）刘光裕，折返京师（首都长安），调派军队守卫皇宫。

七月十一日，李克用派军事执行官（节度判官）王瓌（非李晔舅父王瓌〔参考八九一年八月〕），呈递奏章，问候皇帝起居平安。

七月十二日，李晔（李敏）派宦官管理官（内侍，从四品上）郗廷昱，携带诏书前往李克用大营，命李克用及王珂各派骑兵一万人，开往新平（邠州州政府所在县，陕西省彬州市），讨伐王行瑜。又下诏给彰义战区（总部设泾州〔甘肃省泾川县〕）司令官（节度使）张镭（音fán〔凡〕），命他率彰义兵团（总部泾州），封锁凤翔（陕西省宝鸡市凤翔区）。

李克用派军进攻华州（陕西省渭南市华州区），韩建（镇国〔总部华州〕司令官）登上城楼，呼喊道："我对李大帅（李克用）一向尊敬，没有失过礼，为什么对我攻击？"李克用派人回答说："作为一个臣属，竟敢逼迫追赶天子，你如果有礼，天下还有谁无礼？"就在这时，郗廷昱到达，说李茂贞（宋文通）率军三万人已进驻盩厔（陕西省周至县）、王行瑜率军已进驻兴平（陕西省兴平市），都企图迎接皇帝。李克用遂解除华州（陕西省渭南市华州区）的包围，把大营移驻渭桥（陕西省西安市高陵区南渭河大桥）。

30 李晔（李敏）命薛王李知柔当清海战区（本年〔八九五〕，改岭南东道战区为清海战区。总部设广州〔广东省广州市〕）司令官（节度使），遥兼二级宰相（同平章事），仍暂代首都长安特别市市长（权知京兆尹），及全国财政总监（判度支）、盐铁专卖暨运输总监（盐铁转运使）；等皇帝返回京师（首都长安）后，再前往广州（广东省广州市）到差。

31 李晔（李敏）逗留南山（秦岭）十多天，追随皇帝逃亡避难的官员民众，每天都至少有一次惊乱，互相警告说："邠州（王行瑜）、凤翔（李茂贞〔宋文通〕）的军队杀到！"李晔（李敏）派延王李戒丕前去河中（山西省永济市），催促李克用进军。

七月二十七日，李克用从河中（山西省永济市）出发。李晔（李敏）派贴身宦官（供奉官）张承业前往李克用大营。张承业，是同州（陕西省大荔县）人，屡次奉命出使河东（总部太原府），这次出使后，不再回来，一直留在李克用那里当监军宦官。

八月五日，李克用进军渭桥（陕西省西安市高陵区南渭河大桥），派部将李存贞当先锋。

八月七日，李克用攻陷永寿（陕西省永寿县）；又派史俨率骑兵三千人，前往石门（陕西省蓝田县西南）保护李晔（李敏）。

八月九日，李克用派部将李存信（张污落）、李存审（符存审），会同保大战区（总部设鄜州〔陕西省富县〕）司令官（节度使）李思孝，攻击王行瑜（静难〔总部邠州〕司令官）的属城梨园寨（陕西省淳化县），生擒守将王令陶等，押解到皇帝所在地（此时当在石门〔陕西省蓝田县西南〕）呈献。李思孝本姓拓跋，是拓跋思恭（定难〔总部夏州〕已故司令官）的老弟（拓跋思恭是党项人，参考八八一年三月）。李茂贞（宋文通）大为恐惧，遂斩李继鹏（阎珪），把人头送往皇帝所在地，上疏请求宽恕，并派使节晋见李克用，请求和解。李晔（李敏）再派延王李戒丕、丹王李允，晋见李克用解释，命他接受对李茂贞（宋文通）的赦免，强调："集中力量讨伐王行瑜，等铲除王行瑜后，当再跟你商议下一步行动。"并命两位亲王称李克用"大哥"。

32 李晔（李敏）命前护国战区（总部设河中府〔山西省永济市〕）司令官（节度使）崔胤，当副立法长（中书侍郎）、二级实质宰相（同平章事）。

33 八月十四日，李晔（李敏）下诏剥夺王行瑜（静难〔总部邠州〕司令官）所有的官职爵位。

八月十九日，再下诏命李克用当邠（陕西省彬州市）宁（甘肃省宁县）地区特遣兵团总征剿司令（邠宁四面行营都招讨使），保大战区（总部设鄜州〔陕西省富县〕）司令官（节度使）李思孝（拓跋思孝）当北方军团征剿司令（北面招讨使），定难战区（总部设夏州〔陕西省靖边县北白城则村〕）司令官（节度使）李思谏（拓跋思谏）当东方军团征剿司令（东面招讨使），彰义战区（总部设泾州〔甘肃省泾川县〕）司令官（节度使）张鐇当西方军团征剿司令（西面招讨使）。李克用派他的儿子李存勖，前往皇帝所在地。本年（八九五），李存勖十一岁。李晔（李敏）对李存勖的相貌，十分惊奇，抚摸他说："孩子，你一定会成为帝国的栋梁，以后应尽忠皇家。"李克用上疏请求李晔（李敏）回京（首都长安），李晔（李敏）允许；命李克用派骑兵三千人进驻三桥（陕西省西安市西北三桥街道），严加戒备。

八月二十七日，李晔（李敏）抵达京师（首都长安）。

八月二十八日，司空（三公之三）兼副监督长（兼门下侍郎）、二级实质宰相（同平章事）崔昭纬免职，改任国务院右最高执行长（右仆射）。

34 擢升护国战区（总部设河中府〔山西省永济市〕）候补司令官（节度使）王珂、卢龙战区（总部设幽州〔北京市〕）候补司令官（节度使）刘仁恭，实任战区司令官（节度使）。

35 当时，皇宫宝殿都被焚毁，没有时间重整，李晔（李敏）只好借住国务院（尚书省）官舍（在朱雀门正街之东，独占一坊）。文武百官差不多都没有长袍、笏板，更没有仆人可用、马匹可骑。

36 李晔（李敏）命李克用当特遣兵团总指战官（行营都统）。

37 九月十日，司空（三公之三）兼副监督长（兼门下侍郎）、二级实质宰相（同平章事）孔纬逝世。

38 九月十八日，朱全忠（朱温，宣武〔总部汴州〕司令官）亲自率军攻击朱瑄（天平〔总部郓州〕司令官），在梁山（山东省梁山县）会战，朱瑄战败撤退，返回郓州（山东省东平县）。

39 李克用（河东〔总部太原府〕司令官）猛烈攻击梨园（陕西省淳化县），王行瑜（静难〔总部邠州〕司令官）向李茂贞（宋文通）求援，李茂贞（宋文通）派军一万人，进驻龙泉镇（陕西省旬邑县东），更亲自率军三万人进驻咸阳（陕西省咸阳市）郊区。李克用请皇帝下诏命李茂贞（宋文通）回军，并且免除他所有官职爵位，打算分出一支军队讨伐。李晔（李敏）认为李茂贞（宋文通）既然自动诛杀李继鹏（阎珪），过去的罪行，已经赦免，不可以再免官削爵，更不应出兵讨伐。而只下诏命李茂贞（宋文通）撤退，同时也命李克用跟李茂贞（宋文通）和解。

李晔（李敏）命昭义战区（总部设潞州〔山西省长治市〕）司令官（节度使）李罕之：摄理最高监督长（检校侍中·使相），充任邠（陕西省彬州市）宁（甘肃省宁县）地区特遣兵团副总指战官（副都统）。

史俨（河东将领〔总部太原府〕将领）在云阳（陕西省泾阳县北云阳镇）击败静难兵团（总部邠州），生擒云阳防守司令（镇使）王令诲等，呈献中央。

40 王建（西川〔总部成都府〕司令官）派简州（四川省简阳市）州长王宗瑶（姜郅）等，率军北上勤王。

九月二十一日，进驻绵州（四川省绵阳市）。

41 罗平国（首都越州）皇帝董昌，请求杨行密（杨行愍，淮南〔总部扬州〕司令官）救援，杨行密（杨行愍）派泗州（江苏省盱眙县淮河北岸）警备区司令（节度使）台濛，进攻苏州（江苏省苏州市），用以减轻越州（浙江省绍兴市）所受的压力（苏州属镇海战区〔总部杭州〕）。并且上疏给李晔（李敏）说：

“董昌已知道自己错误，愿意继续对中央呈献贡品及缴纳捐税，请求恢复董昌的官职爵位。”又写信给钱镠（镇海〔总部杭州〕司令官）说：“董昌神经病发作，才自称皇帝，但他畏惧军方的劝告，已逮捕一起作恶的人，不应该再对他讨伐。”

42 冬季，十月三日，勤王军河东（总部太原府）将领李存贞，在梨园（陕西省淳化县）北方击败静难兵团（总部邠州），格杀一千余人。从此，梨园（陕西省淳化县）守军紧闭营门，不敢出击。

43 中央贬国务院右最高执行长（右仆射）崔昭纬当梧州（广西梧州市）军务秘书长（司马）。

44 李晔（李敏）的小老婆魏国夫人陈女士，才华和容貌，在后宫位居第一，没有美女可以超过。

十月五日，李晔（李敏）把陈女士赏赐给李克用。（《旧五代史·唐书·后妃传》：李克用死后，陈女士削发为尼。下世纪〔十〕三〇年代、后晋帝国一任帝石敬瑭在位时逝世。）

李克用命李罕之、李存信（张污落）等对梨园（陕西省淳化县）发动急攻，城里粮食吃完，守军放弃城池，逃走。李罕之等迎头痛击，格杀一万余人，连陷梨园等三个营寨，生擒王行瑜的儿子王知进及大将李元福等。李克用进驻梨园。

十月七日，王行约（前匡国〔总部同州〕司令官）、王行实（前左神策军指挥官〔左军指挥使〕）纵火焚烧宁州（甘肃省宁县）州城，逃走。李克用奏请命现任匡国战区（总部设同州〔陕西省大荔县〕）司令官（节度使）苏文建，当静难战区（总部设邠州〔陕西省彬州市〕）司令官（节度使），催他迅速到差，总部暂设宁州（甘肃省宁县），招待安抚归降官兵。

45 唐帝李晔（李敏）迁回皇宫居住。

46 朱全忠（朱温，宣武〔总部汴州〕司令官）派总指挥官（都将）葛从周攻击兖州（泰宁战区），而亲率主力部队继进。

十月二十日，包围兖州（山东省济宁市兖州区）。

47 杨行密（杨行愍，淮南〔总部扬州〕司令官）派宁国战区（总部设宣州〔安徽省宣城市〕）司令官（节度使）田頵、润州（江苏省镇江市）民兵司令（团练使）安仁义，攻击杭州（镇海战区）境内各地方军事单位，以纾解董昌（罗平国皇帝）所受的压力，董昌派湖州（浙江省湖州市）将领徐淑，会合淮南（总部扬州）将领魏约，共同包围嘉兴（浙江省嘉兴市）。钱镠（镇海〔总部杭州〕司令官）派武勇特别营司令（武勇都指挥使）顾全武，增援嘉兴（浙江省嘉兴市），一连击破乌墩（浙江省桐乡市西北乌镇镇）、光福（应在浙江省湖州市境）两个营寨。而淮南（总部扬州）将领柯厚，也击破苏州（江苏省苏州市）水寨。顾全武，是余姚（浙江省余姚市）人。

48 义武战区（总部设定州〔河北省定州市〕）司令官（节度使）王处存逝世（年六十五岁）。军队将领推举他的儿子、副司令官（节度副使）王郜，当候补司令官（留后）。

49 李晔（李敏）命首都长安特别市长（京兆尹）武邑（河北省武邑县）人孙偓，当国务院国防部副部长（兵部侍郎）、二级实质宰相（同平章事）。

50 王行瑜（静难〔总部邠州〕司令官）派精锐武装部队五千人，坚守龙泉寨（陕西省旬邑县东），李克用攻击。李茂贞（宋文通，凤翔〔总部凤翔府〕司令官）派军五千人前往援救，在龙泉寨（陕西省旬邑县东）西方扎营。李罕之（昭义〔总部潞州〕司令官）攻击凤翔兵团，凤翔兵团落荒而走。

十一月五日，李克用攻陷龙泉寨（陕西省旬邑县东）。王行瑜逃回邠州（陕西省彬州市），派人呈递奏章，愿向李克用投降。

51 齐州（山东省济南市）州长朱琼，献出城池，投降朱全忠（朱温，宣武〔总部汴州〕司令官）。朱琼，是朱瑾（泰宁〔总部兖州〕司令官）的堂兄。

52 衢州（浙江省衢州市）州长陈儒逝世，老弟陈岌接替（陈儒占领衢州，参考八八七年十二月）。

53 李克用率军进抵邠州（陕西省彬州市）城下，王行瑜（静难〔总部邠州〕司令官）登上城楼，哀号痛哭，对李克用说："我没有罪，威胁逼迫皇上，都是李茂贞（宋文通）、李继鹏（阎珪）干的事，跟我毫不相干，请派军去凤翔（陕西省宝鸡市凤翔区）查问，就完全了解，我愿以戴罪之身，回到中央。"李克用说："王尚父，你谦恭得岂不是有点过分（王行瑜任"尚父"，参考前年〔八九三〕十一月）！我奉中央之命，讨伐三个叛贼，阁下是其中之一。你想自己回到中央，我可不敢擅自作主。"

十一月十五日，王行瑜放弃城池，带着全家大小，一起逃走。李克用进入邠州（陕西省彬州市），查封库房，安抚居民，派指挥官（指挥使）高爽，暂时管理军政事务，上疏催促苏文建（新任静难司令官）早日到差。王行瑜逃到庆州（甘肃省庆阳市）境界，部属把他斩首，人头呈献中央（王行瑜杀朱玫夺权，参考八八六年十二月。前后割据十年而灭）。

54 朱瑄（天平〔总部郓州〕司令官）派他的将领贺瓌、柳存，会同河东（总部太原府）将领薛怀宝，率军一万余人，袭击曹州（山东省菏泽市定陶区。郭铢杀州长郭词投降朱全忠，参考八九一年十一月），以纾解兖州（山东省济宁市兖州区）的围城压力。贺瓌，是濮阳（河南省濮阳市）人。

十一月十五日（另一个战场，李克用于今天进入邠州），朱全忠（朱温，宣武〔总部汴州〕司令官）得到消息，连夜从中都（山东省汶上县）强行出军追击，天亮（十一月十六日），在钜野（山东省巨野县）南方追上，立即攻击，几乎把天平（总部郓州）士卒屠杀净光，生擒贺瓌、柳存、薛怀宝，俘虏士卒三千余人。当天下午，狂风大作，飞沙走石，天地一片昏暗。朱全忠（朱温）说："这是杀人还不够多！"下令把三千余俘虏全部处死。

十一月十八日，把贺瓌等绳捆索绑，牵到兖州（山东省济宁市兖州区）城下，让城里守军观看，警告朱瑾（泰宁〔总部兖州〕司令官）说："你家老哥已惨败成这个样子，为什么不早日投降？"

55 十一月二十五日，雅州（四川省雅安市）州长王宗侃（田师侃）攻陷利州（四川省广元市），生擒州长李继颙（凤翔〔总部凤翔府〕将领），斩首。

56 朱瑾（泰宁〔总部兖州〕司令官）派使节晋见朱全忠（朱温，宣武〔总部汴州〕司令官），假装投降，朱全忠（朱温）亲自走近延寿门，跟朱瑾对话。朱瑾说："我打算把符节印信送交出来，但希望我家老哥朱

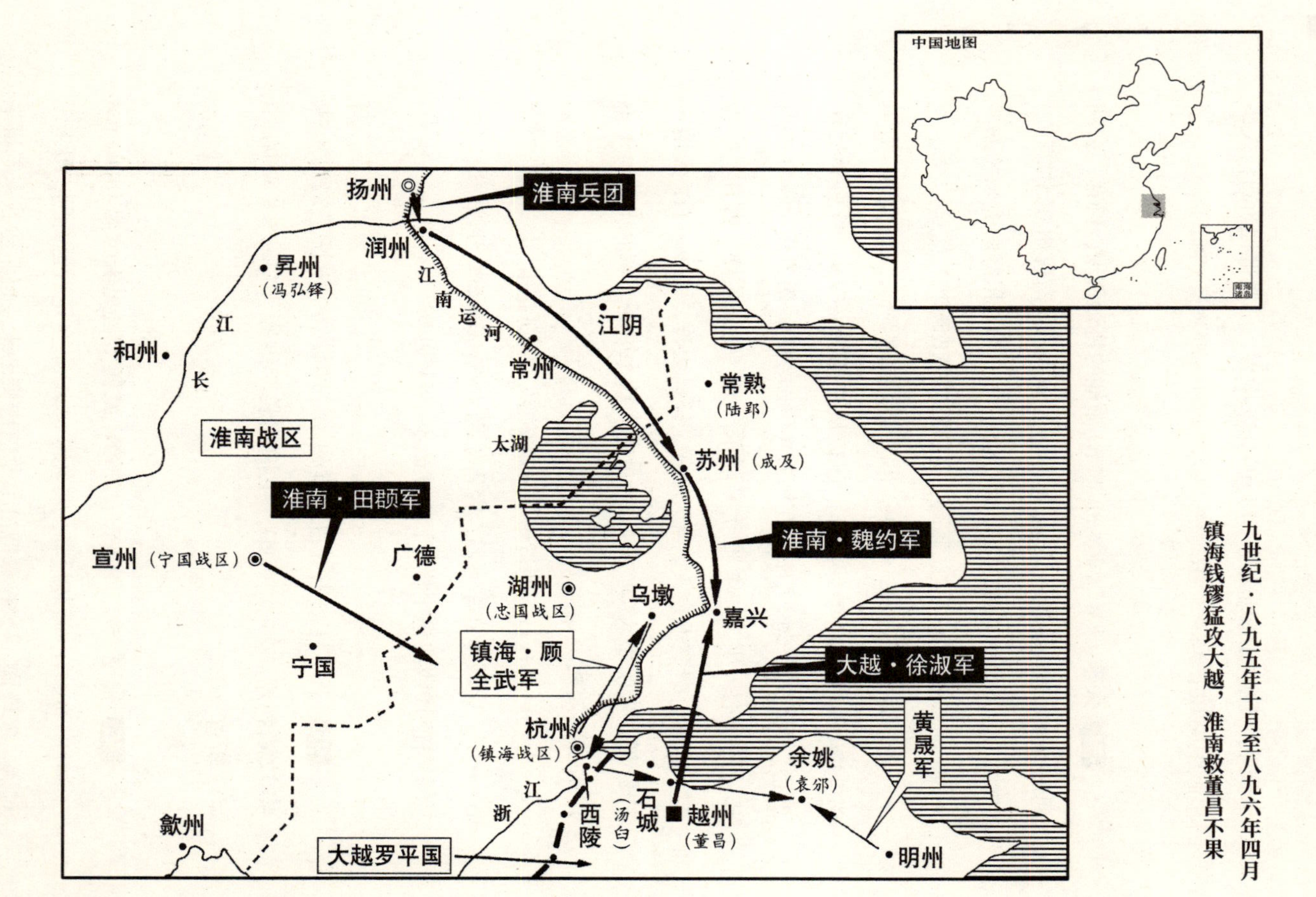

九世纪·八九五年十月至八九六年四月
镇海钱镠猛攻大越，淮南救董昌不果

琼来拿。”

十一月二十九日，朱全忠（朱温）命朱琼前往。朱瑾骑马站在护城河吊桥上，勇士董怀进埋伏桥下。朱琼来到，董怀进发动突袭，把朱琼生擒，带到城里，一会工夫，朱琼的人头被扔到城外。朱全忠（朱温）受到挫折，只好率军撤退。命朱琼的老弟朱玭当齐州（山东省济南市）警备区司令（防御使）；诛杀柳存、薛怀宝；平时听说过贺瓌的声名，把他释放，用作部将。

57 李克用班师，驻扎渭水北岸。

58 中央命静难战区（总部设邠州〔陕西省彬州市〕）司令官（节度使）苏文建，遥兼二级宰相（同平章事·使相）。

59 蒋勋（放弃龙回关事，参考去年〔八九四〕五月）要求当邵州（湖南省邵阳市）州长，刘建锋（武安〔总部潭州〕司令官）拒绝。蒋勋遂跟邓继崇（二人同守龙回关）聚众起兵，联合飞山蛮（湖南省靖州县蛮夷）、梅山蛮（湖南省新化县西雪峰山蛮夷），进攻湘潭（湖南省衡山县），占领邵州（湖南省邵阳市），派他的部将申德昌驻防定胜镇（湖南省双峰县），控制潭州（湖南省长沙市）、邵州（湖南省邵阳市）间险要关口。

60 十二月二日，阆州（四川省阆中市）警备区司令（防御使）李继雍、蓬州（四川省仪陇县南）州长费存、渠州（四川省渠县）州长陈璠（三人皆隶属凤翔〔总部凤翔府〕李茂贞），各率他们的部众，投奔王建（西川〔总部成都府〕司令官）。

61 十二月三日，李克用驻军云阳（陕西省泾阳县北云阳镇）。

62 王建（西川〔总部成都府〕司令官）奏报说："东川战区（总部设梓州〔四川省三台县〕）司令官（节度使）顾彦晖，不肯共赴国难，发兵勤王，却掠夺相邻战区道的武器装备，又派泸州（四川省泸州市）州长马敬儒切断峡路（长江三峡水道），请派军讨伐。"

十二月六日，华洪（西川〔总部成都府〕将领）在楸林（四川省三台县东北秋林镇）大破东川兵团（总部梓州），格杀及俘虏数万人，攻陷楸林寨（四川省三台县东北秋林镇）。

63 十二月十三日，中央晋封李克用（河东〔总部太原府〕司令官）当晋王（自陇西郡王晋升晋王），命李罕之（昭义〔总部潞州〕司令官）兼任最高监督长（兼侍中·使相），命河东（总部太原府）大将盖寓遥兼容州道（首府设容州〔广西容县〕）行政长官（观察使），其他自李克用开始，所有文武百官以及他们的子孙，都升官晋爵。

李克用性情暴烈褊急，左右侍从稍有一点小过，立刻就被处死，没有人稍敢违犯。只有盖寓聪明慧黠，能揣摩他的意思，婉转规劝，没有一次不被采纳。李克用有时大发雷霆，责备根本没有犯错的将领，盖寓就假装跟他同样怒不可遏，而李克用反而常常因为这个缘故，把人释放。盖寓如果反对某些事情，总是拿眼前发生、李克用所可能了解的事，作为比喻。因此，李克用对他十分宠爱信任。在辖境内，没有人不对他依附，权力几乎跟李克用不相上下。中央以及相邻战区道派使节到河东（总部太原），无论是赏赐或馈赠，都先送给李克用，然后就送给盖寓。朱全忠（朱温，宣武〔总部汴州〕司令官）屡次派人挑拨离间，甚至故意制造谣言，坚称盖寓已取代李克用；李克用听到这些消息，反而待盖寓更为优厚。

64 十二月十四日，王建（西川〔总部成都府〕司令官）进攻东川战区（总部设梓州〔四川省三台县〕），别动部队将领王宗弼（魏弘夫）被东川（总部梓州）守城部队生擒，顾彦晖（东川〔总部梓州〕司令官）收作义子。

十二月十六日，通州（四川省达州市达川区）州长李彦昭（凤翔〔总部凤翔府〕将领）率领他的部众二千人，向王建投降。

65 李克用派机要秘书（掌书记）李袭吉，到中央叩谢皇帝的恩典，秘密奏报李晔（李敏）说：“近年以来，关辅一直不能安宁（关是关中，辅是三辅，仍是关中。即指陕西省中部），应该利用这次军事胜利，收回凤翔（陕西省宝鸡市凤翔区）；一次辛苦，可换取永久安逸，不要失去机会。我驻军渭河北岸，只等皇上一声令下。”李晔（李敏）跟权贵及亲近商议，有人警告说：“如果李茂贞（宋文通）覆灭，沙陀（李克用）一定更为强大，失去平衡，中央将陷于险境。”李晔（李敏）乃下诏给李克用，褒扬他对帝国及皇家的忠诚，强调说：“叛徒们的罪行，王行瑜最为严重。自从我离开京师（首都长安）之后，李茂贞（宋文通）、韩建都自己知道有罪，没有忘记帝国对他们的厚恩，进贡纳税，前后不断。而且，也应该让人民和士卒，都获得休息。”李克用接到诏书，只好停止行动（从此，李克用战斗力日衰，九年之间，李晔被俘虏、被凌辱、被处死，李克用再不能援救）。不久，李克用私下告诉传达诏书的使节说：“我看中央的意思，似乎疑心我别有用心。问题是，如果不铲除李茂贞（宋文通），关中（陕西省中部）就永远没有安宁的一天。”李晔（李敏）又下诏给李克用，特别允许他不来京师（首都长安）朝见。将领们有的愤愤不平说：“距皇宫这么近，怎么可以不去朝见天子！”李克用犹豫不能决定，盖寓说："以前王行瑜那群人，带着军队，犯上作乱，害得连皇上都得逃命，人民四下流散。今天，天子在宝座上还没有坐稳，人民仍是惊弓之鸟，大王如果率军南渡渭河，恐怕会使京师（首都长安）再次惊恐。一个人是不是尽忠报国，在于竭力办事，不在于晋见皇帝，希望多加考虑。"李克用笑道："连盖寓都不愿我进京（首都长安），何况全国人民！"乃上疏说："我因统率大军，所以不敢直接前往京师（首都长安）朝觐，而且也不敢久驻渭河北岸，恐怕部落士卒惊扰本地居民。"

十二月二十九日，李克用率军东归。奏章到达京师（首都长安），上下才感到安心。

柏杨曰

李克用失去千载难逢的主宰全国的良机！

唐王朝末期，跟东汉王朝末期，简直像一个生产线制造出来的产品。李克用所处的正是当年曹操所处的地位。皇帝是权力魔杖，谁抓住这个魔杖，谁就能控制国家。但不是每个抓住魔杖的人，都有能力运用魔杖，没有五百年的修炼，就拿不动孙悟空的金箍棒，勉强去拿，徒使自己筋断骨折。李傕、郭汜虽然把刘协掌握，却无法挥舞，必须有曹操那种智慧和力量，才能发挥功能。李克用只要渡过渭河，往南再走几步，李晔就完全落入手心，野心家寤寐以求的"挟天子以令诸侯"局面，就会出现。从今以后，一切都是"皇帝旨意"和"中央命令"。以李克用的兵力，李茂贞等不是对手，而最大的敌人朱全忠，不过东汉王朝的袁绍、马超、韩遂。试回忆八九〇年脓包统帅张濬讨伐李克用之役，如果把张濬换成李克用，把李克用换成朱全忠，就可看出魔杖的威力。朱全忠灭后，杨行密、王建都不是重要角色。

东汉王朝末期，军阀林立，猛将如云，谋士如雨，而唐王朝末期，军阀们则只有猛将，而没有谋士，朱全忠的敬翔，不过一个得宠的文书官，李克用的盖寓，不过一个弄臣。既缺尊严，更缺前瞻，偶尔出点排难解纷小主意的知识分子，并不都属智囊！

道家有句话“气数已尽”，含有绝望的哀伤！事实上，气数就是人才。九世纪中期到十世纪末叶，一百五十年间，所以成为大黑暗时代，主要原因就是人才已尽，并且越到后来越严重。最后，全国只剩下十几条毒虫，在那里称帝称王，像朱全忠始终是一个匪徒，李克用始终是一个酋长，即令有王猛、诸葛亮，他们又如何得到！即令得到，也早被诛杀！

我们不仅叹息李克用这个人失去一次良机而已，也叹息生在那个群驴时代的智士，是何等悲哀！

李晔（李敏）下诏：赏赐河东（总部太原府）战士钱三十万串。然而，李克用班师后，李茂贞（宋文通）的骄傲凶蛮，立刻恢复，河西（甘肃省中西部）州县，大多被他占据，并且任命他的部将胡敬璋当河西战区（总部设凉州〔甘肃省武威市〕）司令官（节度使）。

66 朱全忠（朱温，宣武〔总部汴州〕司令官）离开兖州（山东省济宁市兖州区）时，留下大将葛从周率军封锁，朱瑾（泰宁〔总部兖州〕司令官）紧闭城门固守，不再出击。葛从周也准备撤退，对外宣称：“天平（总部郓州）、河东（总部太原府）救兵要到，我要前往西北迎战。”但是等到深夜，却从前方再秘密返回原来营寨埋伏，朱瑾认为葛从周精锐部队已全部出动，只留下老弱残兵看守空营，遂出军袭击。葛从周伏兵突起，奋勇反击，杀一千余人，生擒泰宁（总部兖州）总指挥官（都将）孙汉筠，班师。

67 中央命镇海战区（总部设杭州〔浙江省杭州市〕）司令官（节度使）钱镠，兼最高监督长（兼侍中·使相）。

68 彰义战区（总部设泾州〔甘肃省泾川县〕）司令官（节度使）张镭逝世，中央命他的儿子张琏暂代候补司令官（权知留后）。

69 朱瑄（天平〔总部郓州〕司令官）、朱瑾（泰宁〔总部兖州〕司令官）被朱全忠（朱温，宣武〔总部汴州〕司令官）不断攻击，农村不能耕种，土地荒芜，财力人力，全陷苦境，只好再向河东（总部太原府）求救。李克用（河东〔总部太原府〕司令官）派大将史俨、李承嗣率骑兵数千人，向魏博战区（总部设魏州〔河北省大名县〕）借路，前往增援。

70 安州（湖北省安陆市）警备区司令（防御使）家晟（家，姓），跟朱全忠（朱温，宣武〔总部汴州〕司令官）的亲信蒋玄晖有怨，恐怕有一天大祸临头，于是会同指挥官（指挥使）刘士政、骑兵监察官（兵马监押）陈可璠，率军三千人袭击桂州（广西桂林市），格杀军事指挥官（经略使）周元静，由自己接替。

家晟酒后乱性，侮辱陈可璠，陈可璠挥刀把家晟诛杀，推举刘士政代理军事指挥官（知军府事），而自己当副军事指挥官（副使）。

中央下诏就命刘士政实任军事指挥官（经略使）。蒋玄晖，是吴县（江苏省苏州市）人。

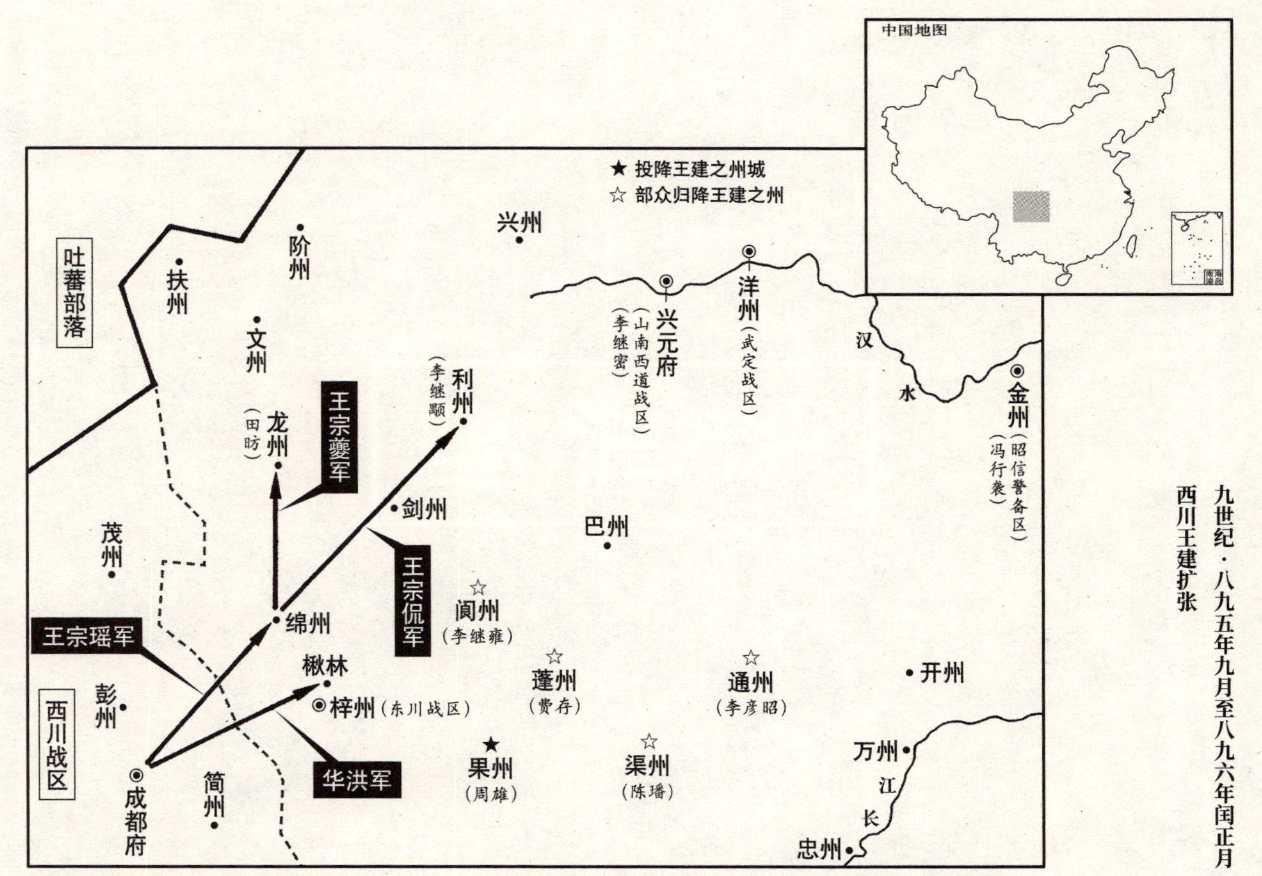

九世纪·八九五年九月至八九六年闰正月
西川王建扩张

大黑暗

导读

文化社会的变迁，像一道河流，无法斩钉截铁的指出“中游”从哪里开始，或“下游”从哪里开始，但可以确定它有“中游”，也有“下游”。大黑暗时代的出现亦然，远者可从安史兵变，八世纪五〇年代算起，近者可从唐王朝十九任帝李忱逝世，九世纪六〇年代算起，真是“黑云压城城欲摧”，普天之下，莫非悲土，率海之滨，莫非惨民。中国国土大量丧失，在残留的疆域上，到处是军阀盗匪，能当皇帝的当皇帝，能当国王的当国王，各霸一方过瘾，更互相厮杀。小民的生活今日不如昨天，后天又不如今日。本册记载九世纪末年史迹，在刚被撞得稀烂的豪华客厅里，群驴乱舞，使人抚膺扼腕。

柏杨　一九九一·九·一五

目录

唐王朝

◎ 武安（潭州）兵变，杀司令官刘建锋。

◎ 李茂贞攻长安，唐帝李晔出奔华州。

◎ 韩建屠杀十六宅亲王。

◎ 朱全忠陷天平（郓州），斩司令官朱瑄。

◎ 王建陷东川（梓州），司令官顾彦晖自杀。

◎ 保义（陕州）兵变，杀司令官王珙。

◎ 日本宇多天皇让位给醍醐天皇。

八九六年 丙辰

唐 乾宁 三年

（大越罗平国皇帝董昌顺天二年）

1 春季，正月，西川（总部成都府）将领王宗夔，攻克龙州（四川省平武县东南），诛杀州长田昉（龙州此时属凤翔〔总部凤翔府〕李茂贞）。

2 正月五日，刘建锋（武安〔总部潭州〕司令官）派总指挥官（都指挥使）马殷，率军讨伐蒋勋（参考去年〔八九五〕十一月），进攻定胜寨（湖南省双峰县），把蒋勋军击破。

3 正月十九日，淮南（总部扬州）将领安仁义，率舰队抵达湖州（浙江省湖州市），打算渡江（浙江）援救罗平国（首都越州〔浙江省绍兴市〕）皇帝董昌（义胜〔总部越州〕司令官。登极称帝事，参考去年〔八九五〕二月），钱镠（镇海〔总部杭州〕司令官。镠，音𠰍〔流〕）派武勇特别营司令（武勇都指挥使）顾全武、战区总作战司令（都知兵马使）许再思，进驻西陵（浙江省杭州市滨江区西北西兴街道），安仁义无法强渡。

董昌派他的部将汤臼守石城（浙江省绍兴市北）、袁邠守余姚（浙江省余姚市）。

4 闰正月，李克用（河东〔总部太原府〕司令官）派蕃汉联合兵团总指挥官（蕃汉都指挥使）李存信（张污落），率骑兵一万人，向魏博（总部魏州）借路，东下增援泰宁（总部兖州）、天平（总部郓州），在莘县（山东省莘县）扎营。朱全忠（朱温，宣武〔总部汴州〕司令官）派使节警告罗弘信（魏博〔总部魏州〕司令官）说："李克用立志吞并河朔（河北平原），班师回军那天，你借给他的那条大道，使人担忧。"而李存信（张污落）的军纪败坏，沿途烧杀抢劫，对魏博（总部魏州）人民十分凶暴；罗弘信既害怕又愤怒，集结三万人庞大兵力，发动夜袭。李存信（张污落）军崩溃，狼狈退到洺州（河北省邯郸市永年区东南广府镇。属邢洺战区〔总部邢州〕），十分之二三的士卒被杀被俘，抛弃无数辎重、粮食、军械。前些时派出的史俨、李承嗣援军（参考去年〔八九五〕十二月），自此隔绝在外，不能再回河东（总部太原府），而罗弘信从此也跟河东（总部太原府）断绝交往，专心倒向宣武（总部汴州）。

朱全忠（朱温）正企图并吞天平（总部郓州）、泰宁（总部兖州），恐怕罗弘信在他背后下手，所以用种种方法稳住罗弘信，每逢罗弘信送来礼物，朱全忠（朱温）当着魏博（总部魏州）使节的面，总要向北方行礼，恭恭敬敬接受，说：“六哥（罗弘信在兄弟中排行第六）跟我之间，他的年龄比我大两倍，怎么能跟普通邻居相比（本年，罗弘信年六十一岁，朱全忠年四十五岁）！”罗弘信深信不疑。朱全忠（朱温）因此得以全力对付东方。

5 闰正月五日，果州（四川省南充市）州长周雄，投降王建（西川〔总部成都府〕司令官）。

6 二月十七日，顾全武、许再思（二人均镇海〔总部杭州〕将领），在石城（浙江省绍兴市北）击败汤臼（义胜〔总部越州〕将领）。

唐王朝皇帝（二十二任昭宗）李晔（李敏。晔，音yè〔叶〕。本年三十岁），接受杨行密（杨行愍，淮南〔总部扬州〕司令官）的建议（参考去年〔八九五〕九月），下诏赦免董昌（义胜〔总部越州〕司令官）称帝之罪，恢复所有官职爵位。钱镠（镇海〔总部杭州〕司令官）拒不接受。

7 李晔（李敏）命通王李滋主管禁卫军将领事务（李滋，是十九任帝李忱的儿子，参考八五九年六月）。

8 朱全忠（朱温）向皇帝推荐国务院国防部长（兵部尚书）张濬，李晔（李敏）打算命他再行出任宰相（张濬宰相被免职，参考八九一年正月）。李克用得到消息，上疏皇帝，请求下令讨伐朱全忠（朱温），并且警告说：“张濬早上当宰相，晚上我就抵达宫门！”京师（首都长安）人心震动。李晔（李敏）下诏和解。

9 三月，擢升天雄战区（总部设秦州〔甘肃省秦安县西北〕）候补司令官（留后）李继徽（杨崇本），实任司令官（节度使）。

10 保大战区（总部设鄜州〔陕西省富县〕）司令官（节度使）李思孝（拓跋思孝）上疏请求退休，推荐老弟李思敬（拓跋思敬）代替。李晔（李敏）命李思孝（拓跋思孝）以太师（三师之一）名义退休，命李思敬（拓跋思敬）当保大战区（总部鄜州）候补司令官（留后）。

11 朱全忠（朱温）派部将庞师古，率军进攻天平（总部郓州），在马颊河（山东省商河县北惠德新河）击败天平兵团（总部郓州），进抵郓州（山东省东平县）城下。

12 三月二十八日，顾全武（镇海〔总部杭州〕将领）等攻击余姚（浙江省余姚市）；明州（浙江省宁波市）州长黄晟派军协助顾全武（明州属义胜战区〔总部越州〕）。罗平国（首都越州〔浙江省绍兴市〕）皇帝董昌命部将徐章增援余姚，顾全武生擒徐章。

13 夏季，四月十日，黄河猛涨，滑州（宣义战区总部所在，河南省滑县）州城势将被水摧毁。朱全忠（朱温）命在上游决堤开口，使河水奔腾而下，遂成为南北二河，把滑州州城夹在中间。虽救出一个城，但黄河的灾害更为严重。

14 李克用（河东〔总部太原府〕司令官）攻击罗弘信（魏博〔总部魏州〕司令官），在洹水（河北省魏县西南）会战，格杀魏博（总部魏州）士卒一万余人，遂进逼魏州（河北省大名县。报李存信之仇）。

15 武安战区（总部设潭州〔湖南省长沙市〕）司令官（节度使）刘建锋，

出身贫穷，自从当上战区司令官（节度使），对自己的功名成就，十分满意，每天饮酒取乐，不管公事。（胡三省注：“小人物的器宇容易满盈，刘建锋刚占长沙，就自觉壮志已酬！”）常驻官邸卫士官（长直兵）陈赡的妻子，美貌非凡，刘建锋跟她私通，陈赡在宽衣大袖里暗藏带链的铁锤，遂挝杀刘建锋（挝，音zhuā〔抓〕）。各将领再诛杀陈赡，拥护作战参谋长（行军司马）张佶当候补司令官（留后）。张佶前往总部时，他的坐骑好像受了什么惊吓，仰头嘶鸣，又踢又咬，张佶的左大腿骨受伤，心里有一种不祥之兆。当时，总指挥官（都指挥使）马殷正包围邵州（湖南省邵阳市），还没有攻克，张佶向各将领道歉说：“马殷既有勇气，又有智谋，为人宽大厚道，又喜爱做善事，都是我赶不上的地方，他才是真正的领袖人才。”于是用正式公文命马殷班师。马殷犹豫不决，不敢贸然成行，警卫部队将领（听直军将）、汝南（河南省汝南县西）人姚彦章提醒马殷说：“你跟刘建锋、张佶，三位一体，情同手足。而今刘建锋被害，张佶大腿受伤，天意如此，人望所归，除了你，还有谁？”马殷乃命侍卫亲军副总指挥官（亲从都副指挥使）李琼，留下来继续进攻邵州（湖南省邵阳市），自己先返长沙（潭州州政府所在县）。

16 淮南（总部扬州）特遣兵团跟镇海（总部杭州）特遣兵团，在皇天荡（江苏省苏州市境）会战，镇海（总部杭州）特遣兵团失利。杨行密（杨行愍，淮南〔总部扬州〕司令官）遂包围苏州（江苏省苏州市）。

17 钱镠（镇海〔总部杭州〕司令官）、钟传（镇南〔总部洪州〕司令官）、杜洪（武昌〔总部鄂州〕司令官），对杨行密（杨行愍）的强大，心存畏惧，纷纷向朱全忠（朱温，宣武〔总部汴州〕司令官）求援。

朱全忠（朱温）派许州（河南省许昌市）州长朱友恭，率军一万人，渡淮河南下，授给他单独行动的全权。

18 罗平国（首都越州〔浙江省绍兴市〕）皇帝董昌，派人侦察钱镠（镇海〔总部杭州〕司令官）军队的行动，如果报告说钱镠兵力强大，董昌立刻就会大发雷霆，把他斩首；如果报告说钱镠军队不过一群老弱残兵，粮食也快要吃完，董昌就大为欢喜，给他奖赏。

四月二十七日，董昌部将袁邠，献出余姚（浙江省余姚市），投降钱镠。而钱镠的部将顾全武、许再思，也进抵越州（浙江省绍兴市）城下。

五月，董昌不断出城反攻，不断失败，只好坚守城池，顾全武等大军把越州（浙江省绍兴市）围住，董昌这才开始感到恐惧，宣布除去皇帝称号，仍称战区司令官（节度使）。

19 马殷抵达长沙（潭州州政府所在县，湖南省长沙市），张佶（武安〔总部潭州〕候补司令官）乘坐人抬小轿前往总部，坐在公堂上接受马殷的叩见，行礼已毕，再命马殷登上公堂，把候补司令官（留后）的位置让给他，然后，张佶从公堂退下，率领文武职员向马殷跪拜祝贺，恢复自己作战参谋长（行军司马）官职，代替马殷，率军攻击邵州（湖南省邵阳市）。

20 五月三日，苏州（江苏省苏州市）所属常熟（江苏省常熟市）防守司令（镇使）陆郢，献出州城（苏州城），投降杨行密（杨行愍，淮南〔总部扬州〕司令官），生擒州长成及（钱镠乘孙儒撤军，重夺苏州，参考八九一年十二月，如今又失）。

杨行密（杨行愍）检查成及家产，发现只有图书、药物，认为成及的品德清廉高尚，把他接回扬州（江苏省扬州市），任命他当作战参谋长（行军司马）。成及叩拜哭泣说：“我家男女大小，一百余口，都在钱镠那里。失守苏州（江苏省苏州市），不能殉职，已很惭愧，怎么敢再企求荣华富贵，愿用我一个人的性命，换取全家一百余口的性命！”拔出佩刀打算自杀。杨行密（杨行愍）立刻抓住他的手制止，送他到总部宾馆居住。成及房间里也放有武器，可是杨行密（杨行愍）常常一个人前往拜访，跟他一起饮酒进餐，毫不猜疑。

钱镠（镇海〔总部杭州〕司令官）得到苏州（江苏省苏州市）陷落的消息，急调正在包围越州（浙江省绍兴市）的顾全武，命他直向西陵（浙江省杭州市滨江区西北西兴街道），防备杨行密（杨行愍）。顾全武说：“越州（浙江省绍兴市）是盗匪（董昌）的基地，马上就要到手，为什么竟然放弃？我建议：先攻克越州，再收复苏州（江苏省苏州市）。”钱镠同意。

21 淮南（总部扬州）将领朱延寿突袭蕲州（湖北省蕲春县），包围州城（蕲州属武昌战区〔总部鄂州〕）。蕲州（湖北省蕲春县）大将贾公铎正在外打猎，被从中隔断，不能回来，于是把军队埋伏在树林里，派敢死队二人反穿羊皮（羊毛在外），乘夜晚进入朱延寿封锁圈，驱赶羊群到城下，遂得入城，跟守军约定明天午夜时候打开城门，举起火把接应；约定妥当之后，二人再用同样方法出城报告。到了约定时间，贾公铎率军到城南，城门里举起火炬，贾公铎奋勇攻击，突破包围，进入城里。朱延寿大惊说：“我一直怕他们突围出来，想不到他们竟突围进去，这种情形，城池怎么可能轻易攻克！”于是报告杨行密（杨行愍），杨行密（杨行愍）寻访军中跟贾公铎有旧情的将领充当使节，携带杨行密（杨行愍）的誓书盟约，以及金银绸缎，前去游说，只要投降，愿两家结亲。寿州（安徽省寿县）民兵副司令（团练副使）柴再用应征，请求前往。柴再用抵达蕲州（湖北省蕲春县）城下，跟贾公铎对话，分析利害。几天之后，贾公铎及州长冯敬章一起投降。杨行密（杨行愍）遂命冯敬章当淮南（总部扬州）左翼大营总管理官（左都押牙），贾公铎当右监门卫（卫军第十四军）将军。（《九国志》："贾公铎，上蔡〔河南省上蔡县〕人，逃离秦宗权，渡淮河而南，遇见老友冯敬章，遂袭取蕲春〔蕲州州政府所在县〕，推举冯敬章当州长，贾公铎自任大将。"冯敬章占领蕲州，参考八八七年十二月，迄今十年。）

朱延寿再进击，攻克光州（河南省潢川县），杀州长刘存。

22 五月六日，李晔（李敏）派宦官前往梓州（四川省三台县），调解两川——西川（总部成都府）、东川（总部梓州）之间的争执，王建（西川〔总部成都府〕司令官）虽然接受命令，返回成都（四川省成都市），但战争仍不能停止。

23 被贬作梧州（广西梧州市）军务秘书长（司马）的宰相崔昭纬（被贬事，参考去年〔八九五〕十月），再向朱全忠（朱温，宣武〔总部汴州〕司令官）求救。

五月八日，李晔（李敏）派宦官传令，命崔昭纬自杀。宦官直到荆南（总部江陵府）才追到崔昭纬，就在当地处死，无论中央和地方，都人心大快（崔昭纬勾结凤翔〔总部凤翔府〕、静难〔总部邠州〕，谋杀杜让能〔参考八九三年十月〕、韦昭度、李谿〔参考去年〔八九五〕五月〕）。

24 荆南战区（总部设江陵府〔湖北省江陵县〕）司令官（节度使）成汭（郭禹），跟他的部将许存，逆长江西上，夺取土地，沿江州县，全被占领。武泰战区（总部设黔州〔重庆市彭水县〕）司令官（节度使）王建肇不能抵抗，放弃黔州（重庆市彭水县），收拾残余部众，退保丰都（重庆市丰都县)。许存又率军西上，攻克渝(重庆市)、涪(重庆市涪陵区)二州(涪州属武泰战区〔总部黔州〕、渝州属东川战区〔总部梓州〕)。成汭(郭禹)派另一部将赵武当武泰(总部黔州)候补司令官(留后)，而命许存当万州(重庆市万州区)州长。

成汭(郭禹)知道许存心存不满，派人前往侦察，回来报告说："许存不管州里的事情，每天只去踢球！"成汭(郭禹)说："他就要走了，在那里先练脚劲！"派出军队袭击，许存放弃州城逃走。(胡三省注："成汭当初不见容于张瓌〔参考八八五年三月〕，现在自己又不能容许存！嫉妒贤能人才，是普通人的常情。")残余部众逐渐回归旧主，许存暂时驻扎茅坝(重庆市江津区东)。

赵武不断进攻丰都(重庆市丰都县)，王建肇无法坚守，于是跟许存一起投降王建(西川〔总部成都府〕司令官)。而王建畏惧许存的英勇和智略，也打算把他铲除。机要秘书(掌书记)高烛说："你正在招揽天下英雄豪杰，建立霸主大业。许存穷途末路，投靠我们，为什么把他杀掉！"王建命许存前往蜀州(四川省崇州市)驻防，密令蜀州(四川省崇州市)州长王宗绾(李绾)监视；王宗绾(李绾)密报说："许存性情忠厚勇敢，做事谦恭谨慎，是一位良将。"王建才打消诛杀许存的念头，命他改姓名为王宗播，而王宗绾(李绾)始终不让王宗播(许存)知道是谁使他免于一死(群驴中忽然发现一虎，群驴惧妒交加，怎能容虎活命)。

王宗播(许存)最早的文书官(孔目官)柳修业，时常警告王宗播(许存)说："应该特别谨慎安静，才能逃祸。"之后，王宗播(许存)当王建的部将，遇到敌人强大，其他将领畏惧时，总是挺身出战；可是等到论功行赏，他就声称有病，从不自夸，因此，得以保持荣华富贵，直到老死。

25 五月十四日，夜晚，顾全武（镇海〔总部杭州〕将领）猛烈攻击越州（浙江省绍兴市）。

五月十五日，凌晨，攻克越州（浙江省绍兴市）外郭，刚取消皇帝称号的董昌，仍据守内城（牙城）抵抗。

五月十八日，钱镠（镇海〔总部杭州〕司令官）派董昌的旧部骆团，晋见董昌说："接到皇上诏书：命大王（董昌原封陇西郡王）办理退休，回临安（浙江省杭州市临安区）养老（董昌是临安人）！"董昌这才交出印信符节，搬出官邸，迁往清道坊。

五月十九日，顾全武派武勇总监军官（武勇都监使）吴璋，用船押送董昌前往杭州（浙江省杭州市），走到小江南（浙江省绍兴市东南曹娥江支流），斩董昌，连同他的家属共三百余人，以及他当皇帝时的宰相李邈、蒋瓌等一百余人，全部诛杀（董昌以民众自卫队出任石镜镇将〔参考八七八年十二月〕，步步高升，直升到皇帝宝座，前后十九年而灭）。董昌在围城之中，贪婪和吝啬更变本加厉，强抽人头税，依照人头征收金银绸缎，并减少战士们的粮饷。后来城池陷落，金库中的金银绸布和各种杂货，足足装满五百间，粮仓中的粮食就有三百万斛。钱镠把董昌的人头送到京师（首都长安），从金库拿出金银绸缎赏赐给将士，打开粮仓发放粮食，赈济贫穷民众。

26 李克用（河东〔总部太原府〕司令官）进攻魏博（总部魏州），掳掠骚扰所属六州的每一个州（六州：魏〔河北省大名县〕、博〔山东省聊城市〕、贝〔河北省清河县〕、卫〔河南省卫辉市〕、澶〔河南省内黄县东南〕、相〔河南省安阳市〕）。朱全忠（朱温，宣武〔总部汴州〕司令官）把葛从周从郓州（山东省东平县）调回，命他率军进驻洹水（河北省魏县西南。洹，音huán〔环〕），支援魏博（总部魏州），而留下副手庞师古继续进攻郓州（山东省东平县）。

九世纪·八九六年五月 荆南成汭扩张

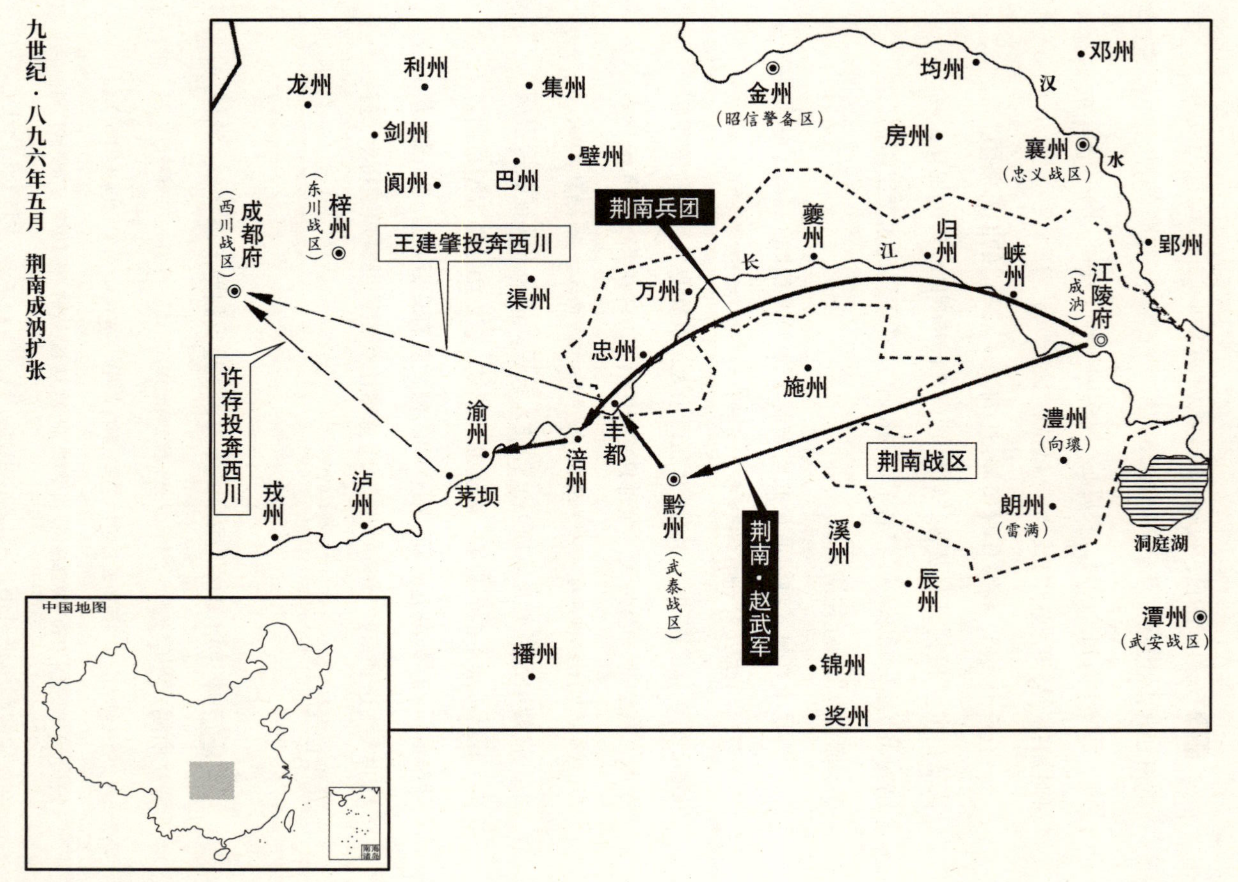

六月，李克用率军攻击葛从周，宣武兵团（总部汴州）在阵前挖掘很多土坎，会战正激烈时，李克用的儿子、铁林特别营司令（铁林指挥使）李落落骑马冲锋，踏到土坎，立刻栽倒，被宣武（总部汴州）士卒生擒。李克用大惊，亲自出马抢救，马也踏到土坎栽倒，几乎也被宣武（总部汴州）士卒生擒，正紧急间，李克用把最先扑上来的宣武（总部汴州）将领，一箭射死，才算逃出一命。李克用向朱全忠（朱温）请求和解，以赎回李落落，朱全忠（朱温）拒绝，反而把李落落交给罗弘信，命罗弘信动手，罗弘信遂斩李落落。李克用无力再战，率军返回。

葛从周自洹水（河北省魏县西南）出发，率军南渡黄河，驻扎杨刘（山东省东阿县东北古黄河渡口），恢复对郓州（山东省东平县）攻击。跟天平（总部郓州）、泰宁（总部兖州）、河东（总部太原府）三战区联军，在故乐亭（今地不详）会战，大破三战区联军。天平（总部郓州）、泰宁（总部兖州）辖区各城，全陷入宣武（总部汴州）之手。两战区屡次向李克用求救，李克用也派军协防，可是受罗弘信（魏博〔总部魏州〕司令官）阻挡，没有道路可走，无法前进，天平（总部郓州）、泰宁（总部兖州）自此衰弱，不能反击。

27 当初，李克用在渭水北岸扎营时（参考去年〔八九五〕十一月），李茂贞（宋文通，凤翔〔总部凤翔府〕司令官）、韩建（镇国〔总部华州〕司令官）心怀恐惧，对中央的态度，十分恭敬。李克用班师后，二人的进贡，就越来越少，所呈递的奏章，也恢复原状——骄傲蛮横。李晔（李敏）自石门（陕西省蓝田县西南）回京（首都长安），在左、右神策军外，更设置安圣、捧宸、保宁、宣化等军，挑选士卒数万人，命各亲王充当统帅。嗣延王李戒丕、嗣覃王李嗣周，又各自招募部队数千人。李茂贞（宋文通）认为将要攻击自己，说了很多愤怒的话，以致跟中央的裂痕一天比一天加深。李茂贞（宋文通）下令备战，扬言要到中央控诉冤情，京师（首都长安）居民纷纷向山谷逃亡。李晔（李敏）命通王李滋，会同李戒丕、李嗣周，分率各军保卫首都，李戒丕驻扎三桥（陕西省西安市西北三桥街道）。李茂贞（宋文通）上疏说："延王（李戒丕）无缘无故出动大军，对我讨伐，我今天率军前往中央，请求处罚。"李晔（李敏）立刻派使节前往河东（总部太原府），向李克用紧急求救。

六月十七日，李茂贞（宋文通）率军进逼京师（首都长安），覃王李嗣周在娄馆（陕西省兴平市西）迎战，大败。

秋季，七月，李茂贞（宋文通）抵达京师（首都长安），延王李戒丕说："关中（陕西省中部）各战区，没有一个可以依靠，不如从鄜州（陕西省富县）东渡黄河，前往太原（山西省太原市），请派我先去通知。"

七月十二日，李晔（李敏）下诏说：将往鄜州（陕西省富县）。

七月十三日，李晔（李敏）逃出京师（首都长安），抵达渭水北岸。韩建（镇国〔总部华州〕司令官）派他的儿子韩从允，携带奏章，请求驾临华州（陕西省渭南市华州区），李晔（李敏）拒绝，命韩建当京畿（首都长安）总指挥官、安抚特使，暨军政、交通总监及督促各战区道粮运等总监（京畿都指挥、安抚制置及开通四面道路、催促诸道纲运等使）。但韩建的奏章连续不断，而李晔（李敏）和文武百官，对投奔太原（山西省太原市）遥远的长途跋涉，也都心怀畏惧。

七月十四日，李晔（李敏）抵达富平（陕西省富平县），派宫廷事务总监（宣徽使）元公讯，召唤韩建前来面见，讨论行止。

七月十五日，韩建前来富平（陕西省富县）晋见李晔（李敏），叩头哭泣说："现在嚣张跋扈的藩镇，不只李茂贞（宋文通）一个人。陛下如果离开皇家祖庙和皇家祖坟，到遥远的边疆巡查，我恐怕皇上一旦渡过黄河，就没有回来之期。华州（陕西省渭南市华州区）兵力虽然微弱，但控制关辅（陕西省中部），足可以自保。我鼓励人民生育，实施军事训练，聚集粮秣，长达十五年之久（韩建还是“忠武八都”之一时，于八八四年十一月，由河中〔山西省永济市〕逃到兴元〔陕西省汉中市〕，八八五年三月，二十一任帝李儇返京，韩建才有可能被任命当华州州长，迄今才十二年。韩建鼓励生育等事，参考八八八年四月），而且西距长安不远（航空距离八十公里），盼望陛下御驾光临，准备中兴大业。”李晔（李敏）同意。

七月十六日，李晔（李敏）夜晚住宿下邽（陕西省渭南市北下邽镇）。

七月十七日，李晔（李敏）抵达华州（陕西省渭南市华州区），把战区总部及司令官官邸当作行宫，韩建则迁到龙兴寺办公。李茂贞（宋文通）于本日（七月十七日）进入长安（陕西省西安市），下令纵火，于是自八八四年以来，所重建整修的皇宫宝殿，以及街道房舍，全化灰烬（长安宫殿，被黄巢纵火焚烧，参考八八三年四月。黄巢撤退后，留守长官王徽粗加修建〔参考八八四年九月〕；李儇第二次逃亡时，被政府军焚毁〔参考八八五年十二月〕；王行瑜杀朱玫，再被变军焚毁〔参考八八六年十二月〕；李儇回京〔参考八八八年二月〕，再加修建；李晔出奔石门，凤翔军纵火〔参考去年【八九五】七月〕，回来后再修，至今，凤翔军再纵火，遂成焦土）。

七月二十六日，李晔（李敏）贬副立法长（中书侍郎）、二级实质宰相（同平章事）崔胤，遥兼二级宰相（同平章事·使相），充任武安战区（总部设潭州〔湖南省长沙市〕）司令官（节度使）。

李晔（李敏）认为崔胤是已处死的崔昭纬的同党，所以把他逐出中央。

28 七月二十七日，命皇家文学研究院院长（翰林学士承旨）、国务院左秘书长（尚书左丞）陆扆（音yǐ〔乙〕），当国务院财政部副部长

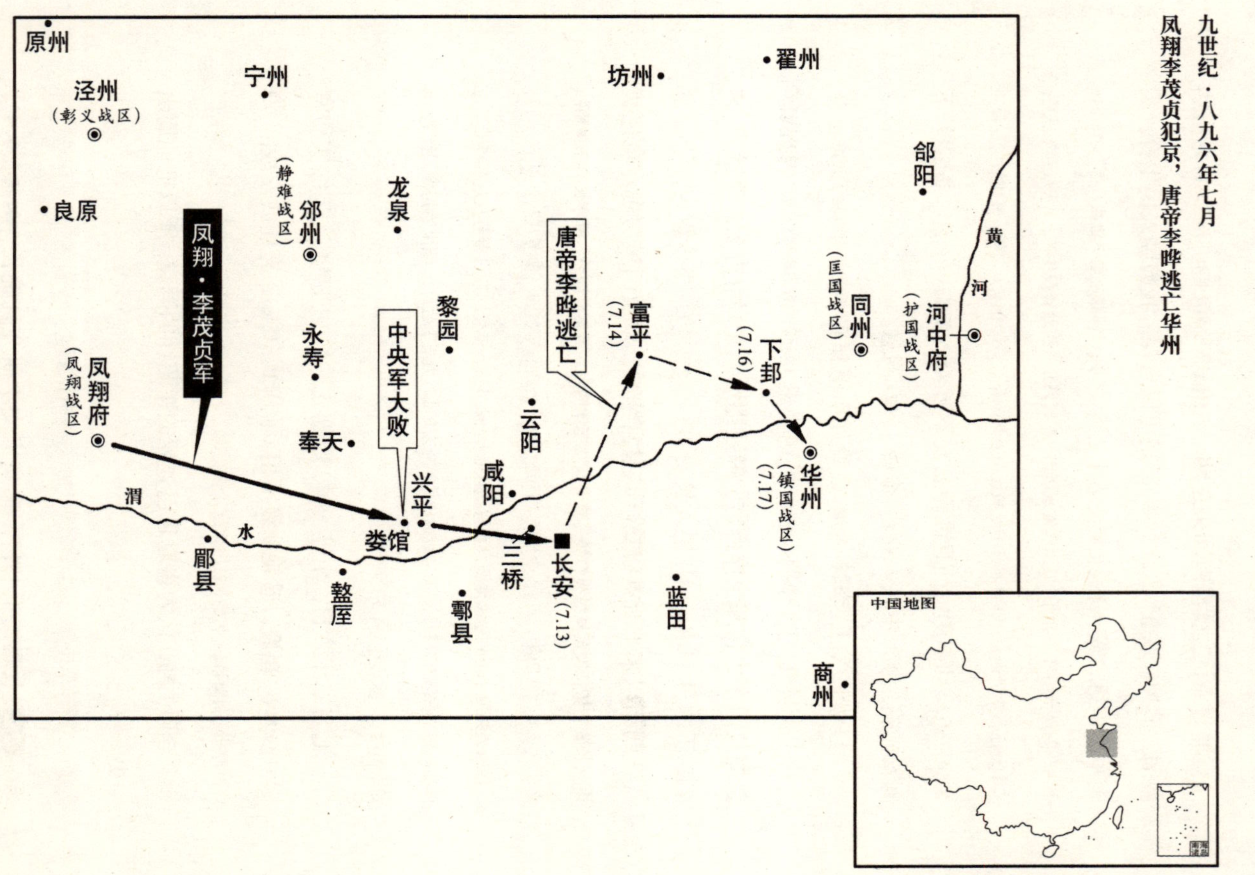

九世纪·八九六年七月
凤翔李茂贞犯京，唐帝李晔逃亡华州

(户部侍郎)、二级实质宰相(同平章事)。陆扆，是陕县(陕州州政府所在县，河南省三门峡市)人。

29 国务院工程部水利司司长(水部郎中)何迎，上疏推荐国立贵族大学《毛诗》教授(国子《毛诗》博士，正五品上)、襄阳(湖北省襄阳市)人朱朴：才华之高，如同谢安(淝水之战主角之一，参考三八三年十月)；道士许岩士也推荐朱朴有建设国家、拯救民生的才干。李晔(李敏)一连几天都召见他，朱朴口舌流利，反应迅速，李晔(李敏)十分欢喜，说："我虽然不是太宗皇帝(二任帝李世民)，但愿你是魏徵(魏徵，参考六四三年正月)！"赏赐他金银绸缎，同时也赏赐何迎金银绸缎。

30 李晔(李敏)命徐彦若当大明宫留守长官，兼京畿安抚特使及军政总监等官职(兼京畿安抚制置等使)。

31 杨行密(杨行愍，淮南〔总部扬州〕司令官)上疏请皇帝迁都江淮(华东地区)。王建(西川〔总部成都府〕司令官))上疏请皇帝迁都成都(四川省成都市)。

32 宰相们畏惧韩建，对国事不敢单独决定。

八月八日，李晔(李敏)下诏命韩建参与中央决策讨论；韩建上疏坚决辞让，李晔(李敏)才不勉强。

韩建传递文告给各战区道，命运送物资粮食到皇帝所在地(华州)。李克用(河东〔总部太原府〕司令官)听到消息，叹息说："去年(八九五)如果接受我的建议(指讨伐李茂贞)，怎么会发生今天这种事情！"又说："韩建，这个天下最笨的笨蛋，替叛徒削弱中央力量，如果不被李茂贞（宋文通）生擒，一定被朱全忠（朱温）活捉！”上疏声称将会同邻近各战区道出军勤王。

33 唐政府加授钱镠（镇海〔总部杭州〕司令官）：兼任最高立法长（兼中书令·使相）。

34 八月五日，命王建（西川〔总部成都府〕司令官））当凤翔（陕西省宝鸡市凤翔区）西方军团征剿司令官（西面行营招讨使）。

35 八月六日，命副监督长（门下侍郎）、二级实质宰相（同平章事）王抟，遥兼二级宰相（同平章事·使相），充任威胜战区（义胜战区改，总部设越州〔浙江省绍兴市〕）司令官（节度使）。

36 李晔（李敏）对帝国内部不停的战乱，愤愤不平，一直想得到治国奇才，作不寻常的擢升。国立贵族大学教授（国子博士，正五品上）朱朴自我推荐说：“如果教我当宰相，只要一个多月的时间，就可以出现太平盛世。”李晔（李敏）同意。

八月十七日，李晔（李敏）命朱朴当监督院高级顾问官（左谏议大夫，正四品下）、二级实质宰相（同平章事）。朱朴这个人，庸俗卑劣、迂腐怪诞，没有一点长处。诏书发布后，中央及地方都大吃一惊。

37 八月十八日，命韩建兼最高立法长（兼中书令·使相）。

38 九月二日，唐政府把福建道（首府设福州〔福建省福州市〕）升格为威武战区，擢升行政长官（观察使）王潮当战区司令官（节度使）。

39 唐政府命武安战区（总部设潭州〔湖南省长沙市〕）候补司令官（留后）马殷，主持总部军政事务。马殷用高郁当他的智囊，高郁，是扬州（江苏省扬州市）人。马殷东方畏惧杨行密（杨行愍，淮南〔总部扬州〕司令官）、西方畏惧成汭（郭禹，荆南〔总部江陵府〕司令官），考虑馈赠他们金银绸缎，谋求友好相处。高郁说："成汭（郭禹）庸碌之辈，不必在意。而杨行密（杨行愍）跟你之间，早已结仇（指马殷在孙儒军，多少年来交战不休），即令贿赂他万两黄金，怎么可能对我们援助！不如对上服从中央，对下安抚人民，训练士卒，磨利武器，培植霸业，谁还敢跟我们为敌？"马殷接受。

40 唐政府派崔胤出任武安（总部潭州）司令官（节度使），这是韩建的安排。

崔胤秘密向朱全忠（朱温，宣武〔总部汴州〕司令官）求救，并教导他修建东都（洛阳，河南省洛阳市）宫殿，上疏迎接皇帝前往。朱全忠（朱温）遂跟东都洛阳特别市长（河南尹）张全义，联名上疏请求皇帝迁都洛阳；朱全忠（朱温）声称派军二万人护驾，并且说："崔胤是个忠臣，最好不要外放。"韩建恐惧，急忙奏请皇帝命崔胤再任宰相，李晔（李敏）派使节告诉朱全忠（朱温）说："目前先求安定。"朱全忠（朱温）这才停止行动。

九月十七日，李晔（李敏）命崔胤再当副立法长（中书侍郎）、二级实质宰相（同平章事）。又命皇家文学研究院院长（翰林学士承旨）、国务院国防部副部长（兵部侍郎）崔远，兼二级实质宰相（同平章事）。崔远，是崔珙的老弟崔玙的孙儿（崔玙，参考八二八年闰三月）。

九月十九日，贬副立法长（中书侍郎）、二级实质宰相（同平章事）陆扆，当硖州（湖北省宜昌市）州长。崔胤深恨陆扆接替自己的位置，遂诬陷陆扆跟李茂贞（宋文通）同党，予以贬谪。

九月二十一日，命朱朴兼管国务院财政部税务司（兼判户部），李晔（李敏）把所有军事财政赋税事务，全部交给朱朴。命孙偓当凤翔（陕西省宝鸡市凤翔区）地区总指挥官（凤翔四面行营都统），又命前定难战区（总部设夏州〔陕西省靖边县北白城则村〕）司令官（节度使）李思谏（拓跋思谏），当静难战区（总部设邠州〔陕西省彬州市〕）司令官（节度使），兼副总指挥官（兼副都统）。

41 擢升保大战区（总部设鄜州〔陕西省富县〕）候补司令官（留后）李思敬（拓跋思敬）实任司令官（节度使）。

42 河东（总部太原府）将领李存信（张污落）进攻临清（河北省临西县），在宗城（河北省威县东）以北击败宣武（总部汴州）将领葛从周，乘胜追击，直到魏州城（河北省大名县）北门。

43 冬季，十月五日，李晔（李敏）加授孙偓：各战区特遣兵团司令官、征剿司令、军政总监等官职（行营节度、招讨、处置等使）。

十月十日，李晔（李敏）命韩建暂代首都长安特别市长（权知京兆尹），兼围堵司令（兼把截使）。

十月十一日，李茂贞（宋文通）上疏悔过，请求给他一个改过自新的机会，并捐献巨款重修皇宫御殿。韩建又在一旁帮助，以致勤王大军竟无法集结。

44 钱镠（镇海〔总部杭州〕司令官）发动两浙（浙东〔威胜〕、浙西〔镇海〕）官民，上疏皇帝，请求钱镠兼任威胜（总部越州）司令官（节度使），中央不得已，调回王抟再当国务院文官部长（吏部尚书）、二级实质宰相（同平章事），而命钱镠当镇海（总部杭州）、威胜（总部越州）两战区司令官（节度使）。

十月二十九日，改威胜战区（总部设越州〔浙江省绍兴市〕）为镇东战区。

45 李克用亲率大军进攻魏州（河北大名县），在白龙潭（河北省大名县西）击败魏博兵团（总部魏州），乘胜追击，直追到观音门（魏州西城门）。朱全忠（朱温）再派葛从周增援，进驻洹水（河北省魏县西南），朱全忠（朱温）率主力继进，李克用班师。

46 唐政府命护国战区（总部设河中府〔山西省永济市〕）司令官（节度使）王珂，遥兼二级宰相（同平章事·使相）。

47 十一月，朱全忠（朱温）返回大梁（汴州州政府所在城，河南省开封市），派葛从周东下，会同庞师古，再攻郓州（山东省东平县）。

48 湖州（浙江省湖州市）州长李师悦，请中央擢升他当战区司令官（节度使），李晔（李敏）下诏在湖州（浙江省湖州市）设置忠国战区，命李师悦当司令官（节度使），但携带中央任命状及统帅旌旗符节的宦官还没有走到边境，李师悦已一病不起。

十一月十二日，李师悦逝世（李师悦原是感化〔总部徐州〕时溥的将领，参考八八四年五月二十三日）。杨行密（杨行愍）上疏任命李师悦的儿子、前绵州（四川省绵阳市）州长李彦徽，代理湖州州长（知州事）。

49 淮南（总部扬州）将领安仁义，进攻婺州（浙江省金华市）。

50 十二月，东川战区（总部设梓州〔四川省三台县〕）军队，焚烧剽掠西川战区（总部设成都府〔四川省成都市〕）所属的汉（四川省广汉市）、眉（四川省眉山市）、资（四川省资中县）、简（四川省简阳市）等州。

51 清海战区（原岭南东道战区，总部设广州〔广东省广州市〕）司令官（节度使）薛王李知柔，自京师（首都长安）南下到差，走到武安（总部潭州），清海（总部广州）营门官（牙将）卢琚、谭弘玘在边境设防，拒绝李知柔入境。谭弘玘据守端州（广东省肇庆市），跟封州（广东省封开县）州长刘隐结交，承诺把女儿嫁给刘隐为妻。刘隐假装允许，却利用迎亲的机会，把武装战士埋伏在船上，于夜晚进入端州（广东省肇庆市），斩谭弘玘；袭击广州（广东省广州市），斩卢琚。然后用盛大的军队仪式，欢迎李知柔进城就职。李知柔上疏任命刘隐当作战参谋长（行军司马）。

八九七年 丁巳

唐 乾宁 四年

1 春季，正月八日，镇国战区（总部设华州〔陕西省渭南市华州区〕）司令官（节度使）韩建奏报说：“华州（陕西省渭南市华州区）城防官（防城将）张行思等检举：睦王、济王、韶王、通王李滋、彭王李惕、韩王李克良、仪王、陈王等八位亲王（以上八王中的五王，史书遗漏全部名字和世系），阴谋把我谋杀，然后劫持陛下前往河中（山西省永济市）。”韩建对各亲王统率军队，不能容忍，所以命张行思等诬以谋反。唐王朝皇帝（二十二任昭宗）李晔（李敏，本年三十一岁。晔，音yè〔叶〕）大惊失色，召见韩建解释，韩建宣称有病在身，拒绝进宫。李晔（李敏）命八位亲王晋见韩建陈诉冤枉。韩建的反应更为强烈，上疏说：“各亲王忽然来到我办公的总部，我无法揣测他们要做什么，斟酌事态，我不可以跟他们见面。”又说：“各亲王应该自己躲避嫌疑，不要轻举妄动，陛下如果因手足骨肉之情，包容他们，也请依照传统制度，教他们回到十六宅（九任帝李隆基软禁各亲王的皇家大院，参考七三三年八月），慎重的聘请教师，教他们学习《诗经》《书经》，不要使他们统率军队，干涉政治。”又说：“请解散那些乌合之众，用以发扬光大‘麟趾’的教化。”（《诗经·麟之趾》：“麒麟的脚趾／仁爱厚道的皇子／啊／麒麟！”“麒麟的前额／仁爱厚道的皇家／啊／麒麟！”“麒麟的头角／仁爱厚道的皇族／啊／麒麟！”麒麟是传说中最慈悲的走兽，不踏青草，不踩小虫。）韩建担心皇帝拒绝他的要胁，就命部下精锐部队包围行宫，不断上疏，一个奏章连一个奏章，李晔（李敏）无可奈何，当天夜晚，下诏解散各亲王的军队，士卒各回自己的乡里，各亲王都回十六宅，铠甲武器全交韩建保管。韩建又奏称：“陛下选择贤才，任用有能力的人，足可以消灭灾祸，何必另行设立殿后四军（指安圣、捧宸、保宁、宣化，参考去年〔八九六〕六月），显示皇家恩德，有厚有薄，偏离无党无私的正道。而且，所聚集的都是些街头巷尾的流氓无赖之徒，平常日子只会惹是生非，一旦发生灾难，却不会服从命令，竟然打算使这种人拿弓拿刀，站在皇家车轿之旁，使我深感寒心，请求一并罢黜。”李晔（李敏）只好下诏罢黜。于是殿后四军二万余人，也全部解散，皇帝直接统御的禁卫亲军，一个人也不剩。捧日特别营作战司令（捧日都头）李筠，在李晔（李敏）逃亡石门（陕西省蓝田县西南）时（参考前年〔八九五〕七月九日），保护皇驾，功劳居于第一，韩建再上奏章坚持诛杀李筠，李晔（李敏）只好下令逮捕李筠，绑赴大云桥（华州〔陕西省渭南市华州区〕大云寺前）斩首。韩建又上疏说：“玄宗（九任帝李隆基）在位末年，永王李璘只不过暂时出差到江南（长江以南），就立刻图谋叛变（参考七五六年十一月、七五七年二月）。代宗（十一任帝李豫）时，吐蕃（西藏）军队骚扰唐王朝及本世纪（九）八〇年代朱玫败坏法纪，都曾经拥护血缘疏远的皇族末支，登极称帝（吐蕃拥立广武王李承宏，参考七六三年十月九日；朱玫拥立襄王李煴，参考八八六年十月），用以维系四方人心。而今各亲王奉命前往各地，敬乞陛下把他们全部召回。”又上疏略说：“各种巫法师出入行宫，迷惑陛下神圣的听闻，最好也请下令禁止，不准再进行宫。”李晔（李敏）完全接受，依照韩建的意思，一一下诏行事。韩建这时把所有亲王都软禁在一个大宅院里，知道李晔（李敏）的不愉快，于是上疏请求封皇子德王李祐当皇太子，希望化解。

正月十一日，李晔（李敏）下诏封德王李祐当皇太子，改名李裕（《通鉴考异》：“《勤王录》说：‘韩建认为皇储的重要，是立国的最大根基，于是上疏请求设立，皇上下诏批准，当时正是正月十一日，四天之间，皇太子祭祀祖先，诸亲王各回官邸，道士和尚，不再进入宫门，文成、五利之辈〔文成，参考前一一九年；五利，参考前一一三年〕，不再推销奸邪的旁门左道，君父的心情开朗醒悟，远近一片赞美歌颂，人民没有任何惊惶，市场照常营业，都是韩建的功劳。’此书是李巨川所著，竟然颠倒是非黑白到如此地步！”李巨川，参考九〇一年十一月四日）。

2 庞师古、葛从周（二人均宣武〔总部汴州〕将领）会师，集中力量攻击天平战区总部所在地郓州（山东省东平县。参考去年〔八九六〕十一月），朱瑄（天平〔总部郓州〕司令官）守军太少，粮食又已吃完，遂不再出战，只把水注满护城壕沟，艰苦支持。

正月十五日，庞师古等在护城壕沟西南方扎营，架设桥梁。

正月十七日，庞师古等暗中破坏河堤，使沟水外泄。

正月二十日，桥梁造成，庞师古等在夜色掩护下，命中军先行过桥。朱瑄得到消息，放弃郓州（山东省东平县），逃往中都（山东省汶上县），葛从周追击，正在田野耕种的农夫生擒朱瑄和他的妻子荣女士，呈献葛从周（朱瑄于八八二年十月取得郓州，前后割据十六年，于今败亡）。

3 正月二十三日，唐王朝中央政府撤销孙偓的凤翔（陕西省宝鸡市凤翔区）地区特遣兵团司令官（凤翔四面行营节度使）等职，命副指战官（副都统）李思谏（拓跋思谏）当宁塞战区（即保塞战区，总部设延州〔陕西省延安市〕）司令官（节度使）。

4 钱镠（镇海〔总部杭州〕司令官）派作战参谋长（行军司马）杜棱，增援婺州（浙江省金华市。淮南军攻婺州，参考去年〔八九六〕十一月）。安仁义（淮南〔总部扬州〕将领）解除包围，率军转攻睦州（浙江省建德市），不能攻克，班师。

5 朱全忠（朱温，宣武〔总部汴州〕司令官）进入郓州（山东省东平县），命庞师古当天平战区（总部设郓州〔山东省东平县〕）候补司令官（留后）。

朱瑾（泰宁〔总部兖州〕司令官）留下他的大将康怀贞防守兖州（山东省济宁市兖州区），而自己会同河东（总部太原府）大将史俨、李承嗣（二人来援，参考前年〔八九五〕十二月），南下徐州（江苏省徐州市）境内，抢夺粮食供应军需。朱全忠（朱温）得到报告，派葛从周（宣武〔总部汴州〕将领）率军向兖州（山东省济宁市兖州区）奇袭。康怀贞听说郓州（山东省东平县）失守，而宣武大军（总部汴州）突然压境，遂向葛从周投降。

二月三日，葛从周进入兖州城（山东省济宁市兖州区），俘虏朱瑾的妻子（不知是不是齐克让的女儿）。朱瑾回来时，根据地已失，没有地方可以存身，于是率领部众前往沂州（山东省临沂市），沂州州长尹处宾拒绝收容，朱瑾遂南下据守海州（江苏省连云港市），但无法阻止宣武兵团（总部汴州）的追击（沂海二州同是泰宁战区属州），只好继续向南逃亡，跟史俨、李承嗣，以及裹挟的海州州民，渡过淮河，投奔杨行密（杨行愍，淮南〔总部扬州〕司令官。朱瑾用诈术夺取岳父齐克让的土地〔参考八八六年十二月〕，前后十二年而败）。杨行密（杨行愍）亲自到高邮（江苏省高邮市）迎接，上疏任命朱瑾遥兼武宁战区（总部设徐州〔江苏省徐州市〕）司令官（节度使）。

朱全忠（朱温）奸淫朱瑾的妻子，收作小老婆，班师凯旋。朱全忠（朱温）的妻子张夫人，亲自到封丘（河南省封丘县）迎接。朱全忠（朱温）把终于得到朱瑾妻子这件事告诉张夫人。张夫人请求见面，朱瑾妻子下跪叩头，张夫人也下跪叩头回拜，泪流满面，悲不自胜说："兖州（指朱瑾）、郓州（指朱瑄），跟司空（朱全忠中央官衔）都同姓朱，互相盟誓，永结兄弟之情，只因小小事故，产生误会，互相攻击，以致姐姐受到今天这种羞辱。有一天汴州（河南省开封市）也被攻破，我也会跟姐姐今天一样！"（女人往往比男人有智慧，张夫人这番悲凉谈话，可谓洞察人生。）朱全忠（朱温）也有所悟，遂把朱瑾妻子送到佛寺出家当尼姑。在汴桥（河南省开封市汴水桥）砍下朱瑄人头。于是郓（山东省东平县）、齐（山东省济南市）、曹（山东省菏泽市定陶区）、棣（山东省惠民县）〔以上天平战区〕；兖（山东省济宁市兖州区）、沂（山东省临沂市）、密（山东省诸城市）〔以上泰宁战区〕；徐（江苏省徐州市）、宿（安徽省宿州市）〔以上感化战区〕；陈（河南省周口市淮阳区）、许（河南省许昌市）〔以上忠武战区〕；郑（河南省郑州市）、滑（河南省滑县）、濮（山东省鄄城县）〔以上宣义战区〕等州，都收入朱全忠（朱温）的版图。只剩下王师范的平卢战区（总部设青州〔山东省青州市〕），但是也对朱全忠（朱温）奉命唯谨。李存信（张污落，河东〔总部太原府〕将领）在魏州

（河北省大名县）扎营（参考去年〔八九六〕九月），听到郓州（山东省东平县）、兖州（山东省济宁市兖州区）陷落消息，也率军西返。

淮南兵团（总部扬州）过去只精于水上作战，不知道骑马射箭。现在，河东（总部太原府）、天平（总部郓州）、泰宁（总部兖州）野战军大量投入，声威大为振作。史俨、李承嗣都是河东（总部太原府）勇将，李克用（河东〔总部太原府〕司令官）深为爱惜，派使节从小道南下晋见杨行密（杨行愍），请求遣返，杨行密（杨行愍）立刻允许，派使节晋见李克用，愿自此和好。

6 二月十三日，王建（西川〔总部成都府〕司令官）派邛州（四川省邛崃市）州长华洪、彭州（四川省彭州市）州长王宗祐，率大军五万人，攻击东川战区（总部设梓州〔四川省三台县〕），命戎州（四川省宜宾市）州长王宗谨（王钊），当凤翔（陕西省宝鸡市凤翔区）西方军团先锋司令（凤翔西面行营先锋使），在玄武（四川省中江县）击败凤翔战区（总部设凤翔府）大将李继徽等。李继徽本姓杨，名崇本，是李茂贞（宋文通，凤翔〔总部凤翔府〕司令官）的义子（李继徽刚实任天雄〔总部秦州〕司令官，参考去年〔八九六〕三月）。

7 二月十四日，李晔（李敏）下诏赦免天下。

8 李晔（李敏）前往皇家临时祖庙，祭祀祖先。

9 二月十五日，王建（西川〔总部成都府〕司令官）命决云特别营作战司令（决云都知兵马使）王宗侃（田师侃），当开峡（长江三峡）援军总指挥官（应援开峡都指挥使），率军八千人直向渝州（重庆市）；决胜特别营作战司令（决胜都知兵马使）王宗阮（文武坚）当开江（长江）进贡总监（开江

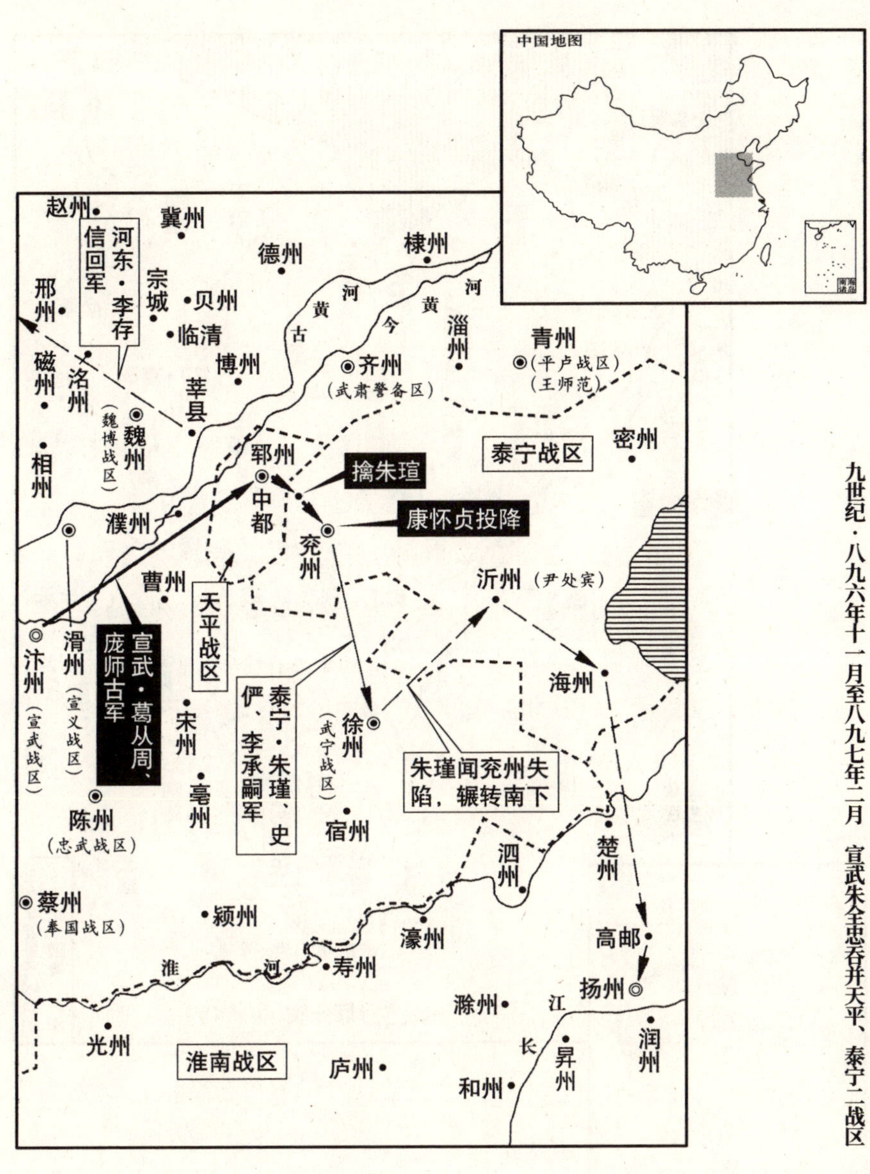

九世纪·八九六年十一月至八九七年二月　宣武朱全忠吞并天平、泰宁二战区

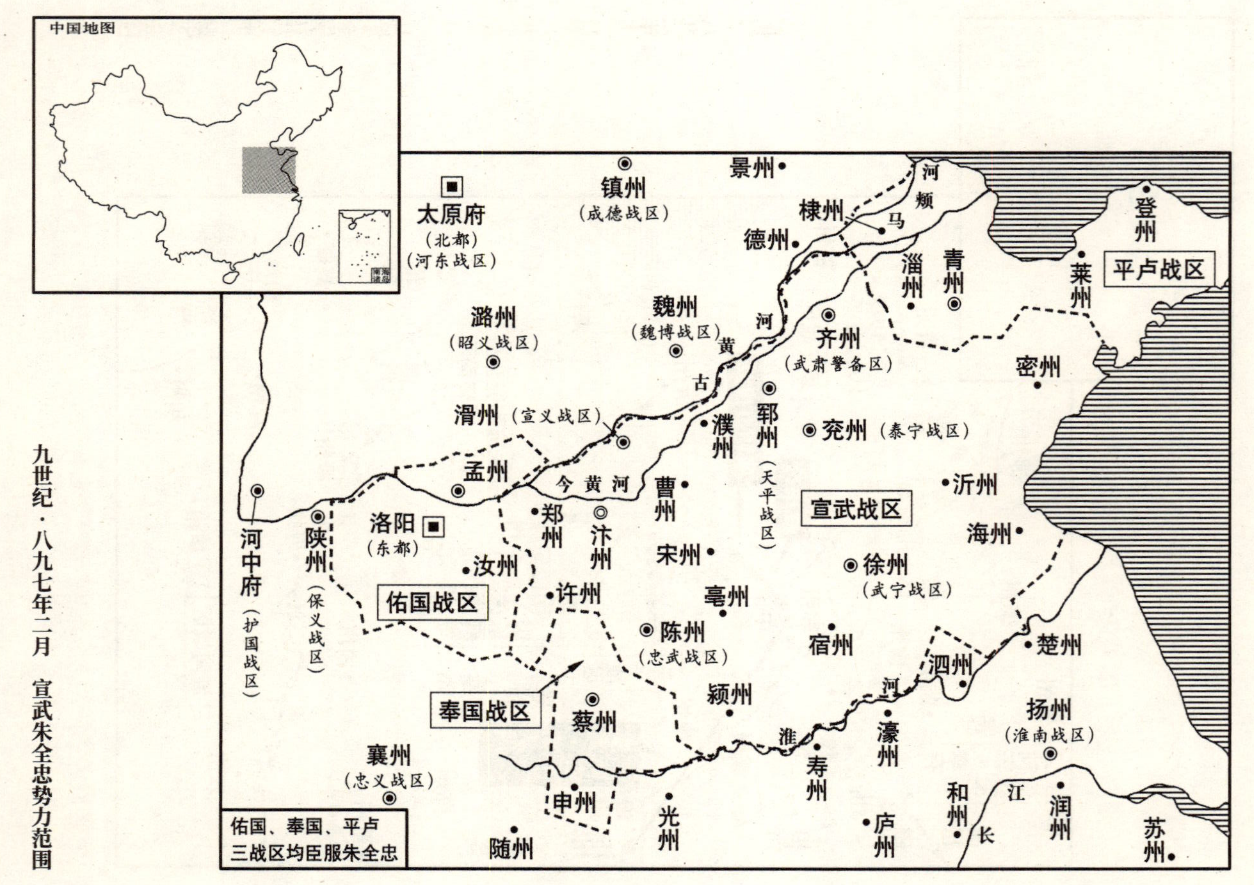

九世纪·八九七年二月　宣武朱全忠势力范围

防送进奉使)，率军七千人直向泸州(四川省泸州市)。

二月十六日，王宗侃(田师侃)攻克渝州(重庆市)，州长牟崇厚投降(渝州属荆南战区〔总部江陵府〕)。

二月二十八日，王宗阮(文武坚)攻克泸州(四川省泸州市)，斩州长马敬儒(泸州属东川战区〔总部梓州〕)，三峡道路才被打通。

凤翔(总部凤翔府)大将李继昭(孙德昭)增援梓州(四川省三台县)，留下部将据守剑门(四川省剑阁县北剑门关镇)，西川(总部成都府)大将王宗播(许存)攻陷剑门(四川省剑阁县北剑门关镇)，生擒李继昭(孙德昭)的部将。

10 二月三十日，唐政府免除副监督长(门下侍郎)、二级实质宰相(同平章事)孙偓的宰相职务，只任本职。免除副立法长(中书侍郎)、二级实质宰相(同平章事)朱朴所有职务，贬作皇家图书院院长(秘书监)；朱朴既当上宰相，掌握权柄，当初誓言一个多月便可使帝国治理，却无法兑现(参考去年〔八九六〕八月十七日)，官员间议论纷纷。太子宫总管(太子詹事)马道殷，因精于天文星象；建筑部长(将作监)许岩士因精于医药；都得到李晔(李敏)的宠爱，韩建遂诬告二人犯罪，二人都被诛杀。韩建又抨击孙偓、朱朴跟二人交往，所以被罢黜宰相。

11 李晔(李敏)下诏命杨行密(杨行愍，淮南〔总部扬州〕司令官)当江南(长江以南)各战区道特遣兵团总指挥官(江南诸道行营都统)，讨伐武昌战区(总部设鄂州〔湖北省武汉市〕)司令官(节度使)杜洪(杜洪依附朱全忠，切断江南〔长江以南〕向中央进贡道路，参考《新唐书·杜洪传》)。

九世纪·八九七年二月　西川王建屡攻东川，打开长江峡路

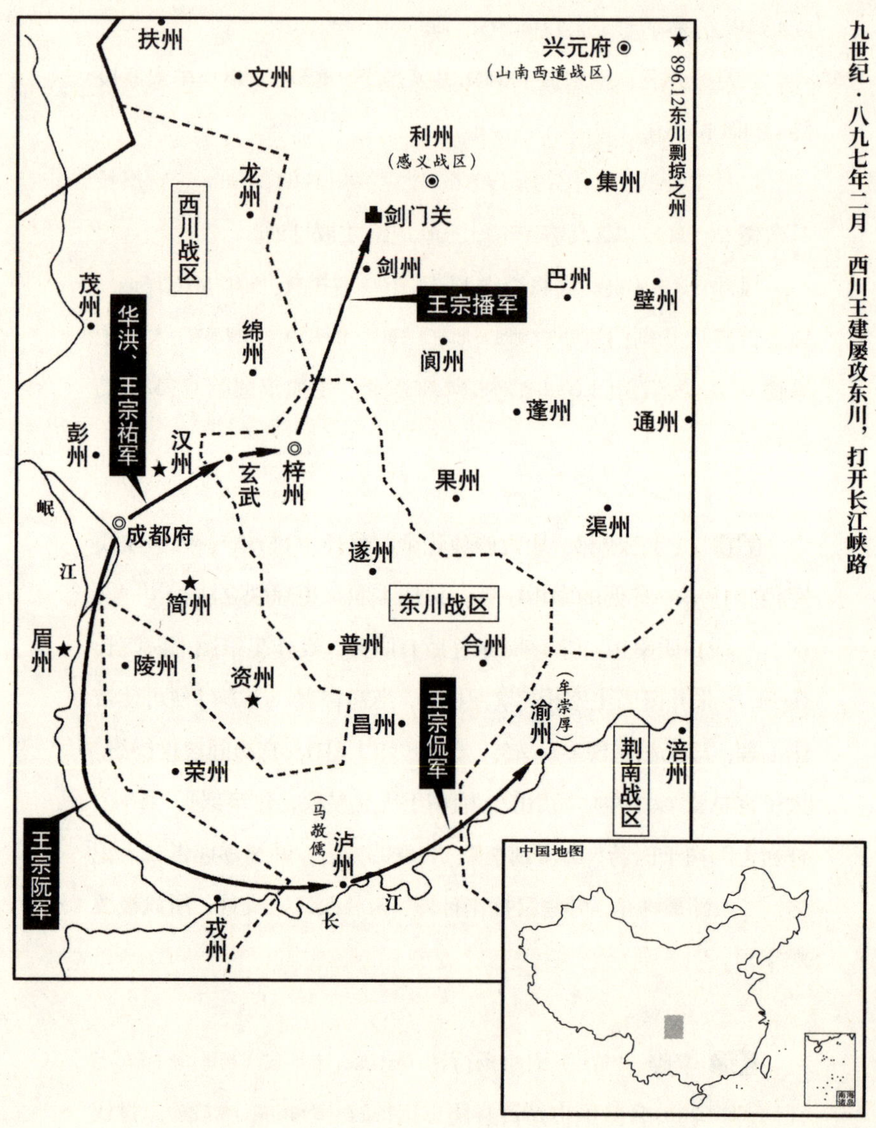

12 武安战区（总部设潭州〔湖南省长沙市〕）作战参谋长（行军司马）张佶攻克邵州（湖南省邵阳市），生擒蒋勋（蒋勋夺取邵州，参考前年〔八九五〕十一月；张佶攻邵州，参考去年〔八九六〕五月）。

13 三月一日，朱全忠（朱温，宣武〔总部汴州〕司令官）上疏任命曹州（山东省菏泽市定陶区）州长葛从周当泰宁战区（总部设兖州〔山东省济宁市兖州区〕）候补司令官（留后），朱友裕当天平战区（总部设郓州〔山东省东平县〕）候补司令官（留后），庞师古当武宁战区（总部设徐州〔江苏省徐州市〕）候补司令官（留后）。

14 保义战区（总部设陕州〔河南省三门峡市〕）司令官（节度使）王珙，攻击护国战区（总部设河中府〔山西省永济市〕）司令官（节度使）王珂。王珂向李克用（河东〔总部太原府〕司令官）求救；王珙也向朱全忠（朱温，宣武〔总部汴州〕司令官）求救。

宣武（总部汴州）将领张存敬、杨师厚，在猗氏（山西省临猗县）以南击败护国（总部河中府）军队。河东（总部太原府）将领李嗣昭在猗氏（山西省临猗县）击败保义（总部陕州）军队，在张店（山西省平陆县北张店镇）再击败保义（总部陕州）军队，遂解除河中的包围（山西省永济市）。杨师厚，是斤沟（安徽省太和县北斤沟村）人。李嗣昭，是李克用的老弟李克柔的义子。

15 唐政府改感义战区（总部设利州〔四川省广元市〕）作昭武战区，总部仍设利州（四川省广元市），命前静难战区（总部设邠州〔陕西省彬州市〕）司令官（节度使）苏文建当司令官（节度使）。

16 夏季，四月，唐政府擢升同州（陕西省大荔县）警备区司令（防御使）李继瑭，当匡国战区（总部设同州〔陕西省大荔县〕）司令官（节度使）。

李继瑭，是李茂贞（宋文通，凤翔〔总部凤翔府〕司令官）的义子。

17 唐政府命立法院高级顾问官（右谏议大夫）李洵，当两川（西川、东川）调停特使（两川宣谕使），调解王建（西川〔总部成都府〕司令官）跟顾彦晖（东川〔总部梓州〕司令官）之间的冲突。

18 四月六日，钱镠（音吣〔流〕。镇海〔总部杭州〕司令官）派将领顾全武等，率军三千人从水路增援嘉兴（浙江省嘉兴市）。

四月十四日，镇海（总部杭州）援军抵达嘉兴（浙江嘉兴市）城下，发动攻击，大破淮南（总部扬州）围城军（淮南将领魏约包围嘉兴，参考前年〔八九五〕十月）。

19 杜洪（武昌〔总部鄂州〕司令官）受到杨行密（杨行愍，淮南〔总部扬州〕司令官）的攻击，向朱全忠（朱温，宣武〔总部汴州〕司令官）求救。朱全忠（朱温）派他的部将聂金剽掠泗州（江苏省盱眙县淮河北岸），又派朱友恭（李彦威）进攻黄州（湖北省黄冈市黄州区）。

杨行密（杨行愍）派右黑云特别营司令（右黑云都指挥使）马珣等，增援黄州（湖北省黄冈市黄州区），黄州州长瞿章得到朱友恭（李彦威）进击的消息，就放弃城池，裹挟民众南下，保守武昌寨（湖北省鄂州市）。

20 四月十八日，镇海（总部杭州）将领顾全武等，大破淮南（总部扬州）围城军十八个营，俘虏淮南官兵魏约等三千人。淮南将领田頵，（宁国〔总部宣州〕司令官）驻扎驿亭埭（浙江省嘉兴市西），镇海（总部杭州）

援军乘胜追击。

四月二十九日，田颙得到消息，从湖州（浙江省湖州市）逃回宣州（安徽省宣城市），镇海（总部杭州）军队攻击田颙殿后部队，格杀一千余人。

21 韩建（镇国〔总部华州〕司令官）讨厌国务院司法部长（刑部尚书）张祎（音yī〔衣〕）等数人，上疏诬陷他们犯罪，全都贬谪。

22 五月，唐政府命奉国战区（总部设蔡州〔河南省汝南县〕）司令官（节度使）崔洪，遥兼二级宰相（同平章事·使相）。

23 五月七日，朱友恭（李彦威）在樊港（湖北省鄂州市西北，樊水注入长江处）搭建浮桥，进攻武昌寨（湖北省鄂州市）。

五月八日，朱友恭（李彦威）攻陷武昌寨（湖北省鄂州市），生擒瞿章，遂进占黄州（湖北省黄冈市黄州区）。马珣（淮南〔总部扬州〕将领）等援军都被击败逃回。

24 五月十二日，王建（西川〔总部成都府〕司令官）命副司令官（节度副使）张琳留守成都（四川省成都市），自己亲率士卒五万人，进攻东川（总部梓州）。

王建命华洪改姓名为王宗涤。

25 六月五日，钱镠（镇海〔总部杭州〕司令官）前往越州（浙江省绍兴市），接受镇东战区（总部设越州）司令官（节度使）印信、旌旗、符节（镇东前称威胜、义胜；义胜，更前称浙东；镇海前称浙西；现在共有一个司令官，始有“两浙”一词出现）。

26 李茂贞（宋文通，凤翔〔总部凤翔府〕司令官）上疏指控说："王建（西川〔总部成都府〕司令官）连年累月不停的进攻东川（总部梓州），拒绝接受皇上命令！"（王建岂只攻东川而已，李茂贞的山南西道战区〔总部兴元府〕所属各州也被夺取，无力抵抗，只好乞灵中央的残余价值。）

六月十日，李晔（李敏）下诏贬王建当南州（重庆市綦江区）州长。

六月十一日，李晔（李敏）命李茂贞（宋文通）当西川战区（总部设成都府〔四川省成都市〕）司令官（节度使），接替王建。又命覃王李嗣周当凤翔战区（总部凤翔府）司令官（节度使），接替李茂贞（宋文通）。

27 六月十九日，王建（西川〔总部成都府〕司令官）攻克梓州（四川省三台县）南寨（三台县南），生擒东川（总部梓州）将领李继宁。

六月二十二日，中央调解特使（宣谕使）李洵，抵达梓州（四川省三台县）。

六月二十五日，王建在张杷砦（三台县南）接见李洵，指着手举大旗的官兵们说："战士们一致要求，我没有办法使他们改变。"

28 覃王李嗣周前往凤翔（陕西省宝鸡市凤翔区）接事，李茂贞（宋文通，凤翔〔总部凤翔府〕司令官）拒绝移交，而且派军到奉天（陕西省乾县）包围李嗣周。

29 唐政府在容州（广西容县）设宁远战区，命李克用（河东〔总部太原府〕司令官）的智囊盖寓遥兼司令官（李克用剿灭王行瑜，盖寓因功遥兼容州道〔首府设容州，广西容县〕行政长官，参考前年〔八九五〕十二月，现在升格为战区）。

30 秋季，七月，唐政府命荆南战区（总部设江陵府〔湖北省江陵县〕）司令官（节度使）成汭（郭禹），兼最高监督长（兼侍中·使相）。

31 韩建（镇国〔总部华州〕司令官）写信向李茂贞（宋文通，凤翔〔总部凤翔府〕司令官）求情，李茂贞（宋文通）才解除奉天（陕西省乾县）的包围，覃王李嗣周得以平安返回华州（陕西省渭南市华州区）。

32 唐政府命天雄战区（总部设秦州〔甘肃省秦安县西北〕）司令官（节度使）李继徽（杨崇本），当（总部设邠州〔甘肃省秦安县西北〕）静难战区司令官（节度使）。

33 七月庚戌日（七月甲戌朔，没有庚戌），钱镠（镇海〔总部杭州〕司令官）自越州（浙江省绍兴市）返回杭州（浙江省杭州市），派大将顾全武夺取苏州（江苏省苏州市。淮南夺苏州，参考去年〔八九六〕五月）。

七月二十二日，顾全武攻陷松江（江苏省苏州市吴江区）。

七月二十五日，顾全武攻陷无锡（江苏省无锡市）。

七月二十八日，顾全武攻陷常熟（江苏省常熟市）、华亭（上海市松江区）。

34 当初，李克用（河东〔总部太原府〕司令官）攻陷幽州（北京市。参考八九四年十二月），上疏任命刘仁恭当卢龙战区（总部设幽州〔北京市〕）司令官（节度使），留下卫戍部队及亲信将领十个人，主管军政机要，所有田赋租税，除了供给当地军队外，全部运往晋阳（山西省太原市。李克用留军协防，参考前年〔八九五〕二月）。而今，李晔（李敏）被困华州（陕西省渭南市华州区），李克用准备出军勤王，于是向刘仁恭征兵，又写信给成德战区（总部设镇州〔河北省正定县〕）司令官（节度使）王镕、义武战区（总部设定州〔河北省定州市〕）司令官（节度使）王郜，提议共同努力，平定关中（陕西省中部），护送皇帝驾返首都长安（陕西省西安市）。刘仁恭推辞说：契丹部落（王庭西楼城〔内蒙古巴林左旗〕）正南下侵犯，必须留下军队抵挡，请延缓到契丹部落退走后，然后听从命令。李克用不断催促，使节前后相继，可是几个月之久，刘仁恭仍拒绝出兵。李克用写信责备刘仁恭，刘仁恭把信扔到地上，破口大骂，囚禁使节，准备诛杀河东（总部太原府）协防部队将领，协防将领逃走，才免一死，李克用大怒若狂。

八月，李克用亲自率军攻击刘仁恭。

35 李晔（李敏）打算前去奉天（陕西省乾县）亲征李茂贞（宋文通，凤翔〔总部凤翔府〕司令官），命宰相们讨论，宰相们恳切劝阻，才算停止（李晔此时犹如瓮中之鳖，连自己能不能活着离开华州，都不知道，却竟想攻击强敌，忿不自量。必须了解，权势一旦夕阳，而急于挽回，徒使坠落更速）。

36 延王李戒丕从晋阳（山西太原市）回来（前往晋阳事，参考去年〔八九六〕七月）。韩建上疏说："陛下自从登极（参考八八八年三月）以来，跟京师（首都长安）附近各战区道，关系破裂，互相憎恨，都因为各亲王统御军队，凶顽之徒乐于看到发生灾祸，以致皇家车轿，不能安静。近来我奏请罢黜他们的军权，就是考虑到可能发生难以预测的变故。现在听说延王（李戒丕）、覃王（李嗣周）仍在进行阴谋诡计，希望陛下圣明果断，毫不犹疑，在暴乱还没有发生时，先行消灭，则是帝国之福。"（胡三省注："韩建早就想杀各亲王，只因畏惧李克用，不敢发动。李戒丕回来，确定李克用不能出军，所以即行下手。"）李晔（李敏）说："何至于这个样子！"数天不作回答。韩建遂径自行动，跟宫廷机要室代理主任宦官（知枢密）刘季述，伪造诏书，出动武装部队包围十六宅

（皇子皇孙聚集处），各亲王突然惊醒，披头散发，有的爬到墙头，有的爬到屋顶，有的爬到树上，面向行宫，高声哀号说："皇上，救救孩儿！"韩建押解通王李滋、沂王李禋、睦王、济王、韶王、彭王李惕、韩王李克良、陈王、覃王李嗣周、延王李戒丕、丹王李允，共十一个亲王，驱往石堤谷（陕西省渭南市华州区西），全部诛杀。向李晔（李敏）奏报说他们谋反。

37 唐政府贬国务院教育部长（礼部尚书）孙偓当南州（重庆市綦江区）军务秘书长（司马）。皇家图书院院长（秘书监）朱朴先前贬作夔州（重庆市奉节县）军务秘书长（司马），现在再贬作郴州（湖南省郴州市）户籍官（司户）。朱朴当宰相时，何迎（朱朴的推荐人）突然窜升，充任立法院高级顾问官（右谏议大夫），现在也随着贬作湖州（浙江省湖州市）军务秘书长（司马）。

38 钟传（镇南〔总部洪州〕司令官）准备进攻吉州（江西省吉安市）州长、襄阳（湖北省襄阳市）人周琲。周琲率领他的部众投奔广陵（扬州州政府所在县，江苏省扬州市）。

39 王建（西川〔总部成都府〕司令官）跟顾彦晖（东川〔总部梓州〕司令官）大小五十余战。

九月一日，王建开始包围梓州（四川省三台县）。蜀州（四川省崇州市）州长周德权向王建建议说："你跟顾彦晖争夺东川（总部梓州），前后三年，官兵在乱箭飞石之下，筋疲力尽，人民运送粮食，也陷困境。东川（总部梓州）各地盗匪，很多盘踞州县，顾彦晖懦弱而又没有智谋，一心一意，苟且偷安，对他们都用厚利引诱，等待他们救援，所以坚守不降。现在，如果派人前去向那些强盗头目分析祸福，归附的赏给官职，不服的就展示兵力，则顾彦晖所仗恃的，反而被我们利用。”王建接受。顾彦晖的势力越发孤单。周德权，是许州（河南省许昌市）人。

40 九月五日，李克用（河东〔总部太原府〕司令官）率军抵达安塞军（河北省蔚县东）。

九月九日，李克用向卢龙（总部幽州）兵团进攻，卢龙（总部幽州）大将单可及率骑兵迎战。李克用酩酊大醉，但仍往肚子里灌酒。前锋部队派人报告说：“盗匪已到！”李克用已神智不清，问说：“刘仁恭在哪里？”回答说：“只看到单可及那些人。”李克用眼如铜铃，咆哮说：“单可及之流算什么东西！”下令攻击。当天（九月九日），大雾弥漫，对面看不见人，卢龙（总部幽州）将领杨师侃，在木瓜涧（河北省涞源县东南二十公里）设下埋伏，河东兵团（总部太原府）大败，死伤及逃亡超过一半。幸亏天起暴风，大雨倾盆，雷电交加，卢龙（总部幽州）兵团被迫撤退。

李克用酒醒后才知道大败，斥责大将李存信等说：“我因为喝醉酒做错事，你们为什么不拼命阻拦！”

41 湖州（浙江省湖州市）州长李彦徽（参考去年〔八九六〕十一月），打算连同城池归附杨行密（杨行愍，淮南〔总部扬州〕司令官），但部众反对，李彦徽只好自己投奔广陵（扬州州政府所在县）。总指挥官（都指挥使）沈攸遂献出城池，归附钱镠（镇海〔总部杭州〕司令官）。

42 唐政府命彰义战区（总部设泾州〔甘肃省泾川县〕）司令官（节度

使）张琏，当凤翔西北方面军征剿司令（凤翔西北行营招讨使），讨伐李茂贞（宋文通，凤翔〔总部凤翔府〕司令官）。

43 唐政府再命王建当西川战区（总部设成都府〔四川省成都市〕）司令官（节度使）、遥兼二级宰相（同平章事·使相）。命义武战区（总部设定州〔河北省定州市〕）司令官（节度使）王郜，遥兼二级宰相（同平章事·使相）。剥夺新任西川战区（总部成都府）司令官（节度使）李茂贞（宋文通）所有的官职爵位，恢复原来姓名宋文通（宋文通改姓名李茂贞，参考八八六年七月）。

44 朱全忠（朱温，宣武〔总部汴州〕司令官）并吞兖（泰宁战区）、郓（天平战区）二州之后，武装部队更为强盛，于是大规模进攻杨行密（杨行愍，淮南〔总部扬州〕司令官），派庞师古（武宁〔总部徐州〕候补司令官）率徐（江苏省徐州市）、宿（安徽省宿州市）、宋（河南省商丘市）、滑（河南省滑县）四州野战军七万人，进驻清口（江苏省淮安市淮阴区西南，古泗水注入淮河处），直向扬州（江苏省扬州市）。葛从周（泰宁〔总部兖州〕候补司令官）率兖（山东省济宁市兖州区）、郓（山东省东平县）、曹（山东省菏泽市定陶区）、濮（山东省鄄城县）四州野战军，进驻安丰（安徽省寿县西南），直向寿州（安徽省寿县）。朱全忠（朱温）亲率主力部队，进驻宿州（安徽省宿州市），气吞山河，淮南（总部扬州）军民大为惊恐。

45 匡国战区（总部设同州〔陕西省大荔县〕）司令官（节度使）李继瑭，得到中央讨伐宋文通（李茂贞）消息，十分恐惧。韩建再从旁夸大其词，李继瑭惊慌过度，遂放弃城池，逃回凤翔（陕西省宝鸡市凤翔区）。

冬季，十月，中央命韩建当镇国（总部华州）、匡国（总部同州）两战区司令官（节度使）。

46 十月十日，东川（总部梓州）代理遂州（四川省遂宁市）州长侯绍率部众二万人。

十月十三日，代理合州（重庆市合川区）州长王仁威率部众一千人。

十月十六日，凤翔（总部凤翔府）将领李继溥率增援遂合二州的协防部队二千人，一同投奔王建（西川〔总部成都府〕司令官）。王建向梓州（四川省三台县）的围攻，越发激烈。

十月十八日，顾彦晖（东川〔总部梓州〕司令官）举行宴会，集合全族男女老幼以及义子们饮酒，遣送王宗弼（魏弘夫）返回成都（王宗弼被俘事，参考前年〔八九五〕十二月十四日）。饮到半醉，顾彦晖命义子顾瑶动手，顾瑶遂先杀顾彦晖和参与宴会的顾姓家人，然后顾瑶再行自杀（顾彦朗自八八七年正月取得东川，传弟顾彦晖，前后十一年而灭）。王建遂进入梓州（四川省三台县），城里军队还有七万人，王建派王宗绾（李绾）率领部分军队出发夺取昌（重庆市大足区）、普（四川省安岳县）等州地盘（昌普二州属东川战区）；命王宗涤（华洪）当东川战区（总部设梓州〔四川省三台县〕）候补司令官（留后）。

47 刘仁恭（卢龙〔总部幽州〕司令官）上疏说："李克用（河东〔总部太原府〕司令官）无缘无故出军侵犯，我在木瓜涧（河北省涞源县东南二十公里）把他的党徒击败，请准我担任统帅，讨伐李克用。"李晔（李敏）下诏不许。刘仁恭又写信给朱全忠（朱温，宣武〔总部汴州〕司令官），朱全忠（朱温）上疏请中央命刘仁恭遥兼二级宰相（同平章事·使相），中央同意。刘仁恭又派使节晋见李克用道歉，陈述背离的经过和自己的无可奈何以及于心不安。李克用回信给他，大略说："现在，你对上奉中央之命，手握大军；对下制定法规，治理人民。提拔贤士，总希望他们报德；遴选将才，则企盼他们酬恩。但连你自己都不可靠，还有谁可以信任？我可以预料你骨肉之间，不久就会互相猜忌，同一个房间之中，不久就要互相残杀。手拿干将宝剑（干将，参考前六一年注），却不敢交给别人；捧着结盟的盘子（歃血之用），你将说什么誓言？"

48 十月二十二日，李晔（李敏）封皇子李秘当景王，李祚当辉王，李祺当祁王。

49 唐政府命彰义战区（总部设泾州〔甘肃省泾川县〕）司令官（节度使）张琏，遥兼二级宰相（同平章事·使相）。

50 杨行密（杨行愍，淮南〔总部扬州〕司令官）跟朱瑾（前泰宁〔总部兖州〕司令官）率士卒三万人，进驻楚州（江苏省淮安市），抵抗宣武（总部汴州）远征兵团。别动部队将领张训，自涟水（江苏省涟水县）率军跟杨行密（杨行愍）会师，杨行密（杨行愍）命张训担任先锋。庞师古（宣武〔总部汴州〕将领）大营驻扎清口（江苏省淮安市淮阴区西南，古泗水注入淮河处），有人警告说："营地低洼，不可久留！"庞师古仗恃自己兵多将广，骄傲自大，根本没有把杨行密（杨行愍）放到眼里，所以不理会这项警告，像平常一样，潇洒惬意，下下围棋。朱瑾塞住淮河上游，打算采取水攻。有人报告庞师古，庞师古认为他替敌人宣传，打击士气，动摇军心，把他斩首。

十一月二日，朱瑾会同淮南（总部扬州）将领侯瓒，率骑兵五千人，暗中渡淮河北上，高举宣武（总部汴州）旗帜，前进到一个相当距离，立即转头南下，直扑宣武（总部汴州）军营中央大帐，张训领先翻过栅栏，直冲而进。宣武（总部汴州）官兵仓猝应战，淮河大水又适时奔腾而至，灌入大营，宣武（总部汴州）官兵惊骇恐怖，霎时崩溃，四散逃命。杨行密（杨行愍）率大军渡过淮河，跟朱瑾军前后夹攻，宣武（总部汴州）远征兵团大败，淮南（总部扬州）军队格杀庞师古及各级将领士卒一万余人，剩下的部众全部瓦解。

葛从周（宣武〔总部汴州〕将领）驻军寿州（安徽省寿县）西北，淮南（总部扬州）寿州民兵司令（团练使）朱延寿，把葛从周营击破。葛从周退守濠州（安徽省凤阳县东北临淮关镇），接到庞师古失败消息，逃回。杨行密（杨行愍）、朱瑾、朱延寿乘胜追击，追到淠水（在安徽省寿县西南注入淮河。淠，音pì〔辟〕）。葛从周部队过河，只过了一半，淮南（总部扬州）军队进攻，宣武（总部汴州）官兵不是被杀死，就是被淹死，几乎全军覆灭，葛从周仅逃出一命。宣武（总部汴州）后卫总指挥官（遏后都指挥使）牛存节跳下马背，步行苦斗，残兵败将才多少得以北渡淮河，大军四天都没有吃饭，而又遇上天降大雪，宣武（总部汴州）官兵沿路饿死冻死，活着回去的不到一千人。朱全忠（朱温，宣武〔总部汴州〕司令官）听到前防溃败消息，也仓惶逃回。杨行密（杨行愍）写信给朱全忠（朱温）说："庞师古、葛从周，不是对手，你应该亲自前来淮河，决一死战。"（清口之战，是小型的赤壁之战和小型的淝水之战。赤壁之战奠定三国鼎立，淝水之战奠定南北朝对峙，清口之战使朱全忠的势力受到重挫，再不能南下，遂成小分裂局面。）

杨行密（杨行愍）举行盛大宴会，招待各位将领，告诉作战副司令官（行军副使）李承嗣说："最初，我打算先增援寿州（安徽省寿县），你说不如先出击清口（江苏省淮安市淮阴区西南，古泗水注入淮河处）。现在庞师古失败，葛从周逃走，果然跟你所预料的一样。”赏赐钱一万串。杨行密（杨行愍）上疏任命李承嗣遥兼镇海战区（总部设杭州〔浙江省杭州市〕）司令官（此时，杭州是钱镠的地盘）。杨行密（杨行愍）对李承嗣跟史俨，十分优待，无论是住宅、美女，都挑选最好的相赠，所以二人甘愿为杨行密（杨行愍）竭尽死力，屡次建立功勋，最后都不再返河东（总部太原府），而在淮南（总部扬州）逝世（二人在下世纪〔十〕一〇及二〇年代去世）。杨行密（杨行愍）从此控制江淮（华东地区）广大平原，朱全忠（朱温）无法夺取。

51 十一月七日，李晔（李敏）擢升淑妃（小老婆群第二级）何女士当皇后。何皇后，是东川（总部梓州）人，生德王李裕（李祐）、辉王李祚。

52 威武战区（总部设福州〔福建省福州市〕）司令官（节度使）王潮的老弟王审知，当副行政长官（观察副使）；犯错的时候，王潮还用棍子打他，王审知从没有怨恨的脸色。王潮卧病，舍弃自己的儿子王延兴、王延虹、王延丰、王延休，而命王审知主持总部军政（知军府事）。

十二月六日，王潮逝世。王审知把职务让给他的老哥、泉州（福建省泉州市）州长王审邽。王审邽因王审知建有功劳，推辞不肯接受。王审知遂自称威武战区（总部福州）候补司令官（留后），奏报中央。

53 十二月二十一日，王建（西川〔总部成都府〕司令官）自梓州（四川省三台县）返回。

十二月二十七日，王建抵达成都（四川省成都市）。

本年（八九七），鹤拓帝国（首都苴咩城〔云南省大理市〕）皇帝舜化，派

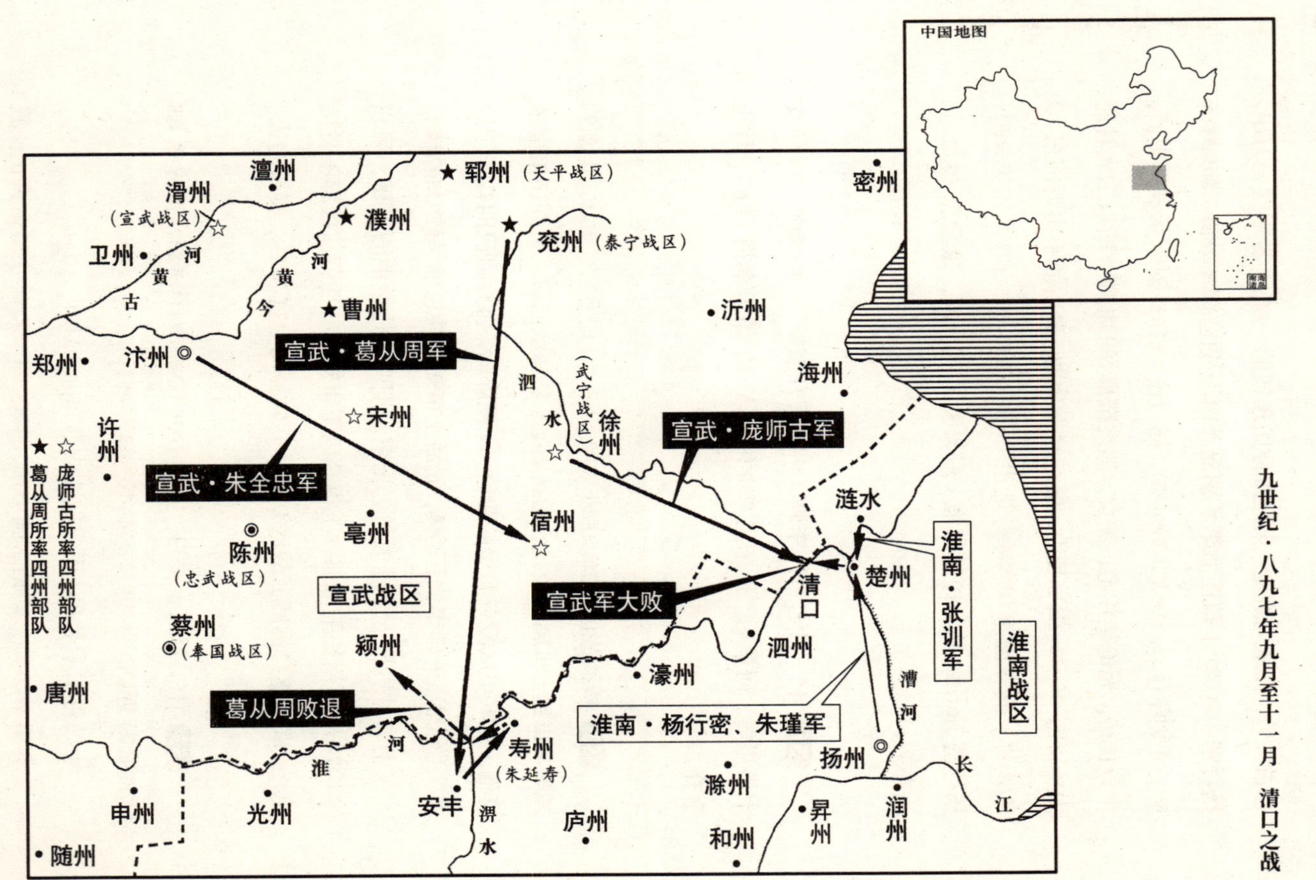

九世纪·八九七年九月至十一月 清口之战

使节携带写给唐王朝皇帝李晔（李敏）的信件，连同首席部长（督爽）送交唐政府宰相联合办公厅（中书）的文件木夹，前来京师（首都长安），通知唐王朝说：他们改年号中兴。唐政府打算用皇帝诏书作答（用诏书就是不承认对方帝位，仍当作部属）。王建（西川〔总部成都府〕司令官）上疏说："鹤拓不过一小撮蛮夷，用不着动用诏书。我在西南，他们绝不敢侵犯边塞。"中央接受。

黎（四川省汉源县）、雅（四川省雅安市）二州之间，全是高山深谷，接近平地的三支蛮夷，称为"浅蛮"，各有一位酋长，分别称刘王、郝王、杨王，各有各的武装部队。西川（总部成都府）每年都赏赐他们绸缎、棉布三千匹，使他们侦察南诏王国（鹤拓帝国前身）军情。当然，他们同时也接受南诏王国的馈赠，来侦察西川（总部成都府）虚实（类似东蛮作风，参考八六七年二月）。每次新任战区司令官（节度使）到差，三位酋长都会率领他们手下的酋长，前来总部晋见祝贺。新任司令官遂宣称他们接受自己威严、恩德的感化，专案奏报中央。而三位酋长则暗中跟战区大将勾结，互相声援，司令官（节度使）有时不能满足大将的要求时，大将就教导他们制造骚动。从前，司令官（节度使）都是文官出身，总觉得多一事不如少一事，不敢面对争端，因此，大将们常利用这种苟且的心理，达到自己的目的；南诏王国也借着这种机会，不断在唐王朝边疆制造灾祸。但是，自王建镇守西川（总部成都府），不再对三位酋长赏赐，并诛杀跟酋长暗中勾结的大营总管理官（都押牙）山行章（陈敬瑄、田令孜的旧部，投降王建，参考八八九年十二月），作为惩罚。于是邛崃（邛崃关，四川省汉源县北）以南，一片平安，不再设置岗哨斥候，也不再驻守一兵一卒，蛮夷也不敢侵犯。

后来，王宗播（许存）南下攻击鹤拓帝国（首都苴咩城），三位酋长把军事机密泄露给鹤拓，王建命三位酋长到成都晋见，把他们斩首。

54 立法院见习立法官（右拾遗）张道古上疏，说："帝国有五种危机、两种灾乱。从前刘恒（西汉王朝五任帝）登极没有多久，对国家大事，就十分熟悉，而今，陛下登极已经十年（李晔于八八八年登极），却始终不知道君王驾驭臣属的方法。太宗（二任帝李世民）对内平定中原，对外扫荡四方蛮夷、开疆拓土，大海以内的国家，没有一个不向大唐归附。可是，现在祖先遗留给陛下的疆域，已丧失殆尽。我虽然位低官小，但仍暗中哀伤陛下的帝国，最初被奸臣所误，最后恐怕还要被贼臣所有。"李晔（李敏）大为震怒，贬张道古当施州（湖北省恩施市）户籍官（司户）。又下诏公开宣布张道古的罪状，命谏官传阅，引以为戒。张道古，是青州（山东省青州市）人。

八九八年 戊午

唐　乾宁　五年
　　光化　元年

1 春季，正月，镇海（总部杭州）、镇南（总部洪州）、武昌（总部鄂州）、平卢（总部青州）各战区，分别派遣使节前往行宫（时在华州〔陕西省渭南市华州区〕），晋见唐帝（二十二任昭宗）李晔（李敏，本年三十三岁。晔，音yè〔叶〕），请求任命朱全忠（朱温，宣武〔总部汴州〕司令官）当总指挥官（都统），讨伐杨行密（杨行愍，淮南〔总部扬州〕司令官）。李晔（李敏）下诏不许（镇海钱镠、镇南钟传、武昌杜洪、平卢王师范，都畏惧杨行密，遂归附朱全忠）。

2 唐政府命平卢战区（总部设青州〔山东省青州市〕）司令官（节度使）王师范，遥兼二级宰相（同平章事·使相）。

3 唐政府命国务院国防部长（兵部尚书）刘崇望，遥兼二级宰相（同平章事·使相），充任东川战区（总部设梓州〔四川省三台县〕）司令官（节度使）。擢升昭信（金州，陕西省安康市）警备区司令（防御使）冯行袭，当昭信战区（以昭信警备区升格）司令官（节度使）。

4 李晔（李敏）下《罪己诏》，停止讨伐宋文通（李茂贞）的军事行动（这是继十二任帝李适之后的第二篇《罪己诏》。李适下诏，参考七八四年正月一日）。恢复宋文通的皇家姓名李茂贞，命各战区道讨伐宋文通（李茂贞）的特遣兵团，一律撤回。

5 正月二十二日，护国战区（总部设河中府〔山西省永济市〕）司令官（节度使）王珂，前往晋阳（太原府所在县）迎娶李克用（河东〔总部太原府〕司令官）的女儿（之前已记载王珂是李克用的女婿，参考八九五年三月；或当时只是订下婚约，如今正式成亲）；李克用派他的部将李嗣昭进驻河中（山西省永济市）协防。

6 李茂贞（宋文通，凤翔〔总部凤翔府〕司令官）、韩建（镇国〔总部华州〕司令官），分别写信给李克用（河东〔总部太原府〕司令官），声称皇帝大驾流亡在外，已有数年（自前年〔八九六〕七月迄今），请求化解怨仇，和好如初，共同拥护中央，保卫皇家，并请求李克用派遣工程师及工人，帮助修复宫殿；李克用允许。

最初，王建（西川〔总部成都府〕司令官）进攻东川（总部梓州），顾彦晖

(东川〔总部梓州〕司令官)向李茂贞(宋文通)求救,李茂贞(宋文通)派出将领增援,没有多余的时间和力量逼迫皇帝,所以才假装改过自新,联合韩建,共同拥护李晔(李敏)。最近又听说朱全忠(朱温,宣武〔总部汴州〕司令官)正重建东都洛阳(河南省洛阳市)宫殿,不断上疏要迎接皇帝迁都(参考前年〔八九六〕九月)。李茂贞(宋文通)、韩建大为恐惧,遂急行修复长安(陕西省西安市)宫殿,恭送李晔(李敏)返京(首都长安)。李晔(李敏)下诏任命韩建当皇宫宝殿重建总监(修宫阙使)。命各战区道分别捐献经费及进贡器材、人力;韩建派总指挥官(都将)蔡敬思总管这项工程,终于完成。

7 二月,韩建亲自到重建后的宫殿视察。

8 钱镠(音𠙴〔流〕)请求中央把镇海战区总部迁到杭州(浙江省杭州市),中央批准(镇海战区总部本设润州〔江苏省镇江市〕,后来润州被杨行密占领〔参考八九二年二月〕,钱镠任司令官时,已在杭州办公,现在不过请中央追认,使迁移合法)。

9 唐政府命李茂贞(宋文通)再当凤翔战区(总部设凤翔府〔陕西省宝鸡市凤翔区〕)司令官(节度使)。

10 三月二十日,唐政府任命王审知当威武战区(总部设福州〔福建省福州市〕)候补司令官(留后)。

11 朱全忠(朱温,宣武〔总部汴州〕司令官)派副司令官(副使)万年(首都长安东半城)人韦震,到中央奏报事务,要求中央准许朱全忠(朱温）兼天平战区（总部设郓州〔山东省东平县〕）司令官（节度使），中央没有答应，韦震竭力争取，中央不得已，命朱全忠（朱温）当宣武（总部汴州）、宣义（总部滑州）、天平（总部郓州）三战区司令官（节度使）。

朱全忠（朱温）命韦震当天平战区（总部设郓州〔山东省东平县〕）候补司令官（留后），命前台州（浙江省临海市）州长李振当天平战区副司令官（节度副使。《新五代史·李振传》：李振原任金吾卫〔卫军第十一、十二军〕将军，奉派当台州州长，因浙东民变纷起，不能到差，遂投奔汴州，向朱全忠献策，朱全忠用他，成为死党）。李振，是李抱真（安抱真）的曾孙（李抱真，参考七六五年正月）。

12 淮南（总部扬州）将领周本，增援苏州（江苏省苏州市），镇海（总部杭州）将领顾全武把周本击败。淮南（总部扬州）另一将领秦裴，率三千人攻陷昆山（上海市青浦区），进城驻防。

13 唐政府命潭州（湖南省长沙市）州长、主持武安（总部潭州）总部军政事务的马殷，代理武安战区（总部潭州）候补司令官（留后）。

当时，武安战区（总部潭州）共有七州，可是变民首领杨师远据守衡州（湖南省衡阳市）、唐世旻据守永州（湖南省永州市）、蔡结据守道州（湖南省道县）、陈彦谦据守郴州（湖南省郴州市。郴，音chēn〔嗔〕）、鲁景仁据守连州（广东省连州市）。马殷的疆土只不过潭（湖南省长沙市）、邵（湖南省邵阳市）二州而已。

14 义昌战区（总部设沧州〔河北省沧州市东南〕）司令官（节度使）卢彦威，凶恶残忍，对下暴虐，对相邻的战区道又傲慢无礼（杀卢龙逃亡司令官李匡筹可为一证，参考八九四年十二月二十六日）；跟卢龙战区（总部设幽州〔北京市〕）司令官（节度使）刘仁恭，为了争夺盐利，决裂成仇，刘仁恭派他的儿子刘守文率军袭击沧州（河北省沧州市东南），卢彦威无法抵抗，只好放弃城池，携带家属，逃往魏州（河北省大名县），罗弘信（魏博〔总部魏州〕司令官）拒绝卢彦威入境，卢彦威只好再投奔汴州（河南省开封市。卢彦威驱逐杨全玫，夺取沧州〔参考八八五年七月〕，前后十四年而败）。刘仁恭遂占领沧（河北省沧州市东南）、景（河北省泊头市西交河镇）、德（山东省德州市陵城区）三州，而命刘守文当义昌战区（总部沧州）候补司令官（留后）。

刘仁恭的势力越发强大，遂自认得到上天帮助，油然兴起并吞河朔（河北平原）的雄心大志，于是请求中央发给刘守文旌旗符节，中央不许。就在这时候，中央传达命令的宦官抵达范阳（此非范阳县〔河北省涿州市〕，而是幽州〔北京市〕州城古称），刘仁恭告诉他说："旌旗符节，我自己也有，只是想要长安（陕西省西安市）的老招牌而已，为什么上了这么多奏章，仍然不给？替我把这些话告诉他们！"刘仁恭的荒唐傲慢，已到了这种地步。

朱全忠（朱温，宣武〔总部汴州〕司令官）跟刘仁恭（卢龙〔总部幽州〕司令官）建立友谊，正巧，魏博兵团（总部魏州）攻击李克用（河东〔总部太原府〕司令官）。

夏季，四月八日，朱全忠（朱温）率军抵达钜鹿（河北省巨鹿县）城下，击败河东兵团（总部太原府）一万余人，乘胜追击到青山口（河北省邢台市西北）。

15 唐政府命护国战区（总部设河中府〔山西省永济市〕）司令官（节度使）王珂，兼任最高监督长（兼侍中·使相）。

16 四月二十八日，朱全忠（朱温，宣武〔总部汴州〕司令官）派将领葛从周，率军进攻洺州（河北省邯郸市永年区东南广府镇）。

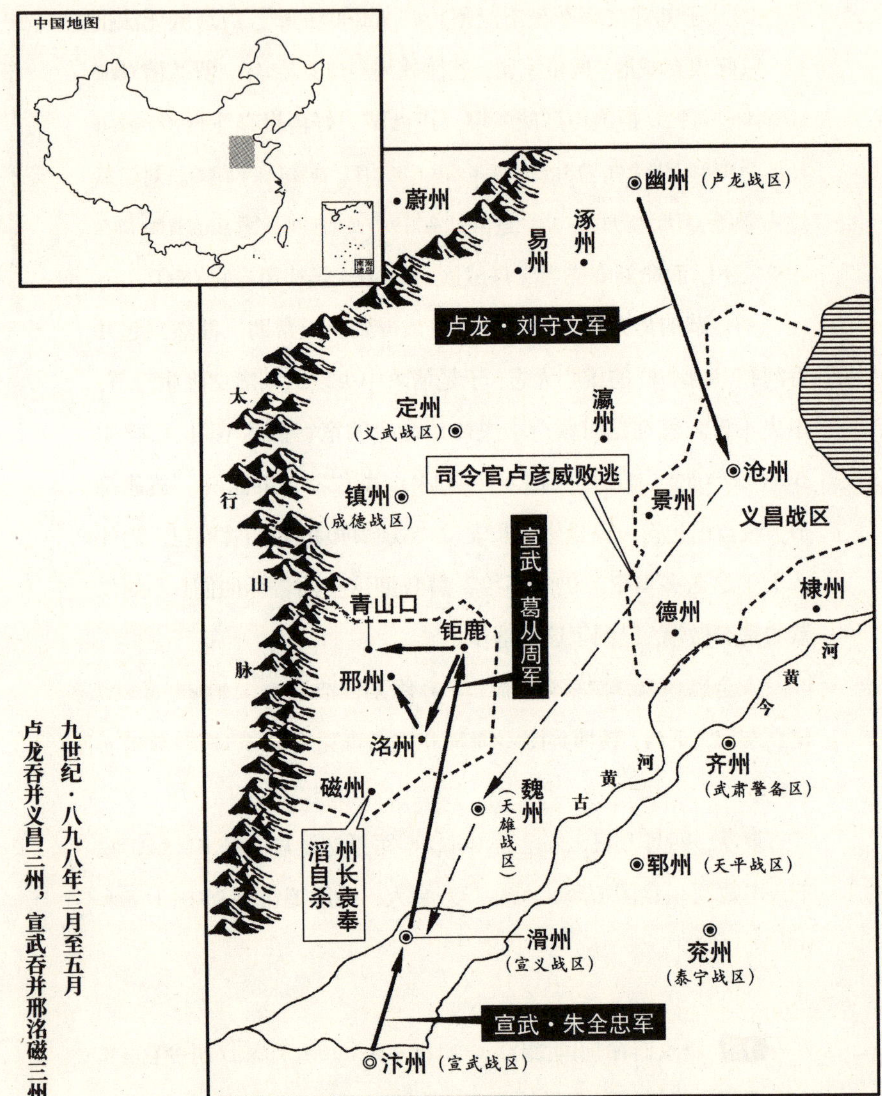

九世纪·八九八年三月至五月

卢龙吞并义昌三州，宣武吞并邢洺磁三州

四月二十九日，葛从周攻克洺州，斩州长邢善益。

17 五月一日，李晔（李敏）下诏：赦免天下。

18 葛从周（宣武〔总部汴州〕将领）进攻邢州（河北省邢台市），州长马师素放弃城池逃走。

五月三日，磁州（河北省磁县）州长袁奉滔刎颈自杀身亡。朱全忠（朱温）命葛从周当昭义战区（东昭义，总部邢州）候补司令官（留后），驻守邢（河北省邢台市）、洺（河北省邯郸市永年区东南广府镇）、磁（河北省磁县）三州，自己班师（昭义战区自此再度出现东西两总部。第一次分治事，参考八八二年十二月）。

19 唐政府命武定战区（总部设洋州〔陕西省洋县〕）司令官（节度使）李继密（王万弘），转任山南西道战区（总部设兴元府〔陕西省汉中市〕）司令官（节度使）。

20 唐政府听到王建（西川〔总部成都府〕司令官）已用王宗涤（华洪）当东川（总部梓州）候补司令官（留后）消息，立刻命刘崇望折回，仍当国务院国防部长（兵部尚书），并正式任命王宗涤（华洪）当东川（总部梓州）候补司令官（留后）。

21 武安（总部潭州）将领姚彦章建议战区候补司令官（留后）马殷出军夺取衡（湖南省衡阳市）、永（湖南省永州市）、道（湖南省道县）、连（广东省连州市）、郴（湖南省郴州市）五州，并推荐李琼当讨伐军统帅。马殷遂任命李琼及秦彦晖（蔡州皇帝秦宗权的族弟，参考八八七年十月）当岭北（南

九世纪·八九八年五月至八九九年十一月　马殷肃清武安战区

中国地图

长江
江陵府（荆南战区）
（成汭）
鄂州（武昌战区）
（杜洪）
澧州
（向瓌）
岳州
洞庭湖
朗州
（武贞战区）
（雷满）
溪州
沅水
辰州
武安战区
潭州
（马殷）
李琼军
湘水
袁州
锦州
梅山
奖州
定胜镇
邵州
溆州
衡州（杨师远）
飞山洞
永州
（唐世旻）
李琼军
彬州
（陈彦谦）
李唐军
道州
（蔡结）
桂州
（桂州道）
韶州
连州
（鲁景仁）
昭州
贺州

岭以北）七州（武安战区所辖七州）游击司令（游弈使），张图英、李唐当副游击司令，率军进攻衡州（湖南省衡州市），斩变民首领杨师远；又进攻永州（湖南省永州市），包围一个月有余，变民首领唐世旻逃走，死在路上。马殷命李唐当永州（湖南省永州市）州长。

22 六月，唐政府擢升濠州（安徽省凤阳县东北临淮关镇）州长赵珝（音xǔ〔许〕）当忠武战区（总部设陈州〔河南省周口市淮阳区〕）司令官（节度使）。赵珝，是赵犨（音chōu〔抽〕）的老弟（赵犨守陈州，参考八八九年三月）。

23 秋季，七月，唐政府命武贞战区（总部设朗州〔湖南省常德市〕）司令官（节度使）雷满，遥兼二级实质宰相（同平章事 · 使相）。命镇南战区（总部设洪州〔江西省南昌市〕）司令官（节度使）钟传，兼最高监督长（兼侍中 · 使相）。

24 忠义战区（总部设襄州〔湖北省襄阳市〕）司令官（节度使）赵匡凝听到朱全忠（朱温，宣武〔总部汴州〕司令官）在清口（江苏省淮安市淮阴区西南，古泗水注入淮河处）溃败消息（参考去年〔八九七〕十一月），暗中归附杨行密（杨行愍，淮南〔总部扬州〕司令官）。朱全忠（朱温）派宿州（安徽省宿州市）州长、尉氏（河南省尉氏县）人氏叔琮率军讨伐。

七月二十八日，氏叔琮攻克唐州（河南省泌阳县），生擒随州（湖北省随州市）州长赵匡璘；又在邓城（湖北省襄阳市汉水北岸）击败忠义（总部襄州）军队。

25 八月十三日，唐政府把华州（陕西省渭南市华州区）升格为兴德特别市（以纪念李晔这次逃亡）。

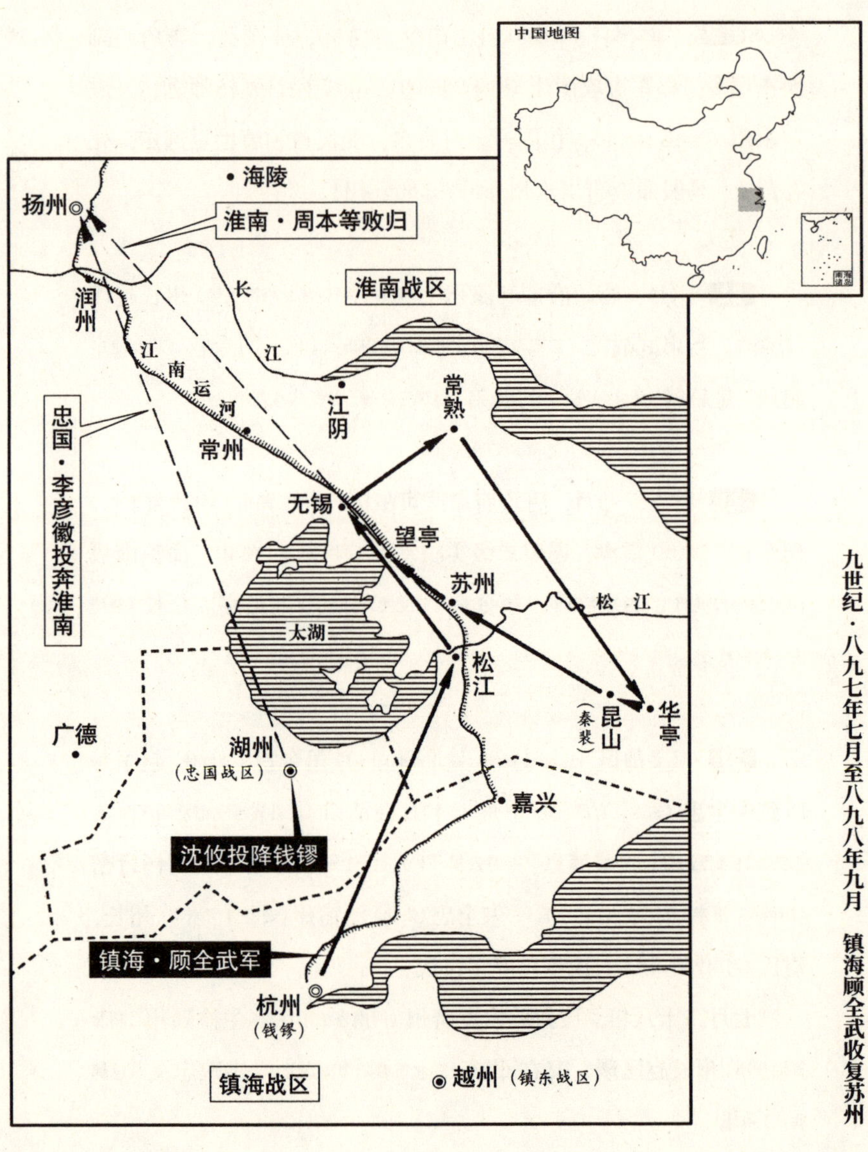

九世纪·八九七年七月至八九八年九月 镇海顾全武收复苏州

26 八月二十一日，宣武（总部汴州）将领康怀贞袭击邓州（河南省邓州市），攻克，生擒州长国湘（国，姓）。赵匡凝（忠义〔总部襄州〕司令官）大为恐惧，派使节向朱全忠（朱温）投降，朱全忠（朱温）接受。

27 八月二十二日，李晔（李敏）自兴德特别市（陕西省渭南市华州区）出发还都。

八月二十五日，李晔（李敏）抵达长安（李晔流亡生活前后三年，参考前年〔八九六〕七月）。

八月二十七日，李晔（李敏）赦免天下。改年号光化（之前是乾宁五年，之后是光化元年）。

李晔（李敏）打算促使各战区道和睦相处，派太子宾客（正三品）张有孚，当河东（总部太原府）、宣武（总部汴州）宣慰特使，分别赐给李克用（河东〔总部太原府〕司令官）、朱全忠（朱温，宣武〔总部汴州〕司令官）诏书，同时也命宰相写信给他们，请他们和解。李克用打算接受，但又不愿先表示屈服，于是写信给王镕（成德〔总部镇州〕司令官），拜托他向朱全忠（朱温）致意，朱全忠（朱温）拒绝。

28 九月八日，唐政府命韩建（镇国〔总部兴德府〕司令官）暂任太傅（守太傅，三师之二），充任兴德（陕西省渭南市华州区）特别市市长（兴德尹）；命王镕（成德〔总部镇州〕司令官）兼最高立法长（兼中书令·使相），命罗弘信（魏博〔总部魏州〕司令官）暂任最高监督长（守侍中·使相）。

29 九月二十二日，东川战区（总部设梓州〔四川省三台县〕）候补司令官（留后）王宗涤（华洪）向王建（西川〔总部成都府〕司令官）说：“东川疆域五千华里，公文往返，动不动就要数月，不如分出遂（四川省遂宁市)、合(重庆市合川区)、泸(四川省泸州市)、渝(重庆市)、昌(重庆市大足区)五州，另行设立战区。”王建同意，上疏奏报中央。

30 顾全武(镇海〔总部杭州〕将领)进攻苏州(江苏省苏州市)，苏州城里粮尽援绝。

九月十七日，淮南(总部扬州)任命的苏州州长台濛放弃城池，逃走；淮南所派援军将领周本也撤退；顾全武遂克复苏州(淮南夺取苏州，参考前年〔八九六〕五月三日)，追击，在望亭(江苏省苏州市相城区西北望亭镇)再击败周本等军。只秦裴防守昆山(上海市青浦区)，无法攻克。顾全武率一万余人进击，秦裴不断出战，命患病的人身穿铠甲、手拿长矛，强壮的拉弓射箭，顾全武每次都受到挫败。顾全武命秦裴投降。顾全武曾出家当过和尚，秦裴呈递密封信件，表示归附，顾全武大喜，集合各将领共同拆封，想不到里面装的却是一卷佛经，顾全武大为惭愧，说:“秦裴不担心他死在眼前，哪有心情戏弄我！”增加部队，攻击更烈，并引导河水(疑是黄浦江)灌城，城墙崩塌，城里粮食又已吃完，秦裴只好投降。钱镠(镇海〔总部杭州〕司令官)命准备一千人的饭菜接待俘虏，可是，等他们出来，老弱残兵不到一百人(秦裴率三千人夺取昆山，参考本年〔八九八〕三月，投降时，只剩下不满一百人，死亡率高达百分之九十七)。钱镠大怒说:“你衰弱到如此地步，怎么敢长期抵抗？”秦裴回答说:“我在大义上绝不辜负杨公(杨行密)，今天是力量已尽，不得不投降，不是心里想投降。”钱镠深受感动，顾全武也劝钱镠赦免，钱镠同意，世人都称赞顾全武是一位忠厚长者。

31 魏博战区(总部设魏州〔河北省大名县〕)司令官(节度使)罗弘信逝世(年六十三岁)，军队拥护他的儿子、战区副司令官(节度副使)罗绍威代理候补司令官（知留后）。

32 宣武（总部汴州）将领朱友恭（李彦威）率军从江淮（华东地区）班师，路过安州（湖北省安陆市）。有人告密说："州长武瑜暗中跟淮南（总部扬州）勾结，阴谋攻击宣武（总部汴州）兵团。"

冬季，十月三日，朱友恭（李彦威）攻击武瑜，把他诛杀（安州属武昌战区〔总部鄂州〕）。

33 李克用（河东〔总部太原府〕司令官）派他的将领李嗣昭、周德威，率步骑兵二万人，从青山（河北省邢台市西北）出击，打算收复山东（太行山以东）三州（邢洺磁）。

十月六日，李嗣昭等进攻邢州（河北省邢台市），葛从周（东昭义〔总部邢州〕司令官）出城迎战，李嗣昭等大败，退入青山（河北省邢台市西北），葛从周追击，打算截断河东（总部太原府）兵团的归路，河东（总部太原府）步兵部队忽然自行崩溃，四散逃命，李嗣昭不能控制。幸好横冲特别营指挥官（横冲都将）李嗣源（邈佶烈）率领他的部队赶到，对李嗣昭说："我们也逃的话，局面就难支持，我试试为你发动一次攻击！"李嗣昭说："好极，我追随你。"李嗣源下令骑兵下马，整理弓箭，攀到高处布阵，在那里装模作样的左指右指，葛从周军看不出他的意图。李嗣源抓住机会，一直向前奋勇攻击，李嗣昭紧接在后面冲入战场，葛从周只好退走。周德威，是马邑（山西省朔州市东）人。

34 十月七日，唐政府擢升威武战区（总部设福州〔福建省福州市〕）候补司令官（留后）王审知，实任司令官（节度使）。

35 唐政府命罗绍威代理魏博战区（总部设魏州〔河北省大名县〕）候补司令官（知魏博留后）。

36 十月二十一日，唐政府擢升东川战区（总部设梓州〔四川省三台县〕）候补司令官（留后）王宗涤（华洪）实任司令官（节度使）。

37 唐政府命佑国战区（总部设河南府〔河南省洛阳市〕）司令官（节度使）张全义，兼最高监督长（兼侍中·使相）。

38 王珙（保义〔总部陕州〕司令官）引导宣武（总部汴州）军队攻击河中（山西省永济市）。王珂（护国〔总部河中府〕司令官）向李克用（河东〔总部太原府〕司令官）紧急求救。李克用派李嗣昭增援，在胡壁（山西省万荣县西南）击败宣武（总部汴州）军队，宣武（总部汴州）军队退走。

前常州（江苏省常州市）州长王柷（音chù〔触〕），性情刚烈体直，有很高声望（王柷是王方庆的五世孙；王方庆，是南周王朝宰相，参考六九六年九月）。李晔（李敏）下诏征召前来京师（首都长安），时人一致认为他一定出任宰相。王柷经过陕州（河南省三门峡市），王珙对他必恭必敬，招待周到，无微不至，并请求叙明叔侄辈分，愿以侄儿身份大礼参拜，王柷坚决拒绝（王珙是太原祁县〔山西省祁县〕人，王柷则是大分裂时代南迁的琅邪王氏的后裔，二人并不同宗）。王珙大怒，命护送王柷的军队砍死王柷，连同王柷的家人，全都投进黄河，掠夺他们的财产，然后报告中央说：船舶翻覆。中央不敢查办。

39 闰十月，钱镠（镇海〔总部杭州〕司令官）命他的部将曹圭当苏州（江苏省苏州市）军政总监（制置使）。派王球进攻婺州（浙江省金华市）。

40 十一月十九日，李晔（李敏）封皇子李祯当雅王，李祥当琼王。

41 擢升魏博战区（总部设魏州〔河北省大名县〕）候补司令官（留后）罗绍威，实任司令官（节度使）。

42 衢州（浙江省衢州市）州长陈岌，投降杨行密（杨行愍，淮南〔总部扬州〕司令官），钱镠（镇海〔总部杭州〕司令官）派顾全武讨伐（陈岌接任州长，参考八九五年十一月）。

43 朱全忠（朱温，宣武〔总部汴州〕司令官）发现奉国战区（总部设蔡州〔河南省汝南县〕）司令官（节度使）崔洪，跟杨行密（杨行愍）来往，于是派部将张存敬攻击崔洪。崔洪恐惧，愿用老弟、总指挥官（都指挥使）崔贤当人质，请求和解，并且说："官兵们顽固强悍，不接受约束，愿派两千人前往汴州（河南省开封市），听候指挥出征！"朱全忠（朱温）允许，召回张存敬。张存敬，是曹州（山东省菏泽市定陶区）人。

44 十二月，昭义战区（西昭义，总部设潞州〔山西省长治市〕）司令官（节度使）薛志勤逝世。

李克用（河东〔总部太原府〕司令官）消灭王行瑜时（参考八九五年十一月），泽州（山西省晋城市）州长李罕之向李克用要求推荐他继任王行瑜的位置，当静难战区（总部设邠州〔陕西省彬州市〕）司令官（节度使）。李克用说："王行瑜仗恃他的功劳，要胁君王，我们才出军讨伐，把他诛杀。昨天击破盗匪时，我已经奏请催促苏文建上任（参考八九五年十一月）。现在，奏章刚刚到皇上那里，我却改变主意，政府民间的舆论，一定哗然，认为我们的行动简直跟王行瑜一样。我跟你亲如兄弟，一向都有偏爱，等回到太原（山西省太原市），当另行对你论功行赏。”李罕之大不高兴，退出。私下告诉盖寓说：“我自从失守河阳（河南省孟州市），幸而受到庇护（参考八八八年二月），为时已久，而年纪一年比一年老，开始厌倦军队征战生活，如果蒙大王（李克用封陇西郡王）及你的怜悯，赏赐一个小小战区，给我几年时间，使官兵得到休息，有病的得到疗养，然后告老还乡，那是我最大的幸运。”（李罕之希望的是再度控制一个固定地盘，补充十一年来耗损的财富，但说来却如此娓娓动听。）盖寓也替他向李克用争取，李克用却不理会。每次战区司令官出缺，讨论人选时，都没有考虑过李罕之，李罕之十分忧郁。盖寓恐怕发生变化，竭力向李克用推荐，李克用说：“对于李罕之，我怎么会爱惜一个战区。可是，李罕之像一只鹰，饥饿的时候还听我们的，肚子一饱，就会远走高飞。”（智慧的语言必须用到正确的判断上，如果判断错误，智慧的语言就会被拖累得成为笑柄。李克用重述曹操观察吕布时说的话〔参考一九七年五月〕，好像洞察入微。但李罕之既不是一只鹰，也不是一只虎，只不过一条土狼而已，饥饱都会生事。）

现在，薛志勤逝世，十天之久，没有统帅，李罕之遂率泽州（山西省晋城市）军队于夜晚进入潞州（山西省长治市），占领战区总部，报告李克用说：“薛志勤死亡，州民没有主人，忧虑野心分子制造事端，所以我擅自前来安抚，敬请大王进一步指示。”李克用大怒，派人对李罕之斥责（刘邦封韩信当齐王的历史〔参考前二〇三年十一月〕重演，智囊在此决定胜负，盖寓何在？李克用如果顺水推舟，就命李罕之接任，以后当不致出现那种太原被围，几乎被消灭的局面〔参考九〇一年三月〕）。李罕之遂派他的儿子李颢，充当人质，投降朱全忠（朱温，宣武〔总部汴州〕司令官），逮捕河东（总部太原府）将领马溉等，连同沁州（山西省沁源县）州长傅瑶，押送汴州（河南省开封市）。李克用派李嗣昭讨伐李罕之。李嗣昭当天攻陷泽州（山西省晋城市），搜捕李罕之的家属，押送晋阳（太原府所在县，山西省太原市）。

45 杨行密（杨行愍，淮南〔总部扬州〕司令官）把成及（参考前年〔八九六〕五月）送回镇海（总部杭州），交换魏约等（参考去年〔八九七〕四月），钱镠（镇海〔总部杭州〕司令官）同意。

46 韶州（广东省韶关市）州长曾衮，出兵进攻广州（广东省广州市），州政府将领王瓌率水军舰队内应。清海战区（总部设广州〔广东省广州市〕）作战参谋长（行军司马）刘隐一战破敌。韶州（广东省韶关市）将领刘潼又占领浈阳（广东省英德市）、浛洭（英德市西北浛洸镇）二城，刘隐出动军队讨伐，把他斩首。

八九九年 己未

唐 光化 二年

1 春季，正月十三日，唐政府（首都长安〔陕西省西安市〕）免除副立法长（中书侍郎）兼国务院文官部长（兼吏部尚书）、二级实质宰相（同平章事）崔胤所有兼职，只留本职；另命国务院国防部长（兵部尚书）陆扆（音yǐ〔乙〕）兼二级实质宰相（同平章事）。

2 朱全忠（朱温，宣武〔总部汴州〕司令官）上疏任命李罕之当昭义战区（西昭义，总部设潞州〔山西省长治市〕）司令官（节度使），又上疏擢升河阳战区（总部设孟州〔河南省孟州市〕）暂代候补司令官（权知河阳留后）丁会、武宁战区（总部设徐州〔江苏省徐州市〕）候补司令官（留后）王敬荛、彰义战区（总部设泾州〔甘肃省泾川县〕）候补司令官（留后）张珂，同时实任司令官（节度使）。

3 杨行密（杨行愍，淮南〔总部扬州〕司令官）跟朱瑾（前泰宁〔总部兖州〕司令官）率士卒数万人进攻徐州（江苏省徐州市），进驻吕梁（江苏省徐州市东南）。朱全忠（朱温，宣武〔总部汴州〕司令官）派骑兵将领张归厚增援徐州（江苏省徐州市）。

4 刘仁恭（卢龙〔总部幽州〕司令官）征调幽（北京市）、沧（河北省沧州市东南）等十二州武装部队十万人，浩浩荡荡南下，打算扫平河朔（河北平原）。首先进攻贝州（河北省清河县），攻克，屠城，城里一万余户居民，全部格杀，把尸体投到清河（永济渠）。于是，所有城池都顽强守卫，拒不投降。刘仁恭采取跳蛙战术，直接进攻魏州（河北省大名县），在城北扎营。魏博战区（总部设魏州〔河北省大名县〕）司令官（节度使）罗绍威，向朱全忠（朱温）求救。

5 朱全忠（朱温）命崔贤回蔡州（河南省汝南县），催促所承诺的两千人战斗部队早日前往大梁（汴州州政府所在城，河南省开封市。承诺出军两千人事，参考去年〔八九八〕十一月）。

二月，奉国（总部蔡州）将领崔景思等兵变，诛杀崔贤，劫持崔洪（奉国〔总部蔡州〕司令官），裹挟全体军队及州民，南渡淮河投奔杨行密（杨行愍，淮南〔总部扬州〕司令官），走到中途，军民开始逃回，抵达广陵（扬州州政府所在城，江苏省扬州市）时，还不满二千人。朱全忠（朱温，宣

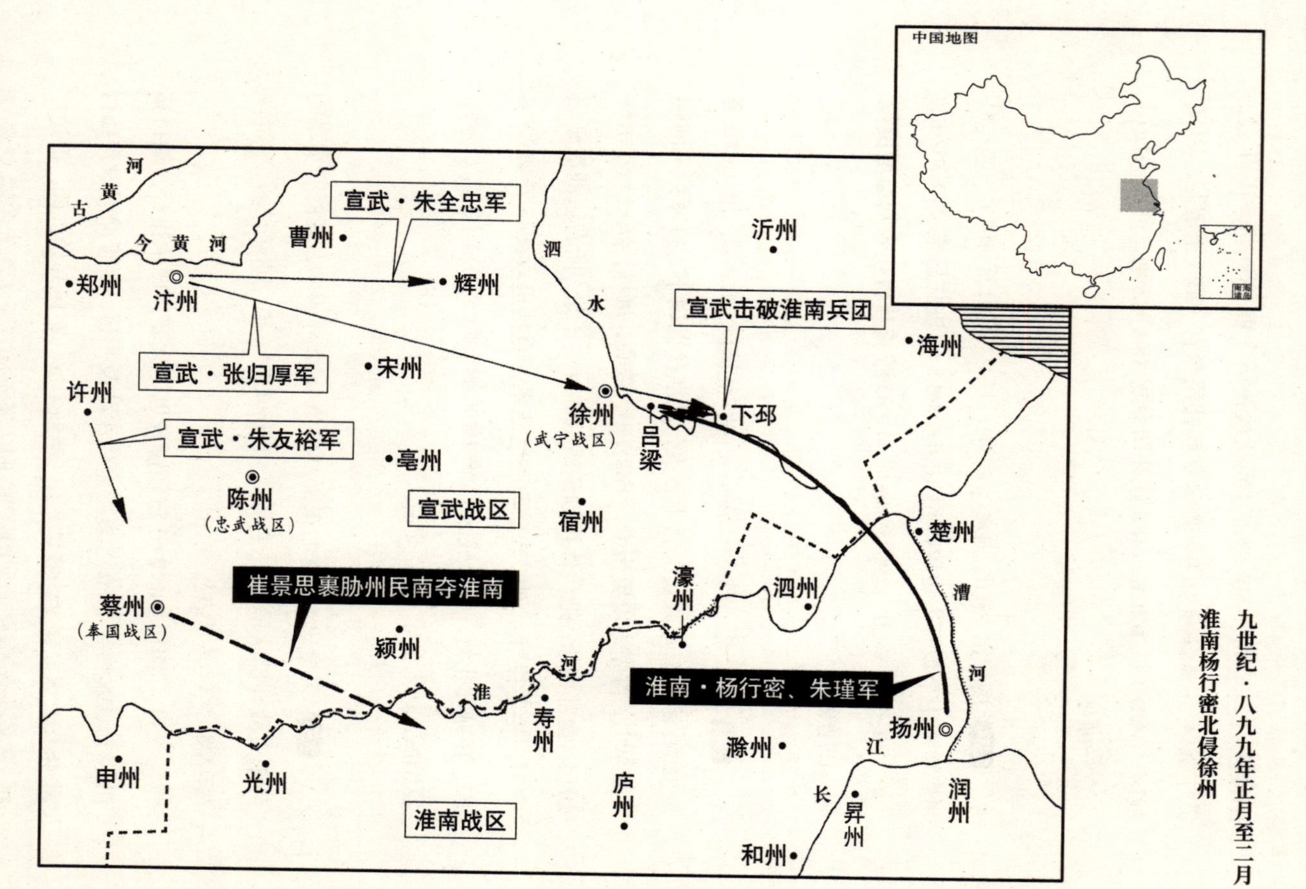

九世纪·八九九年正月至二月
淮南杨行密北侵徐州

武〔总部汴州〕司令官）命许州（河南省许昌市）州长朱友裕进驻蔡州（河南省汝南县）。

6 朱全忠（朱温，宣武〔总部汴州〕司令官）亲自率军增援徐州（江苏省徐州市），杨行密（杨行愍，淮南〔总部扬州〕司令官）得到消息，率军退走。宣武兵团（总部汴州）追到下邳（江苏省睢宁县北古邳镇），格杀一千余人。朱全忠（朱温）走到辉州（安徽省砀山县），听说淮南兵团（总部扬州）已经撤退，这才回军。

7 三月，朱全忠（朱温）派部将李思安、张存敬，率军援救魏博（总部魏州），进驻内黄（河南省内黄县）。

三月十日，朱全忠（朱温）主力进驻滑州（河南省滑县）。刘仁恭（卢龙〔总部幽州〕司令官）鼓励他的儿子刘守文说："你的勇敢超过李思安十倍，应该先活捉李思安，再活捉罗绍威（魏博〔总部魏州〕司令官）！"于是派刘守文跟他的妹婿单可及，率精锐部队五万人，前往内黄（河南省内黄县）攻击李思安。

三月十四日，李思安派部将袁象先在清水（永济渠）东岸设下伏兵，而自己则挺进到繁阳（古内黄东北）迎击，假装战败退却，刘守文乘胜追赶，追到内黄城北，李思安反扑，伏兵也适时而起，前后夹击，卢龙兵团（总部幽州）大败，宣武兵团（总部汴州）于阵前斩单可及，杀戮及俘虏三万人，刘守文仅逃出一命。单可及，是卢龙（总部幽州）勇将，号称"单无敌"，一旦被杀，卢龙（总部幽州）军心沮丧，士气低落。李思安，是陈留（河南省开封市东南陈留镇）人。

这时，葛从周（宣武〔总部汴州〕将领）自邢州（河北省邢台市）率精锐骑兵八百人进入魏州（河北省大名县）。

三月十五日，刘仁恭进攻上水关（大名县北城）馆陶门（大名县北门）。葛从周跟宣义（总部滑州）营门官（牙将）贺德伦出城反攻，告诉守门官说："前面就是大敌，不可以自留后路。"下令关闭城门，葛从周等殊死战，刘仁恭也被击败，葛从周等生擒敌将薛突厥、王郐郎。

第二天，三月十六日，宣武（总部汴州）、魏博（总部魏州）联军，乘胜总攻，一连击破刘仁恭八个营寨，刘仁恭父子焚烧大营逃走。宣武、魏博联军长驱直入，马不停蹄的追赶，追到临清（河北省临西县），卢龙（总部幽州）残余部众死于杀戮，或被逼入永济渠淹死的不计其数。成德（总部镇州）也在东境出军截击，从魏州（河北省大名县）到沧州（河北省沧州市东南）五百华里之间，尸体一个接连一个。刘仁恭受到重创，元气从此不能恢复，而朱全忠（朱温）却越发强大。贺德伦，是河西（陕西省北部）胡人。

刘仁恭进攻魏州（河北省大名县）时，罗绍威（魏博〔总部魏州〕司令官）派使节晋见李克用（河东〔总部太原府〕司令官），希望恢复过去友谊（破裂事，参考八九六年闰正月），同时也向李克用求救。

三月十九日（原文"壬午"误），李克用派李嗣昭率军增援，而刘仁恭已被宣武兵团（总部汴州）击败，罗绍威遂跟河东（总部太原府）再度断绝关系。李嗣昭退回。

8 葛从周乘击破卢龙（总部幽州）的声势，自土门（河北省石家庄市鹿泉区西南）出发，进攻河东（总部太原府），攻陷承天军（山西省平定县东北娘子关镇），别动部队将领氏叔琮自马岭（河北省邢台市西北）深入，攻陷辽州（山西省左权县）、乐平（山西省昔阳县），直扑榆次（山西省晋中市榆次区）。李克用派内院卫军副司令（内牙军副）周德威迎击。

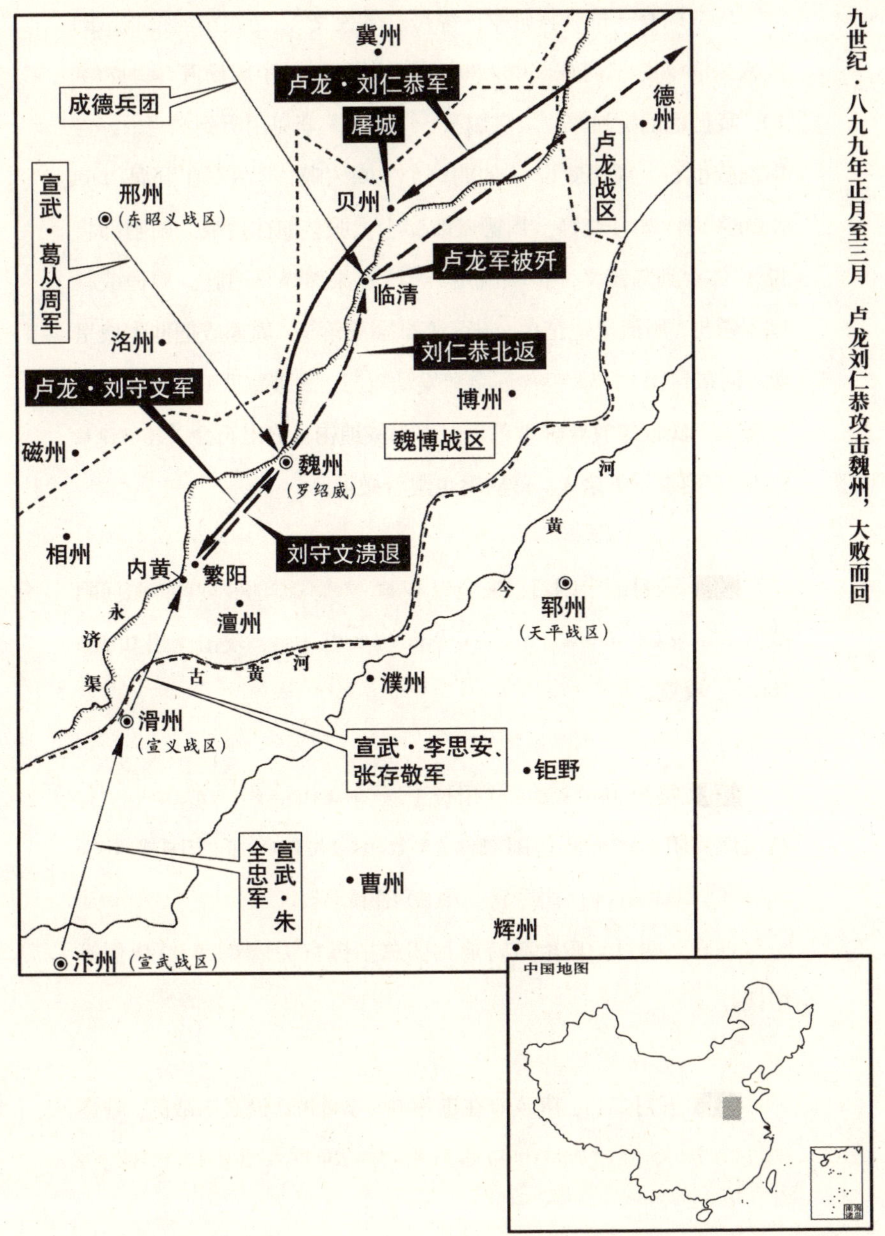

九世纪·八九九年正月至三月　卢龙刘仁恭攻击魏州，大败而回

氏叔琮有一位骁将陈章，绰号“陈夜叉”，当大军前锋官，向氏叔琮请求说：“河东（总部太原府）仗恃的不过一个周杨五（周德威的乳名），我把他活捉过来，求赏赐我一个州！”李克用听到消息，警告周德威小心，周德威说：“他的这个牛吹大啦！”两军在洞涡（山西省清徐县东同戈站村）交锋，周德威改穿士兵服装前往挑战，吩咐部将说：“你看到陈夜叉，掉头就走！”陈章果然纵马追赶，周德威斜刺里杀出，用流星锤奋勇一击，陈章翻身落马，周德威把他生擒呈献。河东兵团（总部太原府）遂乘势发动攻击，大破宣武（总部汴州），杀三千人，氏叔琮放弃阵地逃走。周德威追击，追出石会关（山西省榆社县西），又杀一千余人。葛从周也跟着撤退。

9 三月二十四日，朱全忠（朱温，宣武〔总部汴州〕司令官）派河阳战区（总部设孟州〔河南省孟州市〕）司令官（节度使）丁会，攻击泽州（山西省晋城市），攻克。

10 婺州（浙江省金华市）州长王坛（孙儒旧将，参考八九二年十一月），被镇海兵团（总部杭州）包围（参考去年〔八九八〕闰十月），向宁国战区（总部设宣州〔安徽省宣城市〕）司令官（节度使）田頵求救。

夏季，四月，田頵派特遣兵团总指挥官（行营都指挥使）康儒等增援。

11 五月二日，唐政府在遂州（四川省遂宁市）设武信战区，辖遂（四川省遂宁市）、合（重庆市合川区）等五州（参考去年〔八九八〕九月二十二日）。

12 李克用（河东〔总部太原府〕司令官）派蕃汉步骑兵总指挥官（蕃

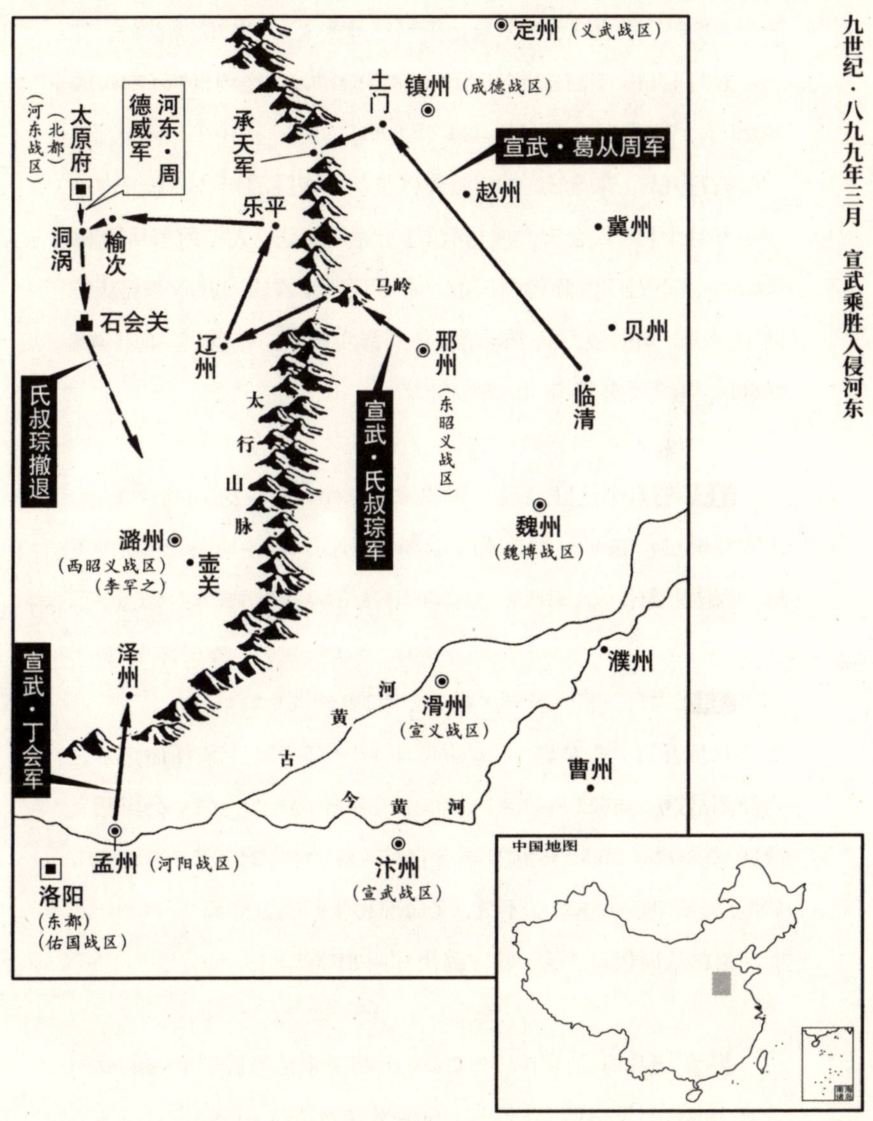

九世纪·八九九年三月　宣武乘胜入侵河东

汉马步都指挥使）李君庆，率军攻击李罕之（西昭义〔总部潞州〕司令官）。

五月七日，李君庆包围潞州（山西省长治市）。朱全忠（朱温，宣武〔总部汴州〕司令官）率军进驻河阳（河南省孟州市）。

五月九日，朱全忠（朱温）派部将张存敬增援潞州（山西省长治市）。

五月十日，朱全忠（朱温）再派丁会率军继进，大破河东兵团（总部太原府），李君庆解除包围退走。李克用斩李君庆，并斩李君庆的助手伊审、李弘袭；命李嗣昭接任华洋步骑兵总指挥官（蕃汉马步都指挥使），继续攻击潞州（山西省长治市）。

13 五月十八日，康儒（宁国〔总部宣州〕将领）等在龙丘（浙江省龙游县）击败婺州（浙江省金华市）城外镇海（总部杭州）围城军，生擒围城军统帅王球，遂取得婺州（浙江省金华市。八九二年十一月，王坛陷婺州，前后八年而败）。

14 六月三日，李罕之（西昭义〔总部潞州〕司令官）病危。

六月五日，朱全忠（朱温，宣武〔总部汴州〕司令官）上疏任命李罕之当河阳战区（总部设孟州〔河南省孟州市〕）司令官（节度使），命丁会当昭义战区（总部设潞州〔山西省长治市〕）司令官（节度使。两昭义总部同属朱全忠〔朱温〕，东昭义〔总部邢州〕当即撤销）。不久，又命部将张归霸驻守邢州（河北省邢台市），派葛从周代替丁会，驻守潞州（山西省长治市）。

15 唐政府命西川（总部成都府）大将王宗佶当武信（总部遂州）司令官（节度使）。王宗佶，本姓甘，是洪州（江西省南昌市）人。

16 六月十五日，李罕之在怀州（河南省沁阳市）逝世（李罕之从潞州赴孟州，走到怀州死亡，年五十八岁）。

17 保义战区（总部设陕州〔河南省三门峡市〕）司令官（节度使）王珙，性情猜忌，连他的妻子儿女和最亲信的官员，都不能保证不受诛杀，人心恐慌，于是激起兵变，被部属斩首（王重盈取得陕州，参考八八二年正月，传子王珙，前后十八年而灭）。军队推举总指挥官（都将）李璠当候补司令官（留后）。

18 秋季，七月，朱全忠（朱温，宣武〔总部汴州〕司令官）所属海州（江苏省连云港市）驻军司令（戍将）陈汉宾，投降杨行密（杨行愍，淮南〔总部扬州〕司令官）。淮南游击司令（淮海游弈使）张训，认为陈汉宾心里到底如何想法，还不知道，遂会同涟水（江苏省涟水县）镇压司令（防遏使）、庐江（安徽省庐江县）人王绾，率军二千人，直向海州（江苏省连云港市），占领城池（海州原属泰宁战区〔总部兖州〕）。

19 唐政府命荆南战区（总部设江陵府〔湖北省江陵县〕）司令官（节度使）成汭（郭禹），兼最高立法长（兼中书令·使相）。

20 马殷（武安〔总部潭州〕候补司令官）继续扫荡境内变民军割据，派部将李唐（永州州长）进攻道州（湖南省道县），变民首领蔡结集结各蛮夷部落，在隘口设下埋伏，大破李唐军。李唐说："蛮夷仗恃山林，如果在平地作战，怎能打败我！"于是命乘着风势，纵火焚烧山林，火光上插霄汉，各蛮夷部落惊恐，纷纷逃走；李唐遂攻克道州（湖南省道县）；生擒蔡结，斩首（蔡结于八八〇年六月割据道州，迄今二十年而亡）。

21 朱全忠（朱温）命葛从周从潞州（山西省长治市）返回，而命贺德伦接替。

八月五日，李嗣昭（河东〔总部太原府〕将领）率军抵达潞州（山西省长治市）城下，派出一部分兵力进攻泽州（山西省晋城市）。

八月八日，宣武（总部汴州）将领刘玘放弃泽州（山西省晋城市）逃走，河东兵团（总部太原府）攻克天井关（晋城市南），任命李存璋当泽州（山西省晋城市）州长（李存璋，参考八七八年正月）。贺德伦守潞州（山西省长治市），紧闭城门，不出应战，李嗣昭每天用铁甲骑兵环绕城池，搜捕割草牧羊的人，半径三十华里以内的庄稼，完全铲平。

八月二十四日，夜晚，贺德伦放弃城池逃走，奔向壶关（山西省壶关县）。河东（总部太原府）将领李存审（符存审）埋伏军队截击，格杀及俘虏很多（李存审事，参考八九四年十二月）。葛从周率援军抵达，听到贺德伦等已经败走，只好返回。

22 九月十二日，唐政府命凤翔战区（总部设凤翔府〔陕西省宝鸡市凤翔区〕）司令官（节度使）李茂贞（宋文通）当凤翔、彰义（总部设泾州〔甘肃省泾川县〕）二战区司令官（节度使）。

23 李克用（河东〔总部太原府〕司令官）上疏任命汾州（山西省汾阳市）州长孟迁，当昭义战区（总部设潞州〔山西省长治市〕）候补司令官（留后）。

24 平卢战区（总部设青州〔山东省青州市〕）司令官（节度使）王师范，因所属沂（山东省临沂市）、密（山东省诸城市）二州叛变，向杨行密（杨行愍，淮南〔总部扬州〕司令官）请求援助（沂密二州原属泰宁战区〔总部兖州〕，不知何时改属平卢）。

冬季，十月，杨行密（杨行愍）派海州（江苏省连云港市）州长台濛、战区副司令官（副使）王绾，率军赴援，攻克密州（山东省诸城市），归还王师范，接着就要进攻沂州（山东省临沂市），先派间谍侦查，回来报告说："城里一片平静，没有旌旗、没有鼓声。"王绾说："这表示他们已有严密的戒备，而救兵又渐渐到来，我们不可攻击。"各将领说："密州（山东省诸城市）已经攻下，沂州（山东省临沂市）还有什么能耐！"王绾不能阻止，于是在树林中设下埋伏，等待变化。各将领进攻沂州（山东省临沂市），不能攻克，而救兵已到，各将领急行撤退，沂州（山东省临沂市）守城军追击，王绾发动伏兵，才算把他们击败。（这一段叙述得不够清楚，沂密叛变，向谁归附？救兵抵达，是何处援兵？）

25 十一月，保义战区（总部设陕州〔河南省三门峡市〕）总指挥官（都将）朱简，诛杀李璠，自称候补司令官（留后），归附朱全忠（朱温），请求改名为朱友谦，当朱全忠（朱温）的子侄。

26 唐政府命忠义战区（总部设襄州〔湖北省襄阳市〕）司令官（节度使）赵匡凝，兼最高立法长（兼中书令·使相）。

27 马殷（武安〔总部潭州〕候补司令官）派部将李琼，进攻郴州（湖南省郴州市），生擒变民首领陈彦谦，斩首（陈彦谦于八七九年割据郴州，迄今二十一年而亡）。再进攻连州（广东省连州市），变民首领鲁景仁自杀（鲁景仁于八八〇年六月割据连州，迄今二十年而亡）。武安战区（总部设潭州〔湖南省长沙市〕）全部平定。

28 十二月，唐政府命魏博战区（总部设魏州〔河北省大名县〕）司令官（节度使）罗绍威，遥兼二级宰相（同平章事·使相）。

十世纪

本世纪比上（九）世纪，中国人的命运更为悲惨。从八世纪中叶安禄山兵变，到九世纪末，长达一百四十五年；从九世纪五〇年代末，十九任帝李忱逝世后，到九世纪末，也有四十年，中国人一直认为否极一定泰来，危机即是转机，灾难总会过去，想不到九世纪六〇年代以降，中国更陷入大黑暗时代，直到第十世纪。

〇〇年代，长期患病的唐王朝，终于灭亡，中国由割据而分裂，我们称它为“小分裂时代”，作为“大分裂时代”的对称，这次分裂的时间较短，只七十三年，在小分裂时代中，中原地带先后就建立了五个短命帝国，其他土地上则建立了十一个短命帝国、短命王国，或短命政治实体，所以也称“五代十一国时代”。触目所及，除了战争，还是战争；除了饥饿，还是饥饿；除了杀戮，还是杀戮；帝王将相，不过一群抓狂的畜牲野兽。

直到七〇年代，宋王朝统一中国，人民才稍稍喘息，但疆土要比汉唐缩小三分之二，大劫之后的中国，不复当年光荣。

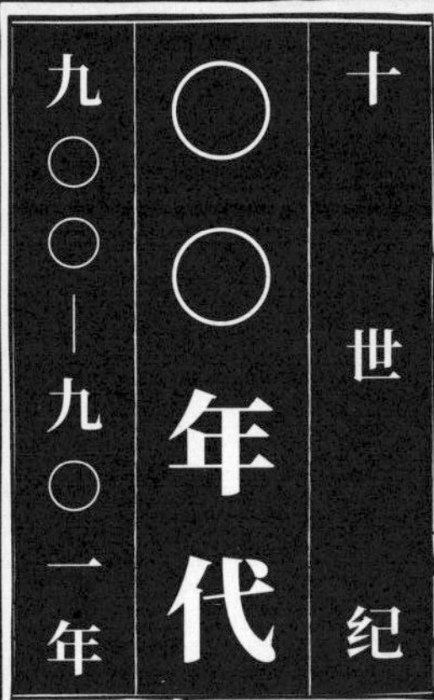

小分裂

- ◉ 唐政府政变，宦官囚二十二任帝李晔，立二十三任帝李裕。
- ◉ 李晔复位，又被宦官劫往凤翔。
- ◉ 朱全忠围凤翔。

- ◉ 新罗边将甄萱建后百济王国。
- ◉ 波斯王阿姆耳兵败被俘，塔喜耳继任，不久苏法耳王朝亡。

九〇〇年 庚申

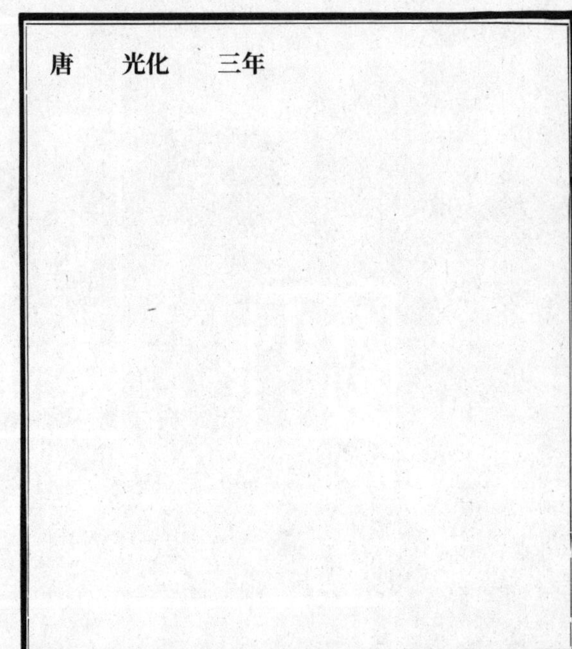

1 春季，正月，宁国（总部宣州）将领康儒，进攻睦州（浙江省建德市），钱镠（镇海〔总部杭州〕司令官）派堂弟钱銶（参考八八八年九月）出军阻截。

2 二月二日，唐政府（首都长安〔陕西省西安市〕）命西川战区（总部设成都府〔四川省成都市〕）司令官（节度使）王建，兼最高立法长（兼中书令·使相）。

3 二月十四日，唐政府命威武战区（总部设福州〔福建省福州市〕）司令官（节度使）王审知，遥兼二级宰相（同平章事·使相）。

4 二月二十四日，唐政府命国务院文官部长（吏部尚书）崔胤，遥兼二级宰相（同平章事·使相），充任清海战区（总部设广州〔广东省广州市〕）司令官（节度使）。

5 李克用（河东〔总部太原府〕司令官）大规模征调军队及农民，修建晋阳（太原府所在县）城墙及护城壕沟，营门官（押牙）刘延业劝阻说："大王（李克用封陇西郡王）威震汉人和蛮夷，应该展示强大兵力，肃清四方边境，不应该整理内地城池，不但损害威望，更可能引诱盗匪对我们轻视！"李克用表示谢意，赏赐他金钱布匹。

6 夏季，四月，唐政府命定难战区（总部设夏州〔陕西省靖边县北白城则村〕）司令官（节度使）李承庆，遥兼二级宰相（同平章事·使相）。

7 朱全忠（朱温，宣武〔总部汴州〕司令官）派葛从周率泰宁（总部兖州）、天平（总部郓州）、宣义（总部滑州）、魏博（总部魏州）四战区军队十万人，北上进攻刘仁恭（卢龙〔总部幽州〕司令官）。

五月四日，葛从周攻陷德州（山东省德州市陵城区），斩州长傅公和。

五月十三日，葛从周包围刘守文的根据地沧州（义昌战区总部所在，河北省沧州市东南）。刘仁恭再派使节携带后悔乞怜的信件和厚重的礼物，晋见李克用（河东〔总部太原府〕司令官），请求救援（刘仁恭背叛李克用，参考八九七年七月）。李克用派周德威率骑兵五千人，从黄泽（山西省左权县东南）出发，进攻邢（河北省邢台市）、洺（河北省邯郸市永年区东南广府镇）

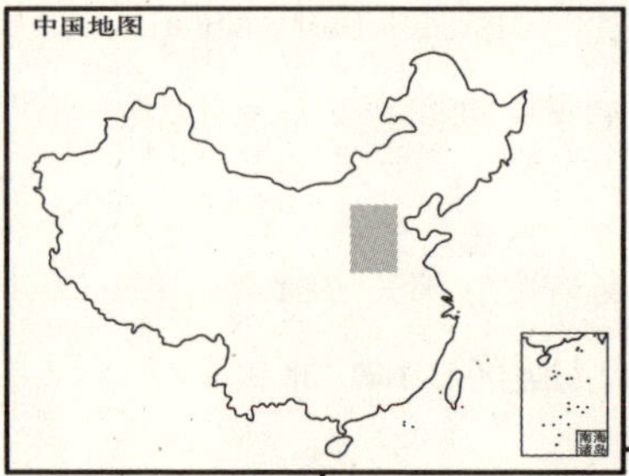

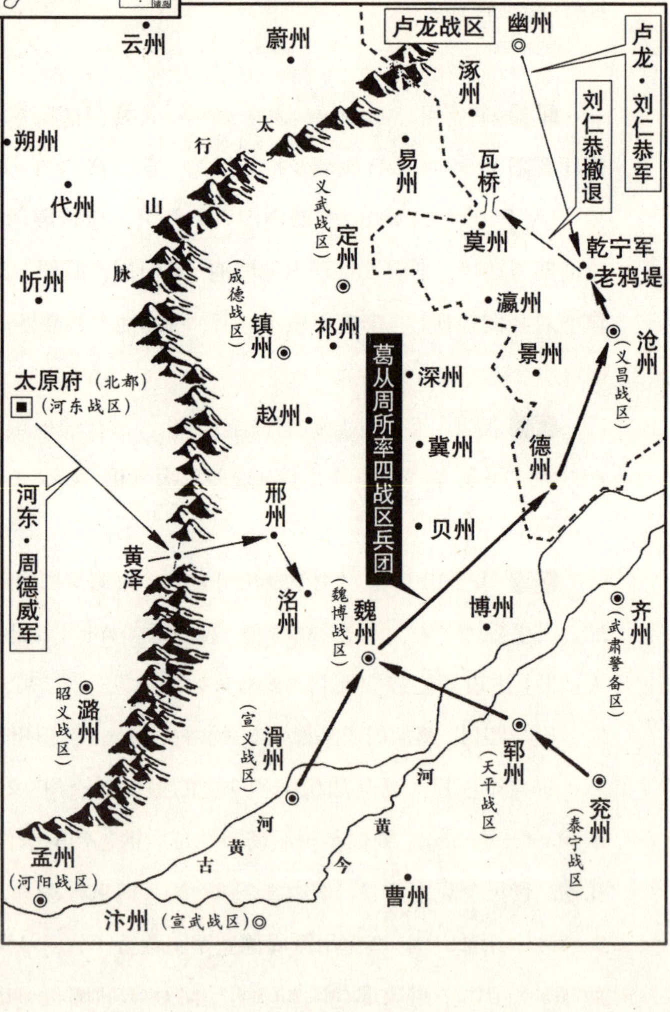

十世纪·九〇〇年四月至六月　葛从周北攻沧州·老鸦堤之战

中国地图
南海诸岛

卢龙战区
幽州
卢龙·刘仁恭军
刘仁恭撤退
云州
蔚州
涿州
朔州
太行山脉
易州
(义武战区)
瓦桥
代州
莫州
乾宁军
老鸦堤
定州
(成德战区)
忻州
瀛州
镇州
祁州
沧州
(义昌战区)
葛从周所率四战区兵团
景州
深州
太原府(北都)
(河东战区)
赵州
冀州
德州
河东·周德威军
邢州
贝州
黄泽
洺州
(魏博战区)
魏州
博州
齐州
(武肃警备区)
潞州
(昭义战区)
(宣义战区)
滑州
郓州
(天平战区)
兖州
(泰宁战区)
古黄河
今黄河
孟州
(河阳战区)
曹州
汴州(宣武战区)

二州，用以削弱沧州（河北省沧州市东南）所受的压力。

8 岭南西道战区（总部设邕州〔广西南宁市〕）兵变，驱逐司令官（节度使）李鐬。李鐬向邻近的战区道借调武装部队，把变兵铲平。

9 六月七日，唐政府命东川（总部设梓州〔四川省三台县〕）司令官（节度使）王宗涤（华洪），遥兼二级宰相（同平章事·使相）。

10 司空（三公之三）、副监督长（门下侍郎）、二级实质宰相（同平章事）王抟（音tuán〔团〕），知义明理，有见识度量，被世人认为是最好的宰相。唐帝（二十二任昭宗）李晔（李敏。本年三十四岁）十分痛恨宫廷机要室主任宦官（枢密使）宋道弼、景务脩（景，姓）的专权横暴；另一宰相崔胤每天跟李晔（李敏）商议如何铲除宦官。宦官得到消息，南司（政府官员）及北司（皇宫宦官）之间，遂越发厌恶仇视，而各自勾结各地的割据军阀，作自己的后台，倾轧排挤，争权夺利。王抟担心这样下去，将引起难以预测的变乱，曾在一个平静的气氛中，提醒李晔（李敏）说："领袖主要的工作是衡量全局，不偏不私。宦官跋扈的弊病，谁不知道？问题是积重难返，没办法霎时间彻底拔除，应该等到政局稍微安定，再用妥善的方法，逐渐削弱他们的势力，希望陛下不要轻率的泄露机密，那将加速灾难爆发。"而崔胤却得到消息，就在李晔（李敏）面前诬陷说："王抟是个奸臣，已被宋道弼之辈收买，里应外合。"李晔（李敏）果然疑心。后来，崔胤被免除宰相职位（参考去年〔八九九〕正月），认为是王抟排除异己，对王抟愈加痛恨。等到外放清海战区（总部设广州。参考本年〔九〇〇〕二月），遂写信给朱全忠（朱温，宣武〔总部汴州〕司令官），详细告诉他王抟对皇帝说的那段话，请朱全忠（朱温）上疏驳斥。朱全忠（朱温）遂上疏警告说："崔胤不可以离开中央；王抟跟宦官勾结，相互呼应，共同危害帝国。"奏章不断呈递。李晔（李敏）虽然完全了解内情，但无法抵抗朱全忠（朱温）的压力，不得已，只好屈服。这时，崔胤已走到湖南（湖南省），仍征召他返回中央。

六月十一日，李晔（李敏）再命崔胤当司空（三公之三）、副监督长（门下侍郎）、二级实质宰相（同平章事）；贬王抟当国务院工程部副部长（工部侍郎）；贬宋道弼当荆南（总部江陵府）监军宦官，景务脩当平卢（总部青州）监军宦官。

六月十二日，李晔（李敏）再贬王抟当溪州（湖南省永顺县）州长。

六月十三日，李晔（李敏）再贬王抟当崖州（海南省海口市琼山区）户籍官（司户），宋道弼无限期流放驩州（越南荣市）、景务脩无限期流放爱州（越南清化市）。当天（六月十三日），李晔（李敏）下令他们自杀。王抟死在蓝田（陕西省蓝田县）驿马车站，宋道弼、景务脩死在霸桥驿马车站（陕西省西安市东灞桥街道）。于是中央政府遂完全处于崔胤控制之下，声势震动中外，宦官连眼都不敢看他，但内心的愤怒已经沸腾。

11 刘仁恭（卢龙〔总部幽州〕司令官）率大军五万人，南下增援沧州（河北省沧州市东南），在乾宁军（河北省青县）扎营，葛从周（宣武〔总部汴州〕将领）命张存敬、氏叔琮留守沧州大营，而亲自率精锐部队，向北挺进到老鸦堤（青县东南）迎战，大破刘仁恭军，杀三万人，刘仁恭逃走，退守瓦桥（河北省雄县）。

秋季，七月，李克用（河东〔总部太原府〕司令官）再派总指挥官（都指挥使）李嗣昭率士卒五万人，进攻邢（河北省邢台市）、洺（河北省邯郸市永年区东南广府镇），以减轻刘仁恭所受的压力，在内丘（河北省内丘县）

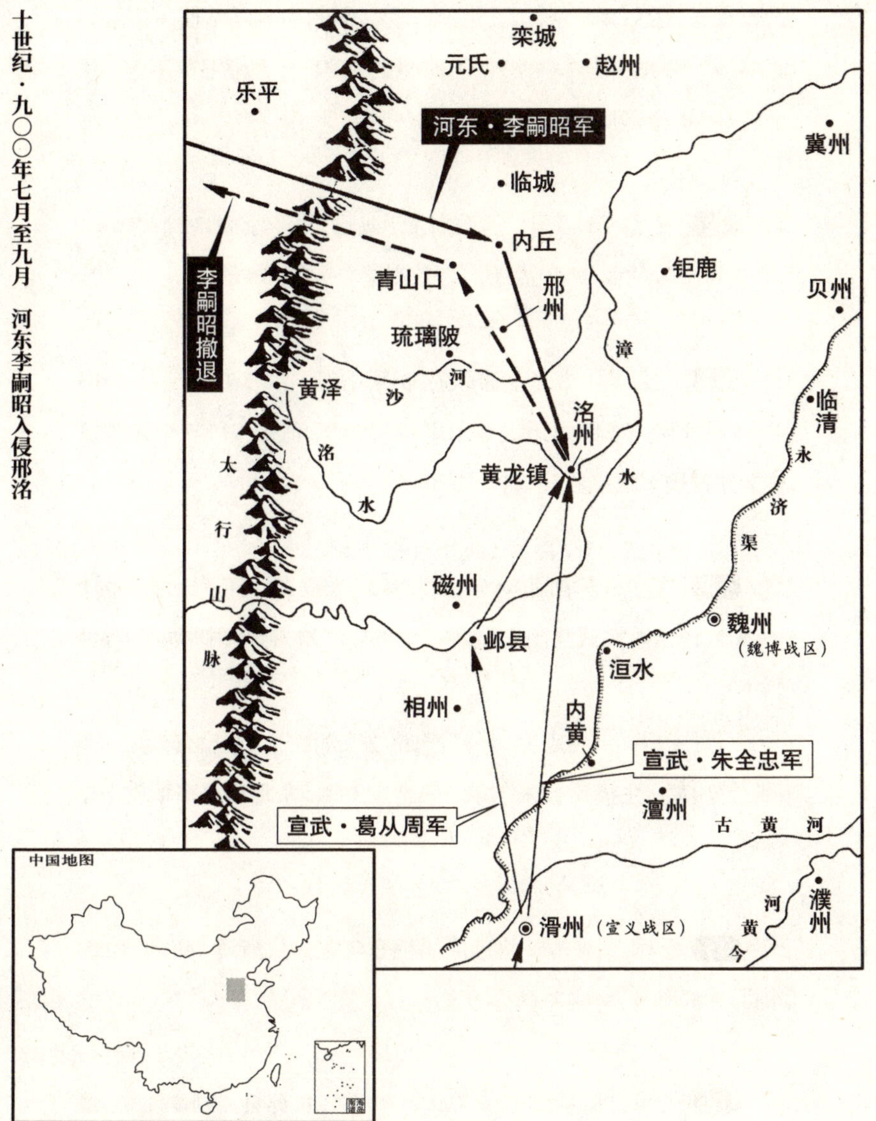

十世纪·九〇〇年七月至九月　河东李嗣昭入侵邢洺

击败宣武兵团（总部汴州）。王镕（成德〔总部镇州〕司令官）派使节调解宣武（总部汴州）跟卢龙（总部幽州）间的冲突，正巧，大雨很久不停，朱全忠（朱温）命葛从周回军。

12 七月二十五日，唐政府擢升昭义战区（总部设潞州〔山西省长治市〕）候补司令官（留后）孟迁，实任战区司令官（节度使）。

13 七月二十九日，唐政府命西川战区（总部设成都府〔四川省成都市〕）司令官（节度使）王建，兼东川（总部梓州）、武信（总部遂州）两战区总指挥官暨军政总监等（都指挥制置等使）。

14 八月，李嗣昭（河东〔总部太原府〕将领）在沙河（河北省沙河市北沙河城镇）再击败宣武兵团（总部汴州），进攻洺州（河北省邯郸市永年区东南广府镇）。

八月十日，朱全忠（朱温）亲率主力增援洺州，还没有抵达，李嗣昭已攻克，生擒州长朱绍宗。朱全忠（朱温）命葛从周率军攻击李嗣昭。

15 宁国（总部宣州）将领康儒粮食吃完，从清溪（浙江省淳安县）逃回（康儒攻睦州，参考本年〔九〇〇〕正月）。

16 九月，葛从周（宣武〔总部汴州〕将领）自邺县（河北省临漳县西南邺城镇）渡过漳水（流经邺县城北），进驻黄龙镇（河北省邯郸市永年区西南）。朱全忠（朱温）亲率主力三万人，渡洺水（古漳水支流）扎营。李嗣昭得到消息，立即放弃刚攻克的洺州城池，逃走。葛从周在青山口（河北省邢台市西北）设下埋伏，拦腰痛击，大破李嗣昭军。

17 宰相崔胤对于位在自己之上的太保（三师之三）、副监督长（门下侍郎）、二级实质宰相（同平章事）徐彦若，十分厌恶；徐彦若也自己请求辞职。当时全国各战区道都被军阀割据；只有嗣薛王李知柔当清海战区（总部设广州〔广东省广州市〕）司令官（节度使），还听命中央，徐彦若请求接替。

九月二十日，唐政府命徐彦若遥兼二级宰相（同平章事·使相），充任清海战区（总部广州）司令官（节度使）。

最初，荆南战区（总部设江陵府〔湖北省江陵县〕）司令官（节度使）成汭（郭禹），因为澧（湖南省澧县。澧，音l〔李〕）、朗（湖南省常德市）二州，本是荆南战区属州，却被雷满割据（雷满夺取朗州，参考八八一年十二月；现已任武贞战区〔总部朗州〕司令官，参考前年〔八九八〕七月），成汭（郭禹）屡次请中央下令归还荆南（总部江陵府），中央不准，成汭（郭禹）大发怨言（《旧五代史·梁书·成汭传》：成汭奏请改隶，徐彦若当时正当宰相，坚不同意，成汭因此对他不满）。现在，徐彦若赴任，经过荆南（总部江陵府），成汭（郭禹）设筵招待，在气氛融洽时，重提这件事。徐彦若说：“大帅的官位，尊贵显赫，自比姜小白（春秋时代齐国十六任国君桓公）、姬重耳（春秋时代晋国二十四任国君文公），雷满不过一个小小强盗，你都不能把他制伏，怎么还反过来抱怨中央！”成汭（郭禹）大为惭愧。

18 九月二十一日，副立法长（中书侍郎）兼国务院文官部长（兼吏部尚书）、二级实质宰相（同平章事）崔远，免除兼职，只任本职，中央命国务院司法部长（刑部尚书）裴贽，当副立法长（中书侍郎）、二级实质宰相（同平章事）。裴贽，是裴坦的侄儿（裴坦节俭，参考八六九年二月）。

19 唐政府把桂州道（首府设桂州〔广西桂林市〕）升格为静江战区，擢升军事指挥官（经略使）刘士政当战区司令官（节度使）。

20 朱全忠（朱温）认为王镕（成德〔总部镇州〕司令官）跟李克用（河东〔总部太原府〕司令官）来往太密，于是乘葛从周击败李嗣昭余威，转移箭头，挥军直指镇州（河北省正定县）；攻陷临城（河北省临城县），渡过滹沱河，进击镇州（河北省正定县）南门，纵火焚烧关城。朱全忠（朱温）也亲自从元氏（河北省元氏县）赶到城下，王镕恐惧，派执行官（判官）周式晋见朱全忠（朱温），请求和解。朱全忠（朱温）对周式咆哮说："我不断写信给王大帅（王镕），解释分析，王大帅都当作耳旁风。而今大军已到城下，我们决不罢休！"周式说："镇州（河北省正定县）跟太原（山西省太原市）紧邻（两城航空距离一百七十五公里，中隔太行山，地面距离四百三十华里），不断受到河东（总部太原府）残暴的侵略，四邻都各保边境，没有人肯在患难中伸出援手，王大帅（王镕）跟他们和平相处，只是为了人民。如果您能为国家铲除灾害，普天之下，谁敢不听从命令？岂只我们镇州（河北省正定县）！您身为唐王朝的姜小白、姬重耳，自当尊崇礼义、建立霸业，如果只一味逞强弄威，那么，镇州（河北省正定县）虽小，但是城池坚固、粮食充足，您虽然有十万大军，恐怕也不容易取得胜利。何况，王家镇守成德（总部镇州），已传五世（王庭凑〔参考八二一年十月〕、王元逵、王绍鼎、王绍懿、王景崇、王镕。王绍鼎、王绍懿兄弟，算作一世。割据迄今已八十年），世人推崇他们忠孝家风，人人都愿为他们效死，后果恐怕难以预料！"朱全忠（朱温）哈哈大笑，抓住周式的衣袖，拉到后帐里，说："跟你开个玩笑！"遂派礼宾官（客将）开封（汴州州政府所在县）人刘捍，前往镇州（河北省正定县）晋见王镕，王镕把自己的儿子、战区副司令官（节度副使）王昭祚，以及其他大将的子弟，送到朱全忠（朱温）那里当人质，另赠花绢（文缯）二十万匹劳军。朱全忠（朱温）撤退，把女儿嫁给王昭祚。

成德（总部镇州）执行官（判官）张泽，警告王镕说："河东（总部太原府）是一个强大的对手，今天我们虽然有朱家班当后台，可是好像家里忽然失火，怎么能靠远方的水来救？卢龙（总部幽州）、义昌（总部沧州）、义武（总部定州），仍归附河东（总部太原府），不如煽动朱全忠（朱温）乘战胜余威，把他们一一征服，使河北（河北平原）各战区站在同一阵线，就可以克制河东（总部太原府）。"王镕再派周式前去游说朱全忠（朱温）。朱全忠（朱温）大为欢喜，派张存敬会合魏博（总部魏州）特遣兵团，北上进攻刘仁恭（卢龙〔总部幽州〕司令官）。

九月二十九日，张存敬攻陷瀛州（河北省河间市）。

冬季，十月二日，张存敬攻陷景州（河北省泊头市西交河镇），生擒州长刘仁霸。

十月七日，张存敬攻陷莫州（河北省任丘市北鄚州镇）。

21 静江战区（总部设桂州〔广西桂林市〕）司令官（节度使）刘士政听到马殷（武安〔总部潭州〕司令官）把南岭以北地区全部削平的消息，大为恐惧。命副司令官（副使）陈可璠驻防全义岭（广西资源县东越城岭）戒备。马殷派使节晋见刘士政，希望双方建立友好关系，和平共存，但陈可璠却在边界一口拒绝。马殷遂派部将秦彦晖、李琼等，率军七千人，发动攻击。武安兵团（总部潭州）抵达全义岭（广西资源县东越城岭）；刘士政派指挥官（指挥使）王建武进驻秦城（广西兴安县西）。陈可璠劫掠县民的耕牛宰杀，犒赏自己的军队，县民怨恨，自愿充当武安兵团（总部潭州）的向导，说："这里西南有一条小路，距秦城（广西兴安县西）才五十华里，只能通过一匹马。"秦彦晖命李琼率骑兵六十

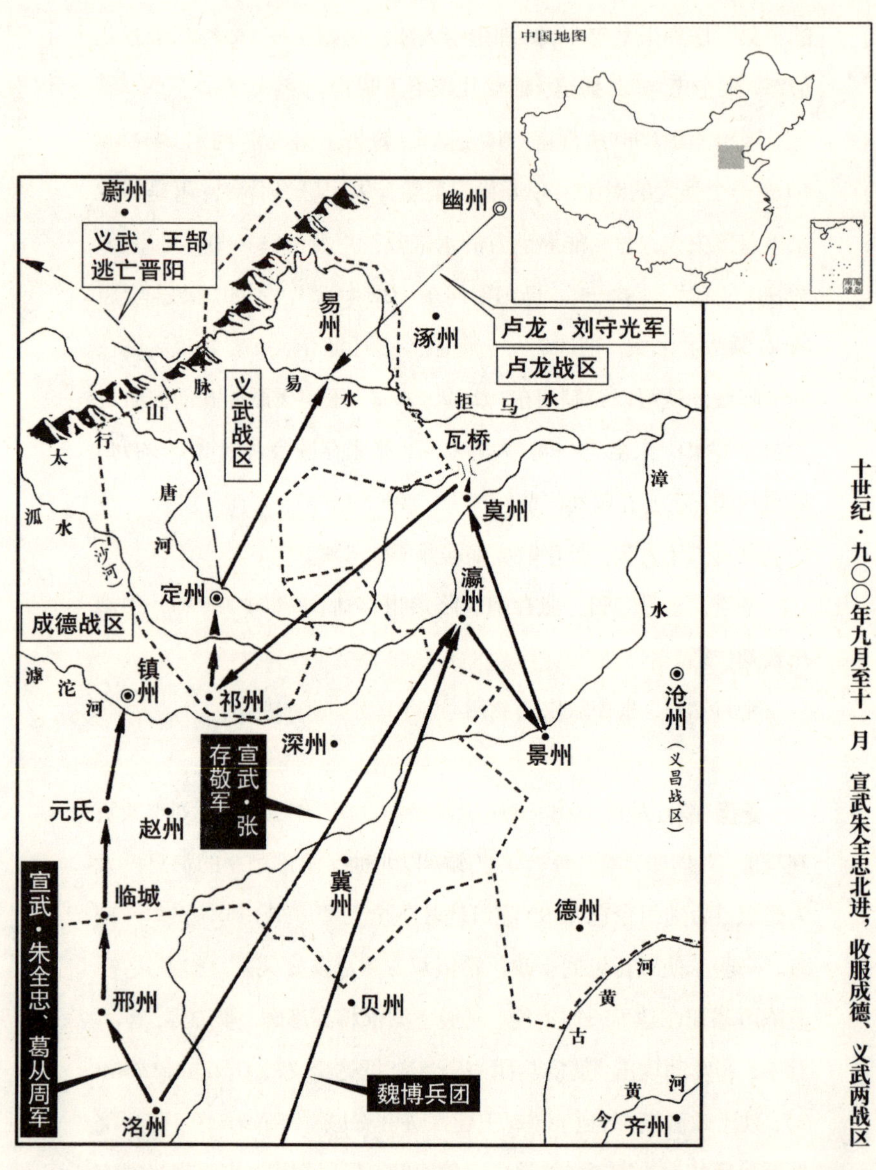

十世纪·九〇〇年九月至十一月　宣武朱全忠北进，收服成德、义武两战区

人、步兵三百人，袭击秦城（广西兴安县西）；夜半，他们翻墙入城，生擒王建武，等到天亮，已回到全义岭（广西资源县东越城岭），用绳子拴住王建武，拉到静江（总部桂州）大营前面，展示给守军观看，陈可璠还不相信，秦彦晖遂砍下王建武的人头，扔到大营里面，静江（总部桂州）官兵震恐。李琼发动攻击，生擒陈可璠，俘虏将士二千人，全部诛杀；然后直扑桂州（广西桂林市），自秦城（广西兴安县西）以南，二十余个军营及防御阵地，都望风逃走，完全崩溃，于是包围桂州（广西桂林市）。过了几天，刘士政出来投降（刘士政等夺取桂州，参考八九五年十二月；前后六年而灭）。桂（广西桂林市）、宜（广西河池市宜州区）、岩（广西来宾市）、柳（广西柳州市）、象（广西象州县）五州也都投降。

马殷（武安〔总部潭州〕司令官）命李琼当桂州（广西桂林市）州长。不久，又上疏任命李琼当静江战区（总部设桂州〔广西桂林市〕）司令官（节度使）。

22 张存敬（宣武〔总部汴州〕将领）攻击刘仁恭（卢龙〔总部幽州〕司令官），连陷二十个城池，将要从瓦桥（河北省雄县）挺进幽州（北京市），可是道路泥泞难行，不能前进。于是改变目标，率军西攻义武（总部定州）。

十月二十七日，张存敬攻陷祁州（河北省无极县。属义武战区），格杀州长杨约。

23 十月二十九日，中央擢升保义战区（总部设陕州〔河南省三门峡市〕）候补司令官（留后）朱友谦（朱简），实任司令官（节度使）。

24 张存敬（宣武〔总部汴州〕将领）进攻定州（河北省定州市），义武战区（总部设定州〔河北省定州市〕）司令官（节度使）王郜（音gào〔告〕），派后院总作战司令（后院都知兵马使）王处直，率军数万人抵抗。王处直主张紧靠城池建立营寨阵地，等到把对方拖得筋疲力尽，再行出击。文书官（孔目官）梁汶说："从前，卢龙（总部幽州）跟成德（总部镇州）集合大军三十万人，向我们夹攻（参考八八五年三月），当时，我们的军队不满五千人，却一仗把他们打败。现在张存敬士卒不过三万，我们的兵力却比当时多出十倍，为什么胆小如鼠，竟想靠城池保命！"王郜于是命王处直前进到沙河（滹沱河支流，流经河北省新乐市东北）迎战，不料大败，死亡超过一半，残兵败将保护着王处直，狼狈逃回。

十月三十日，王郜放弃城池，投奔晋阳（山西省太原市），军队拥护王处直当候补司令官（留后）。张存敬进围定州（河北省定州市）。

十一月十二日（原文误置于十月），朱全忠（朱温，宣武〔总部汴州〕司令官）抵达定州（河北省定州市）城下。王处直登上城楼，大声呼叫说："我们战区事奉中央，一向忠心（确是如此，义武〔总部定州〕自第一任司令官张孝忠〔参考七八二年二月〕以来，对中央最为顺服），又跟大帅从没有过争执，为什么向我们进攻？"朱全忠（朱温）说："你们什么缘故依靠河东（总部太原府）！"王处直说："我老哥（王处存〔王郜的老爹〕）跟李克用（河东〔总部太原府〕司令官），当年讨伐黄巢时，一同作战立功（参考八八二年二月），而边境又紧紧相接（两战区只隔一座太行山），两家又是儿女亲家（参考八八二年十月），和平共存，来往密切，应是常理。既然您不高兴，我们也可以改变立场。"朱全忠（朱温）允许。王处直乃把所有责任都推到梁汶头上，屠杀他的全族，表示对朱全忠（朱温）赎罪，并赠送绸缎、棉布十万匹，作为对官员的犒赏，朱全忠（朱温）这才回军，并且上疏请中央任命王处直实任战区司令官。王处直，是王处存一母所生的老弟。

刘仁恭（卢龙〔总部幽州〕司令官）派他的儿子刘守光率军增援定州（河北省定州市），大军南下到易水（海河支流，流经河北省易县南）河畔，朱全忠（朱温）派张存敬发动袭击，杀六万余人。从此，河北（河北平原）各战区都归附朱全忠（朱温）。

先前，王郜（义武〔总部定州〕司令官）紧急向河东（总部太原府）求救，李克用（河东〔总部太原府〕司令官）派李嗣昭率步骑兵三万人南下，越过太行山，进攻怀州（河南省沁阳市），攻克，再进攻河阳（孟州州政府所在县，河南省孟州市）。河阳战区（总部设孟州〔河南省孟州市〕）候补司令官（留后）侯言想不到敌人来得这么快，狼狈不堪，不知道怎么才好。李嗣昭摧毁孟州（河南省孟州市）的羊马城（城外建立拒敌用的短墙），不料佑国战区（总部设河南府〔河南省洛阳市〕）将领阎宝援军赶到，在护城壕沟外竭力攻击，河东兵团（总部太原府）才退走。阎宝，是郓州（山东省东平县）人。

25 最初，宰相崔胤跟李晔（李敏）阴谋诛杀宦官，等到宫廷机要室主任宦官（枢密使）宋道弼、景务脩被处死（参考本年〔九〇〇〕六月），宦官们心胆俱裂。李晔（李敏）自华州（兴德府，陕西省渭南市华州区）回京（参考前年〔八九八〕八月），一直愁眉苦脸，郁郁寡欢，拼命饮酒，凶暴烦躁，坐立不安，喜怒无常；左右侍候他的人，更为恐惧。于是左神策军总指挥宦官（左军中尉）刘季述、右神策军总指挥宦官（右军中尉）王仲先以及新到职的宫廷机要室主任宦官（枢密使）王彦范、薛齐偓等，秘密讨论说：“领袖轻狂浮躁，变诈多端，难以伺候，而且他专门听政府官员（南司）的话，我们这些人到头来怎么都难逃一死，不如拥护皇太子（李裕）登极，尊称领袖当太上皇，争取凤翔（总部凤翔府）、镇国（总部兴德府）两战区的支持，那才是真正的‘挟天子以令诸侯’，谁敢动我们一根毫毛！”

十一月，李晔（李敏）在城北御苑打猎，就在那里设筵饮酒，夜晚，喝得酩酊大醉，踉跄而归，不知道什么缘故，凶性大发，亲手砍死几个侍从宦官（黄门）和服侍的宫女。第二天早晨，已到八时，皇宫城门仍然不开。刘季述前往宰相联合办公厅（中书）报告崔胤说："宫中一定发生变故，我是宫中的服勤人员，有责任处理紧急情况，请你进宫看个究竟！"乃率禁军一千人，砍开宫门进去，查访结果，才发现上述实情。出宫后，刘季述对崔胤说："领袖所作所为，竟是这个样子，怎么可以治理人民？废除昏暴，拥护贤明，古代就有这个传统，为帝国前途着想，并不是不忠！"崔胤怕死，不敢反对。

十一月六日，刘季述在金銮宝殿上布置军队，召集文武百官，写好一份以崔胤领衔的联名奏章，要求太子（李裕）出来主持政府，拿给大家传阅、签名。崔胤和文武百官无可奈何，只好遵命行事。李晔（李敏）被囚禁乞巧楼，刘季述、王仲先在宣化门外埋伏武装战士一千人，偕同宣武（总部汴州）驻京进奏官程岩等十余人，一起进殿。刘季述、王仲先刚上台阶，神策军将士突然一齐大声呼喊，冲进宣化门，奔向思政殿前，看见宫女，就动手砍杀。李晔（李敏）发现士卒挥刀向他直扑而来，魂飞天外，一头从座位上栽下，但仍立即爬起来，跑出去逃命，刘季述、王仲先抓住他，架到座位上，强迫他坐下。宫女飞报何皇后，何皇后急急赶到，向两位兵变首领跪下，叩头说："大帅，请不要吓到皇上，任何事只要大帅吩咐一句话。"刘季述等才拿出文武百官的联名奏章，递给李晔（李敏），说："陛下厌倦皇帝宝座，中外人心一致要求皇太子监国，请陛下回到东宫（少阳院），好好保养！"李晔（李敏）恋栈，抗辩说："昨天跟你们的同事在一块饮酒，不知不觉有点过量，但也不至于严重到这种地步！”刘季述等回答说：“这不只是我们的意思，而是政府官员们（南司）的意思，没有办法阻止。希望你先回东宫（少阳院），等情势稳定，再迎接你重返宝座。”何皇后说：“皇上，赶快听大帅吩咐！”立刻取出皇帝玉玺，交给刘季述，宦官搀扶李晔（李敏）跟何皇后一起坐上辇车（人推小车），小老婆及侍从才十余人，一直走到少阳院（东宫）。刘季述手拿银棍，在地上画线，对李晔（李敏）呵责说：“哪一天，哪一件事，你不听我的话，是你第几条罪！”如此这般，数落到数十条还没有数完，地上已画满了线。刘季述亲手锁住院门，把铁熔化成汁，灌到锁孔里，使它永不能打开；另派左神策军副司令（左军副使）李师虔，率军把少阳院包围得密不通风。李晔（李敏）一举一动，李师虔都报告刘季述知道，在墙基那里挖一个洞穴，用来往里面递送饮食，任何武器，甚至一根针或一把剪刀，都不准递进去。李晔（李敏）要求一点钱和一点绸缎，刘季述也一律拒绝；李晔（李敏）要求笔墨纸砚，刘季述也不给。这时已入冬季，天气大寒，皇家小老婆及公主们都没有稍厚一点的衣服，哭号的声音传到外面。刘季述等假传圣旨，迎接皇太子李裕（李祐）进宫。

十一月七日，刘季述等再假传圣旨，命李裕（李祐）继位称帝，再改名李缜（音zhěn〔诊〕），遥封老爹李晔（李敏）当太上皇，何皇后当太上皇后。

十一月十日，李缜（李裕，本年八岁）登上帝座（二十三任帝），少阳院改名问安宫。

刘季述对所有官员普遍加薪晋爵，连同军中将领，也都有重赏，希望大家喜悦。诛杀睦王李倚（李晔的老弟），搜捕李晔（李敏）所宠信的宫女、左右侍从、巫法师、和尚、道士，全都乱棍打死。每天夜晚都要杀人，天亮后从宫中运尸体出来的车子就有十辆，有时一辆车上或许只有一二具尸体，主要目的是要制造恐怖气氛，树立威望。刘季述将要处决天文台长（司天监）胡秀林，胡秀林说："大帅已经囚禁君王，难道还要杀更多的无辜！"刘季述畏惧他的正直，才对他停手。刘季述又想诛杀崔胤，但顾忌崔胤的后台老板朱全忠（朱温，宣武〔总部汴州〕司令官），所以仅只解除崔胤的全国财政总监及盐铁专卖暨运输总监（度支盐铁转运使）。

已退休的国务院左最高执行长（左仆射）张濬，家住长水（河南省洛宁县西南长水镇），前往洛阳（河南省洛阳市）晋见张全义（佑国〔总部河南府〕司令官），劝他勤王；同时写信给各战区道说明此意。

进士（唐王朝"进士"事实上是俗称的"举人"，即地方政府派往中央参加"进士科"考试的知识分子，考试及格后，称"进士及第"，才是俗称的"进士"）、无棣（河北省盐山县东南庆云镇）人李愚，正巧在华州（兴德府，陕西省渭南市华州区）作客，写信给韩建（镇国〔总部兴德府〕司令官）说："我每次读书，读到父子、君臣之间，发生伤害教化大义事情的时候，就恨不得把他绑到街市上斩首。大帅身居京师（首都长安）最近的重要关镇，而'君''父'被屈辱囚禁一个月有余，你却坐在那里眼睁睁看着凶手叛逆，而忘记勤王，我实在不能了解。我暗中观察，中央官员有勤王的雄心，没有勤王的实力，地方官员虽然有勤王的实力，却没有勤王的雄心。只有大帅心怀忠义，是帝国的依靠。往年，皇上逃难，你哭号流泪，迎接大驾（参考八九六年七月），一连几年供应饮食，使皇家祖庙及中央政府，得以重建（参考前年〔八九八〕八月），忠义感动人心！直到今天，人们仍一致赞扬。现在的情势，跟从前大不一样，您所控制的战区居重要位置，而自己又身兼将相，自从宫廷发生政变，已过了十天，您如果不领先发号施令，采取行动，使皇帝早日重返宝座，却迟疑不决；一旦山东（崤山以东）各战区道用大义号召，联合起来，在战鼓声中，挥军西征，到那时候，大帅怎么能够保住官位！这是必然的形势。不如现在就把讨伐叛逆的文告，传向全国，提醒大家‘忠顺’‘叛逆’的差别，军事的声威一旦振作，那些元凶主谋，胆都会被吓破，十天半月之间，两个瘪三的人头，就会传送天下，供人参观，世上没有比这个更好的策略。”韩建虽然不能接受，但对李愚特别厚待。李愚坚决辞让，离开远去。

朱全忠（朱温）正在定州（河北省定州市）行营，听到宫廷政变消息。

十一月二十三日，朱全忠（朱温）南返。

十二月十四日，朱全忠（朱温）抵达大梁（汴州州政府所在城，河南省开封市）。刘季述派他的义子刘希度晋见朱全忠（朱温），表示愿把唐王朝出卖给他，又派贴身宦官（供奉官）李奉本，把太上皇李晔（李敏）的诏书，拿给朱全忠（朱温）过目。朱全忠（朱温）犹豫不决，召集幕僚人员讨论，大家一致说：“中央政府大事，地方官员不应该参与。”只天平战区（总部设郓州〔山东省东平县〕）副司令官（节度副使）李振表示异议，他说：“领袖发生灾难，这是我们建立霸权最大的资本，大帅身居唐王朝姜小白（春秋时代齐国十六任国君桓公）、姬重耳（春秋时代晋国二十四任国君文公）的地位，帝国是平安？还是危险？全看您怎么决定。刘季述不过一个阉割过的流氓而已，竟敢囚禁皇帝，现在你如果不能讨伐，以后怎么再号令全国！而且，幼主的位置一经确定，天下的权柄就全部落到宦官之手，那可是把太阿剑柄交给别人！”（太阿，古代宝剑名。《越绝书》：楚王命欧冶子、王将铸龙渊、太阿、工布三剑。）朱全忠（朱温）恍然大悟，遂即逮捕刘希度、李奉本，囚入监狱，派李振前往京师（首都长安）亲自观察。李振回来后，朱全忠（朱温）再派亲信蒋玄晖前往，跟宰相崔胤面对面商议处理办法；又命仍留在京师（首都长安）的进奏官程岩，返回大梁（河南省开封市）。

26 清海战区（总部设广州〔广东省广州市〕）司令官（节度使）薛王李知柔逝世。

27 本年（九〇〇），唐政府命杨行密（杨行慜，淮南〔总部扬州〕司令官）兼最高监督长（兼侍中·使相）。

28 睦州（浙江省建德市）州长陈晟（参考八八四年十二月）逝世，老弟陈询自称州长。

29 唐王朝二十三任帝李缜（李裕）登极几十天，很多战区道的祝贺奏章，还没有来。王仲先聪明而严苛，深知左、右神策军多少年来累积的弊端，出任右神策军总指挥宦官（右军中尉）后，稽查军中的钱财粮草，查出贪赃枉法和狼狈为奸的官兵，就给一顿毒打，并追索所贪污的数目，军心动荡不安。前盐州（陕西省定边县）雄毅军基地司令（雄毅军使）孙德昭，现任左神策军指挥官（左神策指挥使），自从刘季述政变，他心里就一直愤愤不平。崔胤得到消息，派执行官（判官）石戬（音jiǎn〔剪〕）跟他交往，孙德昭每次酒酣耳热，都为皇帝的遭遇哭泣流泪，石戬知道他的诚意，遂把崔胤的意思秘密告诉他，解释说："自从太上皇（李晔）受到软禁，上自中外高官，下到贩夫走卒，谁不咬牙切齿！叛徒实际上只有两个人——刘季述跟王仲先，你只要把这两个人诛杀，迎接太上皇（李晔）复位，你的荣华富贵，将高过一世；忠义名声，也将流芳千古。假如一直心怀疑惧，不敢行动，则功劳就落到别人手上！"孙德昭感动说："我只是一个低级军官，国家大事，怎么敢擅自做主。如果宰相（崔胤）有所差遣，我决不敢爱惜生命。"石戬报告崔胤，崔胤割下衣襟，亲笔写下指令，交给孙德昭。孙德昭再交给右神策军清远特别营司令（清远都将）董彦弼、周承诲，暗中准备。除夕（十二月二十九日）夜晚，各率自己的部队，在安福门外埋伏等候。

九〇一年 辛酉

唐　光化　四年
　　天复　元年

1 春季，正月二日，唐王朝（首都长安〔陕西省西安市〕）右神策军总指挥宦官（右军中尉）王仲先进宫朝见，走到安福门，左神策军指挥官孙德昭发动突击，把他生擒，斩首。孙德昭立刻奔往少阳院，敲门大叫说："皇上，叛贼已经伏诛，请出来劳军。"何皇后仍不相信，说："如果真是这样，拿他的人头来看！"孙德昭递过去王仲先的人头，被罢黜的唐帝（二十二任昭宗）李晔（李敏）跟何皇后才破门而出。宰相崔胤迎接李晔（李敏）登长乐门楼，率领文武百官道贺。右神策军清远特别营司令（右军清远都将）周承诲，逮捕了左神策军总指挥宦官（左军中尉）刘季述和宫廷机要室主任宦官（枢密使）王彦范，随后抵达，也被生擒。李晔（李敏）正要责问，刘季述、王彦范已被乱棍打死。另一主任宦官（枢密使）薛齐偓投井自杀，被拉出来斩首。屠灭四人的家族，并诛杀他们的党羽二十余人。宦官们保护二十三任帝李缜（李裕）逃到左神策军躲藏，献出传国御玺。李晔（李敏）说："李裕不过一个小孩，在叛徒强迫下登极，不是他的错。"命他返回东宫，但免除太子封号，贬回原封爵德王，恢复原名——李裕（李祐）。

正月三日，李晔（李敏）命孙德昭当静海战区（总部设安南府〔越南河内市〕）司令官（节度使），遥兼二级宰相（同平章事·使相），赐姓名为李继昭。

正月四日，李晔（李敏）擢升崔胤当司徒（三公之二），崔胤坚决辞让，李晔（李敏）待崔胤越发优厚。

正月六日，朱全忠（朱温）得到刘季述等已被诛杀消息，下令打断程岩双脚（政变时，程岩率领各战区道驻京〔首都长安〕奏事官，把李晔〔李敏〕从宝座上拉下来，参考去年〔九○○〕十一月；政变既失败，朱全忠急于洗清自己），戴上手铐枷锁，装进囚车，送往京师（首都长安），跟刘希度、李奉本等，一起绑到市场，斩首。朱全忠（朱温）从此对李振更为敬重。

正月七日，唐政府任命周承诲当岭南西道战区（总部设邕州〔广西南宁市〕）司令官（节度使），赐姓名李继诲；任命董彦弼当宁远战区（总部设容州〔广西容县〕）司令官（节度使），赐姓李（李彦弼）；二人均遥兼二级宰相（同平章事·使相），跟李继昭（孙德昭）一同留在京师（首都长安)，继续担任宫廷护卫，每次进宫值班十天，才准出宫回家休假，李晔(李敏)对他们丰富的赏赐，几乎使库房一空，时人称为“三使相”。

正月十日，李晔(李敏)封朱全忠(朱温)当东平王。

2 正月二十三日，李晔(李敏)颁布训令，说：“近些年来，宰相出席延英殿御前会报时，宫廷机要室主任宦官(枢密使)也一并出席，以致时常发生争执。会报后出宫，宰相宣布旨意，宦官则声称皇上并不是这个意思，不得不一再修改。阻挠中央施政，扰乱政府执法。从现在开始，彻底遵照宣宗(十九任帝李忱)在位时(八四六年至八五九年)的制度，等宰相奏事完毕之后，宫廷机要室主任宦官(枢密使)再进殿听取指示。”

李晔(李敏)命左、右神策军副司令(两军副使)李师度、徐彦孙自杀，他们都是刘季述的同党。

3 凤翔(总部凤翔府)、彰义(总部泾州)司令官(节度使)李茂贞(宋文通)进京(首都长安)朝见皇帝。

李晔(李敏)命李茂贞(宋文通)暂任国务院总理(守尚书令·使相)，兼最高监督长(兼侍中·使相)，晋封岐王。

刘季述、王仲先被诛杀后，宰相崔胤、陆扆上疏说：“灾祸战乱不断，只因为宦官手握兵权，如果任命崔胤统率左神策军、陆扆统率右神策军，则各地军阀就不敢再行冒犯，皇家也可以恢复尊严。”李晔(李敏)犹豫两天之久，不能决定。李茂贞(宋文通)得到消息，大怒说：“崔胤还没有把军权夺到手，就想翦除诸侯！”李晔(李敏)召见李继昭(孙德昭)、李继诲(周承诲)、李彦弼(董彦弼)三人讨论，三人异口同声说："我们几代都在军中，从没有听说过文官可以担任统帅，如果交给政府（南司），一定有很多变更改革，不如仍交给宦官（北司），一动不如一静。"李晔（李敏）乃告诉崔胤、陆扆说："将士们不十分愿意隶（属文官，你们不必坚持！"于是命宫廷机要室主任宦官（枢密使）韩全诲、凤翔（总部凤翔府）总监军宦官（监军使）张彦弘，分别当左、右神策军总指挥宦官（左右中尉）。韩全诲，也曾担任过凤翔（总部凤翔府）监军宦官（监军）。李晔（李敏）又征召前宫廷机要室主任宦官（枢密使）、已退休的严遵美，出任两神策军最高指挥宦官、观察军队阵容特派监军宦官，暨军政总监（两军中尉、观军容处置使），严遵美说："统率一个神策军都不可以，何况统率两个神策军！"坚决辞让，不肯就职（严遵美事，参考八八六年三月）。李晔（李敏）命袁易简、周敬容当宫廷机要室主任宦官（枢密使）。

李茂贞（宋文通）辞别京师（首都长安），返回基地凤翔（陕西省宝鸡市凤翔区）。崔胤因宦官掌握军权，随时都会制造灾祸，打算借用地方武力牵制，于是暗示李茂贞（宋文通）在京师（首都长安）留下三千人部队，充当皇宫警卫，而由李茂贞（宋文通）的义子李继筠统领。监督院高级顾问官（左谏议大夫）、万年（首都长安东半城）人韩偓反对，崔胤说："是凤翔（总部凤翔府）军队自己不肯走，不是我留他们！"韩偓说："那么，当初为什么征召他们来？"崔胤无法回答（《新唐书·韩偓传》：崔胤召李茂贞入朝，使他留族子李继筠宿卫，所以韩偓斥责，而他无法反应）。韩偓警告说："留下这支军队，将使家国都陷入险境；不留这支军队，家国都保平安。"崔胤不理。

4 朱全忠（朱温，宣武〔总部汴州〕司令官）控制河北（河北平原）之后，打算再夺取护国（总部河中府），用以克制河东（总部太原府）。

正月十六日，朱全忠（朱温）召集各将领，说："王珂（护国〔总部河中府〕司令官）是个蠢材，仗恃后台老板河东（总部太原府），就自认为了不起。我现在要把长蛇拦腰砍断，麻烦你们用绳子给我拴来。"

正月十七日，朱全忠（朱温）派张存敬率士卒三万人，自汜水（河南省荥阳市汜水镇西）渡黄河北上，顺含山小道（含口，山西省绛县西南冷口乡），急行军奇袭。朱全忠（朱温）率主力部队尾随于后。

正月二十五日，张存敬抵达绛州（山西省新绛县）。晋（山西省临汾市）、绛（山西省新绛县）二州完全没有戒备，大出意外。

正月二十七日，绛州（山西省新绛县）州长陶建钊投降。

正月二十九日，晋州（山西省临汾市）州长张汉瑜投降。朱全忠（朱温）命部将侯言镇守晋州（山西省临汾市）、何细镇守绛州（山西省新绛县），驻扎士卒二万人，切断河东（总部太原府）援军必经的要道。中央政府恐怕朱全忠（朱温）西上入关（蒲津关），急颁布诏书命他们和解；朱全忠（朱温）拒绝。

王珂派使节从小路向李克用（河东〔总部太原府〕司令官）紧急求援，一人接连一人，可是宣武（总部汴州）远征军已据守晋（山西省临汾市）、绛（山西省新绛县）二州，河东（总部太原府）援军无法通过。王珂的妻子李女士（李克用的女儿）写信给老爹说："女儿随时都会被敌俘虏，爹爹怎么忍心不救！"李克用写信回答说："贼兵阻塞晋（山西省临汾市）、绛（山西省新绛县），我们人少，敌人人多，前进则跟我儿同死！如真不能坚守，则不妨跟王郎（王珂）全家回归中央。"王珂又派使节送信给李茂贞（宋文通，凤翔〔总部凤翔府〕司令官），说："天子刚刚还都（长安），下诏命各战区道和平相处，不可以互相攻击！自应同心合力，共同效忠皇家。而今，朱公（朱全忠〔朱温〕）不管这项训令，率先起兵向我攻击，居心可以看出。护国（总部河中府）如果灭亡，则镇国（总部兴德府〔华州〕）、匡国（总部同州）、静难（总部邠州）、凤翔（总部凤翔府），恐怕谁都不能保护自己，而皇帝的宝座，也势必恭恭敬敬，送给别人。您应该采取紧急措施，立刻率关中（陕西省中部）各战区道特遣兵团，坚守潼关（陕西省潼关县），援救河中（山西省永济市）。我知道我不是一个将才，只盼望您在西方边陲，赏赐一个小小的战区；至于护国战区（总部设河中府〔山西省永济市〕），我愿双手奉上，归您所有。关中地带（陕西省中部）是安是危，帝国寿命是长是短，全看您的决定，请慎重考虑！”李茂贞（宋文通）一向缺少见识谋略，所以没有回应。

5 二月一日，河东（总部太原府）将领李嗣昭，攻击泽州（山西省晋城市），攻克。

二月二日，张存敬（宣武〔总部汴州〕将领）远征军从晋州（山西省临汾市）出发。

二月六日，张存敬抵达河中（山西省永济市），围城。王珂穷途末路、束手无策，打算逃奔京师（首都长安），可是军心已经叛离，偏偏黄河浮桥又在这时候毁坏，流冰倾轧，把河面堵塞，行船十分困难。王珂带领他的家族数百人，准备于夜晚上船一试，亲自吩咐守城将士，可是大家好像没有听见一样。营门官（牙将）刘训说：“人情险恶，如果夜晚出城横渡黄河，大家争着上船，秩序一定混乱，只要有一个人发难，事情就难以预料。不如先向张存敬表示归附诚意，再研究下一个步骤！”王珂赞同。

二月九日，王珂在城角升起白旗，派人携带战区司令官（节度使）的符节、令牌、印信，向张存敬投降，张存敬请大开城门，王珂说：“我跟朱公有两代交情（朱全忠〔朱温〕本是变民首领黄巢部将，杀监军宦官，投降王珂的叔父——河中战区司令官王重荣，把王重荣当作舅父尊奉，参考八八二年九月)，请大帅稍稍后退，等朱公驾到，我自会把城池交给他。”张存敬接受，派人奔向朱全忠（朱温）报告。 634

二月十二日，朱全忠（朱温）抵达洛阳（河南省洛阳市），听到消息，大为欢喜，立即驰往。

二月十五日，朱全忠（朱温）抵达虞乡（山西省永济市东虞乡镇），先到王重荣墓上祭祀哭泣，竭力表示他的悲哀，河中（山西省永济市）人民都很喜悦。王珂打算双手捆绑到背后，牵着羊只出城迎接。朱全忠（朱温）立即派人阻止，说：“舅父（王重荣）的恩德，我怎么敢忘？郎君（王珂应是表弟）如果这样，到了那天，我怎么有脸在九泉之下，拜见舅父！”王珂遵命用平常礼节出城迎接，跟朱全忠（朱温）紧紧握手，互相述说十年间家事国事的变化，深为感慨唏嘘，二人并马入城。朱全忠（朱温）上疏任命张存敬当护国战区（总部设河中府〔山西省永济市〕）候补司令官（留后）。王珂则全族迁到大梁（汴州州政府所在城，河南省开封市。王重荣于八八〇年十一月取得河中，传兄王重盈及侄儿王珂，前后二十二年而灭）。后来，朱全忠（朱温）送王珂前去京师（首都长安）朝见皇帝，却派杀手追到华州（兴德府，陕西省渭南市华州区）诛杀。

朱全忠（朱温）听到张夫人病重消息，马上自河中（山西省永济市）东返。

李克用派使节携带贵重的礼物晋见朱全忠（朱温），请求和解，朱全忠（朱温）也派使节回报，但对李克用信上所表现的骄傲态度，十分忿怒，决定发动攻击。

6 唐政府任命皇家文学研究官（翰林学士）、国务院财政部副部长（户部侍郎）王溥（音pǔ〔普〕）当副立法长（中书侍郎）、二级实质宰

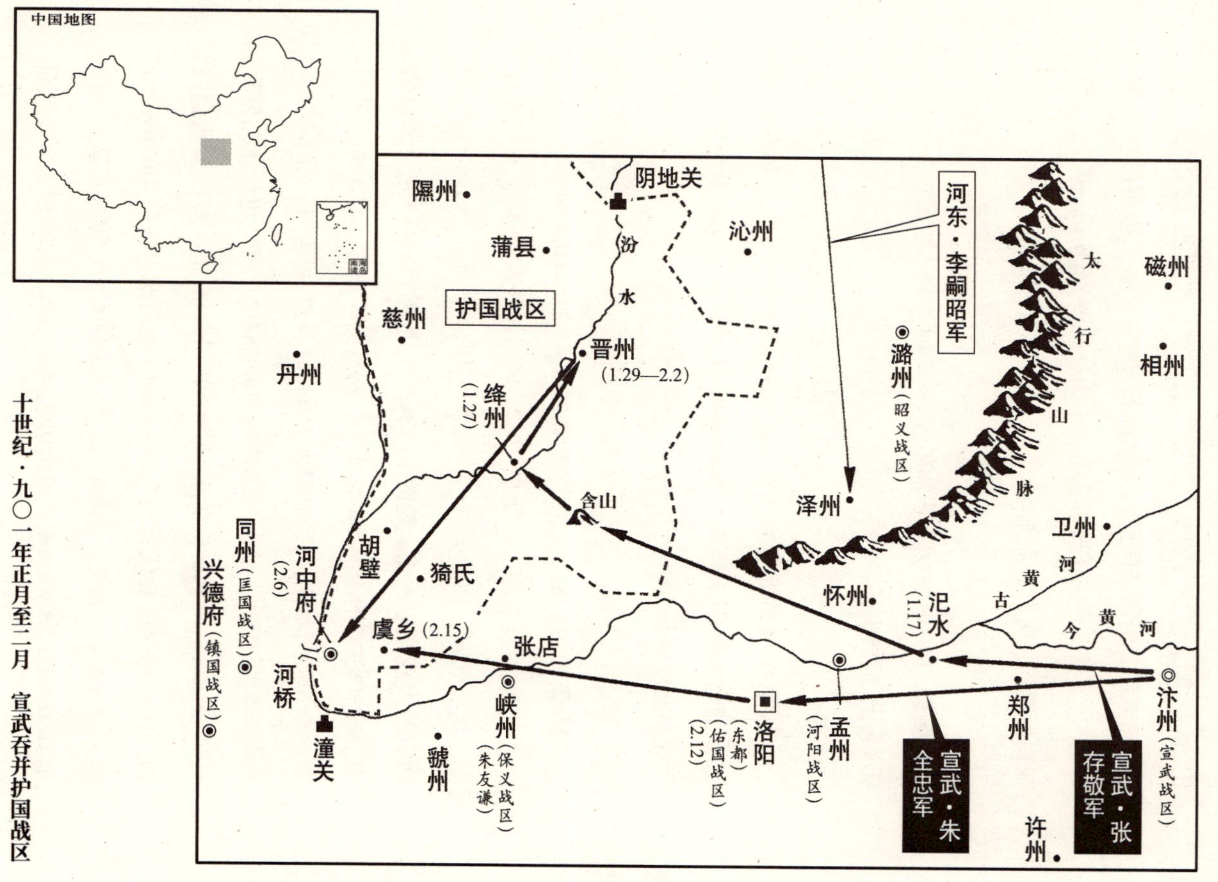

十世纪·九〇一年正月至二月　宣武吞并护国战区

相（同平章事）。命国务院文官部副部长（吏部侍郎）裴枢（曾守歙州，参考八九三年八月），当国务院财政部副部长（户部侍郎）、二级实质宰相（同平章事）。王溥，是王正雅的族孙（王正雅救宋申锡，参考八三一年三月），常在崔胤幕府，所以崔胤推荐。

7 中央追赠故睦王李倚（被刘季述诛杀，参考去年〔九〇〇〕十一月十日）绰号：恭哀太子。

8 中央加授卢龙战区（总部设幽州〔北京市〕）司令官（节度使）刘仁恭、魏博战区（总部设魏州〔河北省大名县〕）司令官（节度使）罗绍威，分别兼最高监督长（兼侍中·使相）。

9 三月一日，朱全忠（朱温）回到大梁（河南省开封市）。

三月二十一日，朱全忠（朱温）派部将氏叔琮等率士卒五万人，兵分六路，横越太行山，向李克用（河东〔总部太原府〕司令官）发动空前大规模总攻击。魏博（总部魏州）总指挥官（都将）张文恭自磁州（河北省磁县）新口（河北省武安市西）；葛从周率泰宁（总部兖州）、天平（总部郓州）特遣兵团，会同成德（总部镇州）特遣兵团，自土门（河北省石家庄市鹿泉区西南）；洺州（河北省邯郸市永年区东南广府镇）州长张归厚自马岭（河北省邢台市西北）；义武（总部定州）司令官（节度使）王处直自飞狐（河北省涞源县）；暂代晋州（山西省临汾市）州长侯言率慈（山西省吉县）、隰（山西省隰县）、晋（山西省临汾市）、绛（山西省新绛市）等州军队，自阴地（山西省灵石县西南南关镇）；分别进入河东（总部太原府）领土。氏叔琮则率主力自天井关（山西省晋城市南）越过边界，目标昂车（山西省武乡县东北）。

十世纪·九〇一年三月至五月　宣武六路进军攻太原

中国地图

南海诸岛

王处直军

朔州

代州

飞狐

（义武战区）

定州

黄河

岚州

忻州

葛从周

承天军

土门

镇州（成德战区）

井陉

河东战区

太原府（北都）

洞涡驿

石州

张归厚军

汾州

马岭关

石会关

邢州

辽州

新口

隰州

昂车关

阴地关

沁州

侯言军

魏州（魏博战区）

晋州

氏叔琮军

潞州（昭义战区）

太行山脉

张文恭军

绛州

★投降宣武之州

泽州

滑州（宣义战区）

卫州

天井关

黄河

孟州（河阳战区）

汴州（宣武战区）

河南府（佑国战区）

三月二十九日，河东（总部太原府）任命的沁州（山西省沁源县）州长蔡训，献出城池投降，河东（总部太原府）总指挥官（都将）盖璋也晋见侯言投降，侯言命他暂代沁州（山西省沁源县）州长。

三月三十日，氏叔琮攻陷泽州（山西省晋城市），州长李存璋放弃城池逃走。氏叔琮进攻潞州（山西省长治市），河东（总部太原府）任命的昭义（总部潞州）司令官孟迁（参考前年〔八九九〕九月）投降，河东（总部太原府）驻军将领李审建、王周，率步兵一万人、骑兵二千人，向氏叔琮投降。氏叔琮直扑晋阳（山西省太原市）。

夏季，四月三日，氏叔琮出石会关（山西省榆社县西），在洞涡驿（山西省清徐县东同戈站村）扎营。张归厚率军抵达辽州（山西省左权县）。

四月五日，河东（总部太原府）任命的辽州（山西省左权县）州长张鄂投降。宣武（总部汴州）别动部队将领白奉国，会合成德（总部镇州）特遣兵团，自井陉（太行八陉之五，河北省石家庄市鹿泉区西）进入河东（总部太原府）边境。

四月七日，白奉国攻克承天军（山西省平定县东北娘子关镇），跟氏叔琮主力军大营的烽火，互相呼应。

10 四月二十二日，李晔（李敏）晋谒皇家祖庙。

四月二十五日，赦免天下，改年号天复（之前是光化四年，之后是天复元年）。下诏昭雪王涯等十七家冤枉（甘露事变时，宦官诛杀王涯等十七家，参考八三五年十一月二十一日，迄今六十七年。刘稹之后，李德裕又诛杀王涯等家脱逃子弟，参考八四四年八月，迄今五十八年）。

11 最初，杨复恭当神策军总指挥宦官（中尉），曾向全国财政总监署（度支）借用酒曲专卖一年的利润，供应左右神策军官兵们的薪饷粮食。从此成为惯例，一直借贷下去，不肯归还。现在，宰相崔胤起草赦免诏书，打算乘机压制宦官，于是解除酒曲专卖，准许卖酒人家自己制造酒曲，而只要每月缴纳税款就可。左右神策军先前制造的酒曲，应立即减价出售，过了七月，就不准再卖。

12 东川战区（总部设梓州〔四川省三台县〕）司令官（节度使）王宗涤（华洪），因生病请求派人代替，王建（西川〔总部成都府〕司令官）上疏任命步骑兵指挥官（马步使）王宗裕当候补司令官（留后）。

13 氏叔琮（宣武〔总部汴州〕将领）等各路大军，先后抵达晋阳（山西省太原市）城下，屡次挑战，城里军民大为震恐。李克用登城抵御，连吃饭饮酒都没有时间。当时，大雨连绵几十天，城墙很多地方颓毁崩塌，守军随时填补，保持完整。河东（总部太原府）将领李嗣昭、李嗣源（邈佶烈），在城墙上挖凿"暗门"（挖凿门洞时，仍保持墙外一层薄砖，围城军无法发现），夜晚，从"暗门"里出击，攻击宣武（总部汴州）营垒，每次都有斩获。李存进（孙重进）也在洞涡（山西省清徐县东同戈站村）击败宣武兵团（总部汴州）。

就在这个时候，宣武兵团（总部汴州）因为集结得太多的缘故，粮草供应不足，大雨又长久不停，官兵们大量害疟疾及拉痢疾，不能支持，朱全忠（朱温）下令班师。

五月，氏叔琮等自石会关（山西省榆社县西）南归，各战区特遣兵团也分别返回本战区。河东（总部太原府）将领周德威、李嗣昭率精锐骑兵五千人尾追攻击，格杀及俘虏很多。先前，汾州（山西省汾阳市）州长李瑭，献出城池投降宣武兵团（总部汴州），李克用派部将李存审（符存审）反攻，三天攻陷，生擒李瑭，斩首。氏叔琮路过上党（潞州州政府所在县），孟迁（昭义〔总部潞州〕司令官）携带全族跟随氏叔琮南下。朱全忠（朱温）派丁会代替孟迁镇守潞州（山西省长治市）。

14 朱全忠（朱温，宣武〔总部汴州〕司令官）上疏中央请求派人接任护国战区（总部设河中府〔山西省永济市〕）司令官（节度使），但暗示官民推荐自己。

五月二十二日，中央命朱全忠（朱温）当宣武（总部设汴州〔河南省开封市〕）、宣义（总部设滑州〔河南省滑县〕）、天平（总部设郓州〔山东省东平县〕）、护国（总部设河中府〔山西省永济市〕）四战区司令官（节度使）。

15 五月二十八日，中央命镇海（总部设杭州〔浙江省杭州市〕）、镇东（总部设越州〔浙江省绍兴市〕）二战区司令官（节度使）钱镠（音刘〔流〕），暂任最高监督长（守侍中·使相）。

16 崔胤撤销左右神策军卖酒曲专利，连同邻近的战区道，也一并撤销。

李茂贞（宋文通，凤翔〔总部凤翔府〕司令官）不愿放弃这项利益，上疏请求许可他到中央陈述理由，左神策军总指挥宦官（左军中尉）韩全诲建议李晔（李敏）批准同意。李茂贞（宋文通）到京师（首都长安）后，韩全诲对他倾心结纳，二人建立深厚感情。崔胤看到眼里，才开始恐惧，于是暗中对朱全忠（朱温）越发推心置腹，而跟李茂贞（宋文通）结仇。

17 中央命佑国战区（总部设河南府〔河南省洛阳市〕）司令官（节度使）

张全义，兼最高立法长（兼中书令·使相）。

18 六月十三日，朱全忠（朱温）前往河中（山西省永济市）。

19 李晔（李敏）重回宝座的反政变行动（参考本年〔九〇一〕正月），立法官（中书舍人）令狐涣、御前监督官（给事中）韩偓，都曾经参与，所以李晔（李敏）擢升他们当皇家文学研究官（翰林学士），经常召见对话，询问他们隐密情事。令狐涣，是令狐绹的儿子（令狐绹当过十九任帝李忱的宰相，参考八五〇年十月）。这时，李晔（李敏）把军国大事，全交给崔胤，崔胤每次奏报国事，李晔（李敏）总是从容不迫的跟他交换意见，几乎无所不谈，甚至谈到黄昏，燃起蜡烛继续。宦官们对崔胤十分畏惧，在他面前，不敢抬头，凡事不论大小，都先征求崔胤同意后，才去实行。崔胤决心彻底铲除宦官，韩偓屡次劝告说：“做事最大的禁忌是太过极端，宦官不可能一个不留，他们如果发现情势迫切，无论怎么都是死，恐怕激起反弹！”崔胤不接受。

六月十七日，李晔（李敏）单独召见韩偓，问说：“宦官群里作恶的林林总总，应该怎么处理？”韩偓回答说：“少阳院政变（参考去年〔九〇〇〕十一月），宦官哪一个不拥护叛徒，同心作恶！可是，在诛杀刘季述的时候，就应该加以惩处，现在已失去时机。”李晔（李敏）说：“那个时候，你为什么不告诉崔胤？”韩偓回答说：“我看见陛下诏书上说：‘刘季述等四家之外，其他的同党，一律不再追究。’领袖最尊贵的品德，莫大于守信，既然下过这样的诏书，就应坚决遵守，只要再杀一个人，所有的人都会恐惧钢刀，即令如此，以后陆续诛杀处死的，也不算少，正因为这样，他们才恐惧愤怒，人心不安。我的建议是，陛下不妨挑选恶行特别昭彰的几个人，公开宣布他们的罪状，依法处死，然后安抚其他的人说：'我恐怕你们认为我还暗藏心事，所以一次清理。从今以后，你们不应再有怀疑。'然后在他们中间，物色忠厚的人当他们的首领，有善行的，奖赏，有罪行的，惩罚，他们自然安定。而今，公私加在一起，宦官人数之多，以万为单位计算（“公”，指在宫廷或政府有职位的宦官；“私”，指私宅所养的宦官），怎么可以全部杀光！领袖统御人民，举止应该敦厚慎重，才可以镇压得住，然后用公正的态度，处理事务。如果只靠玩弄诈欺之类的小动作，这边一旦发动，那边一定回应，最后仍不可能建立伟大的功业。这正是所谓的：用再灵活的手去解乱丝，也会越解越乱。何况中央大权，已被四面八方的地方政府瓜分，假如能先从宦官手中收回军权，其他的事都不是不可能！”李晔（李敏）深深领悟，认为他的话很对，说：“这件事终要靠你。”

20 李克用（河东〔总部太原府〕司令官）派他的部将李嗣昭、周德威，率军从阴地关（山西省灵石县西南）出击，进攻隰州（山西省隰县），宣武（总部汴州）任命的州长唐礼投降。河东兵团（总部太原府）继续进攻慈州（山西省吉县），宣武（总部汴州）任命的州长张瓌投降（隰慈二州属护国战区〔总部河中府〕）。

21 闰六月，中央任命河阳战区（总部设孟州〔河南省孟州市〕）司令官（节度使）丁会，当昭义战区（总部设潞州〔山西省长治市〕）司令官（节度使）；再任命孟迁当河阳战区司令官，都是出于朱全忠（朱温）的请求。

22 道士杜从法，用旁门左道的妖术，煽动昌（重庆市大足区）、普（四川省安岳县）、合（重庆市合川区）三州民变。

西川战区（总部设成都府〔四川省成都市〕）司令官（节度使）王建，派特遣兵团作战司令（行营兵马使）王宗黯，率士卒三万人，会合东川战区（总部设梓州〔四川省三台县〕）及武信战区（总部设遂州〔四川省遂宁市〕）军队讨伐。王宗黯，本名吉谏（参考八九二年三月）。

23 宰相崔胤请求李晔（李敏）诛杀全体宦官，而用宫女充任皇宫各项工作。宦官耳目众多，多少听到一点风声。左神策军总指挥宦官（左军中尉）韩全诲等在李晔（李敏）面前流泪哭泣，苦苦哀求，李晔（李敏）吩咐崔胤说：“有事时就呈递奏章，封住信口，不要再口头报告。”宦官们则找到几位读书识字的美女，迎接进宫，教她们暗中窥探奏章，崔胤的大杀戮秘密，遂完全曝光，只李晔（李敏）还蒙在鼓里。韩全诲等大为恐惧，每次奉诏参加宴会，都哭泣流涕，互相诀别，唯恐不能再见，日夜不停的讨论怎么排除崔胤。崔胤当时兼三司主管（三司：国务院财政部长〔户部〕、全国财政总监〔度支〕、全国盐铁专卖暨运输总监〔盐铁〕），韩全诲等鼓动禁军向李晔（李敏）喧哗噪闹，控诉崔胤克扣冬衣。李晔（李敏）不得已，免除崔胤全国盐铁专卖暨运输总监（盐铁）职务。

此时，朱全忠（朱温）、李茂贞（宋文通）都有挟天子以令诸侯的野心。朱全忠（朱温）打算迁都东都洛阳（河南省洛阳市），李茂贞（宋文通）打算迁都凤翔（陕西省宝鸡市凤翔区）。崔胤这才发现杀戮宦官的阴谋，已经外泄，事情紧急，遂写信给朱全忠（朱温），声称接到皇帝秘密指令，命朱全忠（朱温）率军西上，迎接皇帝大驾，强调说：“前些时皇上返回正位，都是您的谋略，想不到凤翔（总部凤翔府）军队抢先一步，劫掠这份大功。您这一次如果不迅速前来，一定成为历史罪人，不但功勋被别人夺走，而且可能被人讨伐！”朱全忠（朱温）接信后，决心西上。

秋季，七月五日，朱全忠（朱温）自河中（山西省永济市）返回大梁（汴州州政府所在城，河南省开封市），紧急动员。

24 西川（总部成都府）龙台镇（四川省安岳县东龙台镇）防守司令（镇使）王宗侃（田师侃）等讨伐变民首领杜从法，完全平定。

25 八月五日，李晔（李敏）问韩偓说：“听说陆扆不乐意我重返正位，元旦那天，他换上平民服装，骑一匹小马，逃出启夏门（南面东数第一门），有没有这回事？”韩偓回答说：“陛下重返正位的密谋，只有我跟崔胤等几个人知道，陆扆根本不知道。只不过突然间听到皇宫发生变故，怎么能毫不惊惶？换穿衣服逃亡，有什么不对？陛下如果责备他身居宰相，却没有心为帝国死难，当然可以。至于认为他不高兴陛下重返正位，恐怕出于挑拨离间、谗言害人者的嘴巴，请陛下明察。”李晔（李敏）才告停止。

韩全诲（左神策军总指挥宦官）等畏惧杀戮，阴谋设计用武装部队制伏皇帝，就跟李继昭（孙德昭）、李继诲（周承诲）、李彦弼（董彦弼）、李继筠（李茂贞的义子），深刻勾结，只李继昭（孙德昭）不肯接受。李晔（李敏）也感觉到气氛不对劲，有一天，他询问韩偓说：“外边有什么风声？”韩偓说：“只听说宦官人人忧愁恐惧，跟功臣们以及协防部队将领李继筠交结（功臣，指李继昭〔孙德昭〕、李继诲〔周承诲〕、李彦弼〔董彦弼〕），势将爆发变乱，但不知道真实性如何！”李晔（李敏）说：“不会是假的了，近日以来，李继诲（周承诲）、李彦弼（董彦弼）

那些人，说话语气和态度，越来越顽强傲慢，使人难以忍耐。令狐涣建议我召集崔胤跟韩全诲等到内殿饮酒，给他们和解，是不是可以？”韩偓说：“这样的话，宦官的凶悍，将更厉害。”李晔（李敏）说：“那怎么办？”韩偓说：“只有一个办法，公开的处罚几个人，迅速贬窜到外地，其他的准许改过自新，或许有可能使他们平息，如果装聋作哑、不闻不问，他们一定认为陛下把不满埋在心里，就会更为恐慌，事情始终不能结束。”李晔（李敏）说：“好极！”可是不久就发现，宦官们认为自己的羽毛已丰，开始不接受皇帝命令，李晔（李敏）有时派他们出去当监军官，或贬作皇家陵墓管理官，他们根本不理，没有人动身前往，李晔（李敏）也无可奈何。

26 有人告诉杨行密（杨行愍，淮南〔总部扬州〕司令官）说：“钱镠（镇海〔总部杭州〕司令官）被强盗刺杀！”杨行密（杨行愍）派步兵总指挥官（步军都指挥使）李神福等，率军进攻杭州（浙江省杭州市）。镇海（总部杭州）将领顾全武等，建立八个营寨阵地抵抗。

27 九月五日，李晔（李敏）紧急召见韩偓，询问说：“听说朱全忠（朱温）打算前来京师（首都长安）肃清君王身边的奸邪，实是大大的忠臣，但是必须跟李茂贞（宋文通）共同行动。如果两个统帅发生争执，事情就十分危险。你替我告诉崔胤，马上写信给两个战区，使他们取得协议，那才是最好！”

九月十四日，李晔（李敏）又对韩偓说：“李继诲（周承诲）、李彦弼（董彦弼）这些人的气焰，更不可一世，一连几天，他们跟李继筠（凤翔驻屯军司令）一同进宫，就在殿东呼唤宫女和小宦官歌舞陪酒，简直不成体统。”韩偓说：“我知道一定会如此，这件事一开始就错了。当正月元旦他们立功的时候，陛下只要赏赐他们官职爵位、田地家宅、金银绸缎，作为酬劳，不应该准许他们随意出入皇宫。他们这种人没有知识，自会不断面见陛下，甚至信口开河批评政府，或不知分寸，轻易推荐高官，稍微不照他的意思去做，就怨气横生。而他们唯利是图，很显然的是宦官用大价钱收买他们，故意做出这种行径。崔胤留下凤翔驻屯军的目的，是用来牵制宦官，现在驻屯军跟宦官反而结合为一，我们还有什么办法！宣武（总部汴州）军队如果前来，在宫门之外，跟凤翔（总部凤翔府）军队恐怕难逃一战，我感到血都凝结。”李晔（李敏）无话可说，只悲哀忧愁，十分沮丧。

冬季，十月二十日，朱全忠（朱温）率军从大梁（河南省开封市）出发。

28 李神福（淮南〔总部扬州〕将领）跟顾全武（镇海〔总部杭州〕将领），两军对峙很久。李神福把俘虏的镇海（总部杭州）士卒，选择几个人当自己的听差，使他们可以出入寝帐卧室。李神福告诉将领们说：“镇海（总部杭州）军队仍很强大，我们就在今晚撤退！”俘虏找一个空隙逃亡回去，报告顾全武。李神福接到俘虏逃亡消息，不准追赶，而在黄昏时分，命老弱残兵先行动身，李神福率主力殿后，命特遣兵团大将（行营都尉）吕师造在青山（浙江省杭州市临安区东青山镇）埋下伏兵。顾全武一向瞧不起李神福，遂即出军追击。李神福跟吕师造发动夹攻，大破镇海（总部杭州）追兵，杀戮五千人，生擒顾全武。钱镠（音㐬〔流〕）得到报告，惊骇流泪说：“丧失我一员良将！”李神福乘胜进攻临安（浙江省杭州市临安区），镇海（总部杭州）将领秦昶，率部众三千人投降。

29 韩全诲（左神策军总指挥宦官）得到朱全忠（朱温）就要抵达京师（首都长安）消息。

十月十九日，韩全诲命李继筠（凤翔驻屯军司令）、李彦弼（董彦弼）等，率军劫持李晔（李敏）前往凤翔（陕西省宝鸡市凤翔区），并派军守卫所有宫门，搜查人身、检阅文书，十分严厉。李晔（李敏）派人秘密送给崔胤一封亲笔信，用字措辞，十分凄怆，最后说："我为了帝国，势必西上，但你们应该全体东下，惆怅，惆怅！"

十月二十日，李晔（李敏）派小老婆赵国夫人出宫告诉韩偓说："早上，李彦弼（董彦弼）更凶恶无礼，皇上打算命你们入宫见面，情势已不允许。"又说："皇上跟皇后（何皇后）只相对流泪。"自此，连皇家文学研究官（学士）也不能再入宫晋见。

十月二十五日，韩全诲命李晔（李敏）到内殿召见文武百官，下令撤销正月二十三日诏书（禁止宦官跟宰相同时升殿），一切恢复八六〇年以来近例。当天（十月二十五日），李晔（李敏）登延英殿听取简报，韩全诲就根据这项训令，跟宰相同时出席，讨论帝国大事。

十月二十九日，神策军总指挥官（神策都指挥使）李继筠（看此官衔，李继筠已由凤翔驻屯军司令，升任神策军高官）派部众掠夺皇宫宝库里的金银财货、锦绣帷帐、皇家用具。韩全诲派人把各亲王、宫女，先行秘密送到凤翔（陕西省宝鸡市凤翔区）。

十月三十日，朱全忠（朱温）抵达河中（山西省永济市），上疏请李晔（李敏）大驾前往东都洛阳（河南省洛阳市），京师（首都长安）大为惊骇，官民纷纷逃窜，躲到高山深谷隐藏。当天（十月三十日），文武百官都没有入宫朝见，宫门外冷冷清清，寂无一人。

十一月一日，李继筠等率各军抵达宫门下，禁止官员出入，各军大肆剽掠抢劫，长安城里居民只好穿着纸糊的衣服上街，举目所及，景象狼狈。韩建（镇国〔总部兴德府〕司令官）任命他的幕僚司马邺，代理匡国战区（总部设同州〔陕西省大荔县〕）候补司令官（留后）。朱全忠（朱温）率四战区大军七万人，直向同州（陕西省大荔县），司马邺出城迎接，向朱全忠（朱温）投降。

30 韩全诲（左神策军总指挥宦官）等因李继昭（孙德昭）不跟他一致行动，遂把他隔绝，不使他有机会见到皇帝。这时，崔胤家住在开化坊，李继昭（孙德昭）率部属六千余人，会同关东（潼关以东）各战区道留京（首都长安）驻屯军，共同守护，文武百官和居民逃难的，都往投靠。

十一月二日，李晔（李敏）派贴身宦官（供奉官）张绍孙召见文武百官，崔胤等都上疏推辞不来。

十一月四日，韩全诲等率军进入内殿，告诉李晔（李敏）说："朱全忠（朱温）大军逼近京师（首都长安），打算劫持皇上前往洛阳（河南省洛阳市），企图篡位，我们请皇上大驾前去凤翔（陕西省宝鸡市凤翔区），集结勤王之师，共同抵抗。"李晔（李敏）拒不允许，手提佩剑，登上乞巧楼。韩全诲等强迫李晔（李敏）下楼，李晔（李敏）才走到寿春殿，李彦弼（董彦弼）已在寝殿燃起大火。当天（十一月四日）是"冬至"节日，李晔（李敏）一个人孤独的坐在思政殿，一条腿压到另一条腿上，一只脚踩着栏杆，庭院里鸦雀无声，面前没有一个文武官员，身旁没有一个宦官宫女。僵持了一会，无可奈何，只好跟何皇后、小老婆群、各亲王，约一百余人，骑上马背；恸哭的声音，不绝于耳。刚出宫门，回头看禁城，大火已熊熊燃烧。当天（十一月四日）夜晚，住宿鄠县（陕西省西安市鄠邑区）。

朱全忠（朱温）派司马邺前往华州（兴德府，陕西省渭南市华州区）警告韩建（镇国〔总部兴德府〕司令官）说："你如果不能早早改过，自动归附，恐怕要麻烦我这支军队在你城下，稍作逗留！"当天（十一月四日），朱全忠（朱温）自故市（陕西省渭南市东北故市镇）率军南下，渡过渭河，韩建派战区副司令官（节度副使）李巨川晋见朱全忠（朱温）投降，呈献白银三万两犒军（李巨川，是李逢吉的侄曾孙。李逢吉，参考八一六年二月）。朱全忠（朱温）继续向西南前进，直向赤水（于陕西省渭南市东注入渭河）。

十一月五日，李茂贞（宋文通，凤翔〔总部凤翔府〕司令官）到田家碚（地望应在陕西省周至县东）迎接被胁迫西上的李晔（李敏），李晔（李敏）抛弃皇帝威仪，下马慰问。

十一月六日，李晔（李敏）抵达盩厔（陕西省周至县）。

十一月七日，李晔（李敏）在盩厔（陕西省周至县）停留一天。

朱全忠（朱温）前进到零口（陕西省西安市临潼区东北零口街道）西郊，听到皇帝被胁迫西上消息，跟幕僚讨论，于是率军折回赤水（于陕西省渭南市东注入渭河）。国务院左最高执行长（左仆射）、退休家居的张濬（他一直党附朱全忠，仇视李克用，参考八九〇年五月），游说朱全忠（朱温）说："韩建，是李茂贞（宋文通）的同党，今天不夺取他的兵权，后患一定无穷。"朱全忠（朱温）收集韩建罪状，听说韩建上疏建议皇帝逃往凤翔（陕西省宝鸡市凤翔区），遂作为借口，率军进逼城池。韩建单人匹马出城晋见，朱全忠（朱温）责备他，韩建说："我连一个字都不认识，所有奏章、书信、文告，都是李巨川写的。"朱全忠（朱温）知道李巨川是韩建的智囊，常替韩建设计献策，遂逮捕李巨川，就在营门斩首（他为韩建写下《勤王录》，参考八九七年正月十一日注。知识分子千方百计向一个无赖效忠，结局总是可哀）。朱全忠（朱温）对韩建说："你是许州（河南省许昌市）人，不妨现在就衣锦还乡。"

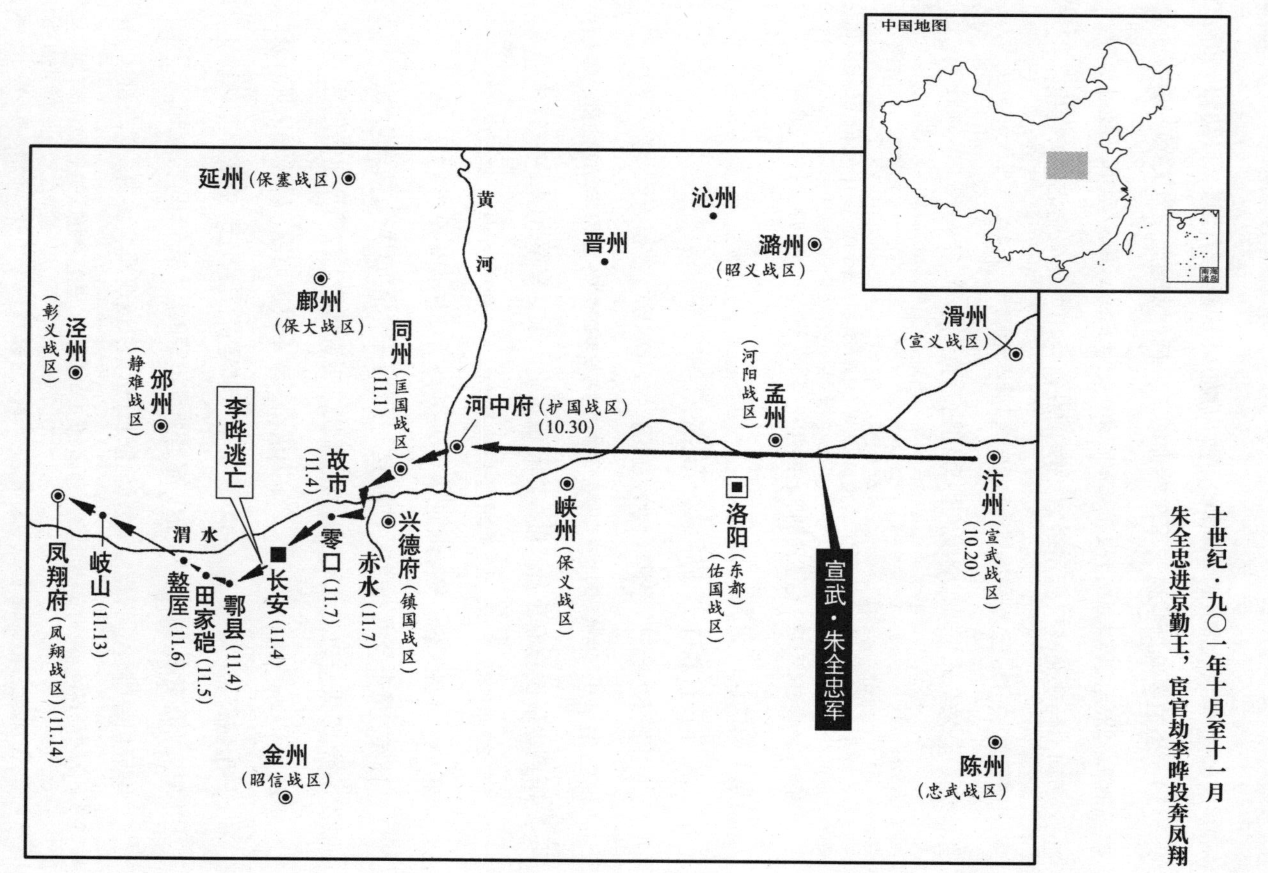

十世纪・九〇一年十月至十一月

朱全忠进京勤王，宦官劫李晔投奔凤翔

十一月九日，朱全忠（朱温）任命韩建当忠武战区司令官（节度使），总部设陈州（河南省周口市淮阳区），派军强行护送他前去到差。再任命前商州（陕西省商洛市）州长李存权，代理华州（兴德府，陕西省渭南市华州区）州长，调忠武战区（总部陈州）司令官（节度使）赵珝当匡国战区（总部设同州〔陕西省大荔县〕）司令官（节度使）。李晔（李敏）流亡华州（陕西省渭南市华州区）时（参考八九六年七月至八九八年八月）时，商人旅客，从四面八方涌来，韩建加征重税，总计两年，积蓄九百万串钱。现在全部落到朱全忠（朱温）之手。

这时，京师（首都长安）没有皇帝，而皇帝流亡所在地没有宰相。崔胤（时留长安）命太子太师（太子三师之一）卢渥等高级官员二百余人联名请朱全忠（朱温）西上迎接皇帝回京（首都长安）。又请宰相王溥前往赤水（于陕西省渭南市东注入渭河）晋见朱全忠（朱温）讨论局势。朱全忠（朱温）复信说："进军固恐惧有人诽谤我威胁君王，撤退则惭愧有人责备我辜负国恩，不过，我不敢不勉励自己！"

十一月十日，朱全忠（朱温）由赤水（于陕西省渭南市东注入渭河）出发。

31 十一月十三日，李晔（李敏）命国务院国防部副部长（兵部侍郎）卢光启，暂时主持宰相联合办公厅事务（权句当中书事）。李晔（李敏）在岐山（陕西省岐山县）停留三天。

十一月十四日，李晔（李敏）抵达凤翔（陕西省宝鸡市凤翔区）。

32 朱全忠（朱温）进入首都长安（陕西省西安市），各宰相率文武百官排队列班，前往长乐坡（长安城东）迎接。第二天，朱全忠（朱温）继续西上，各宰相率文武百官，再往临皋驿（长安城西）排队列班恭送。朱全忠（朱温）酬谢李继昭（孙德昭）的功劳，最初命他暂代匡国战区（总部设同州〔陕西省大荔县〕）候补司令官（权知留后），后来又留他当京师（首都长安）东西两城军政总监（两街制置使），赏赐十分优厚。李继昭（孙德昭）交出兵权，把他拥有的兵力八千人，全部呈缴。

朱全忠（朱温）派执行官（判官）李择、裴铸，到凤翔（陕西省宝鸡市凤翔区）晋见皇帝李晔（李敏），奏报说："我接到陛下密诏和宰相崔胤的信件，都命我率军进宫朝见。"韩全诲等用李晔（李敏）名义下诏回答说："我因躲避火灾，自行来到这个地方，并不是宦官劫持，密诏是崔胤伪造，你应该撤退回去，保卫疆土。"李茂贞（宋文通，凤翔〔总部凤翔府〕司令官）派他的将领符道昭，驻扎武功（陕西省武功县西），抵抗朱全忠（朱温）大军。

十一月十五日，宣武（总部汴州）将领康怀贞击破符道昭。

33 十一月十九日，中央任命卢光启当立法院高级顾问官（右谏议大夫）、三级实质宰相（参知机务）。

34 十一月二十日，朱全忠（朱温）抵达凤翔（陕西省宝鸡市凤翔区），在城东扎营筑阵。李茂贞（宋文通）登上墙楼质疑说："天子躲避火灾，并不是臣属失礼，是说谗言的人把你误导到这里。"朱全忠（朱温）命人回答说："韩全诲劫持皇上，我兴师问罪，迎接皇上回宫，岐王（李茂贞封岐王）如果没有参加犯罪预谋，怎么用得着你解释！"李晔（李敏）屡次下诏（宦官诏）命朱全忠（朱温）返回本战区，朱全忠（朱温）上疏辞行。

十一月二十三日，朱全忠（朱温）大军向北进发，直向邠州（陕西省彬州市）。

十一月二十六日，李晔（李敏）下诏（宦官诏）说：暂任司空（守司空，三公之三）兼副监督长（兼门下侍郎）、二级实质宰相（同平章事）崔胤，调任国务院工程部长（工部尚书）。国务院财政部副部长（户部侍郎）、二级实质宰相（同平章事）裴枢，免除所有兼职，只留本职。

十一月二十七日，朱全忠（朱温）进攻邠州（陕西省彬州市）。

十一月二十九日，静难战区（总部设邠州〔陕西省彬州市〕）司令官（节度使）李继徽（杨崇本）投降，恢复原姓名杨崇本（改名事，参考八九七年二月）。朱全忠（朱温）把杨崇本的妻子送往河中（山西省永济市）充当人质，而命杨崇本仍任静难战区（总部邠州）司令官（节度使）。

朱全忠（朱温）西上入关（潼关）时，韩全诲、李茂贞（宋文通）用皇帝诏书，命河东（总部太原府）派军队入援，李茂贞（宋文通）另写信给李克用求救。李克用派李嗣昭率骑兵五千人，从沁州（山西省沁源县）直向晋州（山西省临汾市），跟宣武兵团（总部汴州）在平阳（晋州州政府所在县，山西省临汾市）北郊会战，击破宣武兵团（总部汴州）。

十一月二十七日，朱全忠（朱温）从邠州（陕西省彬州市）出发。

十一月三十日，朱全忠（朱温）进驻三原（陕西省三原县东北）。

十二月五日，崔胤前往三原（陕西省三原县东北）会见朱全忠（朱温），催促他迎接皇帝回京（首都长安）。

十二月十一日，朱全忠（朱温）派朱友宁进攻盩厔（陕西省周至县），不能攻克。

十二月二十日，朱全忠（朱温）亲往前线督战，盩厔（陕西省周至县）投降，朱全忠（朱温）下令屠城。朱全忠（朱温）命崔胤率文武百官及京师（首都长安）居民，全部迁往华州（兴德府，陕西省渭南市华州区）。

李晔（李敏）下诏命裴贽当大明宫留守长官。

35 清海战区（总部设广州〔广东省广州市〕）司令官（节度使）徐彦

十世纪·九〇一年十一月至九〇二年二月

朱全忠围攻凤翔，试图夺回唐帝李晔

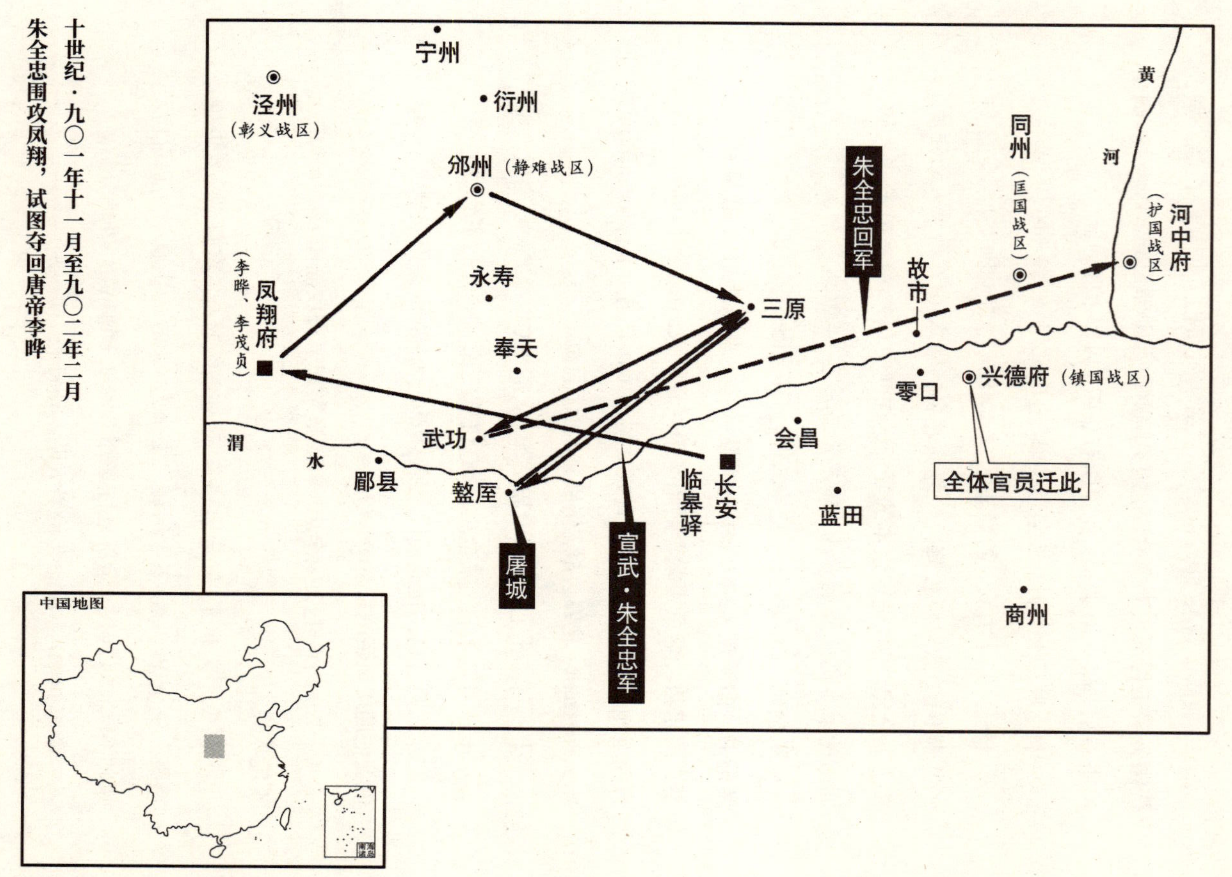

若逝世，遗疏推荐作战参谋长（行军司马）刘隐，暂任候补司令官（权留后）。

36 李神福（淮南〔总部扬州〕将领）得知钱镠（镇海〔总部杭州〕司令官）没有死，而临安（浙江省杭州市临安区）城池坚固，围攻很久，不能攻陷，打算撤退，又恐怕镇海（总部杭州）军队乘机反攻，于是派人保护钱镠祖先的祖坟，严厉禁止砍伐树木，又允许顾全武写信给家人报告平安，钱镠派使节向李神福致谢。李神福在重要道路上竖立很多旗帜，使看起来像连绵不断的营寨，钱镠认为淮南（总部扬州）援军已大量涌到，遂请求和解，李神福在接受钱镠的馈赠和犒劳后班师。

37 朱全忠（朱温）入关（潼关）之后，戎昭战区（应是昭信战区，总部设金州〔陕西省安康市〕。改名事，参考九〇五年十月）司令官（节度使）冯行袭，派副司令官（副使）鲁崇矩，晋见朱全忠（朱温）归降。韩全诲派宦官二十余人，南下征调江淮（华东地区）各战区道军队，前来金州（陕西省安康市）报到，用来威胁朱全忠（朱温）的侧背。冯行袭把这批宦官全数诛杀，然后把他们携带的诏书训令，送给朱全忠（朱温）过目。韩全诲又派宦官晋见王建（西川〔总部成都府〕司令官），请派军勤王，朱全忠（朱温）同时也派使节晋见王建，同样请派军勤王。王建表面支持朱全忠（朱温），斥责李茂贞（宋文通）；但暗中却鼓励李茂贞（宋文通）坚守不屈，承诺出军援救。并且命武信战区（总部设遂州〔四川省遂宁市〕）司令官（节度使）王宗佶（甘宗佶）、前东川战区（总部设梓州〔四川省三台县〕）司令官（节度使）王宗涤（华洪）等，当护驾军指挥官（扈驾指挥使），率士卒五万人北进，声称迎接皇帝，但事实上却是袭击李茂贞（宋文通）

所占领的山南（秦岭以南）各州。

38 镇南战区（总部设洪州〔江西省南昌市〕）司令官（节度使）钟传，率军包围抚州（江西省抚州市临川区）州长危全讽（参考八八二年七月），城里发生大火，官民号叫惊恐，各将领请求急行攻击。钟传说：“乘人家危险时动手，不是仁义！”于是向上苍祷告说：“惩罚危全讽的罪恶时，请不要伤害平民。”大火不久就被扑灭。危全讽听到消息，表示歉意，献城归附，并把女儿嫁给钟传的儿子钟匡时。

钟传少年时打猎，在酒醉中遇到老虎，跟它搏斗，老虎利爪抓住他的肩膀，钟传也抱住老虎的腰不放，幸亏旁边的人赶来，共同动手把老虎打死，才算逃出一命。富贵之后，对这件事十分后悔，时常告诫儿子们说："大丈夫生在世上，最可贵的是贡献他的智慧谋略，不要效法我空手打虎！"

39 武贞战区（总部设朗州〔湖南省常德市〕）司令官（节度使）雷满逝世，儿子雷彦威自称候补司令官（留后）。